LEE CHILD

Trouble

Buch

Jack Reacher staunt nicht schlecht, als er auf seinem Bankkonto 1.030 Dollar entdeckt. Doch nicht die Summe ist es, die ihn überrascht. Dahinter verbirgt sich vielmehr ein Notrufcode, den er seit der Zeit bei der Army-Eliteeinheit nicht mehr vernommen hat. Reacher kontaktiert seine Exkollegin Frances Neagley. Sie hat schlechte Nachrichten für ihn: Ein Mitglied der einstigen Neunergruppe, Calvin Franz, wurde ermordet – erst gefoltert, dann aus einem Helikopter über der Wüste Nevadas zu Tode gestürzt. Auf der Suche nach dem Rest des einstigen Teams stellen die beiden fest, dass Calvin nicht das einzige Mordopfer war. Eiskalt vor Zorn rüstet Reacher zum Rachefeldzug.

Autor

Lee Child wurde in den englischen Midlands geboren, studierte Jura und arbeitete dann zwanzig Jahre lang beim Fernsehen. 1995 kehrte er der TV-Welt und England den Rücken, zog in die USA und landete bereits mit seinem ersten Jack-Reacher-Thriller einen internationalen Bestseller. Er wurde mit zahlreichen Preisen ausgezeichnet, u. a. mit dem Anthony Award, dem renommiertesten Preis für Spannungsliteratur.

Die Jack-Reacher-Reihe bei Blanvalet:
Sein wahres Gesicht · Zeit der Rache · In letzter Sekunde · Tödliche Absicht · Der Janusmann · Die Abschussliste · Sniper · Way Out · Trouble · Outlaw · Underground · 61 Stunden · Wespennest · Der Anhalter · Die Gejagten · Ausgeliefert · Größenwahn · Der letzte Befehl · Der Anhalter · Die Gejagten · Im Visier · Keine Kompromisse · Der Ermittler · Der Bluthund · Der Spezialist

Lee Child

Trouble

Ein Jack-Reacher-Roman

Aus dem Englischen
von Wolf Bergner

blanvalet

Die Originalausgabe erschien 2007
unter dem Titel »Bad Luck and Trouble« bei Bantam Press,
a division of Transworld Publishers, The Random House Group Ltd., London.

Sollte diese Publikation Links auf Webseiten Dritter enthalten,
so übernehmen wir für deren Inhalte keine Haftung, da wir uns
diese nicht zu eigen machen, sondern lediglich auf deren Stand zum
Zeitpunkt der Erstveröffentlichung verweisen.

Penguin Random House Verlagsgruppe FSC® N001967

9. Auflage
Erstmals im Taschenbuch Dezember 2011
by Blanvalet, München, einem Unternehmen
der Penguin Random House Verlagsgruppe GmbH,
Neumarkter Str. 28, 81673 München
Copyright © der Originalausgabe 2007 by Lee Child
Copyright © der deutschsprachigen Ausgabe 2010 by Blanvalet, München,
in der Penguin Random House Verlagsgruppe GmbH
Published by Arrangement with Lee Child
Dieses Werk wurde vermittelt durch die Literarische Agentur
Thomas Schlück GmbH, Hannover.
Umschlaggestaltung: bürosüd°, München
Redaktion: Irmgard Perkounigg
lf · Herstellung: wag
Druck und Einband: GGP Media GmbH, Pößneck
Printed in Germany
ISBN: 978-3-442-37162-4

www.blanvalet.de

Für die wahre
Frances L. Neagley

1

Der Mann hieß Calvin Franz, und der Hubschrauber war eine Bell 222. Franz hatte zwei gebrochene Beine, deshalb musste er auf einer Tragbahre festgeschnallt an Bord gebracht werden. Das war nicht weiter schwierig. Die Bell war geräumig: Der für Geschäftsreisen und Polizeiaufgaben konzipierte zweistrahlige Hubschrauber bot Platz für sieben Fluggäste. Die Kabinentüren waren so breit wie die eines Kastenwagens und ließen sich weit öffnen. Die mittlere Sitzreihe war ausgebaut worden. Für Franz gab es auf dem Kabinenboden reichlich Platz.

Die Triebwerke liefen im Leerlauf. Zwei Männer schleppten die Tragbahre. Sie duckten sich im Rotorabwind und hasteten auf die Bell zu, einer rückwärts, einer vorwärts gehend. Als sie die offene Tür erreichten, hievte der Kerl, der rückwärts gegangen war, einen der Tragegriffe auf die Türschwelle und duckte sich weg. Der andere Kerl trat vor und schob kräftig an, sodass die Tragbahre ganz in die Kabine rutschte. Franz war bei Bewusstsein und hatte Schmerzen. Er schrie auf und warf sich etwas herum, aber nicht allzu sehr, weil seine Brust- und Schenkelgurte sehr straff angezogen waren. Die beiden Männer stiegen nach ihm ein und nahmen ihre Plätze in der Reihe hinter den ausgebauten Sitzen ein und knallten die Kabinentür zu.

Dann warteten sie.

Der Pilot wartete.

Ein dritter Mann trat aus einer grauen Metalltür und kam übers Vorfeld. Er ging gebückt unter den Rotorblättern hindurch und hielt eine Hand flach an seine Brust gepresst, damit seine Krawatte nicht im Wind flatterte. Diese Geste ließ ihn wie einen Schuldigen aussehen, der seine Unschuld beteuert. Er ging vorn um den langen Bug der Bell herum und stieg links neben dem Piloten ein.

»Los«, sagte er, dann senkte er den Kopf, um sich auf den Zentralverschluss seines Gurtzeugs zu konzentrieren.

Als der Pilot die Leistungshebel nach vorn schob, verwandelte das träge W*up-wup-wup* der Rotorblätter im Leerlauf sich in ein helles, drängendes Knattern, das dann vom Heulen der Triebwerke überlagert wurde. Die Bell hob senkrecht ab, driftete etwas nach links und drehte sich halb, bevor sie mit eingefahrenem Fahrwerk auf dreihundert Meter stieg. Dann senkte sie ihren Bug und knatterte hoch und schnell nach Norden. Unter ihr glitten Straßen und Wissenschaftsparks und kleine Fabriken und sauber abgegrenzte Vororte vorbei. Klinkermauern und Blechbeplankungen leuchteten in der Abendsonne rot. Kleine smaragdgrüne Rasenflächen und türkise Swimmingpools glänzten im letzten Licht.

Der Mann auf dem vorderen linken Sitz fragte: »Sie wissen, wohin wir wollen?«

Der Pilot nickte, ohne etwas zu sagen.

Die Bell knatterte weiter, ging auf Nordostkurs, stieg etwas höher, tauchte ins nächtliche Dunkel ein. Sie überflog einen tief unter ihr liegenden Freeway, einen Strom aus weißen Lichtern, die nach Westen krochen, und aus roten, die nach Osten krochen. Eine Minute nördlich des Freeways gingen die letzten kultivierten Flächen in kleine Hügel über, die kahl und mit niedrigem Buschwerk bewachsen und unbewohnt waren. Ihre der untergehenden Sonne zugekehrten Flanken leuchteten orangerot, während ihre im Schatten liegenden Seiten und die Täler dunkelbeige waren. Wenig später gingen die kleinen Hügel ihrerseits in niedrige abgerundete Berge über. Die Bell raste weiter, stieg und sank, folgte den

Geländekonturen unter ihnen. Der Mann auf dem Vordersitz drehte sich um und sah auf Franz herab, der hinter ihm auf dem Boden lag. Lächelte flüchtig und sagte: »Ungefähr noch zwanzig Minuten.«

Franz gab keine Antwort. Er litt zu starke Schmerzen.

Die Reisegeschwindigkeit der Bell betrug knapp zweihundertsechzig Stundenkilometer, daher legte sie in weiteren zwanzig Minuten rund sechsundachtzig Kilometer zurück und gelangte über die Berge weit in die unbesiedelte Wüste hinaus. Der Pilot hob den Bug an und flog etwas langsamer. Der Mann neben ihm drückte seine Stirn ans Fenster und starrte ins Dunkel hinunter.

»Wo sind wir?«, fragte er.

Der Pilot sagte: »Wo wir schon mal waren.«

»Genau?«

»Ungefähr.«

»Was liegt unter uns?«

»Sand.«

»Höhe?«

»Tausend Meter.«

»Wie sind die Verhältnisse hier oben?«

»Still. Leichte Thermik, aber kein Wind.«

»Sicher?«

»Flugtechnisch schon.«

»Okay, dann los.«

Der Pilot wurde noch langsamer, bis er in tausend Meter Höhe über der Wüste in den Schwebeflug überging. Der Mann auf dem Vordersitz drehte sich erneut um und machte den Kerlen in der letzten Reihe ein Zeichen. Die beiden schnallten sich ab. Einer kauerte neben Franz' Füßen nieder, hielt seinen Sicherheitsgurt mit einer Hand umklammert und entriegelte mit der anderen die Kabinentür. Der Pilot, der sie halb umgedreht beobachtete, hob den Bug etwas an, sodass die Tür durch ihr Eigengewicht ganz nach hinten glitt. Dann senkte er den Bug wieder und flog einen langsamen Rechtskreis, damit Fliehkraft und Luftströmung die Tür offen hielten. Der zweite Kerl ging hinter Franz' Kopf in die Hocke und hievte die Tragbahre in einem Winkel von fünfundvierzig Grad hoch. Um die Tragbahre anzuhalten, stellte der erste Kerl seinen Schuh aufs Ende der Schiene, in der die Rollen der Tragbahre liefen. Der zweite Kerl stemmte sie wie ein Gewichtheber mit einem Ruck fast senkrecht hoch. Franz sackte gegen die Gurte nach unten. Er war ein großer, schwerer Mann. Und er ließ sich nicht leicht unterkriegen. Seine Beine waren wertlos, aber sein Oberkörper war stark und versuchte den Gurt zu sprengen. Er warf seinen Kopf von einer Seite zur anderen.

Der erste Kerl zog sein Springmesser und ließ die Klinge aufschnappen. Benutzte es, um Franz' Schenkelgurt zu durchtrennen. Dann machte er eine kurze Pause, bevor er den Gurt über Franz' Brust zerschnitt. Mit einer einzigen flüssigen Bewegung. Genau gleichzeitig brachte der zweite Kerl die Tragbahre ganz in die Senkrechte. Franz trat unwillkürlich einen Schritt nach vorn, auf seinem gebrochenen rechten Bein. Er schrie kurz auf, dann machte er instinktiv einen weiteren Schritt, auf seinem gebrochenen linken Bein. Er sackte, wild mit den Armen rudernd, nach vorn, und das Übergewicht seines schweren Oberkörpers ließ ihn über die Drehachse der steifen Hüften kippen und beförderte ihn durch die offene Tür hinaus: in die von Lärm erfüllte Dunkelheit, in den Sturmstärke erreichenden Rotorabwind, in die Nacht.

Tausend Meter über der Wüste.

Einen Augenblick lang herrschte Stille. Selbst der Triebwerkslärm schien abzunehmen. Dann kehrte der Pilot die Bewegungsrichtung der Bell um und senkte ihren Bug, sodass die Kabinentür sich von selbst wieder schloss. Die

Turbinendrehzahl ging etwas zurück, die Rotorblätter schaufelten Luft, und der Bug blieb leicht gesenkt.

Die beiden Kerle beeilten sich, auf ihre Plätze zurückzukommen.

Der Mann vorn neben dem Piloten sagte: »Okay, jetzt nach Hause.«

2

Siebzehn Tage später war Jack Reacher in Portland, Oregon, und ziemlich abgebrannt. In Portland, weil er irgendwo sein musste und der Überlandbus, mit dem er zwei Tage zuvor unterwegs gewesen war, dort gehalten hatte. Ziemlich abgebrannt, weil er in einer Cop Bar eine stellvertretende Staatsanwältin namens Samantha kennengelernt und sie zweimal zum Abendessen eingeladen hatte, bevor er zwei Nächte bei ihr verbrachte. Jetzt war sie ins Büro gefahren, und er entfernte sich von ihrem Haus, war um neun Uhr morgens zum Busbahnhof in der Stadtmitte unterwegs: mit noch vom Duschen nassem Haar, befriedigt, entspannt, ohne bestimmtes Ziel, mit einem sehr dünnen Packen Geldscheine in der Tasche.

Die Terroranschläge vom 11. September 2001 hatten Reachers Alltag in zweierlei Hinsicht verändert. Erstens hatte er jetzt neben seiner Klappzahnbürste einen Reisepass in der Tasche. In dieser neuen Ära erforderten zu viele Dinge – auch die meisten Reisemöglichkeiten – einen Lichtbildausweis. Reacher war jemand, der sich treiben ließ, aber kein Einsiedler, ruhelos, aber nicht gestört, und hatte deshalb würdevoll nachgegeben.

Und zweitens hatte er sein Verfahren für Barabhebungen geändert. Nach seinem Ausscheiden aus der Army hatte er viele Jahre lang bei Bedarf seine Bank in Virginia angerufen und sich mit Western Union telegrafisch Geld an seinen jeweiligen Aufenthaltsort schicken lassen. Neue Sorgen über die Finanzierungsmethoden von Terroristen hatten dieses Verfahren jedoch praktisch unmöglich gemacht. Also hatte Reacher sich eine Kontokarte ausstellen lassen. Er trug sie im Pass bei sich und hatte als PIN die Zahl 8197 gewählt. Er betrachtete sich als Mann mit sehr wenigen Talenten, aber allen möglichen Fähigkeiten, von denen die meisten physisch waren und mit seiner überdurchschnittlichen Größe und Stärke zusammenhingen; dazu gehörten auch die Gabe, dass er immer wusste, wie spät es gerade war, ohne auf die Uhr sehen zu müssen, und eine nicht unbedingt mit Intelligenz zusammenhängende Rechenbegabung. Daher die 8197. Ihm gefiel die 97, weil sie die größte zweistellige Primzahl war, und er liebte die 81, weil sie unter buchstäblich unendlich vielen Zahlen die absolut einzige war, deren Wurzel mit ihrer Quersumme übereinstimmte. Die Quadratwurzel aus 81 war neun, und acht und eins ergab ebenfalls neun. Keine andere nicht triviale Zahl im Kosmos besaß solch köstliche Symmetrie. Perfekt.

Seine Freude an Zahlenspielereien und sein tief sitzendes Misstrauen gegenüber Geldhäusern zwangen ihn dazu, jedes Mal seinen Kontostand zu kontrollieren, wenn er Geld abhob. Er dachte immer daran, die Auszahlungsgebühr abzuziehen und jedes Vierteljahr den kümmerlichen Guthabenzins der Bank zu addieren. Aber trotz seines Misstrauens war er nie abgezockt worden. Sein Guthaben entsprach jedes Mal genau seiner Berechnung. Er war bisher nie überrascht oder enttäuscht gewesen.

Bis zu diesem Morgen in Portland, an dem er überrascht, aber nicht gerade enttäuscht war. Weil sein Guthaben über tausend Dollar höher war als erwartet.

Exakt eintausenddreißig Dollar höher, als Reacher sich im

Kopf ausgerechnet hatte. Offenbar ein Irrtum. Ein Fehler der Bank. Eine Überweisung auf ein falsches Konto. Ein Irrtum, der sich berichtigen ließ. Behalten würde er das Geld natürlich nicht können. Er war ein Optimist, aber kein Dummkopf. Er drückte auf einen weiteren Knopf und forderte damit einen sogenannten Minikontoauszug an. Aus einem Schlitz schlängelte sich ein dünner Papierstreifen. Schwacher grauer Druck zeigte die letzten fünf Kontobewegungen an. Drei davon waren Abhebungen an Geldautomaten, an die er sich gut erinnerte. Eine betraf die Guthabenzinsen der Bank. Ganz unten stand eine vor drei Tagen erfolgte Einzahlung über eintausenddreißig Dollar in bar. Nun hatte er's schwarz auf weiß. Der Papierstreifen war zu schmal für eigene Soll- und Habenspalten, deshalb stand der Betrag in Klammern, die ihn als Gutschrift auswiesen: (1030,00).

Tausenddreißig Dollar.

1030.

Keine auf den ersten Blick interessante Zahl, aber Reacher starrte sie doch eine Minute lang an. Natürlich keine Primzahl. Keine gerade Zahl mit mehr als zwei Stellen konnte eine Primzahl sein. Wurzel? Etwas weniger als 10,1. Teiler? Nicht viele, aber 5 und 206 neben den auf der Hand liegenden 10 und 103 und den noch offensichtlicheren 2 und 515.

Also 1030.

Tausenddreißig.

Ein Irrtum.

Vielleicht.

Oder vielleicht auch keiner.

Reacher zog seine fünfzig Dollar aus dem Automaten, angelte Kleingeld aus der Tasche und machte sich auf die Suche nach einem Münztelefon.

Eine Telefonzelle fand er im Busbahnhof. Die Nummer seiner Bank wusste er auswendig. 9.40 Uhr im Westen,

12.40 Uhr im Osten. Mittagspause in Virginia, aber bestimmt war irgendjemand da.

Tatsächlich war jemand da. Keine Mitarbeiterin, mit der Reacher schon mal gesprochen hatte, aber eine Frau, die kompetent wirkte. Vielleicht eine leitende Angestellte, die nur über Mittag eingesprungen war. Sie nannte ihren Namen, den Reacher aber nicht verstand. Danach ratterte sie einen eingeübten Begrüßungstext herunter, der Reacher das Gefühl vermitteln sollte, ein geschätzter Kunde zu sein. Er ließ ihn über sich ergehen, dann erzählte er ihr von der Einzahlung. Sie war erstaunt, dass ein Kunde wegen eines Irrtums zu seinen Gunsten anrief.

»War vielleicht kein Irrtum«, sagte Reacher.

»Haben Sie die Einzahlung erwartet?«, fragte sie.

»Nein.«

»Zahlen Dritte häufig etwas auf Ihr Konto ein?«

»Nein.«

»Dann ist's wahrscheinlich ein Irrtum, glauben Sie nicht?«

»Ich muss wissen, wer den Betrag eingezahlt hat.«

»Darf ich fragen, weshalb?«

»Das zu erklären würde lange dauern.«

»Ich müsste's trotzdem wissen«, sagte die Frau. »Hier geht es um vertrauliche Informationen. Gewährt ein Irrtum der Bank einem Kunden Einblick in die finanziellen Verhältnisse eines anderen, könnte das ein Verstoß gegen alle möglichen Bestimmungen und Vorschriften und ethischen Grundsätze sein.«

»Die Einzahlung könnte eine Nachricht sein«, sagte Reacher.

»Eine Nachricht?«

»Aus der Vergangenheit.«

»Das verstehe ich nicht.«

»Ich war früher mal bei der Militärpolizei«, erklärte Reacher. »Der Funkverkehr der Militärpolizei ist verschlüsselt.

Braucht ein Militärpolizist dringend Unterstützung von Kollegen, gibt er über Funk den Code zehn-dreißig durch. Verstehen Sie, was ich meine?«

»Nein, ehrlich gesagt nicht.«

Reacher sagte: »Kenne ich den Einzahler nicht, ist diese Sache ein tausenddreißig Dollar teurer Irrtum, denke ich. Kenne ich ihn jedoch, kann sie ein Hilferuf sein.«

»Das verstehe ich noch immer nicht.«

»Sehen Sie sich die Schreibweise an. Statt tausenddreißig Dollar könnte der Funkcode zehn-dreißig gemeint sein. Sehen Sie sich die geschriebene Zahl an.«

»Hätte diese Person Sie nicht einfach angerufen?«

»Ich habe kein Telefon.«

»Vielleicht eine E-Mail? Oder ein Telegramm. Oder sogar ein Brief?«

»Ich habe keine Adressen für solche Dinge.«

»Wie setzen wir uns dann mit Ihnen in Verbindung?«

»Überhaupt nicht.«

»Eine Einzahlung auf Ihr Konto wäre eine sehr merkwürdige Art der Verbindungsaufnahme.«

»Vielleicht die einzige Art.«

»Eine sehr schwierige Art. Jemand müsste Ihr Bankkonto ausfindig machen.«

»Genau das meine ich«, erwiderte Reacher. »Das könnte nur eine clevere, einfallsreiche Person schaffen. Und wenn eine clevere, einfallsreiche Person Hilfe braucht, ist irgendwo etwas Schlimmes passiert.«

»Das wäre auch ziemlich teuer. Es könnte jemanden über tausend Dollar kosten.«

»Genau. Diese Person müsste clever und einfallsreich und verzweifelt sein.«

Am anderen Ende herrschte Schweigen. Dann: »Können Sie nicht einfach eine Liste der infrage kommenden Leute aufstellen und sie nacheinander abtelefonieren?«

»Ich habe mit vielen cleveren Leuten zusammengearbeitet. Meistens liegt das schon sehr lange zurück. Ich würde Wochen brauchen, um alle aufzuspüren. Dann könnte's schon zu spät sein. Und ich habe ohnehin kein Telefon.«

Wieder Stille. Bis auf das Klappern einer Tastatur.

Reacher sagte: »Sie sehen nach, stimmt's?«

Die Frau antwortete: »Das dürfte ich eigentlich gar nicht.«

»Ich verpfeife Sie nicht.«

Erneut Schweigen. Das Klappern der Tastatur verstummte. Reacher wusste, dass sie den Namen auf ihrem Bildschirm vor sich hatte.

»Sagen Sie ihn mir«, verlangte er.

»Ich kann Ihnen den Namen nicht einfach sagen. Sie müssen mir schon ein bisschen helfen.«

»Wie?«

»Geben Sie mir Hinweise. Damit ich nicht einfach den Namen sagen muss.«

»Was für Hinweise?«

Sie fragte: »Nun, handelt es sich beispielsweise um einen Mann oder eine Frau?«

Reacher lächelte flüchtig. Die Antwort lag bereits in der Fragestellung. Es war eine Frau. Todsicher. Eine clevere, einfallsreiche Frau, die eine fantasievolle Querdenkerin war. Eine Frau, die von seinem fast zwanghaften Rechentrieb wusste.

»Lassen Sie mich raten«, sagte Reacher. »Die Einzahlung ist in Chicago erfolgt.«

»Ja, durch einen persönlichen Scheck auf eine Bank in Chicago.«

»Neagley«, sagte Reacher.

»Das ist der Name, den wir haben«, sagte die Frau. »Frances L. Neagley.«

»Dann vergessen Sie, dass wir jemals miteinander geredet haben«, sagte Reacher. »Das war kein Irrtum Ihrer Bank.«

3

Reacher hatte dreizehn Jahre in der U.S. Army gedient, alle davon bei der Militärpolizei. Er hatte Frances Neagley zehn Jahre lang gekannt und sieben Jahre lang ab und zu mit ihr zusammengearbeitet. Er war Offizier gewesen, erst Leutnant, dann Oberleutnant, Hauptmann und Major, dann zum Hauptmann degradiert und zuletzt wieder Major. Neagley hatte standhaft jegliche Beförderung über den Master Sergeant hinaus abgelehnt. Sie hatte sich geweigert, auch nur an die Offiziersschule zu denken. Reacher hatte nie richtig gewusst, weshalb. Es gab viel, was er trotz ihrer zehnjährigen Bekanntschaft nicht über sie wusste.

Andererseits gab es viel, was er über sie wusste. Sie war clever und einfallsreich und gründlich. Und verdammt taff. Und eigenartig ungehemmt. Nicht in Bezug auf persönliche Beziehungen. Sie mied persönliche Beziehungen. Sie hütete ihr Privatleben eifersüchtig und wehrte sich gegen jegliche Art körperlicher oder emotionaler Nähe. Ihre Ungehemmtheit war rein professionell. Hatte sie das Gefühl, etwas sei richtig oder notwendig, war sie kompromisslos. Dann konnte nichts sie aufhalten – keine Politik, keine praktischen Erwägungen, keine Höflichkeit oder sogar das, was Zivilisten vielleicht Recht und Gesetz genannt hätten. Reacher hatte sie einst zu einer Einheit für Sonderermittlungen geholt, in der sie zwei entscheidende Jahre lang eine wichtige Rolle spielte. Die meisten Leute hatten die oft spektakulären Erfolge ihrer Einheit auf Reachers Führungskraft zurückgeführt, aber Reacher schrieb sie Neagley zu. Sie beeindruckte ihn gewaltig. Manchmal ängstigte sie ihn fast.

Forderte sie dringend Unterstützung an, tat sie's nicht, weil sie ihre Autoschlüssel nicht finden konnte.

Neagley arbeitete bei einem privaten Sicherheitsdienst

in Chicago. Das wusste er. Wenigstens hatte sie das vor vier Jahren getan, bei ihrer letzten Begegnung. Sie war ein Jahr nach ihm aus der Army ausgeschieden und hatte sich mit jemandem, den sie kannte, selbstständig gemacht. Als Partnerin, vermutete er, nicht als Angestellte.

Er grub noch mal in seinen Taschen und förderte weitere Münzen zutage. Rief die Auskunft für Ferngespräche an. Fragte nach Chicago. Gab den Namen der Firma an, wie er sich an ihn erinnerte. Die Telefonistin wurde durch eine Computerstimme ersetzt, die ihm eine Nummer nannte. Reacher hängte ein und wählte gleich wieder. Als eine Empfangsdame sich meldete, verlangte er Frances Neagley. Er wurde höflich gebeten, einen Augenblick zu warten. Wahrscheinlich war die Firma größer, als er bisher angenommen hatte. Er hatte sich einen einzigen Raum, ein schmutziges Fenster, vielleicht zwei verkratzte Schreibtische, überquellende Aktenschränke vorgestellt. Aber die gemessenen Worte der Empfangsdame, die Klickgeräusche im Hörer und die dezente Musik, während er weiterverbunden wurde, ließen auf eine erheblich größere Firma schließen. Vielleicht zwei Stockwerke, kühle weiße Korridore, Bilder an den Wänden, ein internes Telefonverzeichnis.

Ein Mann meldete sich: »Frances Neagleys Büro.«

Reacher fragte: »Ist sie da?«

»Darf ich fragen, wer Sie sind?«

»Jack Reacher.«

»Gut. Danke, dass Sie anrufen.«

»Wer sind Sie?«

»Ich bin Ms. Neagleys Assistent.«

»Sie hat einen Assistenten?«

»Gewiss.«

»Ist sie da?«

»Sie ist nach Los Angeles unterwegs. In diesem Augenblick in der Luft, glaube ich.«

»Hat sie eine Nachricht für mich hinterlassen?«
»Sie möchte Sie so schnell wie möglich sprechen.«
»In Chicago?«
»Sie ist für ein paar Tage in L.A. Ich denke, Sie sollten sie dort aufsuchen.«
»Worum geht's überhaupt?«
»Das weiß ich nicht.«
»Es hängt nicht mit ihrer Arbeit zusammen?«
»Ausgeschlossen. Sie hätte eine Akte angelegt. Den Fall hier diskutiert. Sie hätte sich nicht hilfesuchend an Fremde gewandt.«
»Ich bin kein Fremder. Ich kenne sie länger als Sie.«
»Entschuldigung. Das habe ich nicht gewusst.«
»In welchem Hotel ist sie in L.A.?«
»Auch das weiß ich nicht.«
»Wie soll ich sie dann finden?«
»Sie hat gesagt, Sie würden sie dort aufspüren können.«
Reacher fragte: »Was ist das – eine Art Test?«
»Sie hat gesagt, wenn Sie sie nicht finden, könne sie Sie nicht brauchen.«
»Alles in Ordnung mit ihr?«
»Irgendetwas macht ihr Sorgen. Aber sie hat mir nicht verraten, was.«
Reacher behielt den Hörer am Ohr und wandte sich von der Wand ab. Der Metallschlauch mit dem Kabel wickelte sich um seine Brust. Er sah zu den mit laufenden Motoren bereitstehenden Bussen und der Abfahrtstafel hinüber. Dann fragte er: »An wen hat sie sich noch gewandt?«
Der Mann sagte: »Es gibt eine ganze Liste mit Namen. Aber Sie sind der Erste, der sich bei ihr meldet.«
»Ruft sie nach der Ankunft bei Ihnen an?«
»Wahrscheinlich.«
»Richten Sie ihr aus, dass ich unterwegs bin.«

4

Reacher fuhr mit einem Zubringerbus zum Flughafen Portland und buchte bei United Airlines einen einfachen Flug nach LAX. Er benutzte seinen Reisepass, um sich auszuweisen, und seine Kontokarte für die Abbuchung. Der Preis für einen Flug am selben Vormittag war unverschämt hoch. Alaska Airlines wäre billiger gewesen, aber Reacher hasste diese Fluggesellschaft. Sie stellte Karten mit Bibelsprüchen auf ihre Essenstabletts. Verdarb ihm den Appetit.

Für Reacher war die Sicherheitskontrolle ein Kinderspiel. Kabinengepäck besaß er keines. Er hatte keinen Gürtel, keine Schlüssel, kein Handy, keine Armbanduhr. Er brauchte nur sein Kleingeld in den Plastikkorb zu werfen und seine Schuhe auszuziehen und durch den Metalldetektor zu gehen. Eine Sache von dreißig Sekunden. Dann war er zum Flugsteig unterwegs – mit seinem Kleingeld wieder in der Tasche, seinen Schuhen wieder an den Füßen, in Gedanken bei Neagley.

Nicht mit der Arbeit zusammenhängend. Also eine Privatsache. Aber so viel er wusste, hatte sie keine privaten Angelegenheiten. Kein Privatleben. Sie hatte nie eines gehabt. Natürlich hatte sie Alltagssorgen, vermutete er, und alltägliche Probleme. Wie jeder Mensch. Aber er konnte sich nicht vorstellen, dass sie bei solchen Dingen Hilfe brauchte. Ein lärmender Nachbar? Jeder vernünftige Mann würde seine Stereoanlage nach einem kurzen Gespräch mit Frances Neagley verkaufen. Oder einer Wohltätigkeitsorganisation spenden. Drogenhändler an ihrer Straßenecke? Die würden als kleine Meldung im Innenteil der Morgenzeitung enden: Leichen in einer Gasse aufgefunden, mehrfache Stichwunden, vorerst noch keine Verdächtigen. Ein Stalker? Ein Grapscher im L-Train? Reacher lief ein kalter Schauder über den

Rücken. Neagley hasste es, angefasst zu werden. Er wusste nicht, weshalb. Aber jeder über eine zufällige Berührung hinausgehende Körperkontakt mit ihr würde einem Kerl einen gebrochenen Arm einbringen. Vielleicht sogar zwei gebrochene Arme.

Was war also ihr Problem?

Eine ganze Liste mit Namen. Vielleicht hatte ihre Vergangenheit sie eingeholt. Reacher hatte das Gefühl, seine Militärzeit liege sehr lange zurück. Eine andere Ära, eine andere Welt. Mit anderen Regeln. Vielleicht beurteilte jemand damalige Ereignisse nach heutigen Maßstäben und beschwerte sich über irgendetwas. Vielleicht hatte eine lange hinausgeschobene interne Untersuchung begonnen. Reachers Sonderermittler hatten viele Verfahren abgekürzt, oft mit brutalen Mitteln gearbeitet. Irgendjemand, vielleicht Neagley selbst, hatte einen Slogan erfunden: *Mit den Sonderermittlern legt man sich nicht an.* Das war als Versprechen, als Warnung endlos wiederholt worden. Ausdruckslos und todernst.

Vielleicht *hatte* sich jetzt jemand mit den Sonderermittlern angelegt. Vielleicht hagelte es Vorladungen und einstweilige Verfügungen. Aber wieso sollte Neagley ihn in diese Sache hineinziehen? Er lebte ungefähr so anonym, wie das in Amerika überhaupt möglich war. Würde sie sich nicht einfach dumm stellen und ihn unbehelligt lassen?

Er schüttelte den Kopf, gab auf und ging an Bord seines Flugzeugs.

Unterwegs nutzte er die Zeit, um sich zu überlegen, wo Neagley sich verkrochen haben mochte. Früher hatte es zu seinem Job gehört, Leute aufzuspüren, und er war darin ziemlich gut gewesen. Erfolg beruhte auf Empathie. Man musste wie sie denken, wie sie fühlen. Sehen, was sie sahen. Sich in ihre Lage versetzen. Sie *sein*.

Bei Soldaten, die sich unerlaubt von der Truppe entfernt

hatten, war das natürlich leichter. Ihre Ziellosigkeit machte ihre Entscheidungen umso durchsichtiger. Und sie flüchteten vor etwas, waren nicht zu etwas unterwegs. Dabei verfielen sie oft in einen unbewussten geografischen Symbolismus. Waren sie aus Osten in eine Stadt gekommen, verkrochen sie sich im Westen. Sie wollten möglichst viel Masse zwischen sich und ihre Verfolger bringen. Hatte Reacher eine Stunde mit einem Stadtplan, einem Busfahrplan und den Gelben Seiten verbracht, konnte er häufig vorhersagen, in welchem Straßenblock er die Flüchtigen finden würde. Sogar in welchem Motel.

Bei Neagley war das schwieriger, weil sie irgendwohin unterwegs war. In einer Privatangelegenheit, deren Hintergründe er nicht kannte. Also zurück zum Grundsätzlichen. Was wusste er über sie? Was würde der entscheidende Faktor sein? Nun, sie war sehr preisbewusst. Nicht weil sie arm oder geizig war, sondern weil sie nicht gern Geld für etwas ausgab, das sie nicht brauchte. Und sie brauchte nicht viel. Sie brauchte keine aufgeschlagene Bettdecke oder ein Stück Schokolade auf dem Kopfkissen. Sie brauchte keinen Zimmerservice oder den morgigen Wetterbericht. Sie brauchte keinen flauschigen Bademantel oder in Zellophan versiegelte kostenlose Frotteepantoffeln. Sie brauchte nur ein Bett und eine Tür, die sich absperren ließ. Und Menschenmassen und Schatten und anonyme, von niedrigen Mieten und häufigen Mieterwechseln geprägte Viertel, in denen Barkeeper und Motelangestellte ein kurzes Gedächtnis hatten.

Folglich kam die Innenstadt nicht infrage. Beverly Hills ebenfalls nicht.

Wo also? Wo würde sie sich in der Weitläufigkeit von L.A. wohlfühlen?

Dort standen fast vierunddreißigtausend Straßenkilometer zur Auswahl.

Reacher fragte sich: Wo würde *ich* hingehen?

Hollywood, antwortete er. Etwas südöstlich von dem guten Zeug. Auf der falschen Seite des Sunset Boulevards.

Dort würde ich hingehen, dachte er.

Und dort wird sie sein.

Das Flugzeug landete etwas verspätet in LAX, lange nach Mittag. An Bord hatte es keine Mahlzeit gegeben, und Reacher war hungrig. Bei Samantha, der Staatsanwältin in Portland, hatte es zum Frühstück Kaffee und Vollkornbrötchen gegeben, aber das schien eine Ewigkeit zurückzuliegen.

Er machte keine Essenspause, sondern ging sofort zu den Taxis hinaus, wo er einen Koreaner mit einem gelben Toyota Minivan erwischte, der über Boxen reden wollte. Reacher verstand nichts vom Boxen und interessierte sich auch nicht dafür. Die offensichtliche Künstlichkeit dieses Sports war ihm zuwider. Gepolsterte Handschuhe und das Verbot von Tiefschlägen hatten in seiner Welt keinen Platz. Und er redete ungern. Also hockte er schweigend auf dem Rücksitz und ließ den Kerl weiterschwatzen. Er betrachtete das braune Nachmittagslicht durchs Fenster. Palmen, Reklametafeln mit Filmwerbung, hellgraue Fahrbahnen mit endlosen doppelten Gummispuren. Und Autos, Ströme von Autos, eine Flut von Autos. Er sah einen neuen Rolls-Royce und einen alten Citroën DS, beide schwarz. Einen blutroten MGA und einen pastellblauen 1957er Thunderbird, beide offen. Eine gelbe 1960er Corvette hinter einer grünen von 2008. Beobachtete man den Verkehr in L.A. lange genug, konnte man vermutlich jedes jemals hergestellte Automobil sehen.

Der Taxifahrer nahm den 101 nach Norden, fuhr einen Block vor dem Sunset Boulevard ab. Reacher stieg auf der Abfahrtsrampe aus und zahlte. Marschierte nach Süden, bog links ab und wandte sich nach Osten. Er wusste, dass es hier am Sunset auf ungefähr einer dreiviertel Meile auf beiden Seiten des Boulevards eine Ansammlung billiger Motels gab. Die Luft war südkalifornisch warm und roch nach Staub und Abgasen. Er blieb stehen. Er hatte etwa anderthalb Meilen vor sich, hinauf und hinunter, und Dutzende von Motels abzuklappern. Das konnte eine Stunde dauern, vielleicht länger. Er war hungrig. Rechts voraus entdeckte er das Reklameschild eines Denny's. Ein Lokal einer Kette von Schnellrestaurants. Er beschloss, erst zu essen und dann zu arbeiten.

Er ging an geparkten Autos und unbebauten Grundstücken hinter Streckmetallzäunen vorbei. Stieg über Müll und softballgroße Ballen von Steppenläuferkraut hinweg. Überquerte den 101 auf einer langen Brücke. Betrat das Grundstück des Denny's, indem er das grasige Bankett und die Drive-in-Spur überquerte. Ging an einer langen Fensterreihe vorbei.

Sah Frances Neagley drinnen allein in einer Nische sitzen.

5

Reacher blieb einen Augenblick auf dem Parkplatz stehen und beobachtete Neagley durchs Fenster. Sie hatte sich in den vier Jahren, seit er sie zuletzt gesehen hatte, kaum verändert. Sie musste jetzt über Mitte dreißig sein, aber das sah man ihr nicht an. Ihr Haar war noch immer lang, schwarz und glänzend. Ihre Augen wirkten noch immer dunkel und lebendig. Sie war noch immer schlank und geschmeidig, verbrachte viel Zeit im Fitness-Studio. Das war offensichtlich. Sie trug ein enges weißes T-Shirt mit kleinen angesetzten Ärmeln, und man hätte ein Elektronenmikroskop gebraucht, um ein Gramm Fett an ihren Armen zu finden. Oder sonst wo an ihrem Körper.

Sie war leicht gebräunt, was gut zu ihrem Teint passte. Ihre Fingernägel waren lackiert. Ihr T-Shirt schien ein teures Markenprodukt zu sein. Insgesamt wirkte sie besser situiert, als er sie in Erinnerung hatte. Sorglos, in ihrer Welt zu Hause, erfolgreich, ins Zivilleben integriert. Einen Augenblick lang waren ihm seine billigen Klamotten und seine abgetretenen Schuhe und sein zweitklassiger Haarschnitt peinlich. Als hätte sie's geschafft und er nicht. Dann verdrängte die Freude, eine alte Freundin wiederzusehen, diesen Gedanken, und er ging zum Eingang. Betrat das Restaurant, lief an dem Schild *Bitte hier warten, bis Ihnen ein Platz zugewiesen wird* vorbei und glitt in ihre Sitznische. Sie hob den Kopf, sah ihn über den Tisch hinweg an und lächelte.

»Hallo«, begrüßte sie ihn.

»Ebenfalls«, sagte er.

»Möchtest du essen?«

»Das hatte ich vor.«

»Gut, dann wollen wir bestellen, nachdem du endlich hier bist.«

Er sagte: »Das klingt so, als hättest du mich erwartet.«

»Richtig. Und du bist ziemlich pünktlich da.«

»Tatsächlich?«

Neagley lächelte erneut. »Du hast den Kerl in meinem Büro aus Portland, Oregon angerufen. Er hat die Anrufidentifizierung gesehen. Hat sie zu einem Münztelefon auf dem Busbahnhof zurückverfolgt. Wir haben uns ausgerechnet, dass du geradewegs zum Flughafen fahren würdest. Dann habe ich mir überlegt, dass du mit United fliegen würdest. Alaska Airlines ist dir bestimmt zuwider. Anschließend eine Taxifahrt hierher. Deine voraussichtliche Ankunftszeit war ziemlich leicht auszurechnen.«

»Du hast gewusst, dass ich hierherkommen würde? In dieses Schnellrestaurant?«

»Wie du's mir früher mal beigebracht hast.«

»Ich habe dir nie etwas beigebracht.«

»Doch, das hast du«, sagte Neagley. »Weißt du noch? Man muss wie sie denken, sie *sein*. Also habe ich mich in dich hineinversetzt. Du würdest dir ausrechnen, dass ich mich in Hollywood aufhalten würde. Du würdest gleich hier am Sunset anfangen. Aber nachdem es bei United auf dem Flug von Portland kein Essen gibt, habe ich mir überlegt, dass du hungrig ankommen und erst etwas essen wollen würdest. In der näheren Umgebung gibt's einige Restaurants, aber dieses hier hat das größte Schild, und du bist kein Feinschmecker. Also habe ich beschlossen, mich hier mit dir zu treffen.«

»Dich mit mir zu treffen? Ich dachte, ich sei dabei, dich aufzuspüren.«

»Das hast du getan. Und ich habe dir dabei zugesehen.«

»*Bist* du hier abgestiegen? In Hollywood?«

Sie schüttelte den Kopf. »Beverly Hills. Im Wilshire.«

»Du bist also nur hergekommen, um mich aufzulesen?«

»Ich bin seit zehn Minuten hier.«

»Das Beverly Wilshire? Du hast dich verändert.«

»Eigentlich nicht. Aber die Welt hat sich verändert. Billige Motels genügen mir nicht mehr. Heutzutage brauche ich E-Mail, das Internet und einen Kurierdienst wie FedEx. Geschäftszentren und Portiers.«

»Dagegen komme ich mir altmodisch vor.«

»Du besserst dich. Du benutzt jetzt Geldautomaten.«

»Das war ein cleverer Schachzug. Die Nachricht per Kontoauszug.«

»Du hast mich gut ausgebildet.«

»Ich habe dir nie etwas beigebracht.«

»Unsinn!«

»Aber ein extravaganter Schachzug«, sagte Reacher. »Zehn Dollar und dreißig Cent hätten's auch getan. Vielleicht sogar besser – wegen des Kommas zwischen zehn und dreißig.«

Neagley sagte: »Ich dachte, du würdest vielleicht Geld für ein Flugticket brauchen.«

Reacher schwieg.

»Ich hatte bereits dein Bankkonto rausgekriegt«, sagte Neagley. »War keine große Mühe, sich dort einzuhacken und sich umzusehen. Du bist nicht reich.«

»Ich will nicht reich sein.«

»Das weiß ich. Aber ich wollte nicht, dass du auf meinen Zehn-dreißig auf eigene Kosten reagieren musst. Das wäre nicht fair gewesen.«

Reacher zuckte mit den Schultern. Tatsächlich war er nicht reich. Tatsächlich war er fast arm. Seine Ersparnisse waren so weit abgeschmolzen, dass er sich Gedanken zu machen begann, wie er sie wieder aufstocken könnte. Vielleicht musste er sich auf ein paar Monate Gelegenheitsarbeit einstellen. Oder es gab anderweitig Geld zu verdienen. Eine Kellnerin brachte ihnen die Speisekarten. Ohne einen Blick hineinzuwerfen, bestellte Neagley einen Cheeseburger und ein Mineralwasser. Reacher entschloss sich ebenso schnell zu einem Thunfisch-Sandwich und heißem Kaffee. Die Bedienung nahm die Speisekarten wieder an sich und ging.

Reacher fragte: »Willst du mir also erzählen, wofür dein Zehn-dreißig genau war?«

Neagleys Antwort bestand daraus, dass sie sich bückte und aus ihrer auf dem Boden stehenden Umhängetasche ein schwarzes Ringbuch holte. Sie schob es ihm über den Tisch zu. Es enthielt die Fotokopie eines Autopsieberichts.

»Calvin Franz ist tot«, sagte sie. »Ich glaube, dass ihn jemand aus einem Flugzeug geworfen hat.«

6

Früher, das heißt in der Army, war Calvin Franz ein Militärpolizist, exakt so alt wie Reacher und in Reachers dreizehn Dienstjahren immer auf ziemlich ähnlichen Posten gewesen. Sie waren sich hier und dort begegnet, wie Offizierskameraden es manchmal taten, hatten in verschiedenen Weltgegenden für zwei, drei Tage Tuchfühlung gehabt, sich telefonisch konsultiert und waren sich begegnet, wenn ihre Ermittlungen sich überlagerten oder kollidierten. Dann hatten sie in Panama erstmals eng zusammengearbeitet. Diese Periode war kurz, aber sehr intensiv gewesen, und sie hatten im jeweils anderen Züge entdeckt, die beiden das Gefühl gaben, Brüder statt nur Kameraden zu sein. Als Reacher nach vorübergehender Degradierung den Auftrag erhalten hatte, eine Einheit für Sonderermittlungen aufzustellen, hatte Franz auf seiner persönlichen Wunschliste fast ganz oben gestanden. In den beiden folgenden Jahre hatten sie sehr erfolgreich zusammengearbeitet und waren beste Freunde geworden. Dann waren neue Befehle gekommen, wie es in der Army so oft der Fall ist, und ihre Einheit aus Sonderermittlern war aufgelöst worden. Reacher hatte Franz nie wiedergesehen.

Bis zu diesem Augenblick auf einem in ein Ringbuch eingeheftetes Autopsiefoto, das aufgeschlagen auf einem klebrigen Resopaltisch in einem billigen Schnellrestaurant lag.

Lebend war Franz kleiner als Reacher, aber größer als die meisten Leute gewesen. Schätzungsweise einen Meter neunzig groß, fünfundneunzig Kilo schwer. Kräftiger Oberkörper, tiefe Taille, kurze Beine. In gewisser Weise primitiv. Wie ein Höhlenmensch. Trotzdem hatte er insgesamt nicht schlecht ausgesehen. Er war ruhig, energisch, tatkräftig und lässig unverkrampft gewesen. Seine ganze Art hatte andere Leute Vertrauen zu ihm fassen lassen.

Auf dem Autopsiefoto sah er grässlich aus. Er lag nackt in einem Edelstahltrog, und seine Haut wirkte durch den Kamerablitz blassgrün.

Scheußlich.

Aber tote Menschen sahen oft ziemlich schlimm aus.

Reacher fragte: »Wo hast du das her?«

Neagley antwortete: »Ich kann ziemlich alles beschaffen.«

Reacher äußerte sich nicht dazu und blätterte um. Machte sich daran, den Wust von technischen Informationen zu lesen. Der Leichnam war 1,91 Meter groß und 84 Kilo schwer gewesen. Als Todesursache war multiples Organversagen als Folge eines massiven Aufschlagtraumas angegeben. Beide Beine waren gebrochen, die Rippen eingedrückt. Im Blut hatte man Unmengen freier Histamine entdeckt. Der Körper war schwer dehydriert gewesen; der Magen hatte nichts als Schleim enthalten. Alles deutete auf eine rapide Gewichtsabnahme kurz vor dem Tod hin, während andererseits nichts auf kürzliche Nahrungsaufnahme hinwies. Die an der Kleidung gefundenen Spuren waren nicht weiter ungewöhnlich – bis auf unerklärliche Eisenoxidablagerungen in beiden Hosenbeinen, ziemlich tief im Gewebe, vor den Schienbeinen, unterhalb der Knie und oberhalb der Knöchel.

Reacher fragte: »Wo ist er aufgefunden worden?«

Neagley erwiderte: »Ungefähr fünfzig Meilen nordöstlich von hier in der Wüste. Harter Sand, kleine Steine, hundert Meter von der nächsten Straße entfernt. Keine hin- oder wegführenden Spuren.«

Die Bedienung brachte das Essen. Reacher machte eine Pause, während sie ihr Tablett ablud, und fing dann an, sein Sandwich mit der linken Hand zu essen, um mit der Rechten weiter umblättern zu können.

Neagley sagte: »Zwei Deputies in einem Streifenwagen haben Geier kreisen sehen. Haben angehalten und sind hingefahren, um nachzusehen. Sie gaben zu Protokoll, er habe ausgesehen wie vom Himmel gefallen. Das findet der Pathologe auch.«

Reacher nickte. Er las eben die Schlussfolgerung des Gerichtsmediziners, die festgestellten inneren Verletzungen seien mit einem freien Fall aus ungefähr tausend Metern Höhe auf harten Sand vereinbar, wenn Franz flach auf dem Rücken aufgeschlagen sei, was aerodynamisch möglich war, wenn er bei diesem Sturz noch gelebt und mit den Armen gerudert hatte. Ein lebloser Körper wäre auf den Kopf gefallen.

Neagley sagte: »Identifiziert haben sie ihn anhand seiner Fingerabdrücke.«

Reacher fragte: »Wie hast du davon erfahren?«

»Seine Frau hat mich angerufen. Vor drei Tagen. Offenbar haben wir alle in seinem Telefonbuch gestanden. Auf einer Extraseite. Seine alten Kameraden von früher. Ich war die Einzige, die sie erreichen konnte.«

»Ich wusste gar nicht, dass er verheiratet war.«

»Noch nicht sehr lange. Sie haben einen Jungen, vier Jahre alt.«

»Hat er gearbeitet?«

Neagley nickte. »Er war Privatdetektiv. Eine Einmannshow. Anfangs Sicherheitsberatung für Unternehmen. In letzter Zeit vor allem Personalüberprüfungen. Zeug aus Datenbanken. Du weißt, wie gründlich er immer war.«

»Wo?«

»Hier in L.A.«

»Seid ihr alle Privatdetektive geworden?«

»Die meisten von uns, glaube ich.«

»Bis auf mich.«

»Das war unser einziges verwertbares Talent.«

»Was hat Franz' Frau von dir gewollt?«

»Nichts. Sie hat's mir nur erzählt.«

»Sie will keine Antworten?«

»Die Polizei bearbeitet den Fall. L.A. County Sheriffs, um genau zu sein. Der Fundort liegt im L.A. County. Dort ist das LAPD nicht mehr zuständig, deshalb sind ein paar Deputies mit den Ermittlungen betraut. Sie ermitteln wegen dieser Flugzeugsache. Ihrer Ansicht nach ist die Maschine vielleicht aus Vegas nach Westen geflogen. Einen ähnlichen Fall hatten sie schon mal.«

Reacher sagte: »Das war kein Flugzeug.«

Neagley schwieg.

Reacher sagte: »Ein Flugzeug hat eine Überziehgeschwindigkeit von wie viel? Hundertfünfzig Stundenkilometer? Hundertdreißig? Er wäre aus der Tür kommend in den waagrechten Schraubenstrahl geraten und gegen die Tragfläche oder das Leitwerk geknallt. Dabei hätte er deutliche Verletzungen davongetragen.«

»Er hatte zwei gebrochene Beine.«

»Wie lange dauert ein freier Fall aus tausend Metern?«

»Zwanzig Sekunden?«

»Sein Blut war voller freier Histamine. Das ist eine massive Schmerzreaktion. Bei zwanzig Sekunden zwischen Verletzung und Tod hätte sie kaum eingesetzt.«

»Also?«

»Seine Beinbrüche waren alt. Mindestens zwei, drei Tage alt. Vielleicht älter. Du weißt, was Eisenoxid ist?«

»Rost«, entgegnete Neagley. »Auf Eisen.«

Reacher nickte. »Jemand hat ihm die Beine mit einer Eisenstange gebrochen. Vermutlich einzeln. Vermutlich an einen Pfosten gefesselt. Hat auf seine Schienbeine gezielt. Kräftig genug, um den Knochen zersplittern zu lassen und Rostpartikel in den Stoff seiner Hose zu treiben. Muss verdammt schmerzhaft gewesen sein.«

Neagley sagte nichts.

»Und sie haben ihn hungern lassen«, fuhr Reacher fort. »Haben ihm nichts zu trinken gegeben. Er hatte zehn Kilo

Untergewicht. Er war zwei bis drei Tage gefangen. Vielleicht länger. Sie haben ihn gefoltert.«

Neagley sagte nichts.

Reacher erklärte: »Es war ein Hubschrauber. Wahrscheinlich nachts. Schwebeflug in tausend Meter Höhe. Raus aus der Tür und senkrecht runter.« Dann schloss er die Augen und stellte sich seinen alten Freund vor, fallend, zwanzig Sekunden im Dunkel, sich überschlagend, mit den Armen rudernd, ohne zu wissen, wo der Boden war. Ohne zu wissen, wann genau er aufschlagen würde. Mit zwei zertrümmerten Beinen, die schmerzhaft hinter ihm herkamen.

»Deshalb ist er wahrscheinlich nicht aus Vegas gekommen«, sagte Reacher. Er öffnete wieder die Augen. »Für die meisten Hubschrauber wäre der Hin- und Rückflug zu weit. Ich tippe auf einen Standort im Nordosten von L.A. Die Deputies sind auf der falschen Fährte.«

Neagley saß schweigend da.

»Kojotenfutter«, sagte Reacher. »Die perfekte Entsorgungsmethode. Praktisch ohne Spuren. Die Luftströmung im freien Fall reißt alle losen Fasern und Haare mit. Da findet kein Spurensicherer etwas. Deshalb haben sie ihn auch lebend rausgeworfen. Sie hätten ihn vorher erschießen können, aber sie wollten nicht mal riskieren, eine ballistische Spur zu hinterlassen.«

Reacher schwieg sekundenlang. Dann klappte er das schwarze Ringbuch zu, drehte es um und schob es wieder über den Tisch.

»Aber das weißt du ohnehin schon alles«, sagte er. »Stimmt's? Du kannst lesen. Du stellst mich wieder auf die Probe. Um zu sehen, ob mein Gehirn noch funktioniert.«

Neagley sagte nichts.

Reacher meinte: »Du spielst auf mir wie auf einer Violine.«

Neagley sagte nichts.

Reacher fragte: »Wozu hast du mich hergeholt?«

»Weil die Deputies wie gesagt auf der falschen Fährte sind.«

»Und?«

»Du musst etwas unternehmen.«

»Ich werde etwas unternehmen. Verlass dich drauf. Sie sind ab sofort wandelnde Tote. Niemand wirft meine Freunde aus Hubschraubern und überlebt, um davon erzählen zu können.«

Neagley sagte: »Nein, ich möchte, dass du etwas anderes tust.«

»Was denn?«

»Ich möchte, dass du die alte Einheit wieder zusammenholst.«

7

Die alte Einheit. Sie war eine typische Erfindung der U.S. Army gewesen. Etwa drei Jahre nachdem alle Welt erkannt hatte, dass sie dringend benötigt wurde, hatte das Pentagon angefangen, über sie nachzudenken. Nach einem weiteren Jahr voller Besprechungen und Ausschusssitzungen hatten die Bürokraten und die Militärs sich mit dieser Idee angefreundet. Sie war auf irgendjemandes Schreibtisch gelandet und hatte panikartige Bemühungen um ihre Verwirklichung ausgelöst. Befehle waren ausgearbeitet worden. Da kein vernünftiger Kommandeur etwas damit zu tun haben wollte, war der Nukleus der neuen Einheit aus dem 110th MP herausgeschnitten worden. Erfolg war wünschenswert, aber ein etwaiger Misserfolg musste sich leugnen lassen, deshalb machten sie sich auf die Suche nach einem fähigen Paria als Kommandeur.

Logischerweise war die Wahl auf Reacher gefallen.

Sie glaubten, seine Belohnung bestehe aus seiner Wiederbeförderung zum Major, aber seine wahre Befriedigung zog er daraus, endlich einmal etwas richtig machen zu dürfen. Auf seine Art. In Personalfragen hatten sie ihm freie Hand gelassen. Das hatte er genossen. Seiner Ansicht nach brauchte eine Einheit für Sonderermittlungen die Besten der U.S. Army, und er glaubte zu wissen, wer und wo diese Leute waren. Reacher wollte eine schnelle und bewegliche kleine Einheit, die ohne Schreibstubenpersonal auskam, damit es keine undichten Stellen gab. Ihren Papierkram würden sie selbst erledigen – oder vielleicht auch nicht, wenn sie ihn für überflüssig hielten. Zuletzt hatte er sich für acht Namen außer seinem eigenen entschieden: Tony Swan, Jorge Sanchez, Calvin Franz, Frances Neagley, Stanley Lowrey, Manuel Orozco, David O'Donnell und Karla Dixon. Neagley und Dixon waren die einzigen Frauen, und Neagley war die einzige Sergeantin. Alle anderen hatten den Offiziersrang. O'Donnell und Lowrey waren Hauptleute, die Übrigen Majore, was in Bezug auf klare Befehlsstrukturen völlig verrückt war, aber Reacher störte das nicht. Er wusste, dass zwischen neun Personen, die eng zusammenarbeiteten, eher laterale als vertikale Strukturen entstehen würden, und so war es dann auch. Die Einheit hatte sich wie ein Baseballteam aus der Provinz organisiert, das unerwartet um die Meisterschaft mitspielt: begabte Handwerker, die kooperierten, keine Stars, keine Egomanen, und vor allem skrupellos und unerbittlich effektiv.

Reacher sagte: »Das liegt alles schon lange zurück.«

»Wir müssen etwas unternehmen«, insistierte Neagley. »Alle gemeinsam. Kollektiv. *Mit den Sonderermittlern legt man sich nicht an.* Weißt du noch?«

»Das war nur ein Slogan.«

»Nein, es war wahr. Wir haben uns darauf verlassen.«

»Das sollte nur die Moral heben. Demonstrative Kaltblütigkeit. Pfeifen im Walde.«

»Es war mehr als nur das. Wir haben uns gegenseitig den Rücken frei gehalten.«

»Damals.«

»Und jetzt und in Zukunft. Das ist eine Karmasache. Irgendjemand hat Franz ermordet, und wir können nicht einfach darüber hinwegsehen. Was würdest du denken, wenn du das Opfer wärst und wir anderen nicht reagieren würden?«

»Wäre ich das Opfer, würde ich gar nichts denken. Ich wäre tot.«

»Du weißt, was ich meine.«

Reacher schloss erneut die Augen und hatte sofort wieder das Bild vor sich: Calvin Franz, der sich überschlagend durchs Dunkel stürzt. Vielleicht schreiend oder auch nicht. Sein alter Freund. »Diese Sache kann ich allein regeln. Oder mit dir zusammen. Aber wir können die alte Einheit nicht wiederaufleben lassen. Das funktioniert nie.«

»Wir müssen sie wiederaufleben lassen.«

Reacher öffnete die Augen. »Weshalb?«

»Weil die anderen ein Recht darauf haben, beteiligt zu werden. Dieses Recht haben sie sich in zwei harten Jahren verdient. Wir können es ihnen nicht durch einseitigen Beschluss entziehen. Das würden sie uns verübeln. Und es wäre unrecht.«

»Und?«

»Wir brauchen sie, Reacher. Weil Franz gut war. Sogar sehr gut. So gut wie ich, so gut wie du. Und trotzdem hat jemand ihm die Beine gebrochen und ihn aus einem Hubschrauber geworfen. Ich glaube, dass wir in dieser Sache alles brauchen, was wir an Hilfe bekommen können. Deshalb müssen wir die anderen finden.«

Reacher sah sie an, hatte die Stimme des Typs aus ihrem Büro im Ohr: *Es gibt eine ganze Liste mit Namen. Sie sind der Erste, der sich bei ihr meldet.* Er sagte: »Die anderen hätten viel leichter zu finden sein müssen.«

Neagley nickte.
»Ich kann keinen von ihnen erreichen«, sagte sie.

8

Eine ganze Liste mit Namen. Neun Namen. Neun Personen. Reacher wusste, wo sich drei von ihnen befanden – spezifisch oder generell. Neagley und er selbst, spezifisch, in einem Denny's auf dem West Sunset in Hollywood. Und Franz, generell, in einem Leichenhaus irgendwo anders.

»Was weißt du über die anderen sechs?«, fragte er.

»Fünf«, sagte Neagley. »Stan Lowrey ist tot.«

»Seit wann?«

»Seit Jahren. Verkehrsunfall in Montana. Der andere Kerl war betrunken.«

»Das hab ich nicht gewusst.«

»Scheiße passiert eben.«

»Leider«, sagte Reacher. »Ich hab Stan gerngehabt.«

»Ich auch«, sagte Neagley.

»Wo sind also die anderen?«

»Tony Swan ist stellvertretender Leiter des Sicherheitsdiensts bei einem Rüstungsunternehmen irgendwo hier in Südkalifornien.«

»Bei welchem?«

»Weiß ich nicht. Eine neue Firma. Ganz neu gegründet. Er arbeitet erst seit ungefähr einem Jahr dort.«

Reacher nickte. Auch Tony Swan hatte er gerngehabt. Ein kleiner, stämmiger Mann. Fast quadratisch wirkend. Freundlich, gutmütig, intelligent.

Neagley sagte: »Orozco und Sanchez sind draußen in Vegas. Sie führen gemeinsam ein Sicherheitsunternehmen, Hotels und Kasinos, auf Honorarbasis.«

Reacher nickte wieder. Er hatte gehört, dass Jorge Sanchez ungefähr gleichzeitig mit ihm leicht frustriert und verbittert aus der Army ausgeschieden war. Er hatte auch gehört, Manuel Orozco wolle in der Army bleiben, aber insgesamt war es wenig überraschend, dass er sich die Sache anders überlegt hatte. Beide Männer waren Einzelgänger: hager, zäh, beweglich und reizbar, wenn sie Bockmist witterten.

Neagley sagte: »Dave O'Donnell ist in D.C. Als schlichter Privatdetektiv. Dort gibt's reichlich Arbeit für ihn.«

»Kann ich mir vorstellen«, meinte Reacher. O'Donnell war der Gewissenhafte gewesen und hatte den gesamten Papierkram der Einheit praktisch im Alleingang bewältigt. Er hatte wie ein Ivy-League-Gentleman ausgesehen, aber immer ein Springmesser in einer Jackentasche und einen Schlagring in der anderen gehabt. Ein nützlicher Kerl, den man gern auf seiner Seite wusste.

Neagley sagte: »Karla Dixon lebt in New York. Ermittelt freiberuflich für Banken und Börsenmakler. Sie versteht offenbar etwas von Geld.«

»Auf Zahlen hat sie sich schon immer verstanden«, entgegnete Reacher. Dixon und er hatten manche freie Stunde damit verbracht, dass sie versuchten, berühmte mathematische Lehrsätze zu beweisen oder zu widerlegen. Ein hoffnungsloses Unterfangen, weil sie beide lausige Amateure waren, aber ein netter Zeitvertreib. Dixon war schwarzhaarig, bildhübsch und zierlich: eine heitere kleine Person, die jedem Menschen das Schlimmste zugetraut und damit unweigerlich in neun von zehn Fällen recht behalten hatte.

Reacher fragte: »Woher weißt du so viel über sie?«

»Ich bemühe mich, sie nicht aus den Augen zu verlieren«, antwortete Neagley. »Sie interessieren mich.«

»Wieso kannst du sie dann nicht erreichen?«

»Keine Ahnung. Ich hab versucht, sie anzurufen, aber keiner ruft zurück.«

»Ist das Ganze also ein Angriff auf uns als Gruppe?«

»Ausgeschlossen«, sagte Neagley. »Ich bin mindestens so sichtbar wie Dixon oder O'Donnell, aber hinter mir ist niemand her.«

»Noch nicht.«

»Vielleicht.«

»Du hast die anderen am selben Tag angerufen, an dem du das Geld auf mein Konto eingezahlt hast?«

Neagley nickte.

»Das ist erst drei Tage her«, sagte Reacher. »Vielleicht sind sie alle beschäftigt.«

»Was hast du also vor? Auf sie warten?«

»Ich will die anderen einfach vergessen. Du und ich können für Franz eintreten. Nur wir beide.«

»Besser wär's, wenn wir die alte Einheit zusammentrommeln könnten. Wir waren ein gutes Team. Du warst der beste Kommandeur, den die Army je gehabt hat.«

Reacher schwieg.

»Was?«, fragte Neagley. »Woran denkst du?«

»Dass ich weit früher anfangen würde, wenn ich Geschichte neu schreiben wollte.«

Neagley faltete die Hände und ließ sie auf dem schwarzen Ringbuch ruhen. Schlanke Finger, gebräunte Haut, lackierte Fingernägel, Muskelstränge und Sehnen.

»Eine Frage«, sagte sie. »Nehmen wir mal an, ich hätte die anderen erreicht. Nehmen wir mal an, ich hätte mir die Sache mit deiner Bank gespart. Nehmen wir mal an, du würdest in ein paar Jahren erfahren, dass Franz ermordet worden ist – und dass wir sechs ohne dich losgezogen sind und ihn gerächt haben. Wie würdest du dich dann fühlen?«

Reacher zuckte mit den Schultern. Überlegte einen Herzschlag lang.

»Schlecht, vermutlich«, sagte er. »Vielleicht betrogen. Ausgegrenzt.«

Neagley sagte nichts.

Reacher sagte: »Okay, wir versuchen, die anderen zu finden. Aber wir warten nicht ewig.«

Neagley hatte ihren Leihwagen auf dem Parkplatz stehen. Sie bezahlte das Mittagessen, dann gingen sie hinaus. Der Wagen war ein Mustang, ein rotes Cabrio. Sie stiegen ein, und Neagley drückte auf den Knopf, der das elektrische Verdeck öffnete. Sie nahm eine Sonnenbrille vom Armaturenbrett und setzte sie auf. Stieß rückwärts aus der Parklücke und bog an der nächsten Ampel vom Sunset nach Süden ab. Fuhr in Richtung Beverly Hills weiter. Reacher saß schweigend neben ihr und kniff in der Nachmittagssonne die Augen zusammen.

Dreißig Meter westlich des Restaurants beobachtete ein Mann namens Thomas Brant aus einem beigen Ford Crown Victoria, wie sie wegfuhren. Er benutzte sein Handy, um seinen Boss – einen Mann namens Curtis Mauney – anzurufen. Da Mauney sich nicht selbst meldete, sprach Brant auf seinen Anrufbeantworter.

Er sagte: »Sie hat gerade den Ersten von ihnen aufgelesen.«

Fünf Wagen hinter Brants Crown Victoria parkte ein dunkelblauer viertüriger Chrysler mit einem Mann in einem dunkelblauen Anzug am Steuer. Auch er beobachtete, wie der rote Mustang im Dunst verschwand, und auch er benutzte ein Handy.

Er sagte: »Sie hat gerade den Ersten von ihnen aufgelesen. Wer er ist, weiß ich nicht. Ein großer Kerl, sieht wie ein Stadtstreicher aus.«

Dann hörte er sich an, was sein Boss antwortete, und sah ihn dabei vor seinem geistigen Auge, wie er sich mit einer

Hand die Krawatte über seinem Hemd glatt strich, während er in der anderen den Telefonhörer hielt.

9

Wie sein Name vermuten ließ, lag das Hotel Beverly Wilshire am Wilshire Boulevard mitten in Beverly Hills, genau gegenüber der Einmündung des Rodeo Drive. Es bestand aus zwei großen Kalksteinklötzen hintereinander, einer alt und prunkvoll, der andere neu und schmucklos. Zwischen ihnen führte die parallel zum Boulevard verlaufende Zufahrt zum Parkservice hindurch. Neagley bog mit dem Mustang darauf ab. Als sie hinter einem Pulk von schwarzen Town Cars hielten, sagte Reacher: »Ich kann's mir nicht leisten, hier zu wohnen.«

»Ich habe dein Zimmer schon gebucht.«

»Gebucht oder bezahlt?«

»Es geht auf meine Karte.«

»Ich werde's dir aber nicht zurückzahlen können.«

»Mach dir deswegen keine Sorgen.«

»Eine Nacht in diesem Laden muss Hunderte kosten.«

»Das mit der Rückzahlung hat Zeit. Vielleicht machen wir bei diesem Unternehmen irgendwann Beute.«

»Wenn die bösen Kerle reich sind.«

»Das sind sie«, sagte Neagley. »Das müssen sie sein. Wie könnten sie sich sonst einen eigenen Hubschrauber leisten?«

Sie ließ den Schlüssel stecken und den Motor laufen, öffnete die schwere rote Tür und stieg aus. Reacher stieg ebenfalls aus. Ein Mann kam herbeigerannt und gab Neagley ein Kärtchen mit ihrer Parkplatznummer. Sie steckte es ein, kam vorn um die Motorhaube herum und ging die wenigen Stufen zum Hintereingang der Hotelhalle hinauf. Reacher folgte ihr. Beobachtete, wie sie sich bewegte. Sie schwebte, als wäre sie gewichtslos. Sie lief durch einen belebten abknickenden Korridor und trat in eine Empfangshalle, die in Größe und Form an einen feudalen Prunksaal erinnerte. Hier gab es eine Rezeption, eine Theke für Pagen und die Theke des Portiers, alle einzeln. Und es gab hellbeige Samtsessel, in denen elegant gekleidete Gäste saßen.

Reacher sagte: »Hier drinnen sehe ich wie ein Stadtstreicher aus.«

»Oder wie ein Milliardär. Heutzutage weiß das keiner mehr so genau.«

Sie führte ihn zur Rezeption, damit er einchecken konnte. Seine Zimmerreservierung lautete auf den Namen Thomas Shannon, der einst Stevie Ray Vaughans gigantischer Bassist und einer von Reachers Lieblingsmusikern gewesen war. Reacher lächelte. Er vermied es möglichst, schriftliche Spuren zu hinterlassen. Das hatte er schon immer getan. Reiner Reflex. Er wandte sich Neagley zu, nickte dankend und fragte: »Wie nennst du dich hier?«

»Ich benutze meinen richtigen Namen«, sagte sie. »Mit solchen Tricks arbeite ich nicht mehr. Das wäre heutzutage zu kompliziert.«

Der Hotelangestellte überreichte ihm eine Schlüsselkarte, die Reacher in seine Hemdtasche steckte. Er wandte sich von der Rezeption ab und betrachtete den Raum. Marmor, gedämpftes Licht aus Kronleuchtern, hochfloriger Teppichboden, Blumen in gläsernen Bodenvasen. Zart parfümierte Luft.

»Komm, wir wollen anfangen«, sagte er.

Sie begannen in Neagleys Zimmer, in Wirklichkeit eine Suite mit zwei Räumen. Das Wohnzimmer war hoch und quadratisch und luxuriös in Blau- und Goldtönen gehalten. Es hätte ein Zimmer im Buckingham Palace sein können. Auf dem Schreibtisch am Fenster standen zwei Notebooks. Neben den Computern lag ein leeres Handy-Netzteil und daneben ein aufgeschlagenes Schreibheft mit Spiralbindung: neu, im Format A5, wie sie Schüler hätten kaufen können. Ganz außen sah er einen dünnen Stapel bedruckter Blätter. Vordrucke. Insgesamt fünf. Fünf Namen, fünf Adressen, fünf Telefonnummern. Die alte Einheit ohne die beiden Toten und die beiden schon Anwesenden.

Reacher sagte: »Erzähl mir von Stan Lowrey.«

»Da gibt's nicht viel zu erzählen. Er ist aus der Army ausgeschieden, nach Montana gezogen und dann unter einen Lastwagen geraten.«

»Das Leben ist Mist, und dann stirbt man.«

»Das kannst du laut sagen.«

»Was hat er in Montana gemacht?«

»Schafe gezüchtet. Butter hergestellt.«

»Allein?«

»Er hatte eine Freundin.«

»Ist sie noch dort?«

»Wahrscheinlich. Sie besaßen eine riesige Farm.«

»Wieso Schafe? Wieso Butter?«

»In Montana werden keine Privatdetektive gebraucht. Und Montana war, wo die Freundin lebte.«

Reacher nickte. Auf den ersten Blick wäre Stan Lowrey bestimmt kein Kandidat für eine ländliche Idylle gewesen. Er war ein grobknochiger schwarzer Kerl aus irgendeiner heruntergekommenen Fabrikstadt in Western Pennsylvania gewesen: blitzgescheit und eisenhart. Dunkle Gassen und Spielsalons schienen sein natürlicher Lebensraum gewesen zu sein. Aber irgendwo in seiner DNA hatte eine starke Bindung zur Erde gesteckt. Dass er Farmer geworden war, überraschte Reacher nicht. Er konnte ihn sich in einer abgetragenen alten Lammfelljacke vorstellen: bis zu den Knien in Präriegras stehend, unter einem weiten blauen Himmel frierend, aber glücklich.

»Wieso können wir die anderen nicht erreichen?«, fragte er.

»Keine Ahnung«, sagte Neagley.

»Woran hat Franz gearbeitet?«

»Das scheint niemand zu wissen.«

»Hat seine neue Frau nichts erzählt?«

»Sie ist nicht neu. Die beiden waren fünf Jahre lang verheiratet.«

»Für mich ist sie neu«, meinte Reacher.

»Ich konnte sie nicht direkt verhören. Sie war am Telefon, hat mir erzählt, dass ihr Mann tot ist. Und vielleicht weiß sie ohnehin nichts.«

»Wir müssen sie persönlich befragen. Sie ist hier der offensichtliche Ausgangspunkt.

»Sobald wir's noch mal mit den anderen versucht haben«, sagte Neagley.

Reacher griff nach den fünf Blättern, gab Neagley drei davon und behielt selbst zwei. Sie benutzte ihr Handy, er das Zimmertelefon auf einem Sideboard. Sie begannen zu wählen. Seine Nummern gehörten zu Dixon und O'Donnell. Karla und Dave, die in New York und D.C. an der Ostküste wohnten. Keiner der beiden meldete sich. Stattdessen erreichte er ihre Anrufbeantworter und hörte ihre längst vergessenen Stimmen. Er hinterließ beiden dieselbe Nachricht: »Hier ist Jack Reacher mit einem Zehn-dreißig von Frances Neagley im Hotel Beverly Wilshire in Los Angeles, Kalifornien. Seht zu, dass ihr euren Arsch hochkriegt und sie anruft.« Dann legte er auf und sah zu Neagley hinüber, die auf und ab marschierend die gleiche Nachricht für Tony Swan hinterließ.

»Hast du nicht auch ihre Privatnummern?«, fragte er.

»Sie stehen allesamt nicht im Telefonbuch. Was zu erwarten war. Ich bin auch nicht drin. Mein Kerl in Chicago arbeitet daran. Aber das ist heutzutage nicht einfach. Die

Computer von Telefongesellschaften sind erheblich sicherer geworden.«

»Bestimmt hat jeder ein Handy«, sagte er. »Hat heutzutage nicht jeder eines?«

»Deren Nummern weiß ich auch nicht.«

»Aber selbst wenn sie unterwegs sind, können sie ihren Anrufbeantworter im Büro doch telefonisch abfragen?«

»Problemlos.«

»Weshalb haben sie's dann nicht getan? Drei volle Tage lang?«

»Keine Ahnung«, antwortete Neagley.

»Swan muss eine Sekretärin haben. Er ist stellvertretender Direktor für irgendwas. Er muss über einen ganzen Stab verfügen.«

»Es heißt nur, er sei vorübergehend nicht im Büro.«

»Lass mich mal versuchen.« Neagley sagte ihm Swans Nummer, und er drückte die Neun, um eine Amtsleitung zu bekommen. Wählte. Hörte, wie die Verbindung zustande kam, hörte Swans Telefon am anderen Ende klingeln.

Und endlos weiterklingeln.

»Dort meldet sich niemand«, sagte er.

»Vor einer Minute schon«, sagte Neagley. »Dies ist seine Direktdurchwahl.«

Keine Antwort. Er ließ das Telefon am Ohr und horchte auf das geduldige elektronische Klingeln. Zehnmal, fünfzehnmal, zwanzigmal. Dreißigmal. Dann legte er auf. Kontrollierte die Nummer und versuchte es nochmals. Mit dem gleichen Ergebnis.

»Verrückt«, sagte Reacher. »Wo, zum Teufel steckt er?«

Er kontrollierte erneut den Vordruck. Name und Rufnummer. Die Adresszeile war leer.

»Wo ist diese Firma?«

»Weiß ich nicht genau.«

»Hat sie einen Namen?«

»New Age Defense Systems. So haben sie sich bisher gemeldet.«

»Was für ein Name ist das denn für eine Waffenschmiede? Ob sie einen durch Freundlichkeit erledigen? Vielleicht spielen sie Panflöte, bis man ihnen die Mühe abnimmt und sich selbst die Pulsadern aufschneidet?« Er rief die Auskunft an, die ihm mitteilte, dass es unter New Age Defense Systems in ganz Amerika keinen Eintrag gebe. Er legte auf.

»Können auch Firmen nicht im Telefonbuch stehen?«, fragte er.

Neagley entgegnete: »Ich denke schon. Vor allem in der Verteidigungsbranche. Und sie ist neu.«

»Wir müssen sie finden. Sie haben doch bestimmt irgendwo eine Produktionsstätte. Oder wenigstens ein Büro, damit Onkel Sam ihnen Schecks schicken kann.«

»Okay, das kommt mit auf unsere Liste. Nach dem Besuch bei Mrs. Franz.«

»Nein, vorher«, sagte Reacher. »Büros machen irgendwann Schluss. Witwen sind immer zu Hause.«

Also rief Neagley ihren Kerl in Chicago an und gab ihm den Auftrag, den Firmensitz von New Age Defense Systems herauszubekommen. So viel Reacher aus nur einer Hälfte des Gesprächs mitbekam, schien es am aussichtsreichsten zu sein, sich in den FedEx-Computer einzuhacken, oder in den von UPS oder DHL. Jede Firma bekam Pakete, und Kurierfahrer brauchten Adressen. Sie konnten nicht an Postfächer zustellen. Sie mussten die Sendungen leibhaftigen Menschen aushändigen und sich den Empfang quittieren lassen.

»Er soll auch die Handynummern besorgen«, warf Reacher ein. »Die der anderen.«

Neagley hielt die Sprechmuschel zu. »Daran arbeitet er seit drei Tagen. Das ist nicht einfach.« Dann legte sie auf, trat ans Fenster, blickte hinaus und auf die Leute hinunter, die ihre Wagen parkten.

»Jetzt warten wir also«, sagte sie.

Sie mussten keine zwanzig Minuten warten, dann meldete eines der Notebooks mit einem Klingelton den Eingang einer E-Mail aus Chicago.

10

Die E-Mail von Neagleys Mann in Chicago enthielt die freundlicherweise von UPS zur Verfügung gestellte Adresse von New Age. Tatsächlich sogar zwei Adressen. Eine in Colorado, eine in L.A.

»Nur vernünftig«, meinte Neagley. »Räumlich verteilte Produktion. Das ist sicherer. Im Fall eines Angriffs.«

»Bockmist«, sagte Reacher. »Hier geht's um unterschiedliche Senatoren. Um zwei Futtertröge. Republikaner dort oben, Demokraten hier unten, so haben sie auf jeden Fall ihre Schnauze im Trog.«

»Swan wäre nicht dort hingegangen, wenn sie auf nichts anderes aus wären.«

Reacher nickte. »Vermutlich nicht.«

Neagley breitete einen Stadtplan aus, und sie fanden die Adresse in East L.A. Die Route dorthin führte am Echo Park und dem Dodger-Stadion vorbei in das Niemandsland zwischen South Pasadena und dem eigentlichen East L.A.

»Das ist weit«, sagte Neagley. »Die Fahrt kann ewig dauern. Der Stoßverkehr hat eingesetzt.«

»Schon?«

»Der Stoßverkehr in L.A. hat vor dreißig Jahren begonnen. Er kommt erst zum Erliegen, wenn das Öl alle ist. Oder der Sauerstoff. Aber jedenfalls schaffen wir's nicht bis dorthin, bevor sie zumachen. Also wär's vielleicht besser, sich New Age für morgen aufzuheben und heute Mrs. Franz aufzusuchen.«

»Was du von Anfang an wolltest. Du spielst auf mir wie auf einer Violine.«

»Sie ist näher, das ist alles. Und wichtig.«

»Wo wohnt sie?«

»Santa Monica.«

»Franz hat in Santa Monica gelebt?«

»Nicht am Meer. Aber ich wette trotzdem, dass sein Haus hübsch ist.«

Es war hübsch. Viel hübscher, als es hätte sein können. Es war ein kleiner Bungalow in einer kleinen Straße auf halber Strecke zwischen dem Freeway 10 und dem Flughafen Santa Monica, ungefähr drei Kilometer vom Strand entfernt. Nicht gerade eine erstklassige Lage, aber das Haus präsentierte sich sehr gepflegt. Neagley fuhr auf der Suche nach einem Parkplatz zweimal daran vorbei. Es war ein winziges symmetrisches Bauwerk. Nach vorn hinaus zwei Panoramafenster mit der Haustür dazwischen. Ein weit überstehendes Dach, darunter eine Terrasse, auf der zwei Schaukelstühle standen. Reichlich Naturstein, Balken im Tudorstil, dazu Bauhaus-Einflüsse, etwas Frank Lloyd Wright, spanische Fliesen. Ein wahres Durcheinander aus Baustilen in einem sehr kleinen Haus, aber die Gesamtwirkung war gut. Es hatte viel Charme. Der Anstrich war perfekt. Er glänzte. Die Fenster waren geputzt. Sie blitzten. Dazu ein Bilderbuchgarten. Sattgrüner Rasen, ordentlich gemäht. Leuchtende Blumen, kein Unkraut. Eine kurze asphaltierte Einfahrt, glatt wie Glas und sauber abgekehrt. Calvin Franz war ein manchmal pedantischer Perfektionist gewesen, und Reacher glaubte, in dieser kleinen Immobilie einen Ausdruck der gesamten Persönlichkeit seines alten Freundes zu erkennen.

Auf ihrer zweiten Runde fuhr eine hübsche junge Frau mit einem Toyota Camry vor ihnen vom Straßenrand weg, und Neagley parkte den Mustang sofort in der frei gewordenen Lücke. Sie schloss den Wagen ab, dann gingen sie den Weg zurück. Auch am Spätnachmittag war es noch ziemlich warm. Reacher konnte das Meer riechen.

Er fragte: »Wie viele Witwen haben wir schon aufgesucht?«

»Zu viele«, sagte Neagley.

»Wo wohnst du?«

»Lake Forest, Illinois.«

»Davon habe ich schon gehört. Dort soll's hübsch sein.«

»Das ist es.«

»Glückwunsch.«

»Ich hab schwer dafür geschuftet.«

Sie bogen auf Franz' Straße, dann in seine Einfahrt ab. Auf dem Plattenweg zur Haustür zögerten sie unwillkürlich einen Moment. Reacher wusste nicht genau, was sie hier erwartete. In der Vergangenheit hatte er immer mit Frauen zu tun gehabt, die nicht schon seit siebzehn Tagen verwitwet waren. Sehr oft wussten sie gar nicht, dass sie Witwen waren, bis sie's von ihm erfuhren. Er hatte keine rechte Vorstellung davon, welchen Unterschied diese siebzehn Tage machen würden oder in welchem Trauerstadium sie sich befinden mochte.

»Wie heißt sie?«, fragte er.

»Angela«, sagte Neagley.

»Okay.«

»Der Junge heißt Charlie.«

»Okay.«

»Vier Jahre alt.«

»Okay.«

Sie stiegen zu der kleinen Veranda hinauf. Neagley fand den Klingelknopf und legte eine Fingerspitze darauf: sanft, kurz, respektvoll. Reacher hörte ein gedämpftes Klingeln im Innern des Hauses, dann nichts mehr. Sie warteten. Ungefähr anderthalb Minuten später wurde die Haustür geöffnet.

Scheinbar von Geisterhand. Dann blickte Reacher nach unten und sah einen kleinen Jungen, der sich nach der Klinke streckte. Die Türklinke war hoch angebracht, und der Junge musste sich so sehr strecken, dass der Bogen, den das Türblatt beschrieb, ihn fast von den Füßen holte.

»Du musst Charlie sein«, sagte Reacher.

»Der bin ich«, entgegnete der Junge.

»Ich war mit deinem Dad befreundet.«

»Mein Dad ist tot.«

»Ja, ich weiß. Ich bin deswegen sehr traurig.«

»Ich auch.«

»Ist's okay, dass du die Tür ganz allein aufmachst?«

»Ja«, sagte der Junge. »Das ist okay.«

Er sah genau wie Calvin Franz aus. Die Ähnlichkeit war frappierend. Das gleiche Gesicht. Der gleiche Körperbau. Die kurzen Beine, die tiefe Taille, die langen Arme. Obwohl seine Schultern unter dem Kinder-T-Shirt nur aus Haut und Knochen bestanden, ließen sie irgendwie schon die affenähnlichen Muskelpakete ahnen, die sie später tragen würden. Und er hatte genau Franz' dunkle Augen, seinen coolen, gelassenen, beruhigenden Blick. Als sagte der Junge: *Keine Sorge, alles wird sicher gut.*

Neagley fragte ihn: »Charlie, ist deine Mama zu Hause?«

Der Junge nickte.

»Sie ist hinten«, sagte er. Dann ließ er die Klinke los und trat zur Seite, um sie eintreten zu lassen. Neagley ging voraus. Das Haus war zu klein, als dass irgendein Teil davon wirklich »hinten« hätte sein können. Es bestand eigentlich nur aus einem großzügigen Raum, der vierfach unterteilt worden war. Rechts zwei kleine Schlafzimmer mit einem Bad dazwischen, vermutete Reacher. Ein kleines Wohnzimmer in der vorderen linken Ecke, daran anschließend die Küche. Das war alles. Winzig, aber schön. Alles in Pastellweiß und Blassgelb gehalten. In Vasen standen frische Blumen. Die

Fenster wurden von weißen Holzläden mit Lamellen beschattet. Die Fußböden bestanden aus dunklem Holz. Als Reacher die Haustür hinter ihnen schloss, wurde der Verkehrslärm ausgesperrt, sodass sich Stille auf das Haus senkte. Früher wohl ein gutes Gefühl, dachte er. Jetzt vielleicht nicht mehr so gut.

Eine Frau trat aus dem Küchenbereich, kam hinter einer halbhohen Trennwand hervor, die so kurz war, dass sie kein zufälliges Versteck sein konnte. Reacher hatte das Gefühl, sie habe absichtlich dahinter Zuflucht gesucht, als sie die Klingel hörte. Sie schien viel jünger zu sein als er. Etwas jünger als Neagley.

Auch jünger als Franz.

Sie war ziemlich groß und sehr schlank, hatte hellblonde Haare und die blauen Augen einer Skandinavierin. Ihr dünner Pullover mit V-Ausschnitt ließ deutlich hervortretende Schlüsselbeine sehen. Sie war sorgfältig geschminkt und frisiert und wirkte völlig gefasst, aber nicht entspannt. In ihren Augen konnte Reacher Verwirrung erkennen, als trüge sie unter ihrer glatten Haut eine Maske aus Angst.

Einige Sekunden lang herrschte verlegenes Schweigen, dann trat Neagley vor und sagte: »Angela? Ich bin Frances Neagley. Wir haben miteinander telefoniert.«

Angela Franz lächelte automatisch und streckte ihr die Hand entgegen. Neagley ergriff sie und drückte sie kurz; dann war Reacher an der Reihe. Er sagte: »Ich bin Jack Reacher. Mein herzliches Beileid zu Ihrem Verlust.« Er schüttelte ihr die Hand, die sich in seiner Pranke kalt und zerbrechlich anfühlte.

»Ihr Beileid haben Sie schon öfter ausgedrückt«, sagte sie. »Nicht wahr?«

»Ja, leider«, antwortete Reacher.

»Sie stehen auf Calvins Liste«, sagte sie. »Sie waren ein MP, genau wie er.«

Reacher schüttelte den Kopf. »Nicht genau wie er. Nicht im Entferntesten so gut.«

»Sehr freundlich von Ihnen.«

»So war's eben. Ich habe ihn immer sehr bewundert.«

»Er hat mir von Ihnen erzählt. Von Ihnen allen, meine ich. Immer wieder. Manchmal bin ich mir wie eine zweite Frau vorgekommen. Als wäre er schon mal verheiratet gewesen. Mit Ihnen allen.«

»So war's eben«, wiederholte Reacher. »Das Militär war wie eine Familie. Das heißt, wenn man Glück hatte, und wir hatten Glück.«

»Das hat Calvin auch immer gesagt.«

»Ich glaube, dass er anschließend noch mehr Glück gehabt hat.«

Angela lächelte wieder automatisch. »Vielleicht. Aber dann hat das Glück ihn im Stich gelassen, stimmt's?«

Charlie beobachtete sie. Seine halb geschlossenen Franz-Augen betrachteten sie kühl abschätzend. Angela sagte: »Vielen Dank, dass sie gekommen sind.«

»Können wir irgendetwas für Sie tun?«, fragte Reacher.

»Können Sie Tote wieder lebendig machen?«

Reacher schwieg.

»Wie er immer von Ihnen geredet hat, würde es mich nicht wundern, wenn Sie's könnten.«

Neagley sagte: »Wir könnten die Täter aufspüren. Darin waren wir früher gut. Und dadurch würden wir ihn fast wieder zurückbringen. Im übertragenen Sinn.«

»Aber eben nicht wirklich.«

»Nein, das nicht. Tut mir sehr leid.«

»Wozu sind Sie hier?«

»Um Ihnen unser Beileid auszudrücken.«

»Aber Sie kennen mich nicht. Ich bin später auf der Bildfläche erschienen. Ich hatte nichts mit alldem zu tun.« Sie wandte sich ab, schien in die Küche gehen zu wollen. Dann überlegte sie es sich anders, kehrte um, quetschte sich seitlich zwischen Reacher und Neagley hindurch und ließ sich im Wohnzimmer in einen Sessel fallen. Legte beide Hände auf die Armlehnen. Reacher sah, wie ihre Finger sich bewegten. Nur ein kaum wahrnehmbares Muskelzittern, als würde sie im Traum Maschine schreiben oder Klavier spielen.

»Ich war nicht Teil Ihrer Gruppe«, sagte sie. »Manchmal habe ich mir gewünscht, ich hätte dazugehört. Calvin hat sie so viel bedeutet. Mit den Sonderermittlern legt man sich nicht an, sagte er oft. Diesen Slogan benutzte er dauernd. Hat er im Fernsehen ein Footballspiel gesehen, in dem ein Quarterback spektakulär von den Beinen geholt wurde, meinte er: Yeah, Baby, mit den Sonderermittlern legt man sich nicht an. Das sagte er auch zu Charlie. Hat Charlie gejammert, weil er irgendetwas tun sollte, hat Calvin ihm erklärt: Charlie, mit den Sonderermittlern legt man sich nicht an.«

Charlie sah auf und lächelte. »*Man legt sich nicht mit ihnen an*«, wiederholte er mit piepsender Kinderstimme, aber ganz im Tonfall seines Vaters.

Angela fragte: »Sie sind wegen eines Slogans hier, oder?«

»Eigentlich nicht«, antwortete Reacher. »Mehr wegen seines Hintergrunds. Wir waren eine verschworene Gemeinschaft. Das ist alles. Ich bin hier, weil Calvin für mich da gewesen wäre, wenn's mich an seiner Stelle getroffen hätte.«

»Wäre er für Sie da gewesen?«

»Ich denke schon.«

»Er hat das alles aufgegeben, als Charlie geboren wurde. Ohne Druck von meiner Seite. Aber er wollte ein guter Vater sein. Bis auf das leichte, sichere Zeug hat er alles aufgegeben.«

»Das sieht nicht danach aus.«

»Nein, anscheinend nicht.«

»Woran hat er zuletzt gearbeitet?«

»Oh, Entschuldigung«, sagte Angela. »Ich hätte Ihnen einen Platz anbieten sollen.«

Im Wohnzimmer gab es kein Sofa, dafür war kein Platz. Jedes normalgroße Sofa hätte den Durchgang zu den Schlafzimmern blockiert. Stattdessen gab es zwei Sessel und für Charlie einen Schaukelstuhl in Kindergröße. Die Sessel standen auf beiden Seiten eines kleinen offenen Kamins, in dem sich eine Terrakottavase mit blassen getrockneten Blumen befand. Charlies Schaukelstuhl hatte seinen Platz links neben dem Kamin. In die Rückenlehne war mit einem Lötkolben oder einem glühenden Schüreisen sein Name eingebrannt: sieben Buchstaben in sauberer Druckschrift. Ordentliche, aber keine professionelle Arbeit. Vermutlich von Franz selbst. Ein Geschenk eines Vaters für seinen Sohn. Reacher betrachtete die Schrift einen Augenblick lang. Dann nahm er in dem Sessel gegenüber von Angela Platz, und Neagley setzte sich auf die Armlehne. Dort war ihr Oberschenkel kaum zwei Fingerbreit von seinem Körper entfernt, ohne ihn jedoch zu berühren.

Charlie stieg über Reachers Füße hinweg und hockte sich in seinen Schaukelstuhl.

»Woran hat Calvin gearbeitet?«, fragte Reacher erneut.

Angela Franz sagte: »Charlie, du sollst rausgehen und ein bisschen spielen.«

Charlie entgegnete: »Mom, ich möchte hierbleiben.«

Reacher fragte: »Angela, woran hat Calvin zuletzt gearbeitet?«

»Seit Charlie da ist, hat er nur noch Personenüberprüfungen gemacht«, antwortete Angela. »Damit war gutes Geld zu verdienen. Vor allem hier in L.A. Jeder macht sich Sorgen, ob er etwa einen Dieb oder einen Junkie einstellt oder mit einem ausgeht oder einen heiratet. Jemand hat jemanden im Internet oder einer Bar kennengelernt und dann als Erstes seinen Namen bei Google eingegeben und als Nächstes einen Privatdetektiv angeheuert.«

»Wo hat er gearbeitet?«

»Er hatte ein Büro in Culver City. Gemietet, wissen Sie, nur einen Raum. An der Kreuzung Venice La Cienaga Boulevard. Mit dem Zehner leicht zu erreichen. Ihm hat's gefallen. Jetzt muss ich wohl hinfahren und seine Sachen holen.«

Neagley fragte: »Würden Sie uns erlauben, es vorher zu durchsuchen?«

»Das haben die Deputies bereits gemacht.«

»Wir sollten es noch mal tun.«

»Weshalb?«

»Weil er an etwas gearbeitet haben muss, das gefährlicher war als Personenüberprüfungen.«

»Junkies ermorden Leute, stimmt's? Und Diebe manchmal auch.«

Reacher sah zu Charlie und glaubte, Franz erwidere seinen Blick. »Aber nicht auf die Art und Weise, wie's passiert zu sein scheint.«

»Okay. Durchsuchen Sie's meinetwegen noch mal.«

Neagley fragte: »Haben Sie einen Schlüssel?«

Angela stand langsam auf und ging in die Küche. Kam mit zwei unbezeichneten Schlüsseln, einem großen und einem kleinen, an einem teilbaren Schlüsselring aus Edelstahl zurück. Sie hielt sie noch einen Augenblick in der Hand, dann überließ sie sie leicht widerstrebend Neagley.

»Ich hätte sie gern zurück«, sagte sie. »Das waren seine persönlichen Schlüssel.«

Reacher fragte: »Hat er hier Sachen aufbewahrt? Notizen, Unterlagen, irgendwas in dieser Art?«

»Hier?«, fragte Angela. »Wie hätte er das können? Als wir eingezogen sind, hat er aufgehört, Unterhemden zu tragen, damit in den Schubladen mehr Platz war.«

»Wann sind Sie eingezogen?«

Angela stand noch immer. Obwohl sie schlank war, schien sie den Raum auszufüllen.

»Kurz nach Charlies Geburt«, sagte sie. »Wir wollten ein richtiges Heim. Wir sind hier sehr glücklich gewesen. Klein, aber mehr brauchten wir nicht.«

»Was ist passiert, als Sie ihn zum letzten Mal gesehen haben?«

»Er ist morgens weggefahren – so wie immer. Aber er ist nie zurückgekommen.«

»Wann war das?«

»Fünf Tage bevor die Deputies hier aufgekreuzt sind, um mir mitzuteilen, er sei tot aufgefunden worden.«

»Hat er jemals mit Ihnen über seine Arbeit gesprochen?«

Angela fragte: »Charlie, möchtest du nicht etwas trinken?«

Charlie sagte: »Nein danke, Mom.«

Reacher wiederholte seine Frage: »Hat Calvin jemals mit Ihnen über seine Arbeit gesprochen?«

»Nie sehr ausführlich«, sagte Angela. »Manchmal wollten Filmstudios einen Schauspieler überprüfen lassen, um zu erfahren, welche Leichen er im Keller hatte. Dann hat er mir amüsanten Klatsch aus der Filmbranche erzählt. Aber das war eigentlich schon alles.«

Reacher sagte: »Ich kenne ihn als einen sehr geradlinigen Kerl. Er hat immer offen gesagt, was er dachte.«

»Das ist er geblieben. Glauben Sie, dass er jemanden gegen sich aufgebracht hat?«

»Nein, ich habe mich nur gefragt, ob er jemals dahin gekommen ist, das etwas abzumildern. Und was Sie davon gehalten haben, wenn's nicht so war.«

»Ich habe seine Freimütigkeit geliebt. Ich habe alles an ihm geliebt. Ich respektiere Ehrlichkeit und Offenheit.«

»Dann hätten Sie also nichts dagegen, wenn ich freimütig wäre?«

»Oh, bitte sehr.«

»Ich glaube, dass es etwas gibt, das Sie uns verschweigen.«

11

Angela Franz setzte sich wieder und fragte: »Was verschweige ich Ihnen Ihrer Ansicht nach?«

»Etwas Nützliches«, sagte Reacher.

»Nützlich? Was könnte für mich jetzt noch nützlich sein?«

»Nicht nur für Sie. Auch für uns. Calvin hat zu Ihnen gehört, weil Sie ihn geheiratet haben. Okay. Aber er hat auch zu uns gehört, weil wir mit ihm zusammengearbeitet haben. Wir haben ein Recht darauf, die Umstände seines Todes aufzuklären, selbst wenn Sie das nicht wollen.«

»Wieso glauben Sie, dass ich etwas verschweige?«

»Weil Sie jedes Mal ausweichen, wenn ich eine unangenehme Frage stelle. Ich habe gefragt, woran Calvin gearbeitet hat, und Sie haben viel Wirbel darum gemacht, uns Sitzplätze anzubieten. Ich habe Sie noch mal gefragt, und Sie haben Charlie aufgefordert, zum Spielen hinauszugehen. Nicht um ihm Ihre Antwort zu ersparen, sondern weil Sie die so gewonnene Zeit dafür genutzt haben, sich eine ausweichende Antwort zurechtzulegen.«

Angela starrte ihn quer durch den kleinen Raum an. »Brechen Sie mir jetzt den Arm? Calvin hat mir erzählt, dass er gesehen hat, wie Sie einem Mann beim Verhör den Arm gebrochen haben. Oder war das Dave O'Donnell?«

»Wahrscheinlich ich«, meinte Reacher. »O'Donnell war eher ein Beinbrecher.«

»Ich schwöre Ihnen, dass ich nichts verschweige«, sagte Angela. »Garantiert nichts. Ich weiß nicht, woran Calvin gearbeitet hat, und er hat's mir nicht erzählt.«

Reacher erwiderte ihren Blick, sah tief in ihre verwirrten blauen Augen und glaubte ihr, zumindest ein bisschen. Sie verschwieg etwas, aber das hatte nicht unbedingt etwas mit Calvin Franz zu tun.

»Okay«, sagte er. »Entschuldigen Sie bitte.«

Neagley und er gingen kurze Zeit später – mit einer Wegbeschreibung zu Franz' Büro in Culver City, nach weiteren kurzen Beileidsbekundungen und mit einem weiteren Druck ihrer kalten, zerbrechlich zarten Hand.

Der Mann namens Thomas Brant sah sie gehen. Er war zwanzig Meter von seinem Crown Victoria entfernt, der vierzig Meter westlich von Franz' Haus geparkt stand. Er kam gerade mit einem Becher Kaffee aus der Bodega an der Ecke zurück. Er ging langsamer und beobachtete Reacher und Neagley von hinten, bis sie hundert Meter weiter um die nächste Ecke bogen. Dann nahm er einen Schluck Kaffee, rief seinen Boss Curtis Mauney einhändig per Kurzwahl an und hinterließ auf seinem Anrufbeantworter eine Meldung, die beschrieb, was er gesehen hatte.

Zur selben Zeit ging der Mann in dem dunkelblauen Anzug zu seinem dunkelblauen Chrysler zurück. Die Limousine parkte in der Zufahrt zwischen den beiden Gebäuden des Hotels Beverly Wilshire. Der Mann in dem Anzug war um die fünfzig Dollar ärmer, mit denen eine Angestellte an der Rezeption sich hatte bestechen lassen, und entsprechend reicher an Informationen, mit denen er jedoch nichts Rechtes anfangen konnte. Er rief seinen Boss mit dem Handy an und sagte: »Nach Auskunft des Hotels heißt der große Kerl Thomas Shannon, aber auf unserer Liste steht kein Thomas Shannon.«

Sein Boss sagte: »Ich denke, wir können davon ausgehen, dass unsere Liste richtig ist.«

»Das können wir wohl.«

»Deshalb glaub ich, dass Thomas Shannon ein falscher Name ist. Diese Kerle halten offenbar an alten Gewohnheiten fest. Wir bleiben also dran.«

Reacher wartete, bis sie um die Ecke gebogen waren und so Franz' Straße verlassen hatten, bevor er sagte: »Hast du den beigen Crown Vic hinter uns gesehen?«

»Geparkt«, sagte Neagley. »Vierzig Meter westlich des Hauses, am Randstein gegenüber. Das Basismodell, Baujahr 2003.«

»Ich erinnere mich, denselben Wagen vor dem Denny's gesehen zu haben, in dem wir waren.«

»Weißt du das bestimmt?«

»Nicht hundertprozentig.«

»Alte Crown Vics gibt's massenhaft. Taxis, illegale Taxen, Billigmietwagen.«

»Vermutlich.«

»Außerdem saß niemand drin«, sagte Neagley. »Wegen leerer Autos brauchen wir uns keine Sorgen zu machen.«

»Vor dem Denny's war er nicht leer, sondern mit einem Mann besetzt.«

»Wenn's dasselbe Auto war.«

»Es war dasselbe Auto.«

Reacher blieb stehen.

Neagley fragte: »Willst du zurückgehen?«

Reacher überlegte kurz, dann schüttelte er den Kopf und setzte sich wieder in Bewegung.

»Nein«, sagte er. »Hat vermutlich nichts zu bedeuten.«

Auf dem Freeway 10 in Richtung Osten herrschte Stau. Da keiner von ihnen sich in L.A. so gut auskannte, dass sie Nebenstraßen hätten fahren können, legten sie die fünf Meilen auf dem Freeway nach Culver City langsamer als ein Fußgänger zurück. Sie erreichten die Stelle, wo der Venice Boulevard den La Cienega Boulevard kreuzte, und von dort aus war Angela Franz' Wegbeschreibung gut genug, um sie geradewegs zum Büro ihres verstorbenen Mannes zu führen. Es befand sich in einem niedrigen, lang gestreckten gelben

Ladengebäude, das an ein kleines Postamt angedockt war. Nicht gerade eine Hauptpost. Reacher wusste nicht, wie solche kleinen Postämter hießen. Unterpostamt? Filialpost? Poststelle? Neben ihr lagen eine Discount-Apotheke, dann ein Nagelstudio und eine chemische Reinigung. Dann kam Franz' Büro. Hier hatte man die Glastür und das Schaufenster von innen bis in Kopfhöhe weiß gestrichen, sodass oben nur ein schmales Lichtband frei blieb. Im oberen Teil war der Anstrich durch einen schwarz eingerahmten Goldstreifen begrenzt. Auf dem Glaseinsatz der Tür stand in ähnlicher Schrift *Calvin Franz – Diskrete Ermittlungen,* darunter eine Telefonnummer. Schlichte Buchstaben, drei Zeilen in Brusthöhe, einfach und direkt.

»Traurig«, sagte Reacher. »Findest du nicht auch? Aus der großen grünen Maschine hierher?«

»Er war *Familienvater*«, entgegnete Neagley. »Er hat sich fürs leichte Geld entschieden. Das war seine freie Entscheidung. Mehr wollte er jetzt nicht.«

»Aber ich wette, dass dein Büro in Chicago nicht so aussieht.«

»Nein«, sagte Neagley. »Das tut's nicht.«

Sie zog den Schlüsselring, von dem Angela sich so widerstrebend getrennt hatte, aus der Tasche, wählte den größeren Schlüssel aus, sperrte damit auf und zog die Tür auf. Aber sie ging nicht hinein.

Weil das gesamte Büro zertrümmert war.

Vor ihnen lag ein schlichter quadratischer Raum – klein für einen Lagerraum, groß für ein Büro. Was es hier an Computern, Telefonen und sonstigen Geräten gegeben haben mochte, war längst verschwunden. Der Schreibtisch und die Aktenschränke waren durchwühlt und dann auf der Suche nach Geheimfächern mit Äxten total zertrümmert worden. Sogar den Drehstuhl hatte man zerlegt und seine Polsterung herausgerissen. Die Wandpaneele waren mit Brecheisen losgehebelt, die Isolierung dahinter zerfetzt worden. Die Deckenverkleidung war heruntergerissen worden. Auch das Linoleum und die Fußbodenbretter hatte man aufgerissen und hochgestemmt. Möbeltrümmer und Aktenordner bildeten eine kniehohe Schicht, die an einigen Stellen noch höher war.

Von oben bis unten verwüstet. Wie nach einem Bombeneinschlag.

Reacher sagte: »So gründlich wären Deputies aus dem L.A. County nicht gewesen.«

»Ausgeschlossen«, sagte Neagley. »Nicht mal andeutungsweise. Das waren die bösen Kerle, die sich hier umgesehen und sichergestellt haben, was Franz über sie besaß. Bevor die Deputies überhaupt hier waren. Vielleicht schon Tage vorher.«

»Die Deputies haben das hier gesehen und Angela nichts davon erzählt? Sie weiß nichts davon. Sie hat davon gesprochen, dass sie sein Zeug holen müsse.«

»Natürlich haben sie ihr das nicht erzählt. Wozu sie noch mehr aufregen?«

Reacher wich einen Schritt auf den Gehsteig zurück. Trat nach links und betrachtete die präzise goldene Schrift auf dem Glas der Tür: *Calvin Franz – Diskrete Ermittlungen*. Er hob eine Hand, deckte den Namen seines alten Freundes ab und stellte sich stattdessen *David O'Donnell* vor. Dann ein Namenspaar: *Sanchez & Orozco*. Und dann: *Karla Dixon*.

»Ich wollte, die anderen Kumpel würden ihre verdammten Anrufbeantworter abhören«, sagte er.

»Hier geht's nicht um uns als Gruppe«, erklärte Neagley. »Das ist unmöglich. Dieser Fall ist über siebzehn Tage alt, und trotzdem war noch niemand hinter mir her.«

»Oder hinter mir«, sagte Reacher. »Franz allerdings auch nicht.«

»Was soll das heißen?«

»Wen hätte Franz angerufen, wenn er Schwierigkeiten gehabt hätte? Uns, versteht sich. Aber nicht dich, weil du jetzt viel zu elitär und vermutlich überlastet bist. Und auch nicht mich, weil mich außer dir kein Mensch hätte aufspüren können. Aber nehmen wir mal an, Franz hätte echt in der Scheiße gesessen und die anderen Kumpel angerufen. Weil sie leichter erreichbar waren als wir? Nehmen wir mal an, sie wären alle sofort hergekommen, um ihm zu helfen. Nehmen wir mal an, sie säßen alle im gleichen Boot …«

»Auch Swan?«

»Swan war räumlich am nächsten. Er wäre als Erster hier gewesen.«

»Möglich.«

»Wahrscheinlich«, sagte Reacher. »Wem hätte Franz sonst trauen sollen, wenn er wirklich jemanden brauchte?«

»Er hätte mich anrufen sollen«, meinte Neagley. »Ich wäre sofort gekommen.«

»Vielleicht warst du die Nächste auf seiner Liste. Vielleicht hat er anfangs geglaubt, sechs Leute seien genug.«

»Aber wer kann sechs Leute verschwinden lassen? Sechs *unserer* Leute?«

»Das mag ich mir gar nicht vorstellen«, sagte Reacher und schwieg dann. In der Vergangenheit wäre er mit seinen Leuten gegen jeden angetreten. Das hatte er oft genug getan. Und sie hatten stets gesiegt – gegen gefährlichere Gegner als die, denen man im Zivilsektor normalerweise begegnete. Gefährlicher, weil eine militärische Ausbildung im Allgemeinen dazu beitrug, das Repertoire eines Kriminellen auf mehreren wichtigen Gebieten zu erweitern.

Neagley sagte: »Zwecklos, hier herumzustehen. Damit vergeuden wir unsere Zeit. Hier finden wir garantiert nichts mehr. Ich denke, wir können davon ausgehen, dass sie gefunden haben, wonach sie suchten.«

Reacher sagte: »Ich denke, wir können davon ausgehen, dass sie's nicht gefunden haben.«

»Wieso?«

»Faustregel«, erwiderte Reacher. »Der Raum ist vollständig verwüstet. Und normalerweise hört man zu suchen auf, wenn man das Gesuchte gefunden hat. Aber diese Kerle haben nicht zu suchen aufgehört. Sollten sie das Gesuchte tatsächlich entdeckt haben, hätten sie's erst ganz zuletzt gefunden. Und wie wahrscheinlich ist das? Nicht sehr. Deshalb glaube ich, dass sie nicht zu suchen aufgehört haben, weil sie das Gesuchte nie gefunden haben.«

»Wo ist es also?«

»Keine Ahnung. Was könnte es denn sein?«

»Schriftstücke, eine Diskette, eine CD-ROM, irgendwas in dieser Art.«

»Klein«, meinte Reacher.

»Er hat's nicht mit nach Hause genommen. Haus und Büro hat er strikt getrennt, glaube ich.«

Wie sie denken. Sie sein. Reacher machte kehrt, sodass er Franz' Tür den Rücken zuwandte, als wäre er eben auf den Gehsteig getreten. Er wölbte seine Rechte und sah in die leere Handfläche hinunter. Mit Akten hatte er in seinem Leben viel zu tun gehabt, aber er hatte nie eine Diskette benutzt oder eine CD-ROM gebrannt. Doch er wusste, wie dieser Datenträger aussah. Eine runde Kunststoffscheibe mit zwölf Zentimetern Durchmesser. Oft in einem dünnen Klarsichtetui. Eine Diskette war kleiner. Quadratisch, Seitenlänge acht bis neun Zentimeter? Dreifach gefaltete Schriftstücke im Format A4 waren ungefähr zehn mal einundzwanzig Zentimeter groß.

Klein.

Aber sehr wichtig.

Wo hätte Calvin Franz etwas aufbewahrt, das klein, aber sehr wichtig war?

Neagley sagte: »Vielleicht hat er's in seinem Wagen gehabt. Schließlich ist er jeden Tag hierher gefahren. Eine CD hätte er in seinem CD-Wechsler aufbewahren können. Gewissermaßen offen sichtbar versteckt. Vielleicht im vierten Fach, weißt du, hinter einem John-Coltrane-Album.«

»Miles Davis«, verbesserte Reacher sie. »Er war ein Miles-Davis-Fan. John Coltrane hat er sich nur in Aufnahmen mit Miles Davis angehört.«

»Er hätte die CD als Musik-Download kennzeichnen können. Mit einem Marker *Miles Davis* draufschreiben, weißt du.«

»Die hätten sie gefunden«, sagte Reacher. »Leute, die so gründlich arbeiten, hätten alles kontrolliert. Und ich glaube, dass Franz mehr Sicherheit angestrebt hätte. Offen sichtbar heißt, dass man mit etwas ständig konfrontiert ist. Man kann sich nicht entspannen. Dass Franz sich entspannen wollte. Dass er zu Angela und Charlie heimfahren wollte, ohne ständig an irgendetwas denken zu müssen.«

»Wo also? In einem Bankschließfach?«

»Ich sehe hier keine Bank«, sagte Reacher. »Und ich gehe davon aus, dass er keinen größeren Umweg hätte machen wollen. Nicht bei diesen Verkehrsverhältnissen. Erst recht nicht, wenn die Sache vielleicht dringend war. Und die Geschäftszeiten einer Bank sind für Werktätige nicht immer ideal.«

»An dem Ring hängen zwei Schlüssel«, sagte Neagley. »Der kleinere könnte zum Schreibtisch gepasst haben.«

Reacher drehte sich noch einmal um und betrachtete das Chaos in dem verwüsteten Büro. Irgendwo dort drinnen musste das Schreibtischschloss liegen. Ein kleines stählernes Rechteck, aus dem Holz herausgebrochen und achtlos fallen gelassen. Er machte wieder kehrt und trat an den Randstein. Sah nach links, sah nach rechts. Wölbte wieder seine Hand und starrte die leere Handfläche an.

Erstens: *Was würde ich verstecken wollen?*

»Es ist ein Datenträger«, erklärte er. »Es muss einer sein.

Weil sie gewusst haben, was sie suchen mussten. Von irgendwelchen Schriftstücken hätte Franz ihnen nichts erzählt. Aber sie haben seine Computer mitgenommen und darin Spuren von Kopiervorgängen entdeckt. Das ist möglich, oder? In Computern lässt alles eine Spur zurück. Aber Franz hat ihnen nicht gesagt, wo sich die Sicherungskopien befanden. Vielleicht haben sie ihm deshalb die Beine gebrochen. Trotzdem hat er eisern dichtgehalten, sodass sie zu dieser verrückten Suche herkommen mussten.«

»Wo ist das Zeug also?«

Reacher schaute erneut auf seine Hand.

Wo würde ich etwas verstecken, das klein, aber sehr wichtig ist?

»Nicht unter irgendeinem alten Stein«, sagte er. »Es müsste da ordentlich zugehen. Vielleicht sogar mit einer Art Treuhänderschaft. Ich würde wollen, dass jemand dafür verantwortlich ist.«

»Ein Bankschließfach«, wiederholte Neagley. »Der kleine Schlüssel trägt keine Bezeichnung. Darauf verzichten viele Banken.«

»Banken gefallen mir nicht«, sagte Reacher. »Ihre Geschäftszeiten gefallen mir nicht, und der Umweg gefällt mir nicht. Vielleicht einmal, aber nicht oft. Darauf kommt es hier an. Weil eine gewisse Regelmäßigkeit eine Rolle spielt. Stimmt's? Ist das bei Computernutzern nicht üblich? Sie machen jeden Abend eine Sicherungskopie. Also wäre dies keine einmalige Sache, sondern eine Routineangelegenheit gewesen. Was die Voraussetzungen etwas verändert. Handelt es sich um etwas Einmaliges, unternimmt man vielleicht besondere Anstrengungen. Findet es Abend für Abend statt, braucht man etwas, das sicher, aber einfach ist. Und dauernd zugänglich.«

»Ich maile mir manchmal selbst irgendwelches Zeug«, sagte Neagley.

Reacher machte eine kurze Pause. Lächelte.

»Da haben wir's«, sagte er.

»Glaubst du, dass Franz das auch getan hat?«

»Ausgeschlossen«, antwortete Reacher. »E-Mails wären wieder in seinem Computer gelandet, den die Kerle erbeutet haben. Statt hier alles zu verwüsten, hätten sie ihre Energie auf den Versuch konzentriert, sein Passwort zu knacken.«

»Was hat er also unternommen?«

Reacher drehte den Kopf zur Seite und blickte die Ladenzeile entlang. Sah die chemische Reinigung, das Nagelstudio, die Apotheke.

Das Postamt.

»Keine E-Mail«, sagte er. »Gewöhnliche Post. Genau das hat er getan. Er hat irgendeine Art von Sicherheitskopie angefertigt und sie jeden Abend in einen Umschlag gesteckt und in den Briefkasten geworfen. An sich selbst adressiert. An sein Postfach adressiert. Denn dort hat er seine Post abgeholt. Dort vorn auf dem Postamt. In seiner Bürotür gibt's keinen Briefschlitz. Sobald seine Sendung eingeworfen war, konnte er beruhigt sein. Sie war dem System anvertraut. Unzählige Postbeamte waren Tag und Nacht damit beschäftigt, auf sie aufzupassen.«

»Langsam«, sagte Neagley.

Reacher nickte. »Er muss mit drei oder vier CDs gleichzeitig gearbeitet haben. An jedem beliebigen Tag waren zwei oder drei davon in der Post. Aber er konnte jeden Abend mit der Gewissheit heimfahren, dass seine neuesten Sachen sicher waren. Es ist nicht leicht, einen Briefkasten auszurauben oder einen Postbeamten dazu zu bewegen, einem etwas auszuhändigen, das einem nicht gehört. Unsere Postbürokratie ist ungefähr so sicher wie eine Schweizer Bank.«

»Der kleine Schlüssel«, sagte Neagley. »Nicht für seinen Schreibtisch. Nicht für ein Bankschließfach.«

Reacher nickte erneut.
»Für sein Postfach«, sagte er.

12

Aber die Postbürokratie hatte auch Nachteile. Es war später Nachmittag. Die chemische Reinigung hatte noch geöffnet. Das Nagelstudio hatte noch geöffnet. Die Apotheke hatte noch geöffnet. Aber das Postamt hatte längst geschlossen. Die Öffnungszeit ging nur bis sechzehn Uhr.

»Morgen«, sagte Neagley. »Wir werden ohnehin den ganzen Tag im Auto verbringen. Wir müssen auch zu Swans Arbeitsstätte fahren. Außer wir trennen uns.«

»Hier müssen wir unbedingt zu zweit sein«, sagte Reacher. »Aber vielleicht kreuzt einer der anderen auf und übernimmt einen Teil der Arbeit.«

»Das wünsche ich mir. Und nicht etwa, weil ich faul bin.« Der Form halber, als kleines Ritual, zog sie ihr Handy heraus und sah auf den winzigen Bildschirm.

Keine Nachrichten.

Auch am Hotelempfang wartete keine Nachricht auf sie. Keine Nachricht auf dem Anrufbeantworter des Telefons in Neagleys Suite. Keine neuen E-Mails in ihren beiden Notebooks.

Nichts.

»Sie können uns nicht einfach ignorieren«, erklärte Neagley.

»Nein«, sagte Reacher. »Das würden sie nicht tun.«

»Ich bekomme langsam ein richtig schlechtes Gefühl.«

»Das habe ich schon, seit ich in Portland an diesem Geldautomaten war. Ich habe mein ganzes Geld dafür ausgegeben, jemanden zum Abendessen einzuladen. Zweimal. Jetzt wollte ich, wir wären zu Hause geblieben und hätten eine Pizza kommen lassen. Vielleicht hätte sie gezahlt. Dann wüsste ich von alldem noch immer nichts.«

»Sie?«

»Jemand, den ich kennengelernt habe.«

»Hübsch?«

»Sehr.«

»Hübscher als Karla Dixon?«

»Vergleichbar.«

»Hübscher als ich?«

»Ist das überhaupt möglich?«

»Hast du mit ihr geschlafen?«

»Mit wem?«

»Mit der Frau in Portland.«

»Wieso willst du das wissen?«

Neagley gab keine Antwort. Sie begnügte sich damit, die fünf Vordrucke mit Kontaktinformationen wie eine Kartenspielerin zu mischen, gab Reacher zwei davon und behielt drei für sich selbst. Reacher hatte Tony Swan und Karla Dixon bekommen. Er benutzte das Telefon auf dem Sideboard und versuchte es zuerst mit Swan. Dreißig, vierzig Klingelzeichen, keine Antwort. Er drückte kurz auf die Gabel, dann wählte er Dixons Nummer. Mit der Vorwahl 212, eine New Yorker Nummer. Nach dem sechsten Klingeln meldete sich ihr Anrufbeantworter. Er hörte Dixons vertraute Stimme, wartete den Piepton ab und hinterließ die gleiche Nachricht wie zuvor: »Hier ist Jack Reacher mit einem Zehn-dreißig von Frances Neagley im Hotel Beverly Wilshire in Los Angeles, Kalifornien. Sieh zu, dass du deinen Arsch hochkriegst und sie anrufst.« Nach kurzer Pause fügte er hinzu: »Bitte, Karla. Wir warten dringend auf deinen Anruf.« Dann legte er auf. Neagley klappte ihr Handy zu und schüttelte den Kopf.

»Nicht gut«, sagte sie.
»Sie könnten alle im Urlaub sein.«
»Gleichzeitig?«
»Sie könnten alle hinter Gittern sitzen. Wir waren ziemliche raubeinig.«
»Das habe ich als Erstes kontrolliert. Das ist nicht der Fall.«
Reacher schwieg.
Neagley sagte: »Karla hast du wirklich gerngehabt, nicht wahr? Deine Stimme am Telefon hat richtig zärtlich geklungen.«
»Ich habe euch alle gerngehabt.«
»Aber sie besonders. Hast du je mit ihr geschlafen?«
»Nein.«
»Warum nicht?«
»Ich habe sie angeworben. Ich war ihr Vorgesetzter. Wäre nicht richtig gewesen.«
»War das der einzige Grund?«
»Wahrscheinlich.«
»Okay.«
Reacher fragte: »Was weißt du über ihre Firmen? Gibt's irgendeinen logischen Grund dafür, dass sie tagelang nicht erreichbar sind?«
»Wahrscheinlich muss O'Donnell manchmal ins Ausland«, antwortete Neagley. »Seine Praxis ist ziemlich breit gefächert. Scheidungssachen können ihn in Hotels in der Karibik bringen, vermute ich. Oder sonst wohin, wenn er einen Kerl verfolgt, der keine Alimente zahlt. Auch Kindsentführungen und Sorgerechtsfälle können in alle Welt führen. Und Adoptionswillige schicken manchmal Privatdetektive nach Osteuropa, China oder weiß Gott wohin, um sicherzugehen, dass alles koscher ist. Es gibt jede Menge möglicher Grunde.«
»Aber?«

»Ich würde mich dazu überreden müssen, einen davon wirklich zu glauben.«

»Was ist mit Karla?«

»Sie könnte vielleicht auf den Caymans nach versteckten Geldern fahnden. Aber ich denke, dass sie das online aus ihrem Büro täte. Schließlich ist das Geld nicht wirklich *dort.*«

»Wo ist's also?«

»Es existiert nur in unserer Vorstellung. Es ist Elektrizität in einem Computer.«

»Was ist mit Sanchez und Orozco?«

»Die leben in einer geschlossenen Welt. Ich wüsste nicht, wieso sie Vegas jemals verlassen sollten. Nicht beruflich.«

»Was wissen wir über Swans Firma?«

»Sie existiert. Sie macht Geschäfte. Sie zahlt vermutlich Steuern. Sie hat eine Adresse. Aber das ist eigentlich schon alles.«

»Und sie hat anscheinend Sicherheitsprobleme, sonst wäre Swan nicht eingestellt worden.«

»Alle Rüstungsunternehmen haben Sicherheitsprobleme, oder sie meinen, welche haben zu müssen, weil sie glauben möchten, dass ihr Erzeugnis wichtig ist.«

Reacher äußerte sich nicht dazu. Er saß nur da und starrte aus dem Fenster. Es wurde allmählich dunkel. Ein langer Tag, fast vorüber. Er sagte: »Franz war an dem Morgen, an dem er verschwunden ist, nicht in seinem Büro.«

»Denkst du?«

»Das wissen wir. Angela hatte seine Schlüssel. Er hat sie zu Hause gelassen. An diesem Tag war er anderswohin unterwegs.«

Neagley schwieg.

»Und der Vermieter der kleinen Ladenzeile hat die Kerle gesehen«, sagte Reacher. »Franz' Tür war nicht aufgebrochen. Ihm haben sie den Schlüssel nicht abnehmen können, weil er ihn nicht in der Tasche hatte. Folglich haben sie dem Besitzer einen abgeluchst oder abgekauft. Deshalb müssen wir morgen zu allem anderen auch noch ihn ausfindig machen.«

»Franz hätte mich anrufen sollen«, sagte Neagley. »Ich wäre sofort gekommen.«

»Ich wollte, er hätt's getan«, meinte Reacher. »Wärst du hier gewesen, wäre dieser ganze Scheiß nie passiert.«

Reacher und Neagley aßen im Hotelrestaurant in einer Ecke der Hotelhalle, in dem eine Flasche stilles Wasser aus Norwegen acht Dollar kostete. Dann sagten sie sich gute Nacht und suchten ihre jeweiligen Zimmer auf. Das von Reacher war ein mit viel Chintz eingerichteter Würfel zwei Stockwerke unter Neagleys Suite. Er zog sich aus, duschte und legte seine Sachen ordentlich unter die Matratze, damit sie am Morgen wie gebügelt aussahen. Dann streckte er sich im Bett aus, faltete die Hände hinter dem Kopf und starrte die Zimmerdecke an. Dachte eine Minute lang an Calvin Franz – in Schlaglichtern, so wie der Lebenslauf eines politischen Kandidaten in einen dreißig Sekunden dauernden TV-Werbespot gepresst wird. Sein Gedächtnis zeigte ihm einige Bilder in Brauntönen, während andere verblichen waren, aber auf allen war Franz in Bewegung: redend, lachend, voller Schwung und Energie. Dann tauchte Karla Dixon auf: zierlich, humorvoll ironisch, mit Franz lachend. Auch Dave O'Donnell war da: groß, blond, gut aussehend, ein Börsenmakler mit einem Springmesser. Und Jorge Sanchez: unverwüstlich, die Augen zusammengekniffen, mit einem angedeuteten Lächeln, das einen Goldzahn sehen ließ und sein Ausdruck tiefster Zufriedenheit war. Und dann der wirklich vierschrötige Tony Swan. Und Manuel Orozco, der sein Zippo-Feuerzeug auf- und zuklappte, weil ihm das Geräusch so gut gefiel. Sogar Stan Lowrey war da, schüttelte den Kopf, trommelte mit den Fingern einen Rhythmus, den nur er hören konnte.

Dann blinzelte Reacher all diese Bilder weg, schloss die Augen und schlief ein – um 22.30 Uhr, am Ende eines langen Tages.

Halb elf Uhr abends in Los Angeles war in New York halb zwei Uhr am nächsten Morgen, und die letzte Maschine von British Airways aus London war soeben verspätet auf dem JFK International gelandet. Weil die letzte Schicht der Einwanderungsbeamten im BA-Terminal wegen der Verspätung nicht mehr im Dienst war, rollte das Flugzeug zum Terminal vier und entließ seine Passagiere in die dortige riesige Ankunftshalle. An dritter Stelle in der auf Abfertigung wartenden Schlange stand ein Passagier der ersten Klasse, der den größten Teil des Flugs auf Sitz 2K verschlafen hatte. Er war um die vierzig, mittelgroß, weder dick noch dünn, teuer angezogen und strahlte die umgängliche, selbstbewusste Höflichkeit aus, die Leute an sich haben, denen bewusst ist, dass sie sich glücklich schätzen können, ihr ganzes Leben reich gewesen zu sein. Er hatte dichtes schwarzes Haar, glänzend, erstklassig geschnitten, und den mittelbraunen Teint und die regelmäßigen Züge eines Inders oder Pakistaners, eines Iraners oder Syrers, eines Libanesen oder Algeriers oder sogar eines Israeli oder Italieners. Mit seinem britischen Reisepass kam er ebenso problemlos an dem Einwanderungsbeamten vorbei, wie seine manikürten Zeigefinger den elektronischen Fingerabdrucktest bestanden. Siebzehn Minuten nachdem er sich im Flugzeug losgeschnallt hatte, trat der Mann in die hell erleuchtete New Yorker Nacht hinaus und ging rasch zum vordersten Wagen der Taxischlange.

13

Am folgenden Morgen um sechs Uhr fuhr Reacher zu Neagleys Suite hinauf. Er traf sie wach und geduscht an und vermutete, sie habe schon eine Stunde Fitnesstraining hinter sich, vielleicht in ihrem Zimmer, vielleicht im Fitnessraum des Hotels. Oder sie war joggen gewesen. Sie wirkte auf eine Weise hellwach und vital, die darauf schließen ließ, dass durch ihren Körper massenhaft mit Sauerstoff angereichertes Blut strömte.

Sie bestellten ihr Frühstück beim Zimmerservice und vertrieben sich die Wartezeit mit einer weiteren erfolglosen Runde Telefonanrufe. Keine Antwort aus East L.A., keine aus Las Vegas, keine aus New York, keine aus Washington, D.C. Sie hinterließen keine Nachrichten. Sie unterließen es, auf die Taste Wahlwiederholung zu drücken. Nachdem sie aufgelegt hatten, sprachen sie nicht darüber. Sie saßen einfach schweigend da, bis der Ober das Frühstück brachte, verspeisten dann Rührei, Pfannkuchen und Schinkentoast und tranken dazu Kaffee. Dann rief Neagley unten beim Parkservice an und bestellte ihren Wagen.

»Als Erstes zu Franz' Büro?«, fragte sie.

Reacher nickte. »Franz steht hier im Mittelpunkt.«

Sie fuhren also mit dem Aufzug hinunter, stiegen in den Mustang und krochen auf dem La Cienega Boulevard nach Süden zu dem Postamt an der Spitze von Culver City.

Sie parkten direkt vor Franz' verwüstetem Büro und gingen an der chemischen Reinigung, dem Nagelstudio und der Discount-Apotheke vorbei zum kleinen Postamt, das leer war. Das Schild mit den Öffnungszeiten bewies, dass es seit gut einer halben Stunde geöffnet hatte. Falls es einen morgendlichen Ansturm gegeben hatte, war er offensichtlich vorbei.

»Solange es leer ist, richten wir dort nichts aus«, sagte Reacher.

»Dann sollten wir in der Zwischenzeit den Hausbesitzer ausfindig machen«, schlug Neagley vor.

Sie fragten in der Apotheke nach. Hinter dem Ladentisch stand ein älterer Mann in einem kurzen weißen Kittel unter einer altmodischen Überwachungskamera. Er erklärte ihnen, der Hausbesitzer sei der Typ, der die chemische Reinigung betreibe. Er sprach mit der verhaltenen Feindseligkeit, mit der Mieter immer von den Leuten reden, die ihre Mietschecks kassieren. Und er schilderte ihnen kurz die Erfolgsstory seines Nachbarn, der aus Korea gekommen war, die chemische Reinigung aufgemacht hatte und es durch Fleiß und Sparsamkeit zum Besitzer der ganzen Ladenzeile gebracht hatte. Der amerikanische Traum in Aktion. Reacher und Neagley bedankten sich, gingen an dem Nagelstudio vorbei, betraten die Reinigung und fanden sofort den richtigen Mann. Er lief in dem beengten Arbeitsbereich herum, in dem es nach scharfen Chemikalien stank. Die Trommeln von sechs großen Maschinen ratterten. An den Bügeltischen zischte es. Unter der Decke bewegten sich Drahtkörbe mit Kleidungsstücken in Plastikhüllen an einem Förderband hängend vorbei. Der Kerl schwitzte. Arbeitete schwer. Er sah aus, als hätte er es verdient, zwei Ladenzeilen zu besitzen. Oder drei. Vielleicht besaß er sie bereits. Oder noch mehr.

Reacher kam sofort zur Sache. Fragte ihn: »Wann haben Sie Calvin Franz zuletzt gesehen?«

»Ich hab ihn kaum jemals gesehen«, antwortete der Mann. »Ich konnte ihn gar nicht sehen. Er hat sein Fenster gleich als Erstes blickdicht angestrichen.« Das sagte er, als hätte er sich darüber geärgert. Als hätte er gewusst, dass er die Farbe würde abkratzen müssen, bevor er den Laden neu vermieten konnte.

Reacher sagte: »Sie müssen ihn kommen und gehen gesehen haben. Ich wette, hier arbeitet keiner länger als Sie.«

»Ich hab ihn manchmal gesehen, schätze ich«, entgegnete der Mann.

»Wann haben Sie schätzungsweise aufgehört, ihn manchmal zu sehen?«

»Vor drei, vier Wochen.«

»Kurz bevor die Kerle aufgekreuzt sind und seinen Schlüssel verlangt haben?«

»Welche Kerle?«

»Die Kerle, denen Sie seinen Schlüssel gegeben haben.«

»Sie waren Cops.«

»Die zweiten Kerle waren Cops.«

»Die ersten auch.«

»Haben sie ihre Dienstausweise vorgezeigt?«

»Ich bin sicher, dass sie's getan haben.«

»Ich bin sicher, dass sie das nicht getan haben«, meinte Reacher. »Ich bin sicher, dass sie Ihnen stattdessen einen Hundertdollarschein gezeigt haben. Vielleicht auch zwei.«

»Und wenn schon? Das war mein Schlüssel, und das Gebäude gehört mir.«

»Wie haben sie ausgesehen?«

»Warum sollte ich Ihnen das erzählen?«

»Weil wir mit Mr. Franz befreundet waren.«

»Waren?«

»Er ist tot. Jemand hat ihn aus einem Hubschrauber geworfen.«

Der Reinigungsbesitzer zuckte nur mit den Schultern.

»Ich kann mich nicht an die Kerle erinnern«, sagte er.

»Die haben Ihren Laden verwüstet«, sagte Reacher. »Was immer sie für den Schlüssel bezahlt haben, reicht nicht aus, um den Schaden zu beheben.«

»Den Laden in Ordnung zu bringen ist mein Problem. Dieses Gebäude gehört mir.«

»Was wäre, wenn es stattdessen Ihr rauchender Aschehaufen wäre? Was wäre, wenn ich heute Nacht zurückkäme und es anzünden würde?«

»Dafür kämen Sie ins Gefängnis.«

»Das glaube ich nicht. Ein Kerl mit einem so schlechten Gedächtnis wie Sie könnte der Polizei keinerlei Hinweise geben.«

Der Kerl nickte. »Sie waren Weiße. Zwei Männer. Blaue Anzüge. Ein neues Auto. Sie haben wie jeder ausgesehen, der hier reinkommt.«

»Das ist alles?«

»Nur zwei Weiße. Keine Cops. Zu gepflegt und zu wohlhabend.«

»Nichts Besonderes an ihnen?«

»Ich würd's Ihnen sagen, wenn ich könnte. Sie haben meinen Laden demoliert.«

»Okay.«

»Das mit Ihrem Freund tut mir leid. Er war anscheinend ein ganz netter Kerl.«

»Das war er«, sagte Reacher.

14

Reacher und Neagley gingen zum Postamt zurück. Es war klein und verstaubt. Mit behördlichem Chic eingerichtet. Das normale Vormittagsgeschäft lief auf Hochtouren. Vor dem Postangestellten hatte sich eine kleine Schlange aus Wartenden gebildet. Neagley drückte Reacher Franz' Schlüssel in die Hand und stellte sich an. Reacher trat an ein flaches Schreibpult im Hintergrund und griff wahllos nach einem der dort aufliegenden Formulare. Es war ein Nachsendeauftrag. Er benutzte den angeketteten Kugelschreiber, beugte sich über das Formular und gab vor, es auszufüllen. Er drehte seinen Körper etwas zur Seite, ließ den Unterarm auf der Schreibfläche ruhen und bewegte seine Hand wie schreibend. Sah zu Neagley hinüber. In zwei, drei Minuten würde sie drankommen. Er nutzte die Zeit, um die in Reihen angeordneten Schließfächer zu begutachten.

Sie nahmen die gesamte Rückwand des Schalterraums ein. Es gab sie in drei Größen. Klein, mittel, groß. Sechs Reihen kleine Fächer, darunter vier Reihen mittlere, dann bis zum Fußboden drei Reihen große. Hundertachtzig kleine, sechsundneunzig mittlere und vierundfünfzig große Fächer. Insgesamt dreihundertdreißig Schließfächer.

Welches gehörte Franz?

Bestimmt eines der großen. Aufgrund seiner beruflichen Tätigkeit musste Franz immer ziemlich viel Post bekommen haben. Ein Teil davon hatte sicher aus großformatigen Briefsendungen bestanden. Kreditauskünfte, Bankunterlagen, Gerichtsprotokolle, auch Fotos im Format achtzehn mal vierundzwanzig. Große, steife Umschläge. Folglich ein großes Schließfach.

Aber welches große Fach?

Das ließ sich unmöglich sagen. Hätte Franz die Wahl gehabt, hätte er ganz oben, drei Reihen über dem Fußboden, das äußerste rechte Fach genommen. Wer will von der Straße kommend weiter als nötig in den Schalterraum hinein und gar auf dem Linoleum in die Hocke gehen? Aber Franz hatte bestimmt keine Wahl gehabt. Wer ein Postschließfach will, muss nehmen, was gerade verfügbar ist. Man folgt jemandem nach. Jemand stirbt oder zieht weg, sein Fach wird frei, man erbt es. Losglück in einer Lotterie. Eine Chance von vierundfünfzig.

Reacher steckte seine linke Hand in die Tasche und betastete Franz' Schlüssel. Vermutlich würde er zwei bis drei Sekunden pro Schloss brauchen. Das waren schlimmstenfalls fast drei Minuten, in denen er die Schließfächer abklappern würde. Sehr exponiert. Und noch schlimmer war die Vorstellung, er könnte versuchen, ein Fach vor seinem eben von der Straße hereingekommenen rechtmäßigen Besitzer aufzuschließen. Fragen, Beschwerden, Geschimpfe, Anrufe bei der Polizei, potenziell ein nach Bundesgesetzen strafbares Vergehen. Reacher bezweifelte nicht, dass er den Schalterraum würde verlassen können, ohne aufgehalten zu werden, aber er wollte nicht mit leeren Händen gehen.

Er hörte Neagley sagen: »Guten Morgen.«

Er sah nach links und stellte fest, dass sie an die Spitze der kleinen Schlange gelangt war. Sah, wie sie sich etwas nach vorn beugte, um die gesamte Aufmerksamkeit des Postmenschen auf sich zu lenken. Sah, dass der Kerl nur noch Augen für sie hatte. Er ließ den Kugelschreiber fallen und zog den kleinen Schlüssel aus der Tasche. Trat unauffällig an die Schließfachwand und versuchte es mit dem äußersten linken Fach in der dritten Reihe von unten.

Fehlanzeige.

Reacher drehte den Schlüssel nach links und rechts. Keine Bewegung. Er zog ihn heraus und versuchte es mit dem Schloss darunter. Fehlanzeige. Und mit dem Schloss darunter. Fehlanzeige.

Neagley hatte eine lange komplizierte Frage zu Luftpostsendungen. Sie stand leicht über den Schalter gebeugt da. Sie verlieh dem Postangestellten das Gefühl, der wichtigste Mensch der Welt zu sein. Reacher trat einen halben Schritt nach rechts und versuchte es mit dem nächsten Fach in der dritten Reihe von unten.

Fehlanzeige.

Vier abgehakt, noch fünfzig zu überprüfen. Zwölf Sekunden verbraucht, die Chancen jetzt von null Komma fünfundachtzig Prozent auf zwei Prozent verbessert. Er versuchte es mit dem Schloss darunter. Fehlanzeige. Er ging in die Hocke und versuchte es mit dem unteren Fach.

Fehlanzeige.

Er blieb in der Hocke und bewegte sich ein kleines Stück nach rechts. Begann die nächste senkrechte Reihe von unten nach oben. Kein Glück mit dem unteren Fach. Kein Glück mit dem mittleren. Kein Glück mit dem dritten von unten. Neun abgehakt, fünfundzwanzig Sekunden verstrichen. Neagley redete noch immer. Dann nahm Reacher wahr, dass eine Frau sich links an ihm vorbeiquetschte. Sie sperrte ihr Fach in einer der oberen Reihen auf. Zog einen Wust von Briefen und Drucksachen heraus. Blieb stehen, um ihre Post gleich zu sortieren. *Verschwinde,* forderte er sie stumm auf. *Geh zum Papierkorb.* Sie wandte sich ab. Reacher trat nach rechts und nahm sich die vierte senkrechte Reihe vor. Neagley schwatzte weiter. Der Postangestellte hörte ihr weiter zu. Der Schlüssel passte nicht ins obere Schloss. Er passte nicht zum mittleren Fach. Er passte nicht ins untere Schloss.

Zwölf abgehakt. Die Chance jetzt eins zu zweiundvierzig. Besser, aber nicht gut. Der Schlüssel passte zu nichts in der fünften Reihe. Auch zu nichts in der sechsten. Achtzehn abgehakt. Ein Drittel erledigt. Die Chancen wurden immer besser. *Du musst das Positive sehen.* Neagley redete unermüdlich weiter. Er konnte sie hören. Er wusste, dass die hinter ihr Wartenden allmählich ungeduldig werden würden. Sie würden mit den Füßen scharren. Sie würden sich gelangweilt und neugierig umsehen.

Die siebte senkrechte Reihe begann er wieder von oben. Er drehte den Schlüssel. Keine Bewegung. Kein Erfolg bei dem mittleren Fach. Auch nicht bei dem unteren. Neagley hatte zu reden aufgehört. Der Angestellte erklärte ihr etwas, das sie nicht zu verstehen vorgab. Er trat einen halben Schritt nach rechts. Vor die achte Reihe. Der Schlüssel passte nicht zum oberen Fach. Im Schalterraum wurde es still. Reacher konnte Blicke spüren, die ihn von hinten durchbohrten. Er ließ die Hand sinken und versuchte es mit dem mittleren Fach in der achten Reihe.

Bewegte den Schlüssel. Das metallische Klicken kam ihm sehr laut vor.

Fehlanzeige.

Im Schalterraum herrschte Stille.

Reacher versuchte es mit dem unteren Fach der achten senkrechten Reihe.

Drehte den Schlüssel.

Er bewegte sich.

Das Schloss ging auf.

Reacher trat einen Schritt zurück, zog die kleine Tür ganz auf und ging davor in die Hocke. Das Fach war übervoll. Gepolsterte Umschläge, dicke braune Umschläge, große weiße Umschläge, Briefe, Kataloge, Zeitschriften in Plastikhüllen, Postkarten.

Die Geräuschkulisse im Schalterraum kehrte zurück.

Reacher hörte Neagley sagen: »Vielen herzlichen Dank für Ihre Hilfe.« Er hörte ihre Schritte auf den Fliesen. Hörte die Schlange hinter ihr aufrücken. Spürte, wie Leute sich wieder auf ihre Chance konzentrierten dranzukommen, bevor sie an Altersschwäche starben. Er streckte eine Hand in das Schließfach und rechte den Inhalt nach vorn. Schob alles zu einem stabilen Stapel zusammen, nahm ihn und stand auf. Klemmte sich den Stapel unter den Arm, sperrte das Fach wieder zu, steckte den Schlüssel ein und verließ den Schalterraum, als wäre das die natürlichste Sache der Welt.

Neagley wartete in dem vor Franz' Tür geparkten offenen Mustang auf ihn. Reacher beugte sich über die Beifahrertür, ließ den Stapel Post auf die Mittelkonsole fallen und stieg dann ein. Ging den Stapel durch und zog vier kleine gepolsterte Umschläge heraus, die in Franz' vertrauter Schrift an ihn selbst adressiert waren.

»Für CDs zu klein«, sagte sie.

Er hatte sie nach dem Datum des Poststempels geordnet. Der letzte Umschlag war am Morgen des Tages, an dem Franz verschwunden war, abgestempelt worden.

»Aber am Abend zuvor aufgegeben«, sagte er.

Er riss den Umschlag auf und schüttelte einen kleinen silbernen Gegenstand heraus. Metall, flach, ungefähr sechs Zentimeter lang, eineinhalb Zentimeter breit, ziemlich dünn, mit einer Plastikkappe abgeschlossen. Etwas, das an einen Schlüsselring gepasst hätte. An einer Seite war *2 GB* aufgedruckt.

»Was ist das?«, fragte er.

»USB-Stick«, antwortete Neagley. »Ein neuartiger Diskettenersatz. Keine beweglichen Teile, aber tausendfache Speicherkapazität.«

»Was fangen wir damit an?«

»Wir stecken ihn an eines meiner Notebooks an und sehen nach, was darauf ist.«

»Einfach so?«

»Außer der Inhalt ist passwortgeschützt. Was er vermutlich ist.«

»Gibt's nicht Software, mit der sich Passwörter knacken lassen?«

»Die hat's früher gegeben. Jetzt nicht mehr. Alles wird eben besser. Oder je nach Blickwinkel schlechter.«

»Was machen wir also?«

»Wir verbringen die Zeit im Auto damit, in Gedanken Listen aufzustellen. Mit Wörtern, die er als Passwort benutzt haben könnte. Auf ganz altmodische Art. Ich vermute, dass wir drei Versuche haben, bevor die Dateien automatisch gelöscht werden.

Sie ließ den Motor an und fuhr weg. Wendete auf der Feuerwehrzufahrt der Ladenzeile und bog wieder in den La Cienega Boulevard ein, diesmal in Richtung Norden.

Der Mann in dem dunkelblauen Anzug beobachtete, wie sie wegfuhren. Er hatte sich vierzig Meter entfernt auf einem der Parklätze der Apotheke am Steuer seines dunkelblauen Chryslers klein gemacht. Jetzt klappte er sein Handy auf und rief seinen Boss an.

»Diesmal haben sie Franz' Büro links liegen gelassen«, erklärte er, »und stattdessen mit dem Hausbesitzer gesprochen. Anschließend waren sie ziemlich lange auf der Post. Ich denke, Franz hat das Zeug per Brief an sich selbst geschickt. Deshalb konnten wir's nicht finden. Und sie dürften es jetzt haben.«

15

Neagley steckte den USB-Stick seitlich an einem ihrer Notebooks ein. Reacher sah auf den Bildschirm. Eine Sekunde lang passierte nichts, dann erschien ein Icon. Es glich einem vereinfachten Bild des Speichermediums, das sie eben eingesteckt hatte. Bezeichnet war es mit *No Name*. Neagley ließ ihren Zeigefinger über das Touchpad gleiten und tippte dann zweimal darauf.

Das Icon wurde bildschirmgroß und verwandelte sich in eine Passwortanforderung.

»Verdammt«, sagte sie.

»Unvermeidlich«, sagte er.

»Ideen?«

In seiner Dienstzeit hatte Reacher häufig Computer-Passwörter geknackt. Dazu musste man sich in die Besitzer hineinversetzen und wie sie denken. Sie *sein*. Wirklich paranoide Menschen benutzten lange Kombinationen aus großen und kleinen Buchstaben und Zahlen. Solche Passwörter ließen sich praktisch nicht knacken. Aber Franz war nie paranoid, sondern ein lässiger Typ gewesen, der Sicherheitsmaßnahmen ernst nahm, jedoch zugleich über sie lächelte. Und er war ein Freund von Wörtern, nicht von Zahlen. Voller Gefühle und Loyalitäten. Mit mäßig anspruchsvollem Geschmack. Und einem Gedächtnis wie ein Elefant.

Reacher sagte: »Angela, Charlie, Miles Davis, Dodgers, Koufax. Panama, Pfeiffer, MASH, Brooklyn, Heidi oder Jennifer.«

Neagley schrieb sich das alles auf einer neuen Seite in ihrem Notizbuch mit Spiralbindung auf.

»Wie kommst du auf die?«, fragte sie.

»Angela und Charlie liegen auf der Hand. Seine Familie.«

»Zu offensichtlich.«

»Vielleicht. Vielleicht auch nicht. Miles Davis war sein Lieblingsmusiker, Sandy Koufax sein Lieblingsspieler, und die Dodgers waren sein Lieblingsteam.«

»Alles möglich. Wieso Panama?«

»Dort war er Ende 1989 eingesetzt. Ich glaube, dass Panama ihm die größte berufliche Befriedigung verschafft und er das bestimmt nie vergessen hat.«

»Pfeiffer wie Michelle Pfeiffer?«

»Seine Lieblingsschauspielerin.«

»Angela sieht ihr ein bisschen ähnlich, nicht?«

»Da hast du's.«

»MASH?«

»Sein absoluter Lieblingsfilm«, sagte Reacher.

»Vor über zehn Jahren, als du ihn gekannt hast«, meinte Neagley. »Seither hat's eine Menge guter Filme gegeben.«

»Passwörter kommen aus dem Unterbewusstsein.«

»Es wäre zu kurz. Heutzutage müssen Passwörter im Allgemeinen mehr als sechs Buchstaben haben.«

»Okay, dann streichen wir MASH.«

»Brooklyn?«

»Sein Geburtsort.«

»Das wusste ich nicht.«

»Das wissen nur wenige Leute. Er ist schon als Kind mit seinen Eltern nach Westen gezogen. Deshalb wäre das ein gutes Passwort.«

»Heidi?«

»Seine erste richtige Freundin. Anscheinend eine verdammt heiße Nummer. Toll im Bett. Er war ganz verrückt nach ihr.«

»Das wusste ich alles nicht. Ich war anscheinend ausgeschlossen, wenn ihr Jungs euch unterhalten habt.«

»Offenbar«, sagte Reacher. »Karla Dixon übrigens auch. Wir wollten nicht sentimental wirken.«

»Ich streiche Heidi von der Liste. Sie hat nur fünf Buchstaben, und er war jetzt ganz auf Angela fixiert. Ihm wär's nicht richtig vorgekommen, den Namen einer alten Freundin als Passwort zu benutzen, selbst wenn sie noch so heiß und toll war. Aus demselben Grund streiche ich Michelle Pfeiffer. Und wer war Jennifer? Seine zweite Freundin? War sie auch heiß?«

»Jennifer war sein Hund«, sagte Reacher. »In seiner Kindheit und Jugend. Ein kleiner schwarzer Köter. Ist achtzehn Jahre alt geworden. Er war total fertig, als sie gestorben ist.«

»Also möglich. Aber das sind sechs. Wir haben nur drei Versuche.«

»Nein, wir haben zwölf«, sagte Reacher. »Vier Umschläge, vier USB-Sticks. Fangen wir mit dem frühesten Poststempel an, können wir's uns leisten, die ersten drei zu verbrennen. Die darauf gespeicherten Informationen sind ohnehin alt.«

Neagley legte die USB-Sticks in streng zeitlicher Reihenfolge auf dem Hotelschreibtisch nebeneinander. »Weißt du bestimmt, dass er sein Passwort nicht täglich geändert hat?«

»Franz?«, sagte Reacher. »Doch nicht im Ernst! Ein Mensch wie Franz wählt ein Wort, das ihm etwas bedeutet, und bleibt ewig dabei.«

Neagley steckte den ältesten USB-Stick ein und wartete, bis das Icon auf dem Bildschirm erschien. Sie klickte es an und verschob den Cursor gleich in das Passwortkästchen.

»Okay«, sagte sie. »Willst du sie nach Priorität anordnen?«

»Versuch's erst mit den Personennamen. Dann mit den Ortsnamen. Ich glaube, dass er so gedacht hätte.«

»Ist Dodgers ein Personenname?«

»Klar doch. Baseball wird von Leuten gespielt.«

»Okay. Aber wir fangen mit Musik an.« Neagley tippte *MilesDavis* und betätigte die Eingabetaste. Nach kurzer Pause erneuerte sich der Bildschirm und zeigte wieder die Dialogbox – diesmal jedoch mit einer Anmerkung in Rot: *Ihr erster Versuch war unrichtig.*

»Einer weg«, sagte sie. »Jetzt zum Sport.«

Sie versuchte es mit *Dodgers.*

Unrichtig.

»Zwei weg.« Sie tippte *Koufax.*

Die Festplatte ihres Notebooks surrte, und der Bildschirm wurde schwarz.

»Was ist passiert?«, fragte Reacher.

»Die Daten werden gelöscht«, antwortete sie. »Endgültig. Es war nicht Koufax. Drei weg.«

Sie zog den USB-Stick von ihrem Notebook ab und warf ihn in einem weiten silbernen Bogen in den Papierkorb. Steckte dafür den zweiten ein. Tippte *Jennifer.*

Unrichtig.

»Vier weg«, sagte sie. »Nicht seine Töle.«

Sie versuchte es mit *Panama.*

Unrichtig.

»Fünf weg.« Sie gab *Brooklyn* ein.

Der Bildschirm wurde schwarz, und die Festplatte surrte.

»Sechs weg«, sagte sie. »Auch nicht sein altes Viertel. Du liegst null zu sechs hinten, Reacher.«

Der zweite USB-Stick flog klappernd in den Papierkorb, und sie steckte den dritten ein.

»Vorschläge?«

»Jetzt bist du dran. Ich scheine außer Form zu sein.«

»Wie wär's mit der Nummer seiner Erkennungsmarke?«

»Das glaube ich nicht. Er hatte es wie gesagt mehr mit Worten als mit Zahlen. Und meine Nummer war mit meiner Sozialversicherungsnummer identisch. So war's vermutlich auch bei ihm – zu leicht zu erraten.«

»Was würdest du als Passwort benutzen?«

»Ich? *Ich* hab's mit Zahlen. Die stehen auf jeder Tastatur ganz oben, alle nebeneinander, leicht zugänglich. Dazu braucht man nicht Maschineschreiben zu können.«

»Welche Zahl würdest du nehmen?«

»Mit sechs Ziffern? Ich würde vermutlich meinen Geburtstag hinschreiben, Tag, Monat, Jahr, und die nächste Primzahl suchen.« Er überlegte kurz, dann sagte er: »Tatsächlich wäre das problematisch, weil zwei gleich nahe wären, eine um sieben kleiner, die andere um sieben größer. Also würde ich vermutlich die auf drei Stellen abgerundete Quadratwurzel nehmen. Ignoriere ich das Komma, erhalte ich eine Zahl mit sechs verschiedenen Ziffern.«

»Verrückt«, sagte Neagley. »Ich denke, wir können davon ausgehen, dass Franz nicht auf so was verfallen wäre. Darauf würde vermutlich kein anderer Mensch kommen.«

»Deshalb wär's ein gutes Passwort.«

»Was war sein erstes Auto?«

»Wahrscheinlich irgendeine Rostlaube.«

»Aber Männer mögen Autos, stimmt's? Welchen Wagen hätte er am liebsten gehabt?«

»Ich mag keine Autos.«

»Du musst wie er denken, Reacher. Welches Auto hätte er sich gewünscht?«

»Er wollte immer einen roten Jaguar XKE.«

»Wäre das einen Versuch wert?«

Ein Mann mit Interessen und Enthusiasmus. Voller Gefühle und Loyalitäten.

»Vielleicht«, erwiderte Reacher. »Jedenfalls wird's etwas sein, das ihm besonders viel bedeutet hat. Eine Art Talisman, der einem das Herz wärmt, wenn man bloß an das Wort denkt. Ein frühes Vorbild oder etwas, an das er seit Langem mit Liebe oder Zuneigung gedacht hat. Deshalb könnte es mit dem XKE klappen.«

»Soll ich's versuchen? Wir haben nur noch sechs übrig.«

»Hätten wir sechshundert, würde ich's bestimmt versuchen.«

»Augenblick!«, erklärte Neagley. »Du erinnerst dich, was Angela uns erzählt hat? Dass er immer gesagt hat, dass man sich nicht mit den Sonderermittlern anlegt?«

»Das wäre ein verdammt langes Passwort.«

»Dann teilen wir's eben. In ›Sonderermittler‹ und ›Hände weg!‹.«

Ein Gedächtnis wie ein Elefant. Reacher nickte. »Im Prinzip war's damals eine wundervolle Zeit, oder? Vielleicht hat die Erinnerung daran ihn jedes Mal gefreut. Vor allem dort in Culver City, wo er nicht schrecklich viel zu tun hatte. Viele Leute genießen Nostalgie, stimmt's? Wie in dem Song ›The Way We Were‹.«

»Das ist auch ein Film.«

»Da hast du's. Ein weit verbreitetes Gefühl.«

»Womit sollen wir's zuerst versuchen?«

Reacher glaubte Charlies hellen Diskant zu hören, als der Kleine sagte: *Man legt sich nicht mit ihnen an.*

»Hände weg«, sagte er. »Acht Buchstaben.«

Neagley tippte *Händeweg.*

Betätigte die Eingabetaste.

Unrichtig.

»Scheiße«, sagte sie.

Sie gab *Sonderermittler* ein. Ließ ihren Zeigefinger über der Eingabetaste schweben.

»Das ist verdammt lang«, meinte Reacher.

»Ja oder nein?«

»Versuch's damit.«

Unrichtig.

»Verdammt«, sagte Neagley nur.

Reacher dachte noch immer an Charlie. Auf seinem kleinen Schaukelstuhl mit dem sauber eingebrannten Namen über seinem Kopf. Er glaubte, Franz bei der Arbeit zu sehen. Er konnte sich einbilden, den Holzrauch zu riechen. Ein Geschenk eines Vaters für seinen Sohn. Bestimmt als Erstes von vielen gedacht. Liebe, Stolz, Verpflichtung.

»Mir gefällt Charlie.«

»Mir auch«, sagte Neagley. »Er ist ein niedlicher kleiner Junge.«

»Nein, als Passwort.«

»Zu nahe liegend.«

»Franz hat diese Sache nicht sehr ernst genommen, sich nur pro forma an das Verfahren gehalten. Es war einfacher, irgendein Passwort zu wählen, als die Software so umzuprogrammieren, dass keines mehr nötig war.«

»Trotzdem zu nahe liegend. Und er muss die Sache ernst genommen haben. Zumindest dieses Mal. Er hatte große Schwierigkeiten und hat Zeug an sich selbst geschickt.«

»Deshalb könnte das ein doppelter Bluff gewesen sein. Der Name Charlie liegt nahe – aber kein Mensch würde glauben, dass Franz ihn tatsächlich verwenden würde. Folglich wäre er ein sehr effektives Passwort.«

»Möglich, aber unwahrscheinlich.«

»Was ist überhaupt auf dem USB-Stick gespeichert?«

»Etwas, das wir unbedingt sehen sollten.«

»Tu mir den Gefallen und versuch's mit Charlie.«

Neagley zuckte mit den Schultern, dann tippte sie Charlie.

Betätigte die Eingabetaste.

Unrichtig.

Die Festplatte surrte, und die Informationen wurden endgültig gelöscht.

»Neun weg«, teilte Neagley mit. Sie warf den dritten USB-Stick in den Papierkorb und steckte den vierten und letzten ein. »Nur noch drei übrig.«

Reacher fragte: »Wen hat er vor Charlie geliebt?«

»Angela«, sagte Neagley. »Viel zu offensichtlich.«

»Versuch's damit.«

»Ist das dein Ernst?«

»Ich bin ein Spieler.«

»Wir haben nur noch diese drei Chancen.«

»Versuch's damit«, sagte er noch mal.

Sie tippte *Angela.*

Betätigte die Eingabetaste.

Unrichtig.

»Zehn weg«, sagte sie. »Zwei übrig.«

»Wie wär's mit Angela Franz?«

»Noch viel schlimmer.«

»Oder mit ihrem Mädchennamen?«

»Den wissen wir nicht.«

»Ruf sie an und frag sie danach.«

»Ist das dein Ernst?«

»Lass ihn dir wenigstens sagen.«

Neagley blätterte also in ihrem Notizbuch, fand die Nummer und klappte ihr Handy auf. Stellte sich nochmals vor.

Machte kurz Konversation. Dann hörte Reacher, wie sie die Frage stellte. Angelas Antwort bekam er nicht mit. Aber er sah, wie Neagleys Augen sich kurz weiteten, was für sie jedoch das Gleiche war, als wäre sie vor Schreck zu Boden gegangen.

Sie beendete das Gespräch.

»Ihr Mädchenname war Pfeiffer«, sagte sie.

»Interessant.«

»Sehr.«

»Sind sie verwandt?«

»Davon hat sie nichts gesagt.«

»Versuch's damit. Das ist der perfekte Doppelschlag. Dabei fühlt er sich zweifach wohl, und er braucht sich nicht im Geringsten illoyal zu fühlen.«

Neagley tippte *Pfeiffer*.

Betätigte die Eingabetaste.

Unrichtig.

16

In der Suite war es heiß und stickig, die Luft abgestanden. Und der Raum schien irgendwie geschrumpft zu sein. Neagley sagte: »Elf weg. Nur noch einer übrig. Topp oder hopp. Die letzte Chance.«

Reacher fragte: »Was passiert, wenn wir nichts tun?«

»Dann bekommen wir die gespeicherten Informationen nicht zu sehen.«

»Nein, ich meine, ob wir gleich jetzt weitermachen müssen? Oder halten sie sich eine Weile?«

»Sie bleiben unbegrenzt lange gespeichert.«

»Dann sollten wir eine Pause machen. Später weitermachen. Bei nur noch einem Versuch müssen wir unseren Verstand zusammennehmen.«

»Haben wir das nicht schon getan?«

»Anscheinend nicht auf die richtige Weise. Wir fahren nach East L.A. und suchen Swan. Finden wir ihn, hat er vielleicht eine Idee. Sonst gehen wir mit neuem Elan an diese Sache heran.«

Neagley rief wieder unten beim Parkservice an, und zehn Minuten später saßen sie in dem Mustang und waren auf dem Wilshire Boulevard nach Osten unterwegs. Durch Wilshire Center, durch Westlake, dann nach Süden abbiegend mitten durch den MacArthur Park. Anschließend auf dem Pasadena Freeway nach Nordosten, an dem Betonklotz des Dodger Stadions vorbei, das einsam inmitten riesiger leerer Parkflächen stand. Schließlich tief in das Straßenlabyrinth zwischen Boyle Heights, Monterey Park, Alhambra und South Pasadena hinein. Dort gab es Wissenschafts- und Gewerbeparks, Ladenzeilen und alte Wohnviertel sowie Neubaugebiete. Alle Bordsteine waren zugeparkt, und die Autoschlangen kamen nur stockend voran. Der Himmel wirkte braun verfärbt. Neagley hatte einen einfachen Stadtplan von Rand McNally im Handschuhfach. Das Kartenbild sah aus, als betrachtete man die Erdoberfläche aus fünfzig Kilometern Höhe. Reacher kniff die Augen zusammen und verfolgte die schwachen grauen Linien. Verglich die Straßennamen an Laternenmasten mit denen auf dem Stadtplan und ortete bestimmte Kreuzungen, ungefähr dreißig Sekunden nachdem sie darübergefahren waren. Er hatte seinen Daumen auf den Punkt des Firmensitzes von New Age Defense Systems gelegt, und dirigierte Neagley in einer krakeligen weiten Spirale dorthin.

Als sie ankamen, sahen sie eine niedrige Granittafel mit dem eingemeißelten Firmennamen und einen luxuriösen Stahl- und Spiegelglaswürfel hinter einem hohen Streckmetallzaun, der von Bandstacheldrahtrollen gekrönt war. Der Zaun war auf den ersten Blick eindrucksvoll, aber kein wirklicher Schutz, weil zehn Sekunden und ein Bolzenschneider genügt hätten, um jemandem Zutritt zu verschaffen. Das Gebäude selbst war von ausgedehnten Parkflächen mit ein paar Alibibäumen umgeben. Indem es die Bäume und den Himmel widerspiegelte schien es zugleich da und doch nicht da zu sein.

Das Haupttor, eine leichte Konstruktion, stand weit offen, ohne bewacht zu werden. Die Parkplätze dahinter waren ungefähr zur Hälfte besetzt. Neagley machte halt, um einen Lieferwagen eines Herstellers von Fotokopierern passieren zu lassen; dann fuhr sie durchs Tor und stellte den Mustang auf einem Besucherparkplatz in der Nähe des Eingangs ab. Reacher und sie stiegen aus und blieben einen Augenblick stehen. Die Luft fühlte sich an diesem Spätvormittag warm und stickig an. Auf dem Parkplatz war es still. Hier schienen sich eine Menge Leute gewaltig zu konzentrieren – oder keiner tat etwas wirklich Nützliches.

Flache Stufen führten zum Eingang hinauf, dessen Automatiktür sie in eine große quadratische Halle mit Schieferboden und Wandverkleidungen aus Aluminiumpaneelen führte. Die Einrichtung bestand aus schwarzen Ledersesseln und einer langen Empfangstheke im Hintergrund. Dort saß eine ungefähr dreißig Jahre alte Blondine. Sie trug ein Polohemd mit dem über ihrer kleinen linken Brust eingestickten Firmennamen *New Age Defense Systems*. Obwohl sie gehört haben musste, wie die Eingangstür sich öffnete, sah sie erst auf, als Reacher und Neagley schon fast am Empfang angelangt waren.

»Was kann ich für Sie tun?«, fragte sie.

»Wir möchten Tony Swan sprechen«, antwortete Reacher.

Die Blondine lächelte mechanisch und fragte: »Darf ich um Ihre Namen bitten?«

»Frances Neagley und Jack Reacher. Wir waren beim Militär gut mit ihm befreundet.«

»Dann nehmen Sie bitte Platz.« Während die Frau nach dem Telefonhörer griff, gingen Reacher und Neagley zu den Ledersesseln hinüber. Neagley setzte sich, aber Reacher blieb stehen. Er beobachtete das verschwommene Spiegelbild der Frau auf Aluminiumblech und hörte sie sagen: »Zwei Freunde von Tony Swan, die ihn sprechen möchten.« Dann legte sie auf und lächelte in Richtung Reacher, obwohl er sie nicht direkt ansah. In der Eingangshalle senkte sich wieder Stille herab.

Es blieb ungefähr vier Minuten lang still, dann hörten sie das Klicken von Absätzen auf dem Schieferboden des Korridors, der seitlich hinter dem Empfang auf die Eingangshalle stieß. Ein gemessener Schritt, ganz ohne Hast. Reacher behielt die Einmündung des Korridors im Auge, in der jetzt eine Frau sichtbar wurde. Ungefähr vierzig, schlank, braunhaarig, moderne Kurzhaarfrisur. Zu ihrem taillierten schwarzen Hosenanzug trug sie eine weiße Bluse. Sie wirkte clever und effizient und trug einen gewinnend offenen Gesichtsausdruck zur Schau. Sie lächelte der Empfangsdame flüchtig dankend zu, bevor sie an ihr vorbei auf Reacher und Neagley zuging. Streckte ihnen die Hand entgegen und sagte: »Ich bin Margaret Berenson.«

Neagley stand auf, und Reacher nannte ihre Namen und schüttelte ihr die Hand. Aus der Nähe konnte man die bogenförmigen Narben eines alten Verkehrsunfalls unter ihrem Make-up erkennen, und ihr eisiger Atem wies sie als ständige Kaugummikauerin aus. Sie trug ordentlichen Schmuck, aber keinen Ehering.

»Wir wollten Tony Swan sprechen«, sagte Reacher.

»Ich weiß«, sagte die Frau. »Kommen Sie mit.«

Eines der Aluminiumpaneele entpuppte sich als eine Tür, die direkt in einen kleinen rechteckigen Besprechungsraum neben der Eingangshalle führte. Er war offenbar für Diskussionen mit Besuchern bestimmt, die nicht würdig waren, ins

Allerheiligste eingelassen zu werden. Der angenehm kühle, mit einem Tisch und vier Stühlen spartanisch möblierte Raum hatte wandhohe Fenster, die auf den Parkplatz hinausführten. Die vordere Stoßstange von Neagleys Mustang war ungefähr anderthalb Meter entfernt.

»Ich bin Margaret Berenson«, wiederholte die Frau. »Ich bin die Personalchefin von New Age. Ich will gleich zur Sache kommen, indem ich Sie darüber informierten, dass Mr. Swan nicht mehr bei uns ist.«

Reacher fragte: »Seit wann nicht mehr?«

»Seit etwas über drei Wochen«, antwortete Berenson.

»Was ist passiert?«

»Darüber könnte ich ungezwungener reden, wenn ich sicher wüsste, dass Sie in persönlichen Beziehungen zu ihm stehen. Jeder kann hier an der Rezeption erscheinen und sich als alter Freund ausgeben.«

»Ich weiß nicht recht, wie wir das beweisen sollen.«

»Wie hat er ausgesehen?«

»Ungefähr einen Meter fünfundsiebzig groß und einen Meter siebzig breit.«

Berenson nickte. »Nehmen wir mal an, ich würde Ihnen erzählen, dass er ein Stück Stein als Briefbeschwerer benutzt hat – könnten Sie mir dann sagen, woher dieses Stück Stein kam?«

»Von der Berliner Mauer«, sagte Reacher. »Er war beim Mauerfall in Deutschland stationiert. Kurz danach sind wir uns dort begegnet. Er war mit dem Zug hingefahren und hatte sich ein Andenken gesichert. Und es ist aus Beton, nicht aus Stein. Mit Spuren eines Graffitos.«

Berenson nickte.

»Genau das habe ich auch gehört«, sagte sie. »Und das ist der Gegenstand, den ich gesehen habe.«

»Was ist passiert?«, fragte Reacher. »Hat er gekündigt?«

Berenson schüttelte den Kopf.

»Das nicht gerade«, sagte sie. »Wir mussten uns leider von ihm trennen. Nicht nur von ihm. Sie müssen verstehen, dass dies eine neue Firma ist. Sie war immer spekulativ, immer mit Risiken behaftet. Was unseren Geschäftsplan betrifft, sind wir nicht dort, wo wir sein möchten. Zumindest noch nicht. Deshalb haben wir ein Stadium erreicht, in dem wir unseren Personalstand korrigieren mussten. Leider nach unten. Als Erste haben wir die entlassen, die zuletzt zu uns gekommen sind, was bedeutete, dass alle Stellvertreterposten gestrichen wurden. Ich habe meinen eigenen Stellvertreter verloren. Mr. Swan war stellvertretender Direktor unseres Sicherheitsdienstes, deshalb hat es leider auch ihn getroffen. Wir haben sein Ausscheiden sehr bedauert, weil er ein wertvoller Mitarbeiter war. Sobald unsere wirtschaftliche Lage sich bessert, werden wir ihn bitten zurückzukommen. Aber bis dahin hat er bestimmt längst eine andere gute Stelle.«

Reacher schaute durch eines der Fenster auf den halb leeren Parkplatz hinaus. Lauschte auf die Stille in dem Gebäude. Es schien ebenfalls halb leer zu sein.

»Okay«, sagte er.

»Nicht okay«, widersprach Neagley. »Ich habe seit drei Tagen immer wieder versucht, ihn im Büro anzurufen, und bin jedes Mal damit vertröstet worden, er sei nur gerade nicht an seinem Platz. Das passt nicht zusammen.«

Berenson nickte erneut. »Das ist professionelle Höflichkeit, auf der ich bestehe. Auf höherer Führungsebene wäre es eine Katastrophe für den Einzelnen, wenn die Partner seines persönlichen Netzwerks diese Nachricht aus zweiter Hand erhielten. Es ist viel besser, wenn Mr. Swan die Leute selbst und direkt benachrichtigen kann. Das gibt ihm die Möglichkeit, die Nachricht für ihn vorteilhaft zu verpacken. Daher bestehe ich darauf, dass die verbleibenden Sekretärinnen in dieser Umstrukturierungsphase zu kleinen Notlügen greifen. Ich will mich nicht dafür entschuldigen, sondern hoffe auf Ihr Verständnis. Kann Mr. Swan sich an einen neuen Arbeitgeber wenden, als hätte *er* gekündigt, ist er in einer weit besseren Position, als wenn jeder wüsste, dass wir ihn freigesetzt haben.«

Neagley dachte kurz darüber nach, dann nickte sie.

»Okay«, sagte sie. »Ich verstehe, was Sie damit bezwecken wollen.«

»Vor allem in Mr. Swans Fall«, sagte Berenson. »Wir alle haben ihn sehr gemocht.«

»Was ist mit denen, die Sie nicht gemocht haben?«

»Es hat keine gegeben. Wir würden niemals Leute einstellen, von denen wir nicht hundertprozentig überzeugt sind.«

Reacher sagte: »Als ich Swan anrufen wollte, hat sich gar niemand gemeldet.«

Berenson nickte wieder, weiterhin geduldig und professionell. »Wir mussten auch Sekretärinnen entlassen. Die verbliebenen Mitarbeiterinnen sind für jeweils fünf bis sechs Telefone zuständig. Manchmal kommen sie einfach nicht rechtzeitig an den Apparat.«

Reacher fragte: »Was ist also los mit Ihrem Geschäftsplan?«

»Darüber kann ich wirklich nicht im Einzelnen sprechen. Aber das verstehen Sie sicher. Sie waren in der Army.«

»Ja, und zwar beide.«

»Dann wissen Sie, wie viele neue Waffensysteme von Anfang an funktionieren.«

»Nicht viele.«

»Kein *einziges*. Unseres braucht nur etwas länger, als wir gehofft hatten.«

»Was für eine Waffe bauen Sie überhaupt?«

»Darüber kann ich wirklich nicht sprechen.«

»Wo wird sie gebaut?«

»Natürlich hier.«

Reacher schüttelte den Kopf. »Nein, das stimmt nicht. Sie

haben einen Zaun, den ein Dreijähriger überwinden könnte, kein Wachhäuschen am Tor und eine unbewachte Eingangshalle. Das alles hätte Tony Swan nicht durchgehen lassen, wenn es hier eine geheime Produktion gäbe.«

»Ich kann wirklich nicht über unsere Verfahren sprechen.«

»Wer war Swans Boss?«

»Unser Sicherheitsdirektor? Ein pensionierter Lieutenant des Los Angeles Police Department.«

»Und Sie haben ihn behalten und Swan gehen lassen? Da haben Ihre Kündigungsregeln Ihnen einen schlechten Dienst erwiesen.«

»Sie alle waren großartige Leute – die Verbliebenen ebenso wie die Ausgeschiedenen. Wir haben es sehr bedauert, auswählen zu müssen. Aber das war absolut unumgänglich.«

Zwei Minuten später saßen Reacher und Neagley auf dem Parkplatz der Firma New Age wieder in dem Mustang, dessen Motor im Leerlauf brummte, damit die Klimaanlage kühlte, und hatten das ganze Ausmaß der Katastrophe deutlich vor sich.

»Genau der falsche Zeitpunkt«, erklärte Reacher. »Swan ist plötzlich arbeitslos, Franz ruft ihn an, weil er ein Problem hat, was soll Swan anderes tun? Er fährt natürlich gleich hin. Es sind nur zwanzig Minuten die Straße entlang.«

»Er wäre auf jeden Fall hingefahren, arbeitslos oder nicht.«

»Das hätten alle getan. Und ich vermute, dass sie's getan haben.«

»Dann sind sie jetzt alle tot?«

»Aufs Beste hoffen, fürs Schlimmste planen.«

»Jetzt hast du, was du anfangs wolltest, Reacher. Nur wir beide.«

»Aber ich wollte es nicht aus diesen Gründen.«

»Ich kann's einfach nicht glauben. Es soll *alle* erwischt haben?«

»Dafür wird jemand büßen müssen.«

»Glaubst du? Wir haben nichts in der Hand und nur noch eine letzte Chance, das richtige Passwort zu finden. Aber dazu sind wir logischerweise zu nervös.«

»Nervosität können wir uns jetzt nicht leisten.«

»Dann sag mir, welches Wort ich eingeben soll.«

Reacher gab keine Antwort.

Sie benutzten dieselbe Route durch das Straßenlabyrinth zurück. Neagley saß schweigend hinter dem Steuer, und Reacher stellte sich vor, wie Tony Swan vor über drei Wochen diese Strecke gefahren war. Vielleicht mit dem Inhalt seines Schreibtischs bei New Age in Kartons verpackt in seinem Kofferraum: seine Kugelschreiber und Bleistifte, sein Mauerbrocken aus ostdeutschem Beton. Unterwegs, um seinem alten Kumpel zu helfen. Und weitere alte Kumpel, die auf Franz' Hilferuf hin eilig zusammenliefen. Sanchez und Orozco, die auf dem Freeway 15 aus Vegas herüberkamen. O'Donnell und Dixon, die mit dem Flugzeug von der Ostküste anreisten, mit ihrem Gepäck zum Ausgang strebten, Taxis nahmen.

Sich trafen, sich begrüßten.

Und gegen eine Art Mauer rannten.

Dann verblassten die Bilder, und er saß wieder allein neben Neagley im Auto. *Nur wir beide*. Gegen Tatsachen konnte man nicht ankämpfen, man konnte sie nur akzeptieren.

Neagley überließ den Mustang dem Parkservice im Beverly Wilshire, und sie betraten die Hotelhalle durch den Hintereingang und den abknickenden Korridor. Dann fuhren sie schweigend mit dem Aufzug nach oben. Neagley benutzte ihre Schlüsselkarte und stieß die Tür auf.

Dann blieb sie wie angewurzelt stehen.

In ihrem Sessel am Fenster saß ein Mann, der einen Anzug trug und Calvin Franz' Autopsiebericht las.

Groß, blond, aristokratisch, locker.

David O'Donnell.

17

O'Donnell sah mit ernster Miene auf. »Ich wollte mich erkundigen, was alle diese unhöflichen und beleidigenden Nachrichten auf meinem Anrufbeantworter bedeuten sollen.« Dann hielt er den Autopsiebericht hoch. »Aber der erklärt natürlich alles.«

Neagley fragte: »Wie bist du hier reingekommen?«

O'Donnell sagte nur: »Oh, bitte.«

»Wo, zum Teufel, hast du gesteckt?«, fragte Reacher.

»In New Jersey«, antwortete O'Donnell. »Meine Schwester war krank.«

»Wie krank?«

»Sehr krank.«

»Ist sie gestorben?

»Nein, sie hat sich wieder erholt.«

»Dann hättest du schon vor Tagen hier sein können.«

»Danke für dein Mitgefühl.«

»Wir haben uns Sorgen gemacht«, erklärte Neagley. »Wir dachten, sie hätten dich auch erwischt.«

O'Donnell nickte. »Ihr solltet euch weiterhin Sorgen machen. Dies ist eine besorgniserregende Situation. Ich musste vier Stunden auf einen Flug warten. Diese Zeit habe ich genutzt, um ein paar Leute anzurufen. Franz hat sich verständlicherweise nicht gemeldet. Warum nicht, ist mir jetzt natürlich klar. Aber auch keine Antwort von Swan oder Dixon, Orozco oder Sanchez. Daraus habe ich geschlossen, einer von ihnen habe alle anderen zusammengetrommelt und sie hätten gemeinsam ein Problem. Weder du noch Reacher, denn du bist in Chicago zu sehr beschäftigt – und wer, zum Teufel, könnte Reacher irgendwo finden? Und mich auch nicht, weil ich mich vorübergehend in New Jersey aufgehalten habe.«

»Ich war nicht zu beschäftigt«, sagte Neagley. »Wie konnte das nur jemand glauben? Ich hätte sofort alles liegen und stehen lassen und wäre gekommen.«

O'Donnell nickte wieder. »Das war anfangs meine einzige Hoffnung. Ich habe mir ausgerechnet, dass sie dich angerufen hätten.«

»Warum haben sie's nicht getan? Mögen sie mich nicht?«

»Selbst wenn sie dich gehasst hätten, hätten sie dich angerufen. Ohne dich wäre es so, als kämpfte man mit einer auf den Rücken gelegten Hand. Wer würde sich das freiwillig antun wollen? Aber letztlich zählt doch die Wahrnehmung, nicht die Realität. Im Vergleich zu uns anderen spielst du jetzt in einer viel höheren Liga. Ich fürchte, dass sie in Bezug auf dich gezögert haben. Vielleicht sogar, bis es zu spät war.«

»Was willst du damit sagen?«

»Damit will ich sagen, dass einer von ihnen – und jetzt sehe ich, dass das Franz gewesen sein muss – Schwierigkeiten hatte und alle die, die für ihn leicht erreichbar waren, zusammengerufen hat. Automatisch ausgeschlossen waren Reacher und du – und ich leider auch, weil ich mich nicht dort befand, wo ich normalerweise bin.«

»So haben wir's auch gesehen. Nur bist du ein Bonus für uns. Die Erkrankung deiner Schwester war ein glücklicher Zufall für uns. Und vielleicht auch für dich.«

»Aber nicht für sie.«

»Schluss mit dem Gejammer«, sagte Reacher. »Sie lebt, oder?«

»Freut mich auch, dich wiederzusehen«, sagte O'Donnell. »Nach so vielen Jahren.«

»Wie *bist* du hier reingekommen?«, fragte Neagley.

O'Donnell beugte sich ein wenig nach vorn und zog ein Springmesser aus einer Jackentasche und einen Schlagring aus der anderen. »Ein Typ, der so was durch die Sicherheitskontrollen am Flughafen schmuggeln kann, kommt in jedes Hotelzimmer, das kannst du mir glauben.«

»Wie hast du's damit in ein Flugzeug geschafft?«

»Mein Geheimnis«, sagte O'Donnell.

»Keramikmaterial«, erklärte Reacher. »Dieses Zeug wird nicht mehr hergestellt. Weil Metalldetektoren nicht darauf ansprechen.«

»Korrekt«, sagte O'Donnell. »Kein Metall außer der Messerklinge, die nach wie vor aus Stahl besteht. Aber sie ist sehr klein.«

»Freut mich, dich wiederzusehen, David«, sagte Reacher.

»Ebenso. Aber ich wollte, die Umstände wären glücklicher.«

»Die Umstände sind gerade um fünfzig Prozent glücklicher geworden. Wir dachten, wir seien nur zu zweit. Jetzt sind wir wenigstens zu dritt.«

»Was haben wir bisher?«

»Verdammt wenig. Du hast gesehen, was in seinem Autopsiebericht steht. Außerdem haben wir zwei weiße Allerweltstypen, die sein Büro auf den Kopf gestellt, aber nichts gefunden haben, weil er alles wichtige Material jeden Abend an sich selbst adressiert zur Post gebracht hat. Wir haben sein Postfach entdeckt und darin vier USB-Sticks gefunden, aber jetzt sind wir beim letzten Passwortversuch angelangt.«

»Fang also an, dir Gedanken über passwortgeschützte Dateien zu machen«, sagte Neagley.

O'Donnell holte tief Luft und hielt sie länger an, als menschenmöglich zu sein schien. Dann atmete er sanft aus. Das war eine alte Angewohnheit von ihm.

»Erzählt mir, mit welchen Wörtern ihr's bisher versucht habt«, fordert er sie auf.

Neagley schlug die entsprechende Seite ihres Notizbuchs auf und gab es ihm. O'Donnell legte einen Finger an die Lippen, während er las. Reacher beobachtete ihn dabei. Er hatte ihn elf Jahre nicht mehr gesehen, aber O'Donnell hatte sich kaum verändert. Er hatte weizenblondes Haar, das vermutlich nie grau werden würde. Er hatte den Körperbau eines Windhunds, der nie Fett ansetzen würde. Sein Anzug war erstklassig geschnitten. Ähnlich wie Neagley wirkte er gut situiert, wohlhabend und erfolgreich. Als hätte er's geschafft.

»Koufax hat nicht funktioniert?«, fragte er.

Neagley schüttelte den Kopf. »Das war unser dritter Versuch.«

»Auf dieser Liste hätte er ganz oben stehen sollen. Franz hat sich an Ikonen orientiert, an Göttern, Menschen, die er vergöttern, und Leistungen, die er bewundern konnte. Von allen, die hier stehen, hat nur Koufax alle Voraussetzungen erfüllt. Die anderen waren nur Gegenstand sentimentaler Verehrung. Vielleicht noch Miles Davis, weil Franz Musik geliebt hat – aber letzten Endes ist sie ihm doch unwichtig erschienen.«

»Musik ist unwichtig, Baseball nicht?«

»Baseball ist nur eine Metapher«, erklärte O'Donnell. »Ein klasse Pitcher wie Sandy Koufax, ein Mann von großer Integrität, bei den World Series ganz allein auf seinem kleinen Hügel, vor dem entscheidenden Wurf ... so wollte Franz sich selbst sehen. Vermutlich hätte er's nicht so ausgedrückt, aber ich kann euch sagen, dass sein Passwort ein seiner Verehrung würdiger Schrein sein müsste. Und sie würde auf knappe, maskuline Art ausgedrückt, müsste auf ein einziges Wort beschränkt sein.«

»Wofür stimmst du also?«

»Das ist schwierig, weil wir nur noch einen Versuch haben. Ich würde schön blöd dastehen, wenn ich falsch geraten hätte. Was gibt's überhaupt darauf zu finden?«

»Etwas so Wertvolles, dass er's verstecken wollte.«

Reacher sagte: »Etwas, das ihm zwei gebrochene Beine eingebracht hat. Aber er hat eisern dichtgehalten, hat die Kerle gegen sich aufgebracht. Sein Büro sieht wie von einem Tornado verwüstet aus.«

»Was ist unser Ziel hier?«

»Aufspüren und vernichten. Genügt dir das?«

O'Donnell schüttelte den Kopf.

»Nein«, sagte er. »Ich will ihre Familien ausrotten und auf die Gräber ihrer Vorfahren pissen.«

»Du hast dich nicht verändert.«

»Ich bin schlimmer geworden. Hast du dich verändert?«

»Sollte ich's getan haben, bin ich bereit, mich zurückzuverwandeln.«

O'Donnell lächelte, aber nur flüchtig. »Neagley, was tut man nicht?«

Neagley antwortete: »Man legt sich nicht mit den Sonderermittlern an.«

»Korrekt«, sagte O'Donnell. »Das tut man nicht. Können wir uns vom Zimmerservice Kaffee bringen lassen?«

Sie tranken starken, schwarzen Kaffee aus den leicht angeschlagenen vernickelten Thermoskannen, die es nur noch in alten Hotels gab. Sie waren ziemlich schweigsam, aber jeder wusste, dass auch die anderen sich mental im Kreis bewegten, vor dem letzten Versuch mit dem Passwort zurückschreckten, die bisherigen Versuche durchgingen, einen Erfolg versprechenden neuen Weg zu finden versuchten, dabei scheiterten und wieder von vorn begannen. Zuletzt stellte O'Donnell seine Tasse ab und sagte: »Es wird Zeit zu scheißen oder vom Topf aufzustehen. Oder zu fischen oder den Köder abzuschneiden. Oder wie immer man's sonst ausdrücken will. Lasst eure Ideen hören.«

Neagley sagte: »Ich habe keine.«

Reacher sagte: »Mach du's, Dave. Du denkst an etwas Bestimmtes. Das merke ich.«

»Traust du mir?«

»So weit, wie ich dich werfen könnte. Was ziemlich weit wäre, weil du so dürr bist. Wie weit genau, merkst du, wenn du Mist baust.«

O'Donnell erhob sich aus seinem Sessel, bewegte probeweise die Finger und trat an das Notebook auf dem Schreibtisch. Verschob den Cursor in die Dialogbox auf dem Bildschirm und tippte sieben Buchstaben.

Atmete tief ein und hielt die Luft an.

Machte eine Pause.

Wartete.

Betätigte die Eingabetaste.

Der Bildschirm erneuerte sich.

Ein Dateiverzeichnis erschien. Ein Inhaltsverzeichnis. Groß, deutlich, übersichtlich und vollständig.

O'Donnell atmete aus.

Er hatte *Reacher* eingegeben.

18

Reacher fuhr von dem Notebook zurück, als hätte ihn jemand ins Gesicht geschlagen, und sagte: »Ah, Mann, das ist nicht fair.«

»Er hat dich gemocht«, sagte O'Donnell. »Er hat dich bewundert.«

»Das ist wie eine Stimme aus dem Grab. Wie ein Ruf.«

»Du warst ohnehin hier.«

»Es verdoppelt alles. Jetzt kann ich ihn nicht im Stich lassen.«

»Das hättest du ohnehin nicht getan.«

»Aber der Druck ist zu stark!«

»Es gibt keinen zu starken Druck. Wir mögen Druck. Wir blühen unter Druck auf.«

Neagley saß am Schreibtisch, hatte die Finger auf der Tastatur ihres Notebooks, starrte den Bildschirm an.

»Acht einzelne Dateien«, sagte sie. »Sieben bestehen nur aus Zahlen, die Nummer acht ist eine Namenliste.«

»Zeig mir die Namen«, sagte O'Donnell.

Neagley öffnete die Datei, die aus einer einzigen Seite mit fünf untereinander angeordneten Namen bestand. Ganz oben war in Fettschrift und unterstrichen zu lesen: *Azhari Mahmoud.* Dann folgten vier angloamerikanische Namen: *Adrian Mount, Alan Mason, Andrew MacBride* und *Anthony Matthews.*

»Die Anfangsbuchstaben sind jeweils gleich«, sagte O'Donnell. »Ganz oben steht ein arabischer Name, der von Marokko bis Pakistan häufig ist.«

»Syrisch«, warf Neagley ein. »Das vermute ich jedenfalls.«

»Die anderen vier Namen kommen mir britisch vor«, meinte Reacher. »Findet ihr nicht auch? Eher als amerikanisch? Englisch oder schottisch?«

»Bedeutung?«, fragte O'Donnell.

Reacher antwortete: »Auf den ersten Blick würde ich vermuten, dass Franz bei einer seiner Sicherheitsüberprüfungen auf einen Syrer mit vier bekannten Falschnamen gestoßen ist. Wegen der gleichen Anfangsbuchstaben. Primitiv, aber wirkungsvoll. Vielleicht besitzt er Oberhemden mit eingesticktem Monogramm. Und vielleicht sind das britische Falschnamen, weil er britische Papiere hat, mit denen er hierzulande weniger aufzufallen hofft.«

»Möglicherweise«, sagte O'Donnell.

Reacher sagte: »Zeig mir die Zahlen.«

Neagley schloss das erste Dokument und rief die erste Tabelle auf. Sie bestand lediglich aus einer Zahlenkolonne, deren Ziffern Brüche bildeten. In der ersten Zeile stand 10/12, ganz unten 11/12. Dazwischen standen ungefähr zwanzig ähnliche Brüche, unter denen 10/12, 12/13 und 9/10 auffielen.

»Nächste«, bat Reacher.

Die nächste Tabelle war im Wesentlichen gleich. Eine lange Zahlenkolonne, die mit 13/14 begann und mit 8/9 endete. Dazwischen standen wieder ungefähr zwanzig ähnliche Brüche.

»Nächste«, forderte Reacher sie auf.

Auch die dritte Tabelle sah nicht viel anders aus.

»Sind das Datumsangaben?«, fragte O'Donnell.

»Nein«, erwiderte Reacher. »Dreizehn-vierzehn kann kein Datum sein.«

»Was also sonst? Einfach nur Brüche?«

»Eher nicht. Sonst wären zehn Zwölftel gekürzt und als fünf Sechstel geschrieben worden.«

»Vielleicht sind das Zahlen aus einem Spielbericht.«

»Dann aber für ein Höllenspiel. Dreizehn Vierzehntel oder zwölf Dreizehntel würden massenhaft zusätzliche Innings und ein dreistelliges Ergebnis bedeuten, denke ich.«

»Womit haben wir's also zu tun?«

»Zeig mir die nächste.«

Auch die vierte Tabelle bestand aus einer langen Zahlenkolonne. Die Nenner waren wieder Zahlen wie zwölf, zehn oder dreizehn. Aber die Zähler waren durchweg kleiner. So gab es 9/12 und 8/13. Einmal sogar 5/14.

O'Donnell sagte: »Sind das Zahlen aus einem Spielbericht, lässt jemand gewaltig nach.«

»Nächste«, wiederholte Reacher.

Der Trend setzte sich fort. In der fünften Zahlenkolonne standen Brüche wie 3/12 und 4/13. Der beste Wert war 6/11.

»Da steigt jemand in die Minor Leagues ab«, sagte O'Donnell.

Die sechste Tabelle enthielt 5/13 als besten und 3/13 als schlechtesten Wert. Die siebte und letzte Zahlenkolonne war mit 4/11 beziehungsweise 3/12 ganz ähnlich.

Neagley schaute zu Reacher auf und sagte: »Das musst du rauskriegen. Du bist der Kerl für Zahlen. Und Franz hat schließlich alles an dich adressiert.«

»Ich war sein Passwort«, entgegnete Reacher. »Das ist alles. Er hat nichts an irgendwen adressiert. Dies sind keine Nachrichten. Hätte er etwas mitteilen wollen, hätte er sich klarer ausgedrückt. Das hier sind Arbeitsnotizen.«

»Sehr kryptische Arbeitsnotizen.«

»Ist es möglich, sie mir auszudrucken? Ich kann nur darüber nachdenken, wenn ich sie auf Papier vor mir habe.«

»Ja, das geht unten im Geschäftszentrum. Deshalb wohne ich heutzutage in solchen Hotels.«

O'Donnell fragte: »Weshalb würden sie auf der Suche nach ein paar Zahlenkolonnen ein Büro verwüsten?«

»Nicht unbedingt wegen der Zahlen«, sagte Reacher. »Vielleicht haben sie die Liste mit den Namen gesucht.«

Neagley schloss die letzte Tabelle und rief nochmals die Namenliste auf. *Azhari Mahmoud, Adrian Mount, Alan Mason, Andrew MacBride, Anthony Matthews.*

»Wer ist also dieser Kerl?«, fragte Reacher.

Drei Zeitzonen entfernt in New York City war es drei Stunden später, und der schwarzhaarige, etwa vierzigjährige Mann, der ein Inder oder Pakistaner, ein Iraner oder Syrer, ein Libanese oder Algerier oder sogar ein Israeli oder Italiener hätte sein können, kauerte im Bad seines Zimmers in einem Luxushotel an der Madison Avenue auf dem Fußboden. Die Tür hinter ihm war geschlossen. Im Bad gab es keinen Rauchmelder, aber einen Deckenentlüfter. Der auf den Namen Adrian Mount ausgestellte britische Pass brannte in der Klosettschüssel. Die inneren Seiten verbrannten wie immer rasch. Die steifen roten Umschlagseiten brannten langsamer. Seite 31 war die laminierte Seite mit den Angaben zur Person des Passinhabers. Sie verbrannte am schlechtesten. Der Kunststoff wellte und verzog sich, bevor er in der Hitze schmolz. Der Mann benutzte den neben dem Waschbecken fest montierten Haartrockner, um die Flamme aus einiger Entfernung anzufachen. Dann benutzte er den Stiel seiner Zahnbürste dazu, die Asche und die unverbrannten Papierschnitzel zu zerteilen. Er zündete ein weiteres Streichholz an und setzte alles in Brand, was noch erkennbar war.

Fünf Minuten später war Adrian Mount im Klo verschwunden, und Alan Mason fuhr mit dem Aufzug in die Hotelhalle hinunter.

19

Neagley machte einen Umweg über das Geschäftszentrum im Keller des Hotels Beverly Wilshire und druckte alle acht Seiten von Franz' Geheimakte aus. Dann gesellte sie sich wieder zu O'Donnell und Reacher, um mit ihnen im Hotelrestaurant zu Mittag zu essen. Als sie so zwischen den beiden saß, ließ ihr Gesichtsausdruck Reacher vermuten, dass sie an Hunderte von ähnlichen Mahlzeiten zurückdachte.

Reacher erging es ähnlich. Damals hatten sie jedoch zerknitterte Arbeitsanzüge getragen und in Offiziersklubs oder außerhalb der Kaserne in schäbigen Schnellrestaurants gegessen oder sich an verbeulten Stahlschreibtischen Sandwiches und Pizza geteilt. Dieses Déjà-vu-Gefühl wurde durch die neue Umgebung abgeschwächt. Der indirekt beleuchtete Raum war hoch und elegant und voller Leute, die Filmagenten oder Führungskräfte aus der Filmindustrie hätten sein können. Möglicherweise auch Schauspieler. Neagley und O'Donnell passten ohne Weiteres hierher. Neagley trug zu einer weiten schwarzen Hose mit hohem Bund ein hautenges weißes T-Shirt mit Strassapplikationen. Ihr leicht gebräunter Teint war makellos und ihr Make-up so dezent, als hätte sie gar keines benutzt. O'Donnells grauer Anzug saß wie angegossen, und sein strahlend weißes Hemd wirkte frisch gebügelt, obwohl er es fünftausend Kilometer entfernt angezogen haben musste. Seine gestreifte und wie eine Regimentskrawatte wirkende Krawatte war perfekt gebunden.

Reacher hingegen trug ein Hemd, das eine Nummer zu klein war und einen Riss in einem Ärmel und einen Fleck auf der Knopfleiste hatte. Sein Haar war zu lang, und seine Jeans sah so billig aus wie seine abgetretenen Schuhe, und das bestellte Gericht hätte er sich nicht leisten können. Nicht einmal das norwegische Wasser, das er trank, wäre für ihn erschwinglich gewesen.

Traurig, hatte er beim Anblick von Franz' kleinem Büro in der Ladenzeile gesagt. *Aus der großen grünen Maschine hierher?*

Was dachten Neagley und O'Donnell über ihn?

»Lass mich noch mal die Seiten mit den Zahlen sehen«, sagte er.

Neagley reichte ihm die sieben Blätter, die sie rechts oben mit Bleistift fortlaufend nummeriert hatte. Er betrachtete sie rasch, nur oberflächlich, um sich einen Gesamteindruck zu verschaffen. Insgesamt hundertdreiundachtzig echte Brüche, keiner gekürzt. Echte Brüche, weil der oben stehende Zähler immer kleiner als der unten stehende Nenner war. Nicht gekürzt, weil 10/12 und 8/10 nicht als 5/6 und 4/5 ausgedrückt waren, wie sonst üblich.

Deshalb konnten diese Zahlenpaare keine wirklichen Brüche sein, sondern Ergebnisse, Bewertungen oder Erfolgsquoten. Sie besagten: In *zehn von zwölf Fällen* oder *in acht von zehn Fällen ist irgendwas passiert.*

Oder nicht passiert.

Auf jedem Blatt standen sechsundzwanzig solcher Ergebnisse, nur auf dem vierten waren es siebenundzwanzig.

Die Resultate oder Wertungen, die Verhältniszahlen oder was immer sie waren sahen auf den ersten drei Seiten ziemlich gut aus. Als Gewinn- oder Erfolgsquoten schwankten sie zwischen guten 87,0 und ausgezeichneten 90,7 Prozent. Dann folgte auf dem vierten Blatt ein dramatischer Absturz auf 57,4 Prozent. Die Ergebnisse auf dem fünften, sechsten und siebten Blatt fielen mit 36,8, 30,8 und 30,7 Prozent immer katastrophaler aus.

»Hast du's schon?«, fragte Neagley.

»Keine Ahnung«, antwortete Reacher. »Ich wollte, Franz wäre hier, um uns die Zahlen zu erklären.«

»Wäre er hier, wären wir nicht hier.«

»Wir könnten hier sein. Wir hätten alle gelegentlich zusammenkommen können.«

»Wie bei einem Klassentreffen?«

»Das hätte Spaß machen können.«

O'Donnell hob sein Glas und sagte: »Auf unsere abwesenden Freunde.«

Neagley hob ihr Glas. Auch Reacher hob seines. Sie tranken Wasser, das vor zehntausend Jahren auf einem skandinavischen Gletscher gefroren und dann über Jahrhunderte hinweg in tiefere Lagen gelangt war, bevor es schmolz und Bergbäche bildete, zum Gedenken an vier Freunde, mit Stan Lowrey fünf, die sie vermutlich nie wiedersehen würden.

Aber ihre Vermutung war falsch. Eine dieser Personen hatte soeben in Las Vegas ein Flugzeug bestiegen.

20

Ein Ober servierte ihr Essen. Lachs für Neagley, Huhn für Reacher und Thunfisch für O'Donnell, der jetzt sagte: »Ich nehme an, dass ihr in Franz' Haus gewesen seid.«

»Gestern«, sagte Neagley. »Santa Monica.«

»Was habt ihr dort vorgefunden?«

»Eine Witwe und ein vaterloses Kind.«

»Sonst noch was?«

»Nichts von Bedeutung.«

»Wir sollten alle Häuser abklappern. Swans Haus als Erstes, weil es bestimmt am nächsten liegt.«

»Wir kennen seine Adresse nicht.«

»Habt ihr die Lady bei New Age nicht danach gefragt?«

»Nicht der Mühe wert. Sie hätte sie nicht rausgerückt. Sie war sehr korrekt.«

»Ihr hättet ihr ein Bein brechen können.«

»Das waren noch Zeiten!«

Reacher fragte: »War Swan verheiratet?

»Ich glaube nicht«, antwortete Neagley.

»Zu hässlich«, meinte O'Donnell.

»Bist du verheiratet?«, fragte Neagley ihn.

»Nein.«

»Da hast du's.«

»Aber aus dem entgegengesetzten Grund. Das würde zu viele Frauen unglücklich machen.«

Reacher sagte: »Wir könnten's noch mal mit der UPS-Masche versuchen. Swan hat bestimmt Pakete nach Hause geschickt bekommen. War er ledig, hat er sich vermutlich aus Katalogen eingerichtet. Ich kann ihn mir nicht vorstellen, wie er Stühle oder Tische, Messer und Gabeln einkauft.«

»Okay«, sagte Neagley. Sie benutzte am Tisch sitzend ihr Handy, um in Chicago anzurufen, und sah dabei mehr denn je wie eine Führungskraft aus der Filmindustrie aus. O'Donnell beugte sich leicht vor, sah an ihr vorbei zu Reacher und sagte: »Erzähl mir den zeitlichen Ablauf.«

»Die Dragon Lady bei New Age hat gesagt, Swan sei vor gut drei Wochen entlassen worden. Also vermutlich vor vierundzwanzig oder fünfundzwanzig Tagen. Vor dreiundzwanzig Tagen ist Franz ins Büro gefahren und nicht mehr zurückgekommen. Seine Frau hat Neagley vierzehn Tage nach der Auffindung der Leiche angerufen.«

»Aus welchem Grund?«

»Nur um sie zu benachrichtigen. In Bezug auf die Ermittlungen vertraut sie auf die Deputies, die mit dem Fall befasst sind.«

»Wie ist sie so?«

»Durch und durch Zivilistin. Sie sieht Michelle Pfeiffer ähnlich und ist ziemlich eifersüchtig auf uns, weil wir so gut mit ihrem Mann befreundet waren. Ihr kleiner Sohn sieht genau wie er aus.«

»Armer Kerl.«

Neagley legte eine Hand über ihr Mobiltelefon. »Wir haben die Handynummern von Sanchez, Orozco und Swan.« Sie wühlte einhändig Notizblock und Kugelschreiber aus ihrer Umhängetasche. Schrieb sich drei jeweils zehnstellige Telefonnummern auf.

»Er soll gleich noch die Adressen ermitteln«, sagte Reacher.

Neagley schüttelte den Kopf. »Die helfen uns nicht weiter. Sanchez und Orozco haben Firmennummern, und Swans Nummer führt wieder zu New Age.« Sie bedankte sich bei ihrem Mitarbeiter in Chicago und wählte nacheinander alle drei Nummern, die sie sich notiert hatte.

»Gleich zum Anrufbeantworter«, erklärte sie. »Alle drei sind ausgeschaltet.«

»Zwangsläufig«, meinte Reacher. »Die Akkus sind inzwischen längst leer.«

»Es war scheußlich, ihre Stimmen zu hören«, sagte sie. »Nimmt man seinen Begrüßungstext auf, hat man nicht die geringste Ahnung, was einem zustoßen wird, wisst ihr.«

»Ein kleines Stück Unsterblichkeit«, sagte O'Donnell.

Ein Pikkolo trug die Teller ab. Ihr Ober legte ihnen Dessertkarten vor. Reacher überflog eine Liste von Nachspeisen, die mehr kosteten als eine Motelübernachtung in weiten Teilen der Vereinigten Staaten.

»Nichts für mich«, sagte er. Er dachte, Neagley würde ihn dazu drängen, aber in diesem Augenblick klingelte ihr Handy. Sie meldete sich, hörte zu und notierte sich noch etwas auf ihrem Block.

»Swans Adresse«, sagte sie. »Santa Ana, in der Nähe des Zoos.«

O'Donnell sagte: »Kommt, wir wollen gleich hin.«

Sie nahmen seinen Wagen, einen viertürigen Leihwagen von Hertz mit Navi, und begannen langsam nach Südosten zum Freeway 5 zu kriechen.

Der Mann namens Thomas Brant beobachtete, wie sie abfuhren. Sein Crown Vic war einen Straßenblock entfernt geparkt, und er selbst saß von zweihundert Touristen umgeben auf einer Bank an der Einmündung des Rodeo Drives. Er benutzte sein Handy, um seinen Boss Curtis Mauney anzurufen, und sagte: »Jetzt sind's schon drei. Die Sache klappt wunderbar. Als fände hier ein Familientreffen statt.«

Fünfzig Meter weiter westlich sah der Mann in dem dunkelblauen Anzug sie ebenfalls abfahren. Er hockte zusammengesunken in seinem blauen Chrysler, der vor einem Friseur am Wilshire Boulevard parkte. Er rief *seinen* Boss an und sagte: »Jetzt sind sie zu dritt. Ich halte den Neuen für O'Donnell. Folglich muss der Penner Reacher sein. Sie sehen aus, als wollten sie sich richtig reinknien.«

Und in New York City, fünftausend Kilometer entfernt, stand der schwarzhaarige Vierziger in einem gemeinsamen Buchungsbüro mehrerer Fluggesellschaften an der Ecke Park Avenue und 42nd Street. Er buchte einen frei wählbaren Hin- und Rückflug vom La Guardia Airport nach Denver, Colorado, und zahlte mit einer auf den Namen Alan Mason ausgestellten Visa-Karte in Platin.

21

Santa Ana lag weit im Südosten, an Anaheim vorbei, unten im Orange County. Die Kleinstadt selbst befand sich dreißig Kilometer westlich der Santa Ana Mountains, von denen die berüchtigten Fallwinde kamen. Von Zeit zu Zeit wehte dieser trockene, warme Föhn, der ganz L.A. verrückt machte. Reacher hatte seine Auswirkungen schon mehrmals erlebt. Einmal war er in der Stadt gewesen, nachdem er dienstlich bei den Marineinfanteristen in Camp Pendleton zu tun gehabt hatte. Ein andermal hatte er von Fort Irwin aus übers Wochenende Urlaub in L.A. gemacht. Er war dabei gewesen, wie ein kleiner Streit in einer Bar so eskalierte, dass er mit mehreren Toten endete. Er kannte einen Fall, in dem verbrannter Toast zu Misshandlungen einer Ehefrau und einer Haftstrafe mit anschließender Scheidung geführt hatte. Er hatte selbst gesehen, wie ein Kerl niedergeschlagen wurde, nur weil er auf dem Gehsteig zu langsam ging.

An diesem Tag wehten die Fallwinde jedoch nicht. Die Luft war heiß und still, braun und stickig. Das Navi in O'Donnells Mietwagen, das mit höflich insistierender Frauenstimme sprach, ließ sie gegenüber von Tustin und südlich des Zoos vom Freeway 5 abfahren. Dann dirigierte es sie durch großzügig gitterförmig angelegte Straßen in Richtung

Orange County Museum of Art. Aber schon bevor sie es erreichten, mussten sie links, dann rechts und noch einmal links abbiegen und hörten dabei, ihr Ziel sei fast erreicht. Wenig später hieß es, sie seien am Ziel.

Was offensichtlich stimmte.

O'Donnell hielt an der Einfahrt neben einem Briefkasten, der einen Schwan darstellte. Der Kasten war eine gewöhnliche USPS-Mailbox aus Metall, auf einem Holzpfosten angebracht und weiß gestrichen. Entlang des Rückgrats war der aus Sperrholz ausgesägte Umriss eines Schwans montiert mit langem, elegantem Hals, bogenförmigem Rücken und keck aufragendem Bürzel, alles ebenfalls weiß bis auf den dunkel orangeroten Schnabel und das schwarze Auge. Da die Masse des Briefkastens die Wölbung des Vogelleibs darstellte, wirkte das Ganze ziemlich realistisch.

O'Donnell sagte: »Erzählt mir bloß nicht, dass Swan das gebastelt hat.«

»Neffe oder Nichte«, sagte Neagley. »Vermutlich ein Geschenk zum Einzug.«

»Das er für den Fall aufstellen musste, dass sie ihn mal besuchen.«

»Ich finde, es sieht nett aus.«

Hinter dem Briefkasten führte eine betonierte Einfahrt zu einem zweiflügligen Tor, vor dem ein eineinviertel Meter hoher Zaun stand. Parallel dazu verlief ein etwas schmalerer Fußweg, der an einer Zauntür endete. Der Zaun selbst bestand aus mit grünem Kunststoff ummanteltem Maschendraht. Auf allen vier Tür- und Torsäulen saßen kleine Ananas aus Aluminium. Tür und Tor waren geschlossen. An beiden hingen gekaufte Schilder mit der Aufschrift *Warnung vor dem Hund*. Die Einfahrt führte zu einer angebauten Garage, die Platz für einen Wagen bot, und der Gehweg zur Haustür eines schlichten kleinen Bungalows, der dunkelbeige gestrichen war. Über den Fenstern waren als Sonnenschutz Vordächer aus Wellblech befestigt, die wie Augenbrauen aussahen. Auch das höher angebrachte, etwas schmalere Vordach über der Haustür bestand aus diesem Material. Insgesamt wirkte das Haus nüchtern, sachlich, einigermaßen komfortabel, kein bisschen extravagant. Maskulin.

Und still und stumm.

»Fühlt sich leer an«, sagte Neagley. »Als wäre keiner zu Hause.«

Reacher nickte. Im Vorgarten gab es nur Rasen. Keine Rabatten. Keine Blumen. Keine Stauden. Das Gras war dürr und etwas zu lang, als hätte ein gewissenhafter Hausbesitzer vor etwa drei Wochen damit aufgehört, den Rasen zu sprengen und zu mähen.

Das Haus hatte keine sichtbare Alarmanlage.

»Kommt, wir sehen uns mal um«, sagte Reacher.

Sie stiegen aus und gingen zur Zauntür, die nicht abgesperrt war. Wenig später standen sie vor dem Eingang. Reacher drückte auf den Klingelknopf. Wartete. Keine Reaktion. Um den Bungalow herum führte ein Fußweg aus Natursteinen. Sie folgten ihm entgegen dem Uhrzeigersinn. Die Tür in der Seitenwand der Garage war abgeschlossen. Auf der Rückseite des Hauses entdeckten sie eine weitere Tür in die Küche. Auch sie war abgesperrt. Der Glaseinsatz in der oberen Hälfte gab den Blick auf eine kleine Küche frei: altmodisch, seit Jahrzehnten nicht mehr renoviert, aber sauber und effizient. Keine Unordnung. Kein schmutziges Geschirr. Haushaltsgeräte in gesprenkeltem grünen Email. Ein kleiner Tisch mit zwei Stühlen. Leere Hundeschüsseln, die auf dem grünen Linoleumboden ordentlich nebeneinanderstanden.

Neben der Küche lag ein Raum mit einer Schiebetür, hinter der eine Betonstufe zu einer kleinen Veranda hinunterführte. Dieser Raum war leer, die Schiebetür geschlossen. Dahinter waren die Vorhänge teilweise zugezogen. Ein Schlafzimmer, das vielleicht als Arbeitsraum diente.

In der Umgebung war es ruhig. Im Haus selbst rührte sich nichts – bis auf ein kaum wahrnehmbares unterschwelliges Summen, von dem Reachers Nackenhaare sich ein wenig sträubten und das in seinem Hinterkopf ein Alarmsignal auslöste.

»Küchentür?«, fragte O'Donnell.

Reacher nickte. O'Donnell steckte eine Hand in die Tasche und zog seinen Schlagring heraus. Theoretisch bestand er aus Keramikmaterial, aber er hatte nicht viel mit Tassen und Untertassen gemeinsam. Er war aus einem komplexen Mineralpulver hergestellt, das mit Epoxidharz verklebt und unter hohem Druck geformt wurde. Dieses Material war härter als Stahl, und der Formprozess gestattete es, die Schlagflächen noch wirkungsvoller zu gestalten. Schlug ein großer Mann wie David O'Donnell damit zu, musste man das Gefühl haben, eine Bowlingkugel mit Haifischzähnen habe einen getroffen.

O'Donnell streifte ihn über und ballte die Faust. Er trat an die Küchentür und klopfte leicht dagegen, als wollte er jemanden in der Küche auf sich aufmerksam machen, ohne ihn zu erschrecken. Das Glas zerbrach, und ein dreieckiges Stück fiel nach innen. O'Donnells Körperbeherrschung war so gut, dass die Faust zum Stillstand kam, bevor seine Knöchel die gezackten Glasränder berührten. Zwei weitere leichte Schläge genügten, um ein Loch entstehen zu lassen, durch das er eine Hand strecken konnte. Er streifte den Schlagring ab, schob den Ärmel seines Jacketts hoch, schob den Arm hinein und drückte die innere Türklinke herab.

Die Tür sackte leicht schief nach innen.

Kein Einbrecheralarm.

Reacher trat als Erster über die Schwelle. Machte ein, zwei Schritte und blieb stehen. Hier drin war das kaum hörbare Summen lauter. Und hier lag ein Gestank in der Luft. Beide waren unverkennbar. Geräusche und Gerüche dieser Art hatte er öfter wahrgenommen, als er sich erinnern konnte.

Das Geräusch stammte von einer Million Fliegen, die hektisch summten.

Der Gestank kam von totem Fleisch, das verfaulte und verweste, wobei nach Fäulnis riechende Flüssigkeiten und Gase austraten.

Neagley und O'Donnell drängten nach ihm herein. Und hielten ebenfalls inne.

»Wir haben's geahnt«, sagte O'Donnell, vielleicht zu sich selbst. »Dies ist kein Schock.«

»Es ist immer ein Schock«, erklärte Neagley. »Es bleibt hoffentlich immer einer.«

Sie bedeckte Mund und Nase mit einer Hand. Reacher öffnete die Tür zum Inneren des Hauses. Auf dem Boden der Diele lag nichts. Aber hier war der Geruch stärker, das Summen viel lauter. Einzelne Schmeißfliegen – groß, blau und glänzend – surrten zickzack durch die Luft, prallten mit winzigen papierenen Geräuschen gegen die Wände. Sie flogen durch eine halb offene Tür hin und her.

»Das Bad«, sagte Reacher.

Das Haus wies den gleichen Grundriss wie Calvin Franz' Bungalow auf, aber es war größer, weil die Grundstücke in Santa Ana größer waren als in Santa Monica. Billigere Grundstücke, mehr Auslauf. Hier gab es hinter der Haustür eine Diele, und jeder Raum war ein richtiges Zimmer, nicht nur eine Ecke eines einzigen großen Raums. Die Küche hinten, das Wohnzimmer vorn, dazwischen ein begehbarer Kleiderschrank. Auf der anderen Seite des Korridors zwei Schlafzimmer, zwischen denen das Bad lag.

Woher der Gestank kam, ließ sich unmöglich sagen. Er füllte das gesamte Haus.

Aber die Fliegen interessierten sich für das Bad.

Die Luft war heiß und stickig. Kein Laut außer dem hektischen Summen der Fliegen. Auf Porzellan, auf Kacheln, auf tapezierten Wänden, auf dem Hartholzboden.

»Ihr bleibt hier«, befahl Reacher.

Er ging auf dem Korridor weiter. Zwei Schritte. Drei. Blieb vor dem Bad stehen. Stieß die Tür mit dem Fuß etwas weiter auf. Eine wütende blauschwarze Wolke aus Schmeißfliegen quoll ihm entgegen. Er wandte sich ab, schlug mit beiden Händen um sich. Drehte sich wieder um. Stieß die Tür diesmal mit dem Fuß ganz auf. Wedelte mit einer Hand vor seinem Gesicht herum und spähte durch die Fliegenwolke.

Auf dem Fußboden lag etwas.

Ein toter Hund.

Einst war er ein deutscher Schäferhund gewesen, groß, ein Prachtexemplar, bestimmt vierzig bis fünfzig Kilo schwer. Er lag auf der Seite. Sein Fell war stumpf und verfilzt. Sein Maul stand offen. Schmeißfliegen taten sich an seiner Zunge, seinen Lefzen und seinen Augen gütlich.

Reacher trat über die Schwelle ins Bad. Fliegen schwirrten um seine Schienbeine. In der Badewanne lag nichts. Die Kloschüssel war leer. Der Siphon enthielt kein Wasser mehr. Auf Handtuchhaltern hingen unberührte Badetücher. Auf dem Fußboden waren angetrocknete braune Flecken zu sehen. Kein Blut. Nur das Ergebnis eines versagenden Schließmuskels.

Reacher verließ rückwärts gehend das Bad.

»Es ist sein Hund«, sagte er. »Seht in den übrigen Zimmern und der Garage nach.«

Auch in den anderen Räumen oder der Garage war nichts zu finden. Kein Anzeichen für einen Kampf, keinerlei Unordnung, keine Spur von Swan selbst. Sie kamen auf dem Korridor wieder zusammen. Die Fliegen waren wie zuvor im Bad konzentriert.

»Was ist hier passiert?«, fragte Neagley.

»Swan ist weggefahren«, erwiderte O'Donnell. »Nicht zurückgekommen. Der Hund ist verhungert.«

»Verdurstet«, sagte Reacher.

Niemand sprach.

»Seine Wasserschüssel in der Küche ist leer«, sagte Reacher. »Danach hat er aus dem WC getrunken. Hat ungefähr eine Woche lang überlebt, denke ich.«

»Schrecklich«, sagte Neagley.

»Allerdings. Ich mag Hunde. Wäre ich irgendwo sesshaft, hätte ich drei oder vier. Wir werden einen Hubschrauber mieten und diese Typen stückchenweise rauswerfen.«

»Wann?«

»Bald.«

O'Donnell sagte: »Wir brauchen mehr, als wir bisher haben.«

Reacher sagte: »Okay, dann machen wir uns mal auf die Suche.«

Von einem Papierhandtuch in der Küche rissen sie kleine Stücke ab, knüllten sie zusammen und steckten sie sich in die Nase, um den Gestank abzuschwächen. Richteten sich auf eine lange, gründliche Durchsuchung ein. O'Donnell übernahm die Küche. Neagley war fürs Wohnzimmer zuständig. Reacher übernahm Swans Schlafzimmer.

In keinem dieser drei Räume war jedoch etwas Bedeutsames zu finden. Sah man von dem verendeten Hund ab, wies alles darauf hin, dass Swan in sein Haus hatte zurückkehren wollen. Der Geschirrspüler war halb voll und nicht angestellt worden. Der Kühlschrank sah gut gefüllt aus, und im Mülleimer lagen Abfälle. Swans Schlafanzug fand sich zusammengelegt unter dem Kopfkissen. Auf dem Nachttisch lag ein angefangenes Buch. Zwischen den Seiten steckte als Lesezeichen eine von Swans Geschäftskarten: *Anthony Swan, Major a.D., stellv. Sicherheitsdirektor, New Age De-*

fense Systems, Los Angeles, Kalifornien. Darunter waren eine E-Mail-Adresse und dieselbe Telefonnummer angegeben, die Reacher und Neagley so viele Male vergeblich gewählt hatten.

»Was macht New Age eigentlich genau?«, fragte O'Donnell.

»Geld«, sagte Reacher. »Allerdings vielleicht weniger als früher.«

»Hat die Firma auch ein Produkt, oder forscht sie nur?«

»Die Frau, mit der wir geredet haben, hat behauptet, irgendwo würde auch etwas produziert.«

»Was genau?«

»Das wissen wir nicht.«

Das zweite Schlafzimmer nahmen sie sich gemeinsam vor. Es war der Raum auf der Rückseite des Hauses mit der verhängten Schiebetür und der etwas tiefer liegenden kleinen Veranda. Auch hier stand ein Bett, aber der Raum diente offenbar als Arbeitszimmer. Es gab einen Schreibtisch, ein Telefon, einen Aktenschrank und Wandregale, in denen sich der Krempel türmte, der sich bei einem sentimentalen Menschen im Lauf der Jahre ansammelt.

Sie fingen mit dem Schreibtisch an. Drei Augenpaare, drei unterschiedliche Bewertungen. Aber sie entdeckten nichts. Dann war der Aktenschrank dran. Er enthielt vor allem den unvermeidlichen Papierkram, der sich bei jedem Hausbesitzer findet: Grundsteuerbescheide, Versicherungspolicen, bezahlte Rechnungen, Quittungen. Dazu persönliche Unterlagen: Sozialversicherung, Einkommensteuer, der Arbeitsvertrag mit New Age Defense Systems, Ordner mit Bankauszügen. Swan hatte offenbar gut verdient. Von seinem Monatsgehalt hätte Reacher anderthalb Jahre lang leben können.

In einem eigenen Fach lagen tierärztliche Unterlagen. Der Schäferhund war eine Hündin gewesen. Sie hatte Maisi geheißen, und ihr Impfpass befand sich auf dem neuesten

Stand. Sie war alt, aber bei guter Gesundheit gewesen. Zwischen den Unterlagen fanden sich Belege für Überweisungen an eine Vereinigung, die für ethische Tierhaltung eintrat. Swan hatte großzügig an sie gespendet. Also war der Verein in Ordnung, vermutete Reacher. Swan hätte sich nichts vormachen lassen.

Als Nächstes kamen die Regale dran. Auf einem spürten sie einen Schuhkarton voller Fotos auf: willkürliche Schnappschüsse aus Swans Zivilleben und Militärdienstzeit. Auf einigen war die Hündin Maisi zu sehen. Auf anderen waren Reacher, Neagley und O'Donnell, aber auch Franz, Dixon, Sanchez, Orozco und Lowrey abgebildet. Alle jünger, auf entscheidende Weise anders, vor Jugend, Energie und Tatendrang strotzend. Es gab zufällige Paare und Trios aus Büros und Bereitschaftsräumen in aller Welt. Ein Gruppenfoto zeigte sie zu neunt in Ausgehuniform, nachdem ihre Einheit eine Belobigung erhalten hatte. Reacher wusste nicht mehr, wer diese Aufnahme gemacht hatte. Vermutlich irgendein offizieller Fotograf. Er konnte sich auch nicht daran erinnern, wofür die Belobigung gewesen war.

»Wir müssen verschwinden«, sagte Neagley. »Die Nachbarn könnten uns gesehen haben.«

»Wir hatten gute Gründe«, erklärte O'Donnell. »Ein Freund, der allein lebt, keine Antwort, als wir geklingelt haben, übler Gestank aus dem Haus.«

Reacher trat an den Schreibtisch und nahm den Telefonhörer ab, drückte auf Wahlwiederholung. Eine rasche Folge elektronischer Pieptöne, als der Apparat sich an die letzte gewählte Nummer erinnerte. Dann ein surrender Wählton. Anschließend meldete Angela Franz sich. Im Hintergrund war Charlie zu hören. Reacher legte wortlos auf.

»Zuletzt hat er Franz angerufen«, sagte er. »Zu Hause in Santa Monica.«

»Er hat sich zum Dienst gemeldet«, meinte O'Donnell. »Das wussten wir schon. Hilft uns nicht weiter.«

»Hier hilft uns nichts weiter«, warf Neagley ein.

»Aber vielleicht etwas, das nicht hier ist«, sagte Reacher. »Sein Betonbrocken von der Berliner Mauer zum Beispiel. Außerdem fehlt ein Karton mit Zeug aus seinem Schreibtisch bei New Age.«

»Wie hilft uns das weiter?«

»Es könnte den Zeitablauf verdeutlichen. Man wird entlassen, man packt seinen Krempel in einen Karton und wirft ihn in den Kofferraum seines Wagens – wie lange fährt man damit herum, bevor man ihn ins Haus mitnimmt, um den Kram zu sortieren?«

»Einen Tag, höchstens zwei«, sagte O'Donnell. »Ein Typ wie Swan ist stinksauer, wenn ihm so was passiert, aber ihn wirft so schnell nichts um. Er würde die Sache verarbeiten und rasch darüber hinwegkommen.«

»Zwei Tage?«

»Maximal.«

»Folglich ist alles binnen zwei Tagen nach seiner Entlassung durch New Age passiert.«

»Wie hilft uns das weiter?«, wiederholte Neagley.

»Keine Ahnung«, sagte Reacher. »Aber je mehr wir wissen, desto eher haben wir mal Glück.«

Sie verließen das Haus durch die Küche und schlossen die Tür, ohne sie von innen zu verriegeln. Zwecklos. Die eingeschlagene Scheibe machte das überflüssig. Sie folgten dem Plattenweg um die Garage herum zur Einfahrt. Gelangten so wieder auf den Gehsteig. Dies war ein stilles Viertel in einer Schlafstadt. Reacher schaute sich nach neugierigen Nachbarn um, konnte aber keine entdecken. Keine Gaffer, keine verstohlenen Blicke hinter sich bewegenden Vorhängen.

Aber er sah einen beigen Crown Victoria, der weniger als vierzig Meter von ihnen entfernt parkte.

Mit der Motorhaube zu ihnen.

Mit einem Kerl am Steuer.

22

Reacher sagte: »Bleibt ganz locker stehen und dreht euch wie für einen letzten Blick auf das Haus um. Macht dabei Konversation.«

O'Donnell drehte sich um.

»Sieht wie eine Unterkunft für verheiratete Offiziere in Fort Hood aus«, sagte er.

»Abgesehen von dem Briefkasten«, meinte Reacher.

Neagley drehte sich um.

»Mir gefällt er. So einen Kasten hat nicht jeder.«

Reacher sagte: »Keine vierzig Meter westlich von hier steht ein beiger Crown Vic geparkt. Sein Fahrer beschattet uns. Genauer gesagt beschattet er Neagley. Er war da, als ich mich auf dem Sunset mit ihr getroffen habe, und stand auch in der Nähe von Franz' Haus. Jetzt ist er hier.«

O'Donnell fragte: »Irgendeine Idee, wer er ist?«

»Keine Ahnung«, antwortete Reacher. »Aber das sollten wir mal feststellen, denke ich.«

»Wie wir's früher gemacht haben?«

Reacher nickte. »Genau wie wir's früher gemacht haben. Ich fahre.«

Nach einem letzten Blick auf Swans Haus wandten sie sich ab und gingen langsam an den Bordstein zurück. Sie stiegen in O'Donnells Leihwagen. Reacher saß am Steuer, Neagley rechts neben ihm, O'Donnell auf dem Rücksitz. Ohne Sicherheitsgurte.

»Gib Acht, dass dem Wagen nichts passiert«, sagte O'Donnell. »Ich hab mir die Vollkasko gespart.«

»Wäre besser gewesen«, sagte Reacher. »Immer eine kluge Vorsichtsmaßnahme.«

Er ließ den Motor an und fuhr vom Randstein weg. Sah nach vorn, warf einen Blick in den Rückspiegel.

Die Straße war in beiden Richtungen frei.

Er riss das Lenkrad herum, trat kurz das Gaspedal durch und wendete mit quietschenden Reifen auf der Fahrbahn. Gab wieder Gas, beschleunigte dreißig Meter weit und bremste dann scharf. O'Donnell sprang einen Meter vor dem Crown Vic aus dem Wagen, bevor Reacher erneut mit Gas und Bremse arbeitete und genau neben der Fahrertür des Crown Vics zum Stehen kam. O'Donnell hatte inzwischen schon die Beifahrertür erreicht. Als Reacher aus dem Leihwagen sprang, zertrümmerte O'Donnell mit seinem Schlagring die rechte Seitenscheibe und trieb so den Fahrer aus dem Auto – Reacher direkt in die Arme.

Reachers Faust traf ihn zweimal: im Magen und im Gesicht. Schnell und hart zuschlagend. Der Kerl fiel rückwärts gegen seinen Wagen und sank auf die Knie. Reacher, der sich eine Stelle aussuchen konnte, traf ihn mit einem Ellbogen seitlich am Kopf. Der Kerl kippte wie ein von einer Planierraupe entwurzelter Baum langsam zur Seite. Zuletzt blieb er zwischen der Türschwelle des Crown Vics und dem Asphalt eingeklemmt liegen. Auf dem Rücken ausgestreckt, unbeweglich, bewusstlos, stark aus seiner gebrochenen Nase blutend.

»Na, das klappt immerhin noch«, meinte O'Donnell.

»Solange ich die Schwerarbeit leiste«, sagte Reacher.

Neagley packte den Kerl an seiner Sportjacke und drehte ihn so zur Seite, dass das Blut aus seiner Nase abfließen konnte, statt sich in seiner Kehle zu sammeln. Zwecklos, ihn ersticken zu lassen. Dann öffnete sie seine Jacke auf der Suche nach einer Innentasche.

Und hielt inne.

Weil der Kerl ein Schulterhalfter trug. Ein altes, ziemlich abgenutztes Ding aus schwarzem Leder, in dem eine Glock 17 steckte. Und am Gürtel hing ein Lederetui mit einem Reservemagazin. Außerdem eine runde Ledertasche für Handschellen aus rostfreiem Stahl.

In Polizeiausführung.

Reacher sah in den Crown Vic. Der Beifahrersitz war mit Glasscherben übersät. Unter dem Armaturenbrett befand sich ein eingebautes Funkgerät.

Kein Gerät für Taxifunk.

»Scheiße«, sagte Reacher. »Wir haben einen Cop außer Gefecht gesetzt.«

»Die Schwerarbeit hast du geleistet«, sagte O'Donnell.

Reacher ging in die Hocke, tastete nach der Halsschlagader des Mannes. Fühlte seinen Puls, der stark und gleichmäßig war. Der Kerl atmete regelmäßig. Seine Nase war schlimm zugerichtet, was ästhetische Probleme zur Folge haben konnte, aber er hatte ohnehin nicht besonders gut ausgesehen.

»Warum hat er uns beschattet?«, fragte Neagley.

»Das überlegen wir uns später«, entgegnete Reacher. »Wenn wir weit von hier weg sind.«

»Warum hast du so fest zugeschlagen?«

»Ich war wegen des Hundes durcheinander.«

»Dieser Typ hat nichts damit zu tun gehabt.«

»Das weiß ich jetzt.«

Neagley durchsuchte die Taschen des Mannes und zog ein aufklappbares Lederetui heraus. Außer einer fest montierten verchromten Erkennungsmarke enthielt es hinter dem milchigen Plastikfenster des zweiten Fachs einen laminierten Dienstausweis.

»Er heißt Thomas Brant«, sagte sie. »Deputy Sheriff im L.A. County.«

»Wir sind im Orange County«, erklärte O'Donnell. »Hier

ist er außerhalb seines Zuständigkeitsbereichs. Das war er auch am Sunset und in Santa Monica.«

»Glaubst du, dass uns das helfen würde?«

»Nicht sehr.«

Reacher sagte: »Kommt, wir machen's ihm bequem und hauen schleunigst ab.«

O'Donnell nahm Brants Füße, und Reacher packte ihn unter den Schultern, damit sie ihn gemeinsam auf den Rücksitz seines Wagens hieven konnten. Dort ließen sie ihn in der Sanitätern bekannten stabilen Seitenlage zurück: auf der Seite liegend, ein Bein angewinkelt hochgezogen, sodass er ohne Erstickungsgefahr gut atmen konnte. Der Crown Vic war geräumig, sein Motor abgestellt, und durch das eingeschlagene Seitenfenster kam reichlich frische Luft herein.

»Er kommt schon zurecht«, sagte O'Donnell.

»Das wird er müssen«, sagte Reacher.

Sie schlossen die Türen des Crown Vic und wandten sich wieder O'Donnells Leihwagen zu. Er stand wie zuvor mit laufendem Motor und drei offenen Türen mitten auf der Straße. Reacher stieg hinten ein. O'Donnell fuhr. Neagley saß vorn neben ihm. Die höfliche Navi-Stimme machte sich daran, sie zum Freeway zurückzugeleiten.

»Wir sollten diesen Wagen zurückgeben«, sagte Neagley. »Sofort. Und dann meinen Mustang. Er hat sich bestimmt beide Kennzeichen notiert.«

»Und womit sollen wir dann fahren?«, fragte Reacher.

»Jetzt musst du irgendwas mieten.«

»Ich habe keinen Führerschein.«

»Dann müssen wir eben Taxis nehmen. Wir müssen die Verbindung unterbrechen.«

»Das bedeutet, dass wir auch das Hotel wechseln müssen.«

»Klar doch.«

Das Navi ließ unterwegs keinen Wechsel des Fahrziels zu. Eine Haftungsfrage. O'Donnell hielt am Straßenrand, löschte das Ziel Beverly Wilshire und gab stattdessen die Hertz-Station auf dem Flughafen ein. Das Gerät bewältigte den Wechsel spielend. Nach einigen Sekunden, in denen ein Balken mit *Berechne Route* angezeigt wurde, meldete die geduldige Stimme sich erneut und wies O'Donnell an, er solle wenden, nach Westen statt nach Osten fahren und statt dem Freeway 5 den 405er nehmen. In den Vororten war der Verkehr okay, aber auf dem Freeway mehr als dicht. Sie kamen nur langsam voran.

»Erzähl mir von gestern«, forderte Reacher Neagley auf.

»Was willst du wissen?«

»Was du gemacht hast.«

»Ich bin nach LAX geflogen und habe den Mustang gemietet. Bin ins Hotel am Wilshire gefahren. Habe eingecheckt. Habe eine Stunde gearbeitet. Dann bin ich zu dem Denny's am Sunset gefahren. Habe dort auf dich gewartet.«

»Du musst gleich vom Flughafen aus beschattet worden sein.«

»Natürlich. Die Frage ist nur, weshalb.«

»Nein, das ist die zweite Frage. Die erste Frage lautet: *Wie?* Wer hat gewusst, wann und wo du ankommen würdest?«

»Natürlich der Cop. Er hat meinen Namen markiert, und die Heimatschutzbehörde hat ihn benachrichtigt, sobald ich mein Ticket gekauft habe.«

»Okay, weshalb?«

»Er ist mit dem Fall Franz befasst. L.A. County Deputies. Ich bin jemand aus seinem näheren Umfeld.«

»Das sind wir alle.«

»Ich bin als Erste angekommen.«

»Dann werden wir also verdächtigt?«

»Schon möglich. Wenn's keine anderen Verdächtigen gibt.«

»Wie dumm sind die eigentlich?«

»Sie sind ziemlich normal. Sogar wir haben Leute aus dem näheren Umfeld überprüft, wenn alles andere vergeblich war.«

Reacher sagte: »Mit den Sonderermittlern legt man sich nicht an.«

»Korrekt«, stimmte Neagley ihm zu. »Aber wir haben uns gerade mit den L.A. Deputies angelegt. Ganz gewaltig. Hoffentlich haben sie keinen ähnlichen Slogan.«

»Du kannst deinen Arsch darauf verwetten, dass sie einen haben.«

LAX war ein einziges großes Chaos. Wie alle Flughäfen, die Reacher kannte, war er ständig halb fertig. O'Donnell schlängelte sich durch Baustellen, folgte Umleitungen und erreichte schließlich die Mietwagen-Rückgabe. Dort waren alle Firmen nebeneinander aufgereiht: die rote, die grüne, die blaue und zuletzt das Hertz-Gelb. O'Donnell parkte am Ende einer langen Autoschlange, und ein Mann in einer Hertz-Jacke kam herbeigeeilt und las den Strichcode am Rückfenster mit einem Handscanner ein. Das war's: Fahrzeug zurückgegeben, Mietverhältnis beendet. Verbindung unterbrochen.

»Was nun?«, fragte O'Donnell.

Neagley antwortete: »Nun fahren wir mit dem Shuttlebus zum Ankunftsgebäude und nehmen uns ein Taxi. Dann checken wir aus dem Hotel aus, und wir beide kommen mit meinem Mustang hierher zurück. Reacher kann ein Hotel für uns suchen und sich schon mal Gedanken über die Zahlen machen. Okay?«

Aber Reacher gab keine Antwort. Er starrte über den Parkplatz und durch das große Schaufenster der Hertz-Station. Beobachtete die vor dem Schalter anstehenden Kunden.

Dabei lächelte er.

»Was?«, fragte Neagley. »Reacher, was?«

»Dort drinnen«, sagte Reacher. »An vierter Stelle. Siehst du sie?«

»Wen?«

»Siehst du die kleine Schwarzhaarige? Ich bin mir ziemlich sicher, dass das Karla Dixon ist.«

23

Als Reacher, Neagley und O'Donnell über den Parkplatz hasteten, waren sie sich ihrer Sache mit jedem Schritt sicherer. Nachdem sie bis auf drei Meter an das Schaufenster herangekommen waren, stand fest, dass es sich tatsächlich um Karla Dixon handelte. Sie war unverwechselbar. *Schwarzhaarig, bildhübsch und zierlich: eine heitere kleine Person, die jedem Menschen das Schlimmste zutraute.* Sie stand vor ihnen, jetzt an dritter Position in der Schlange. Ihre Körpersprache verriet, dass sie sich bei aller Ungeduld damit abgefunden hatte, warten zu müssen. Sie wirkte wie immer entspannt, aber nie ganz ruhig, verbrannte ständig Energie und machte stets den Eindruck, als genüge ein Vierundzwanzigstundentag ihr nicht. Sie wirkte schlanker, als Reacher sie in Erinnerung hatte, trug enge schwarze Jeans und eine schwarze Lederjacke. Ihr dichtes schwarzes Haar war kurz geschnitten. Sie hatte einen schwarzen Rollenkoffer von Tumi neben sich stehen und eine Aktentasche aus schwarzem Leder umgehängt.

Als spürte sie die Blicke auf ihrem Rücken, drehte Dixon sich um und erwiderte sie, als hätten sie sich zuletzt vor ein paar Minuten statt vor neun Jahren gesehen. Dabei lächelte sie kurz. Ihr Lächeln war ein wenig traurig, als wüsste sie bereits, was passiert war. Dann nickte sie zu den drei Hertz-Angestellten hinüber, als wollte sie sagen: *Ich komme gleich, aber ihr wisst ja, wie's mit Zivilisten ist.* Reacher deutete auf sich, dann auf Neagley und O'Donnell, hielt vier Finger hoch und sagte mit sehr deutlichen Lippenbewegungen: *Nimm einen Viersitzer*. Dixon nickte nochmals und sah wieder nach vorn.

Neagley bemerkte: »Das kommt mir irgendwie biblisch vor. Wir erleben eine Auferstehung nach der anderen.«

»Keine Spur von biblisch«, entgegnete Reacher. »Unsere Annahmen waren falsch, das ist alles.«

Aus dem rückwärtigen Büro tauchte eine weitere Angestellte an der Theke auf. So wurde Dixon, die eben noch an dritter Stelle in einer Schlange gewartet hatte, binnen dreißig Sekunden bedient. Reacher beobachtete, wie sie einen rosa New Yorker Führerschein und eine platingraue Kreditkarte vorzeigte. Die Angestellte tippte, Dixon unterschrieb alle möglichen Formulare und bekam dann ein dickes gelbes Paket und den Schlüssel ausgehändigt. Sie rückte ihre Aktentasche zurecht, nahm ihren Rollenkoffer und machte sich auf den Weg zum Ausgang. Als sie auf den Gehsteig hinaustrat, stand sie vor Reacher, Neagley und O'Donnell und bedachte sie nacheinander mit einem ernsten Blick und sagte: »Tut mir leid, dass ich zu spät zu der Party komme. Aber dies ist eigentlich keine richtige Party, oder?«

»Was weißt du bisher?«, fragte Reacher sie.

Dixon antwortete: »Ich habe eure Nachrichten erst heute bekommen. Ich hatte keine Lust, in New York auf einen Direktflug zu warten. Die erste Möglichkeit war ein Flug mit zwei Stunden Aufenthalt in Las Vegas. In dieser Zeit habe ich ein paar Telefongespräche geführt, Informationen eingeholt, mich ein bisschen umgehört und festgestellt, dass Sanchez und Orozco verschwunden sind. Sie scheinen sich vor ungefähr drei Wochen einfach in Luft aufgelöst zu haben.«

24

Dixon hatte von Hertz einen Ford 500 gemietet, der eine ausreichend große viersitzige Limousine war. Sie verstaute ihr Gepäck im Kofferraum und setzte sich ans Steuer. Neagley nahm vorn neben ihr Platz, während Reacher und O'Donnell sich auf den Rücksitz quetschten. Dixon ließ den Motor an, verließ den Flughafen und fuhr auf dem Sepulveda Boulevard nach Norden. In den ersten fünf Minuten redete sie als Einzige.

Sie hatte im Auftrag einer Großbank, die wegen möglicher illegaler Praktiken besorgt war, als verdeckte Ermittlerin bei einem New Yorker Börsenmakler gearbeitet. Wie alle verdeckten Ermittler, die überleben wollten, hatte sie sich strikt an ihre Geschichte gehalten, was bedeutete, dass sie keinen Kontakt zu ihrem früheren Leben haben durfte. Sie konnte ihr Büro nicht mit dem von der Maklerfirma gestellten Handy oder von ihrer Firmenwohnung aus anrufen oder E-Mails auf ihrem firmeneigenen BlackBerry empfangen. Irgendwann hatte sie ihren Anrufbeantworter heimlich von einem Münztelefon aus abgehört und so die zunehmend verzweifelten 10-30-Hilferufe mitbekommen.

Daraufhin hatte sie ihren Job samt Auftraggeber sausen lassen, war geradewegs zum JFK gefahren und in die nächste Maschine von America West gestiegen. Vom Flughafen Vegas aus hatte sie versucht, Sanchez und Orozco anzurufen. Keiner der beiden hatte sich gemeldet, und ihre Anrufbeantworter waren voll gewesen – immer ein schlechtes Zeichen. Also war sie mit dem Taxi zu ihren Büros gefahren und hatte es verlassen, aber mit der Post von drei Wochen hinter der Tür vorgefunden. Die Nachbarn hatten die beiden schon lange nicht mehr gesehen.

»Das war's dann«, sagte Reacher. »Jetzt wissen wir's bestimmt. Wir sind nur noch zu viert.«

Anschließend redete Neagley fünf Minuten lang. Sie fasste ihre bisherigen Erkenntnisse so klar und präzise zusammen, wie sie's schon tausendmal gemacht hatte. Kein überflüssiges Wort, kein ausgelassenes Detail. Sie führte sämtliche Informationen, aber auch alle Spekulationen seit Angela Franz' erstem Anruf an. Sie erwähnte den Autopsiebericht, das kleine Haus in Santa Monica, das verwüstete Büro in Culver City, die USB-Sticks, den Besuch bei New Age, O'Donnells Ankunft, den verendeten Schäferhund, den unglücklichen Überfall auf einen Deputy aus dem L.A. County vor Swans Haus in Santa Ana und ihren Entschluss, die Mietwagen von Hertz zurückzugeben, um die unvermeidliche Fahndung zu erschweren.

»Nun, zumindest dieser Teil ist in Ordnung«, sagte Dixon. »Wir werden nicht verfolgt, also ist dieser Wagen vorerst clean.«

»Schlussfolgerungen?«, erkundigte sich Reacher.

Dixon dachte nach, während sie im stockenden Verkehr dreihundert Meter zurücklegte. Dann bog sie auf den 405, den San Diego Freeway ab – jedoch in Richtung Norden, weg von San Diego, in Richtung Sherman Oaks und Van Nuys.

»Vor allem eine«, sagte sie dann. »Hier geht's nicht darum, dass Franz nur einige von uns angerufen hat, weil er geglaubt hat, nicht alle seien verfügbar. Und auch nicht darum, dass er nur einige von uns angerufen hat, weil er sein Problem unterschätzt hat. Dafür war Franz viel zu clever und als Familienvater wohl auch zu vorsichtig. Deshalb müssen wir von anderen Annahmen ausgehen. Uns ansehen, wer da war und wer nicht. Ich glaube, dass Franz nur die angerufen hat, die schnell bei ihm sein konnten. Wirklich schnell. Natürlich Swan, der hier in L.A. lebte, dann Sanchez und Orozco, die nur eine Flugstunde entfernt in Vegas wohnten. Wir anderen konnten ihm nicht beistehen, weil wir mindestens einen Tag entfernt waren. Hier geht's also um Schnelligkeit, Panik und Dringlichkeit. Um die Art Sache, bei der ein halber Tag einen Unterschied machen kann.«

»Speziell?«

»Keine Ahnung. Schade, dass ihr mit den ersten elf Passwörtern Pech hattet. Wir hätten sehen können, welche Informationen neu oder anders waren.«

O'Donnell sagte: »Es müssen die Namen sein. Sie waren die einzigen harten Tatsachen.«

»Auch Zahlen können harte Tatsachen sein«, entgegnete Dixon.

»An denen wirst du dir die Zähne ausbeißen.«

»Vielleicht. Vielleicht auch nicht. Manchmal sprechen Zahlen zu mir.«

»Diese bestimmt nicht.«

Im Wagen herrschte einige Augenblicke lang Schweigen. Der Verkehr lief flüssig. Dixon blieb auf dem 405 und kam glatt über die Kreuzung mit dem Freeway 10.

»Wohin fahren wir überhaupt?«, fragte sie.

Neagley antwortete: »Ich schlage das Château Marmont vor. Es ist abgelegen und diskret.«

»Und teuer«, warf Reacher ein. Etwas in seiner Stimme bewog Dixon dazu, ihn kurz im Rückspiegel zu betrachten.

Neagley sagte: »Reacher ist abgebrannt.«

»Das wundert mich nicht«, sagte Dixon. »Er hat seit neun Jahren nicht mehr gearbeitet.«

»In der Army hat er auch nicht besonders viel gemacht«, meinte O'Donnell. »Wieso sollte er von einer lebenslänglichen Gewohnheit abgehen?«

»Er reagiert empfindlich, wenn andere Leute für ihn zahlen«, erklärte Neagley.

»Armes Baby«, sagte Dixon.

Reacher sagte: »Ich wollte bloß höflich sein.«

Dixon blieb bis zum Santa Monica Boulevard auf dem Freeway 405. Dann fuhr sie nach Nordosten weiter, um Beverly Hills und West Hollywood zu durchqueren und den Sunset Boulevard am Eingang zum Laurel Canyon zu erreichen.

»Auftragsbeschreibung«, sagte sie. »Mit den Sonderermittlern legt man sich nicht an. Diesem Grundsatz müssen wir vier Geltung verschaffen. Für die vier von uns, die nicht mehr hier sind. Also brauchen wir eine Führungsstruktur, einen Plan und einen Etat.«

Neagley sagte: »Für die Finanzierung komme ich auf.«

»Kannst du das?«

»Allein in diesem Jahr erhält der Privatsektor von der Heimatschutzbehörde Aufträge im Wert von sieben Milliarden Dollar. Ein Teil davon landet bei uns in Chicago, und mir gehört die Hälfte von allem, was als Gewinn in unseren Büchern steht.«

»Du bist also reich?«

»Reicher als in meiner Dienstzeit als Sergeantin.«

»Wir bekommen es sowieso zurück«, sagte O'Donnell. »Für Mord gibt's nur zwei Motive: Liebe oder Geld, und unsere Jungs sind garantiert nicht aus Liebe ermordet worden. Folglich kann man hier irgendwo Geld erbeuten.«

»Sind wir uns also darüber einig, dass Neagley die Finanzierung übernimmt?«, fragte Dixon.

»Was ist das – eine Demokratie?«, fragte Reacher.

»Vorübergehend. Sind wir uns einig?«

Vier erhobene Hände. Zwei Majore und ein Hauptmann, die eine Sergeantin die Zeche zahlen ließen.

»Okay, nun der Plan«, sagte Dixon.

»Zuerst die Führungsstruktur«, bemerkte O'Donnell. »Wir wollen das Pferd nicht vom Schwanz aufzäumen.«

»Okay«, sagte Dixon. »Ich nominiere Reacher als Kommandeur.«

»Ich auch«, sagte O'Donnell.

»Gleichfalls«, sagte Neagley. »Alles genau wie früher.«

»Ausgeschlossen«, protestierte Reacher. »Ich habe diesen Cop zusammengeschlagen. Mit etwas Pech muss ich dazu stehen und es euch überlassen, ohne mich weiterzumachen. So vorbelastet darf ein Kommandeur nicht sein.«

Dixon sagte: »Diese Brücke sollten wir überqueren, wenn wir sie erreichen.«

»Wir werden sie erreichen«, entgegnete Reacher. »Garantiert. Morgen oder spätestens übermorgen.«

»Vielleicht verfolgen sie die Sache nicht weiter.«

»Ein schöner Traum. Hätten wir das getan?«

»Vielleicht schämt er sich zu sehr, um den Überfall zu melden.«

»Er braucht ihn nicht zu melden. Das merken die Leute auch so. Er hat eine eingeschlagene Scheibe und eine gebrochene Nase.«

»Weiß er überhaupt, wer ihr seid?«

»Er hat Neagleys Namen in den Computer eingegeben und uns beschattet. Er weiß, wer wir sind.«

»Du darfst es nicht zugeben«, sagte O'Donnell. »Sie würden dich einsperren. Kommt's dazu, musst du aus L.A. verschwinden.«

»Ausgeschlossen. Bin ich weg, verhaften sie Neagley und dich als Komplizen. Das wollen wir nicht. Wir brauchen Leute, die hier ermitteln können.«

»Wir besorgen dir einen Anwalt. Einen billigen.«

»Nein, einen guten«, sagte Dixon.

»Trotzdem wäre ich abgelenkt«, erklärte Reacher.

Niemand sprach.

Reacher sagte: »Neagley sollte das Kommando übernehmen.«

»Ich lehne ab«, sagte Neagley.

»Du kannst nicht ablehnen. Das ist ein Befehl.«

»Es kann keiner sein, bevor du Kommandeur bist.«

»Gut, dann Dixon.«

»Abgelehnt«, sagte Dixon.

»Okay, O'Donnell.«

»Passe.«

Dixon sagte: »Reacher, bis er verhaftet wird. Dann Neagley. Wer ist dafür?«

Drei Hände wurden gehoben.

»Das werdet ihr bereuen«, sagte Reacher. »Ich sorge dafür, dass ihr's bereut.«

»Wie sieht also der Plan aus, Boss?«, wollte Dixon wissen, und ihre Frage katapultierte Reacher neun Jahre weit in die Vergangenheit zurück – bis zu dem Tag, an dem er sie zuletzt von irgendjemandem gehört hatte.

»Genau wie immer«, sagte er. »Wir ermitteln, wir arbeiten einen Plan aus, wir führen ihn durch. Wir spüren die Kerle auf, wir erledigen sie, und dann pissen wir auf die Gräber ihrer Vorfahren.«

25

Das Château Marmont war ein leicht heruntergekommener alter Prachtbau am Sunset Boulevard kurz vor dem Laurel Canyon. Alle möglichen Film- und Rockstars waren dort schon zu Gast gewesen. An den Wänden hingen massenhaft signierte Fotos. Errol Flynn, Clark Gable, Greta Garbo, James Dean, Marilyn Monroe, John Lennon, Mick Jagger, Bob Dylan, Jim Morrison, Led Zeppelin und Jefferson Airplane hatten hier gewohnt. John Belushi war im Marmont gestorben, nachdem er sich genügend Speedballs aus Kokain und Heroin gespritzt hatte, um sämtliche Hotelgäste zu berauschen. Von ihm gab es hier keine Fotos.

Weil der Angestellte am Empfang außer Neagleys Platinkarte auch Ausweise sehen wollte, gaben sie alle ihre richtigen Namen an. Ihnen blieb nichts anderes übrig. Dann teilte der Mann ihnen mit, er habe nur noch drei Zimmer. Neagley musste einen eigenen Raum haben, deshalb nahmen Reacher und O'Donnell gemeinsam ein Zimmer und überließen den Frauen die beiden Einzelzimmer. Dann fuhr O'Donnell mit Neagley in Dixons Leihwagen ins Beverly Wilshire zurück, um ihr Gepäck zu holen und auszuchecken. Anschließend würde Neagley den Mustang zum Flughafen zurückbringen und O'Donnell hinter ihr herfahren, um sie wieder ins Marmont zu chauffieren. Das alles würde ungefähr drei Stunden dauern. Reacher und Dixon würden dableiben und versuchen, in dieser Zeit aus den Zahlen schlau zu werden.

Sie machten sich in Dixons Zimmer an die Arbeit. Der Mann am Empfang hatte gesagt, Leonardo diCaprio habe einmal darin übernachtet, aber hier erinnerte nichts an ihn. Reacher legte die sieben Tabellen nebeneinander auf das Bett und verfolgte, wie Dixon sie über die Ausdrucke gebeugt studierte, wie manche Leute Noten oder Gedichte lasen.

»Zwei Dinge fallen ins Auge«, sagte sie sofort. »Es gibt keine hundertprozentigen Resultate. Kein zehn von zehn, kein neun von neun.«

»Und?«

»Die ersten drei Tabellen enthalten sechsundzwanzig Zahlen, die vierte siebenundzwanzig und die letzten drei wieder sechsundzwanzig.«

»Das bedeutet was?«

»Keine Ahnung. Aber keines der Blätter ist voll. Deshalb

muss dieser Unterschied zwischen sechsundzwanzig und siebenundzwanzig etwas bedeuten. Er ist nicht zufällig, sondern absichtlich entstanden. Es handelt sich um keine fortlaufende Zahlenliste mit Unterbrechungen am Seitenende. Sonst hätte Franz die Zahlen auf sechs Seiten, nicht auf sieben unterbringen können. Also handelt es sich um sieben einzelne Kategorien von irgendwas.«

»Einzeln, aber ähnlich«, sagte Reacher. »Eine beschreibende Zahlenfolge.«

»Die Ergebnisse werden schlechter«, sagte Dixon.

»Radikal.«

»Und das ganz plötzlich. Erst sind sie in Ordnung, dann stürzen sie ab.«

»Aber was stellen sie dar?«

»Keine Ahnung.«

Reacher fragte: »Was kann auf diese Weise wiederholt gemessen werden?«

»Alles, denke ich. Könnten geistige Fähigkeiten, Antworten auf einfache Fragen sein. Oder körperliche Leistungsfähigkeit, Koordinationsaufgaben. Vielleicht sind Fehler aufgezeichnet worden, was bedeuten würde, dass die Ergebnisse besser, nicht schlechter geworden sind.«

»Um welche Kategorien handelt es sich? Was haben wir vor uns? Sieben Ausfertigungen von was?«

Dixon nickte. »Das ist der Schlüssel. Das müssen wir als Erstes herausfinden.«

»Medizinische Untersuchungen scheiden aus. Überhaupt alle Tests. Wozu eine Reihe von Tests mit jeweils sechsundzwanzig Fragen durch einen mit siebenundzwanzig Fragen unterbrechen? Das würde alle Vergleichbarkeit zerstören.«

Dixon zuckte mit den Schultern und richtete sich auf. Sie zog ihre Jacke aus und warf sie in einen Sessel. Trat ans Fenster, zog den verblassten Vorhang ein Stück weit auf und sah hinaus. Hob den Kopf und betrachtete die Hügel.

»Ich mag L.A.«, erklärte sie.
»Ich auch, schätze ich«, sagte Reacher.
»New York gefällt mir besser.«
»Mir eigentlich auch.«
»Aber der Kontrast ist hübsch.«
»Vermutlich.«
»Beschissene Umstände, aber es ist klasse, dich wiederzusehen, Reacher. Echt klasse.«
Er nickte. »Gleichfalls. Wir dachten, wir müssten dich abschreiben. War ein scheußliches Gefühl.«
»Darf ich dich umarmen?«
»Du willst mich umarmen?«
»Bei Hertz am Flughafen hätte ich euch am liebsten alle umarmt. Aber ich hab's nicht getan, weil Neagley das nicht mag.«
»Sie hat Angela Franz die Hand gegeben. Und der Dragon Lady bei New Age.«
»Das ist ein Fortschritt«, meinte Dixon.
»Ein kleiner«, sagte Reacher.
»Sie ist als Kind missbraucht worden. Das war schon immer meine Vermutung.«
»Darüber wird sie nie reden«, sagte Reacher.
»Echt traurig.«
»Allerdings.«
Karla Dixon wandte sich ihm zu, und Reacher schloss sie in die Arme und drückte sie fest an sich. Sie duftete zart. Ihr Haar roch nach Shampoo. Er hob sie hoch und schwang sie herum, drehte sich langsam einmal mit ihr im Kreis. Sie fühlte sich leicht und zerbrechlich an. Sie trug eine schwarze Seidenbluse, und die Haut darunter fühlte sich warm an. Als er sie wieder absetzte, stellte sie sich auf die Zehenspitzen und küsste ihn auf die Wange.
»Du hast mir gefehlt«, sagte sie. »Ihr alle habt mir gefehlt, meine ich.«

»Mir auch«, sagte er. »Ich wusste gar nicht, wie sehr.«

»Gefällt dir das Leben nach der Army?«, erkundigte sie sich.

»Ja, mir gefällt's gut.«

»Mir nicht. Aber vielleicht reagierst du besser darauf als ich.«

»Ich weiß nicht, wie ich reagiere. Ich weiß nicht, ob ich überhaupt reagiere. Betrachte ich euch, habe ich das Gefühl, selbst nur Wasser zu treten. Oder zu ertrinken. Ihr dagegen schwimmt.«

»Bist du wirklich abgebrannt?«

»Fast mittellos.«

»Ich auch«, sagte sie. »Ich verdiene dreihunderttausend im Jahr und kann mir kaum das Notwendigste leisten. Aber so ist das Leben. Du kannst von Glück sagen, dass du dich ausgeklinkt hast.«

»Das denke ich meistens auch – bis ich mich wieder einklinken muss. Neagley hat mir tausenddreißig Dollar auf mein Bankkonto überwiesen.«

»Wie der Funkcode zehn-dreißig? Clever gemacht.«

»Und für mein Flugticket. Ohne das Geld wäre ich noch als Anhalter hierher unterwegs.«

»Du wärst zu Fuß unterwegs. Dich würde kein vernünftiger Mensch mitnehmen.«

Reacher betrachtete sich in dem fleckigen alten Wandspiegel. Einen Meter fünfundneunzig, hundertzehn Kilo, Pranken wie ein Bär, langes Haar, unrasiert, hochgekrempelte Hemdsärmel wie ein Holzfäller.

Ein Stadtstreicher.

Aus der großen grünen Maschine hierher.

Dixon sagte: »Darf ich dich etwas fragen?«

»Nur zu.«

»Ich habe mir immer gewünscht, wir hätten mehr getan, als nur zusammenzuarbeiten.«

»Wer?«

»Du und ich.«

»Das war eine Feststellung, keine Frage.«

»Ist's dir auch so ergangen?«

»Ehrlich?«

»Bitte.«

»Ja, genauso.«

»Warum haben wir dann nicht mehr unternommen?«

»Wäre nicht richtig gewesen.«

»Wir haben alle möglichen sonstigen Vorschriften missachtet.«

»Unsere Einheit wäre daran zerbrochen. Die anderen wären eifersüchtig gewesen.«

»Auch Neagley?«

»Auf ihre Art.«

»Wir hätten unsere Beziehung geheim halten können.«

Reacher sagte: »Das glaubst du selbst nicht.«

»Wir könnten sie jetzt geheim halten. Uns bleiben noch zweieinhalb Stunden.«

Reacher gab keine Antwort.

Dixon sagte: »Entschuldige, aber dieses ganze schlimme Zeug macht mir bewusst, wie kurz das Leben ist.«

»Und die Einheit ist jetzt ohnehin zerbrochen«, erklärte Reacher.

»Genau.«

»Hast du drüben an der Ostküste keinen Freund?«

»Im Augenblick nicht.«

Reacher trat wieder ans Bett. Karla Dixon folgte ihm und blieb dicht neben ihm stehen, sodass ihre Hüfte seinen Oberschenkel berührte. Die sieben Blätter waren noch immer nebeneinander ausgelegt.

»Willst du sie dir noch eine Weile ansehen?«, fragte Reacher.

»Nicht gerade jetzt«, antwortete Dixon.

»Ich auch nicht.« Er sammelte die Blätter ein, schob sie zu einem ordentlichen Stapel zusammen, legte ihn auf den Nachttisch und klemmte ihn unter dem Telefon fest. Fragte: »Weißt du bestimmt, dass du das willst?«

»Das weiß ich seit zwölf Jahren.«

»Ich auch. Aber es muss unser Geheimnis bleiben.«

»Einverstanden.«

Er zog sie in die Arme und küsste sie. Ihre Zungen fanden sich, umspielten sich. Die Knöpfe ihrer Bluse waren klein und schwierig zu öffnen.

26

Als sie danach im Bett lagen, meinte Dixon: »Wir müssen weiterarbeiten.« Reacher wälzte sich zur Seite, um die Blätter vom Nachttisch zu nehmen, aber Dixon sagte: »Nein, diesmal nur im Kopf. Da sehen wir mehr.«

»Glaubst du?«

»Insgesamt hundertdreiundachtzig Zahlen«, sagte sie. »Erzähl mir von hundertdreiundachtzig als *Zahl.*«

»Keine Primzahl«, sagte Reacher. »Durch drei und einundsechzig teilbar.«

»Ob sie eine Primzahl ist oder nicht, ist mir egal.«

»Multipliziert man sie mit zwei, erhält man dreihundertsechsundsechzig – die Zahl der Tage eines Schaltjahrs.«

»Ist dies also ein halbes Schaltjahr?«

»Nicht mit sieben Listen«, antwortete Reacher. »Die Hälfte jedes Jahres würde sechs Monate und sechs Listen bedingen.«

Dixon schwieg nachdenklich.

Reacher dachte: *Ein halbes Jahr.*

Halb.

Viele Wege führen zum Ziel.

Sechsundzwanzig, siebenundzwanzig.

Er fragte: »Wie viele Tage hat ein halbes Jahr?«

»Ein gewöhnliches Jahr? Hängt davon ab, welche Hälfte man nimmt. Hunderteinundachtzig oder hundertvierundachtzig.«

»Wie bekommt man von etwas die Hälfte?«

»Man teilt es durch zwei.«

»Und wenn man's mit sieben Zwölfteln multiplizieren würde?«

»Das wäre mehr als zwei.«

»Und noch mal mit sechs Siebteln?«

»Dann wär's wieder genau die Hälfte, zweiundvierzig Vierundachtzigstel.«

»Da hast du's.«

»Das verstehe ich nicht.«

»Wie viele Wochen hat das Jahr?«

»Zweiundfünfzig.«

»Wie viele Werktage?«

»Zweihundertsechzig bei Fünftagewochen, dreihundertzwölf bei Sechstagewochen.«

»Wie viele Tage hätten dann sieben Monate aus Sechstagewochen?«

Dixon überlegte einige Sekunden lang. »Hängt davon ab, welche sieben Monate man nimmt. Davon, wie die Sonntage verteilt sind. Auch davon, welcher Wochentag der erste Januar ist. Und davon, ob man fortlaufende Monate betrachtet oder sich einzelne herauspickt.«

»Rechne noch mal nach, Karla. Es gibt nur zwei mögliche Antworten.«

Dixon machte eine kurze Pause. »Hundertzweiundachtzig oder hundertdreiundachtzig.«

»Genau«, sagte Reacher. »Diese sieben Blätter entsprechen sieben Monaten mit Sechstagewochen. Einer der langen Monate hatte nur vier Sonntage. Deshalb die Anomalie mit siebenundzwanzig Tagen.«

Dixon schlüpfte unter der Bettdecke hervor, ging nackt zu ihrer Aktentasche und kam mit einem ledernen Filofax-Terminplaner zurück. Sie klappte ihn auf, legte ihn aufs Bett, nahm die Blätter vom Nachttisch und verteilte sie unterhalb des Terminplaners in einer Reihe. Ihr Blick wanderte siebenmal hin und her.

»Es handelt sich um dieses Jahr«, sagte sie dann. »Um die letzten sieben Monate bis zum Ende des vorigen Monats. Ohne Sonntage sind es drei Monate mit sechsundzwanzig Arbeitstagen, dann einer mit siebenundzwanzig und danach wieder drei mit sechsundzwanzig.«

»Da hast du's«, sagte Reacher. »Irgendwelche Sechstagezahlen haben sich in den letzten sieben Monaten ständig verschlechtert. Irgendwelche Ergebnisse. Wir sind schon halb am Ziel.«

»Das war der leichtere Teil«, erklärte Dixon. »Jetzt sag mir, was diese Zahlen bedeuten.«

»Etwas, das von Montag bis Samstag neun- oder zehn- oder zwölfmal passieren sollte, aber nicht immer hundertprozentig geklappt hat.«

»Was genau?«

»Das weiß ich nicht. Was passiert zehn- bis zwölfmal am Tag?«

»Nicht die Fließbandproduktion bei Ford, das steht fest. Hier geht's um etwas Kleineres. Oder um eine selbstständig ausgeübte Tätigkeit. Wie Termine bei einem Zahnarzt. Oder bei einem Anwalt. Oder bei einem Friseur.«

»Neben Franz' Büro liegt ein Nagelstudio.«

»Das hat mehr Kundinnen pro Tag. Und welchen Zusammenhang gäbe es zwischen Fingernägeln und Leuten, die verschwunden sind, und einem Syrer mit vier falschen Namen?«

»Keine Ahnung«, erwiderte Reacher.
»Ich auch nicht«, sagte Dixon.
»Wir sollten duschen und uns anziehen.«
»Danach.«
»Wonach?«
Dixon gab keine Antwort. Sie wischte nur die Blätter vom Bett, drückte ihn auf das Kopfkissen und küsste ihn wieder.

Dreitausendzweihundert Kilometer horizontal von ihnen entfernt und elf Kilometer über ihnen befand sich der schwarzhaarige Vierziger, der sich gegenwärtig Alan Mason nannte, in der vorderen Kabine einer Boeing 757 der United Airlines auf dem Flug von New York nach Denver, Colorado. Er saß auf Platz 3A und hatte ein Glas Mineralwasser mit Kohlensäure auf dem Armlehnentablett neben sich und eine aufgeschlagene Zeitung auf den Knien. Aber er las nicht, blickte stattdessen aus dem Fenster auf die strahlend weißen Haufenwolken draußen.

Und zwölf Kilometer südlich von ihnen verfolgte der Mann in dem dunkelblauen Anzug am Steuer seines dunkelblauen Chryslers sitzend O'Donnell und Neagley auf der Rückfahrt von der Hertz-Station auf dem Flughafen. Er hatte die Verfolgung aufgenommen, als sie das Beverly Wilshire verließen. Da er vermutete, dass sie wegfliegen würden, hatte er so geparkt, dass er ihnen zu den Terminals hätte folgen können. Als O'Donnell dann auf den Sepulveda Boulevard nach Norden abgebogen war, hatte er sich ranhalten müssen, um hinter ihnen zu bleiben. So befand er sich auf der ganzen Strecke zehn Wagen hinter dem Ford. Was für unauffällige Überwachung nur nützlich war, vermutete er.

27

»Das hilft uns nicht weiter«, sagte O'Donnell, und Neagley meinte: »Wir müssen den Tatsachen ins Auge sehen. Die Spur ist eiskalt, und wir besitzen buchstäblich keine nützlichen Informationen.«

Sie hielten sich in Karla Dixons Zimmer auf, Leonardo diCaprios ehemaliger Unterkunft. Das Bett war gemacht. Reacher und Dixon hatten geduscht und sich wieder angezogen. Sie achteten auf reichlich Abstand voneinander. Die sieben Tabellen und der aufgeschlagene Terminplaner lagen jetzt auf der Kommode. Niemand bestritt, dass sie die letzten sieben Monate abbildeten. Aber keiner verstand, wie dieses Wissen ihnen nutzen könnte.

Dixon schaute zu Reacher hinüber und fragte: »Was willst du tun, Boss?«

»Eine Pause machen«, antwortete Reacher. »Wir übersehen irgendetwas. Wir denken nicht klar. Wir sollten eine Pause machen und später darauf zurückkommen.«

»Früher haben wir nie Pausen gemacht.«

»Damals hatten wir noch fünf Augenpaare mehr.«

Der Mann im dunkelblauen Anzug erstattete telefonisch Meldung: »Sie sind ins Château Marmont umgezogen. Und sie sind jetzt zu viert. Karla Dixon ist aufgekreuzt. Damit sind sie alle vollzählig anwesend.« Dann hörte er sich die Antwort seines Bosses an und stellte sich vor, wie er sich dabei die Krawatte glatt strich.

Reacher brach allein zu einem Spaziergang auf dem Sunset Boulevard nach Westen auf. Er war von Natur aus ein Einzelgänger. Jetzt kramte er sein Geld aus der Tasche, um es zu zählen. Nicht mehr viel übrig. Er betrat ein Souvenirgeschäft und fand einen Kleiderständer mit heruntergesetzten Hemden. Schnitte aus dem vorigen Jahr oder aus dem vorigen Jahrzehnt. An einem Ende des Ständers hingen blaue Hemden mit weißem Muster, glänzend, aus irgendeiner Kunstfaser. Haifischkragen, kurze Ärmel, unten gerade geschnitten. Er nahm eines vom Ständer. Es sah wie ein Hemd aus, das sein Vater in den Fünfzigerjahren beim Bowling hätte tragen können. Nur dreimal so groß. Reacher war viel größer als sein Vater. Er fand einen Spiegel und hielt sich den Kleiderbügel unters Kinn. Das Hemd könnte passen. An den Schultern war es vermutlich breit genug. Und die kurzen Ärmel würden das Problem lösen, ein Hemd mit ausreichend langen Ärmeln finden zu müssen. Er hatte Arme wie ein Gorilla, nur länger und dicker.

Mit Verkaufssteuer kostete das Hemd fast einundzwanzig Dollar. Reacher zahlte bei dem Mann an der Kasse, riss die Etiketten ab, zog sein altes Hemd aus und schlüpfte sofort in das neue. Stopfte es nicht in die Hose. Zog es am Saum herunter und bewegte die Schultern. Ließ er den obersten Knopf offen, passte es ziemlich gut. Die Ärmel umschlossen seinen Bizeps straff, aber nicht so eng, dass sie die Blutzirkulation behindert hätten.

»Haben Sie einen Abfalleimer?«, fragte er.

Der Mann duckte sich, kam wieder hoch und brachte eine kleine Blechtonne mit einem eingesetzten Müllbeutel zum Vorschein. Reacher knüllte sein altes Hemd zusammen und warf es hinein.

»Gibt's hier in der Nähe einen Friseur?«, fragte er.

»Zwei Blocks nördlich«, antwortete der Mann. »Den Hügel hinauf. Schuhputzen und Haarschneiden in einer Ecke des Lebensmittelmarkts.«

Reacher schwieg.

»Laurel Canyon«, sagte der Mann, als wäre damit alles erklärt.

In dem Lebensmittelmarkt gab es Bier aus Kühlschränken und Kaffee aus Pumpthermoskannen. Reacher nahm sich einen mittelgroßen Becher Hausmarke, schwarz, und ging damit zu dem Friseurstuhl. Der Stuhl war ein altmodisches Ding mit rot gesprenkeltem Kunstlederbezug. Auf dem Rand des Waschbeckens lagen mehrere Rasiermesser, und daneben stand ein Schuhputzstuhl, in dem ein hagerer Typ in einem Muskelshirt saß. Seine Arme waren von oben bis unten mit Einstichen übersät. Jetzt schaute er auf und konzentrierte sich, als versuchte er, die Größe der vor ihm liegenden Aufgabe abzuschätzen.

»Lassen Sie mich raten«, sagte er. »Rasieren und Haare schneiden?«

»Zwei Bits?«, fragte Reacher.

»Acht Dollar«, erwiderte der Kerl.

Reacher sah in seiner Tasche nach.

»Zehn«, sagte er. »Inklusive Schuhputzen und Kaffee.«

»Alles zusammen würde zwölf kosten.«

»Ich hab aber nur zehn.«

Der Kerl zuckte mit den Schultern und sagte: »Von mir aus.«

Laurel Canyon, dachte Reacher. Eine halbe Stunde später befand sich nur noch ein Dollar in seiner Tasche, aber die Schuhe waren sauber und das Gesicht so glatt wie schon lange nicht mehr. Sein Haarschnitt war fast zu kurz geraten. Er hatte einen normalen Army-Bürstenschnitt verlangt, aber der Typ hatte ihm etwas verpasst, das eher der Marine-Corps-Version entsprach. Offensichtlich kein Veteran. Reacher begutachtete nochmals die Arme des Typs.

Er fragte: »Wo ist hier in der Gegend Stoff zu kriegen?«

»Sie sind kein Konsument«, sagte der Kerl.

»Für einen Freund.«

»Sie haben kein Geld.«

»Ich kann mir welches beschaffen.«

Der Kerl in dem Muskelshirt zuckte mit den Schultern und sagte: »Hinter dem Wachsmuseum ist meistens eine Crew.«

Reacher kehrte ins Marmont zurück, indem er zwei Blocks weit auf den tiefer liegenden Canyonstraßen blieb und sich dem Hotel von hinten näherte. Unterwegs kam er an einem dunkelblauen Chrysler 300C vorbei, der am Randstein parkte. Am Steuer saß ein Mann in einem dunkelblauen Anzug, dessen Farbton fast genau dem des Autos entsprach. Der Motor war abgestellt, und der Mann wartete nur. Reacher vermutete, dies sei eine Limousine mit Fahrer. Wahrscheinlich hatte irgendein rühriger Autoverleiher bei einem Chryslerhändler bessere Konditionen als bei seinem Lincolnhändler bekommen und daraufhin beschlossen, seine Town Cars durch Chrysler 300C zu ersetzen. Und auf der Suche nach einem Wettbewerbsvorsprung hatte er seine Fahrer einheitlich eingekleidet. Reacher wusste, dass L.A. ein schwieriger Markt für Autovermietungen war. Das hatte er irgendwo gelesen.

Dixon und Neagley lobten sein neues Hemd höflich, nur O'Donnell lachte ihn deswegen aus. Über seinen Haarschnitt lachten alle drei, aber Reacher war das egal. Nach einem Blick in Dixons fleckigen alten Spiegel musste er allerdings zugeben, dass dieser Bürstenschnitt ein bisschen extrem war. Und er fand es gut, für kurze Heiterkeit gesorgt zu haben. Anderswo würden sie keine angenehme Abwechslung finden, das stand fest. Gemeinsam hatten sie zwei Jahre lang alle möglichen Straftaten aufgeklärt und sich wie Cops in aller Welt mit Witzeleien darüber hinweggerettet. Schwarzer Humor, die universale Zuflucht.

Jetzt lachte niemand. Das Lachen verging einem, wenn die eigenen Leute betroffen waren.

Die Tabellen lagen wieder auf dem Bett. Sieben Monate mit hundertdreiundachtzig Tagen. Insgesamt 2197 Ereignisse. Die ursprünglichen Seiten waren durch ein Blatt in Dixons Handschrift ergänzt worden. Sie hatte die Zahlen extrapoliert und war für ein ganzes Jahr auf dreihundertvierzehn Tage und 3766 Ereignisse gekommen. Reacher vermutete, dass sie die anderen dazu aufgefordert hatte, mit ihr darüber nachzudenken, was sich an dreihundertvierzehn Tagen im Jahr insgesamt 3766-mal ereignete. Aber der Rest der Seite war leer. Keinem schien etwas eingefallen zu sein. Das Blatt mit den fünf Namen lag auf dem Kopfkissen – leicht schief, als hätte jemand es studiert und dann frustriert hingeworfen.

»Es muss mehr als das hier geben«, sagte O'Donnell.

»Was willst du genau?«, fragte Reacher ihn. »Eine kurze Zusammenfassung?«

»Ich meine nur, dass dies nicht ausreicht, um den Tod von vier Menschen zu erklären.«

Reacher nickte.

»Genau«, sagte er. »Wir haben wirklich nicht viel. Weil die Kerle sich praktisch alles geschnappt haben. Seinen Computer, seine Adressenkartei, seine Kundenliste, sein Telefonbuch. Uns bleiben nur Fragmente. Wie archäologische Grabungsfunde. Aber daran sollten wir uns lieber gewöhnen, weil uns nichts anderes in die Hände fallen wird.«

»Was machen wir also?«

»Mit der Gewohnheit brechen.«

»Mit welcher Gewohnheit?«

»Mich zu fragen, was ihr tun sollt. Vielleicht bin ich morgen nicht mehr da. Ich stelle mir vor, wie die Deputies in diesem Augenblick zu einer Großfahndung ausschwärmen. Ihr müsst endlich anfangen, selbstständig zu denken.«

»Und was tun wir bis dahin?«

Reacher ignorierte die Frage. Wandte sich stattdessen

an Karla Dixon und fragte: »Hast du den Ford mit der Zusatzversicherung gemietet?«

Sie nickte.

»Okay«, sagte Reacher. »Macht noch eine Pause. Dann fahren wir irgendwohin zum Abendessen. Ich lade euch ein. Vielleicht wie zum letzten Abendmahl. Wir treffen uns in einer Stunde unten in der Halle.«

Reacher übernahm Dixons Ford von dem Parkwächter des Hotels und fuhr auf dem Hollywood Boulevard nach Osten. Er kam am Entertainment Museum und Graumann's Chinese Theater vorbei. Bog nach links auf die Highland Avenue ab. Dieses Viertel, zwei Blocks westlich der Kreuzung von Hollywood Boulevard und Vine Street, war früher anrüchig gewesen. Jetzt schienen die kriminellen Aktivitäten sich verlagert zu haben, wie es meist der Fall war. Die Polizei gewann nie wirklich die Oberhand. Sie verdrängte die organisierte Kriminalität nur von hier nach dort, von einem Straßenblock zum anderen.

Reacher machte am Bordstein halt. Hinter dem Wachsmuseum verlief eine breite Durchfahrt. Eigentlich ein unbebautes schmales Grundstück, das von Autofahrern als Wendeplatz benutzt worden war, bis Drogenhändler es zu einer Verkaufspassage umfunktioniert hatten. Hier lief der Handel in der üblichen Dreiteilung ab. Ein Käufer bog von der Straße ab und fuhr langsamer. Ein Junge von etwa acht bis zehn Jahren näherte sich ihm. Der Fahrer gab seine Bestellung auf und übergab den Kaufpreis in bar. Der Junge brachte das Geld dem Mann mit dem Geldsack und lief dann zu dem Typen mit dem Stoff weiter, um die Ware zu holen. Der Fahrer beschrieb einen langsamen Halbkreis und traf auf der anderen Seite des Grundstücks erneut mit dem Jungen zusammen. Dort fand die Übergabe statt, und der Fahrer rollte wieder auf die Straße hinaus. Der Junge rannte zu seinem Standort zurück, um auf den nächsten Kunden zu warten.

Ein cleveres System. Völlige Trennung von Geld und Ware; die Beteiligten konnten notfalls rasch in verschiedene Richtungen flüchten; mit Geld oder Stoff wurde nur ein Junge gesehen, der viel zu klein war, um strafmündig zu sein. Der Vorrat wurde häufig ergänzt, sodass der Mann mit dem Stoff nie viel Ware bei sich hatte, und der Geldsack oft geleert, um mögliche Verluste und die Gefährdung des Kassierers zu minimieren.

Ein cleveres System.

Ein System, das Reacher von früher kannte.

Ein System, das er schon früher ausgenutzt hatte.

Der Mann mit dem Geldsack hatte wirklich einen Geldsack: Er saß mit einem schwarzen Nylonseesack zwischen den Füßen in der Mitte des Grundstücks auf einem Betonklotz. Er trug eine Sonnenbrille und würde mit irgendeiner Pistole bewaffnet sein, die ihm diese Woche gefallen hatte.

Reacher wartete.

Ein schwarzer Mercedes ML bremste und bog auf das Grundstück ab. Ein eleganter Geländewagen mit getönten Scheiben und einem kalifornischen Wunschkennzeichen mit einer Abkürzung, die Reacher nicht entziffern konnte. Als der Mercedes an der Einfahrt hielt, kam ein kleiner Junge herbeigesaust. Sein Kopf reichte kaum bis ans Fahrerfenster, aber seine Hand streckte sich weit nach oben und ergriff einen Packen zusammengefalteter Geldscheine. Der Wagen fuhr langsam weiter, und der Junge lief zu dem Mann mit dem Geldsack hinüber. Das Geld verschwand in dem Sack, und der Junge rannte zu dem Mann mit dem Stoff. Der Mercedes begann seinen langsamen Halbkreis.

Reacher legte den ersten Gang von Dixons Ford ein. Sah prüfend nach Norden, prüfend nach Süden. Gab dann Gas, drehte das Lenkrad nach rechts und raste über den Gehsteig auf das Grundstück. Ignorierte die ausgefahrene kreisförmige Fahrspur und hielt auf die Mitte des Grundstücks zu.

Geradewegs auf den Mann mit dem Geldsack zu, während unter den Vorderrädern seines Wagens der Kies wegspritzte.

Der Mann mit dem Geldsack erstarrte.

Wenige Meter vor ihm tat Reacher drei Dinge gleichzeitig. Er riss das Lenkrad nach rechts, legte eine Vollbremsung hin und öffnete die Fahrertür. Der Wagen schleuderte nach rechts, bis die Vorderräder in dem losen Geröll wieder Halt fanden; die auffliegende Tür beschrieb einen weiten Bogen, bis sie den Kerl zwischen Hüfte und Kopf mit voller Wucht traf. Er ging rückwärts zu Boden. Der Ford kam zum Stehen, und Reacher beugte sich aus dem Wagen und bekam den Nylonseesack mit der linken Hand zu fassen. Er warf ihn auf den Beifahrersitz, gab wieder Gas, knallte seine Tür zu und wendete innerhalb des Halbkreises, den der langsamere Mercedes beschrieb. Röhrte davon und holperte über Gehweg und Randstein auf die Highland Avenue zurück. Im Rückspiegel sah er Chaos, Staub in der Luft, den zu Boden gegangenen und seines Geldsacks beraubten Mann und zwei flüchtende Kerle. Zwanzig Meter weiter verschwand er hinter dem Gebäude des Wachsmuseums. Dann war er wieder im Licht, wieder auf dem Hollywood Boulevard.

Von Anfang bis Ende nur zwölf Sekunden.

Keine Reaktion. Keine Schüsse. Keine Verfolgung.

Es würde auch keine geben, vermutete Reacher. Sie würden den schlichten Ford, das scheußliche Hemd und den Bürstenhaarschnitt registriert und den Überfall einem hiesigen Polizeibeamten zugeschrieben haben, der in seiner Freizeit etwas für seine Altersversorgung tun wollte. Im Prinzip also Betriebskosten. Und der Mercedesfahrer konnte es sich nicht leisten, auch nur irgendein Wort über diesen Vorfall zu verlieren.

Yeah, Baby, mit den Sonderermittlern legt man sich nicht an.

Reacher fuhr etwas langsamer, bis er wieder zu Atem gekommen war, bog rechts ab und fuhr in weitem Bogen entgegen dem Uhrzeigersinn weiter, als wolle er eine kleine Besichtigungstour machen. Nichols Canyon Road, Woodrow Wilson Drive und zum Laurel Canyon Boulevard zurück. Niemand folgte ihm. Hoch in den Hügeln hielt er auf freier Strecke in einer Haarnadelkurve an, leerte den Nylonseesack aus und warf ihn aufs Bankett. Dann zählte er das Geld. Fast neunhundert Dollar, hauptsächlich in Zehnern und Zwanzigern. Mehr als genug für ein Abendessen. Sogar mit norwegischem Wasser. Und mit einem anständigen Trinkgeld.

Er stieg aus und kontrollierte den Wagen. Die Fahrertür wies genau in der Mitte eine leichte Delle auf. Vom Gesicht des Mannes mit dem Geldsack. Kein Blut. Reacher stieg wieder ein und schnallte sich an. Zehn Minuten später war er im Château Marmont, saß in der Hotelhalle in einem verblassten Samtsessel und wartete auf die anderen.

Neunzehnhundert Kilometer nordöstlich des Château Marmont fuhr der schwarzhaarige Vierziger, der sich Alan Mason nannte, auf dem Flughafen Denver vom Ankunftsflugsteig mit der U-Bahn zum Hauptterminal. Er war im Wagen allein, hatte müde Platz genommen und musste über die verrückten Ausbrüche von Jug-Band Music lächeln, die jeder Stationsansage vorausgingen. Bestimmt waren sie von einem Psychologen vorgeschlagen worden, um Reisestress abzubauen. In seinem Fall schienen sie zu funktionieren. Er fühlte sich gut. Weit entspannter, als er eigentlich hätte sein dürfen.

28

Tatsächlich kostete das Abendessen Reacher weit weniger als neunhundert Dollar. Aus Geschmacksgründen oder aus Vorliebe, aus Respekt vor den Umständen oder um seine mageren Finanzen zu schonen, entschieden die anderen sich für einen lauten Hamburgerschuppen am Sunset Boulevard gleich östlich des Hotels Mondrian. Dort stand kein norwegisches Wasser auf der Karte. Es gab nur Fass- und Dosenbier, dicke saftige Frikadellen und Essiggurken und lauten Rhythm and Blues aus alten Zeiten. Mit seinem Look aus den Fünfzigerjahren passte Reacher genau hierher. Die anderen wirkten etwas fehl am Platz. Sie saßen an einem runden Vierertisch. Ihre Unterhaltung stockte und lebte auf, stockte wieder, als das Vergnügen, mit alten Freunden zusammen zu sein, von Erinnerungen an die anderen, die nicht hier sein konnten, überlagert wurde. Reacher hörte vor allem zu. Der runde Tisch bewirkte, dass keiner von ihnen dominierte. Der Mittelpunkt der allgemeinen Aufmerksamkeit wechselte willkürlich von einem zum anderen. Nachdem sie ungefähr eine halbe Stunde lang in Erinnerungen geschwelgt und sich gegenseitig auf den neuesten Stand gebracht hatten, kam das Gespräch schließlich auf Calvin Franz.

O'Donnell sagte: »Am besten fangen wir ganz von vorn an. Glauben wir seiner Frau, hat er vor über vier Jahren mit allem außer routinemäßigen Recherchen aufgehört. Weshalb sollte er sich dann plötzlich in eine so ernste Sache verwickeln lassen?«

Dixon antwortete: »Weil jemand ihn darum gebeten hat.«

»Genau«, sagte O'Donnell. »Diese Sache beginnt mit seinem Auftraggeber. Wer war das also?«

»Könnte jeder gewesen sein.«

»Nein«, sagte O'Donnell. »Sein Auftraggeber war etwas

Besonderes. Für ihn hat er sich besonders angestrengt. Seinetwegen hat er seine vierjährige Abstinenz aufgegeben. Gewissermaßen auch seine Frau und seinen Sohn hintergangen.«

Neagley warf ein: »Vielleicht hat er sehr gut gezahlt.«

»Oder vielleicht war er ihm irgendwie verpflichtet«, meinte Dixon.

Neagley sagte: »Möglicherweise hat die Sache anfangs wie ein Routinefall ausgesehen und er nicht geahnt, wohin sie führen würde. Vielleicht hat das auch der Auftraggeber nicht gewusst.«

Reacher hörte schweigend zu. *Sein Auftraggeber war etwas Besonderes. Jemand, dem er irgendwie verpflichtet war.* Er verfolgte, wie O'Donnell das Wort ergriff, dann Dixon, dann Neagley. Der Vektor wechselte seine Richtung zwischen ihnen und zeichnete ein gleichseitiges Dreieck in die Luft. In Reachers Hinterkopf regte sich etwas. Eine Erinnerung an etwas, das Dixon vor Stunden auf der Fahrt vom Flughafen in die Stadt gesagt hatte. Er schloss die Augen, kam aber nicht mehr darauf. Als er jetzt sprach, wurde das Dreieck zu einem Viereck, das auch ihn einschloss.

»Wir sollten Angela fragen«, sagte er. »Hat er seit Langem einen wichtigen Klienten gehabt, könnte er ihn zu Hause erwähnt haben.«

»Ich möchte Charlie kennenlernen«, sagte O'Donnell.

»Wir fahren morgen früh hin«, erklärte Reacher. »Außer die Deputies holen mich vorher ab. Dann könnt ihr ohne mich weitermachen.«

»Du musst die Sache positiv sehen«, meinte Dixon. »Vielleicht hast du dem Kerl eine Gehirnerschütterung verpasst. Vielleicht weiß er nicht mehr, wer er ist – und erst recht nicht, wer du bist.«

Sie gingen ins Hotel zurück und trennten sich in der Halle. Niemand hatte Lust auf einen Absacker. Sie waren sich stillschweigend darüber einig, dass sie Schlaf brauchten, um morgen frisch und munter loslegen zu können. Reacher und O'Donnell fuhren zusammen nach oben. Redeten nicht viel. Fünf Sekunden nachdem Reachers Kopf sein Kissen berührt hatte, schlief er bereits.

Reacher wachte um sieben Uhr auf. Durchs Fenster schien die Morgensonne herein. David O'Donnell betrat den Raum. Er hatte es eilig. Vollständig bekleidet, eine Zeitung unter dem Arm, zwei Pappbecher mit Kaffee in den Händen.

»Ich habe einen Spaziergang gemacht«, sagte er.

»Und?«

»Du kriegst Ärger«, sagte er. »Fürchte ich.«

»Von wem?«

»Von diesem Deputy. Er parkt hundert Meter von hier entfernt.«

»Derselbe Kerl?«

»Derselbe Kerl mit demselben Wagen. Er hat eine Metallschiene über der Nase, und die Seitenscheibe ist mit einem Müllsack zugeklebt.«

»Hat er dich gesehen?«

»Nein.«

»Was tut er?«

»Er sitzt einfach nur da. Als würde er auf irgendetwas warten.«

29

Sie ließen sich das Frühstück in Dixons Zimmer servieren. Regel Nummer eins, die Reacher vor vielen Jahren gelernt hatte, lautete: Iss, wenn du kannst, weil du nie weißt, wann es wieder etwas gibt. Vor allem nicht, wenn man kurz davor war, im System zu verschwinden. Reacher schaufelte Rührei, Schinken und Toast in sich hinein und goss reichlich Kaffee hinterher. Er war ruhig, aber frustriert.

»Ich hätte in Portland bleiben sollen«, sagte er. »Das hätte genauso viel genützt.«

»Wie haben sie uns so schnell gefunden?«, fragte Dixon.

»Computer«, sagte Neagley. »Die Heimatschutzbehörde und das Patriotengesetz. Sie haben jetzt jederzeit Zugriff auf alle Hotelregister. Amerika ist ein Polizeistaat.«

»Wir sind die Polizei«, sagte O'Donnell.

»Wir *waren* sie.«

»Ich wollte, wir wären noch dabei. Heutzutage bräuchte man sich viel weniger zu plagen.«

»Haut jetzt ab, Leute«, sagte Reacher. »Ich will nicht, dass ihr in diese Sache verwickelt werdet. Das wäre Zeitverschwendung. Der Deputy darf auf keinen Fall mitbekommen, wie ihr das Hotel verlasst. Fahrt zu Angela Franz. Versucht rauszukriegen, wer sein Klient war. Ich melde mich wieder, sobald ich kann.«

Er trank seinen Kaffee aus und ging zurück in sein Zimmer. Steckte seine Klappzahnbürste ein, verstaute Pass und Bankkarte sowie siebenhundert seiner restlichen achthundert Dollar in einem Seitenfach von O'Donnells Koffer, weil bestimmte Dinge nach einer Festnahme verschwinden konnten. Dann fuhr er mit dem Aufzug in die Halle hinunter, setzte sich dort in einen Sessel und wartete. Unnötig, aus dieser Sache ein großes Drama, eine Verfolgungsjagd durch Hotelkorridore zu machen. Denn Regel Nummer zwei, die ein Leben voller Pech und Unannehmlichkeiten ihn gelehrt hatte, lautete: Bewahre dir einen Rest Würde.

Er wartete.

Dreißig Minuten. Sechzig. In der Hotelhalle lagen drei Tageszeitungen aus, und er las sie alle. Von vorn bis hinten. Sport, Feuilleton, Leitartikel, nationale und internationale

Nachrichten. Und Wirtschaft. Ein Artikel behandelte den Einfluss des Budgets der Heimatschutzbehörde auf die Privatwirtschaft. Darin wurden die sieben Milliarden Dollar erwähnt, von denen Neagley gesprochen hatte. Ein Haufen Geld. Höhere Gewinne erziele nur die Rüstungsindustrie, hieß es in dem Artikel. Das Pentagon verfügte nach wie vor über mehr Geld als jedermann sonst und warf es weiter mit vollen Händen zum Fenster hinaus.

Neunzig Minuten.

Nichts.

Nach zwei Stunden stand Reacher auf und steckte die Zeitungen wieder in den Ständer. Trat an die Drehtür und sah hinaus. Heller Sonnenschein, blauer Himmel, nicht viel Smog. Ein leichter Wind bewegte exotische Bäume. Frisch gewaschene Autos rollten langsam und glänzend vorbei. Ein schöner Tag. Der vierundzwanzigste, den Calvin Franz nun nicht mehr erleben konnte. Fast vier Wochen. Und das galt vermutlich auch für Tony Swan, Jorge Sanchez und Manuel Orozco.

Sie sind ab sofort wandelnde Tote. Niemand wirft meine Freunde aus Hubschraubern und überlebt, um davon erzählen zu können.

Reacher trat ins Freie. Blieb einen Augenblick lang exponiert stehen, als erwartete er Feuer von Heckenschützen. Inzwischen war reichlich Zeit gewesen, ganze SWAT-Teams in Stellung zu bringen. Aber auf dem Gehsteig blieb es still. Nirgends geparkte Fahrzeuge. Kein auffälliger Lieferwagen eines Blumengeschäfts. Keine angeblichen Arbeiter einer Telefongesellschaft. Keine Überwachung. Er bog nach links in den Sunset Boulevard ein. Wieder links am Laurel Canyon Boulevard. Ging langsam und hielt sich dicht an Hecken und Rabatten. Bog erneut links auf die kurvenreiche Canyon-Straße ab, die hinter dem Hotel vorbeiführte.

Geradeaus vor sich sah er den beigen Crown Victoria.

Der Wagen stand hundert Meter entfernt allein am linken Randstein geparkt. Still, bewegungslos, mit abgestelltem Motor. Wie O'Donnell gesagt hatte, war das zertrümmerte Beifahrerfenster mit einem straff gespannten schwarzen Müllsack zugeklebt. Der Fahrer saß am Steuer. Bewegte sich kaum, außer wenn er den Kopf drehte. Linker Seitenspiegel, geradeaus, rechter Seitenspiegel. Der Kerl hatte einen regelrechten Rhythmus entwickelt. Hypnotisch. Links, Mitte, rechts. Reacher sah die Aluminiumschiene aufblitzen, mit der seine Nase fixiert war.

Der Crown Vic machte den Eindruck, als stünde er seit vielen Stunden dort.

Der Kerl war allein, beobachtete nur und wartete.

Aber worauf?

Reacher machte kehrt und ging auf dem Weg, auf dem er gekommen war, ins Château Marmont zurück. Betrat die Hotelhalle. Setzte sich wieder in seinen Sessel und hatte den Ansatz einer neuen Theorie im Kopf.

Seine Frau hat mich angerufen, hatte Neagley gesagt.

Was hat sie von dir gewollt?

Nichts, hatte Neagley gesagt. *Sie hat's mir nur erzählt.*

Mir nur erzählt.

Und dann: Charlie, der an der Türklinke hing. Reacher hatte gefragt: *Ist's okay, dass du die Tür ganz allein aufmachst?* Und der Junge hatte geantwortet: *Ja, das ist okay.*

Und dann: *Charlie, du solltest rausgehen und ein bisschen spielen.*

Und dann: *Ich glaube, dass es etwas gibt, das Sie uns verschweigen.*

Betriebskosten.

Reacher saß in der Halle des Château Marmont in einem Samtsessel, dachte nach und wartete darauf, seine Theorie bestätigt oder widerlegt zu sehen, je nachdem, wer zuerst von der Straße hereinkam: seine alte Einheit oder eine Horde wütender Deputies aus dem L.A. County.

30

Seine alte Einheit kam zuerst herein, zumindest was noch von ihr übrig war. Die Überlebenden. O'Donnell, Neagley und Dixon, alle schnell und besorgt. Sie machten verblüfft halt, als sie ihn entdeckten, und Reacher hob grüßend die Hand.

»Du bist noch da«, sagte O'Donnell.

»Nein, ich bin eine optische Täuschung.«

»Große Klasse.«

»Was hat Angela gesagt?«

»Nichts. Sie weiß nichts von seinen Klienten.«

»Wie war sie?«

»Wie eine Frau, deren Mann vor Kurzem gestorben ist.«

»Was hältst du von Charlie?«

»Netter Junge. Ganz der Vater. So lebt Franz gewissermaßen weiter.«

Dixon fragte: »Wieso bist du noch hier?«

»Das ist eine sehr gute Frage«, antwortete Reacher.

»Wie lautet die Antwort?«

»Ist der Deputy noch dort draußen?«

Dixon nickte. »Wir haben ihn vom Ende der Straße aus gesehen.«

»Kommt, wir gehen nach oben.«

Diesmal benutzten sie Reachers und O'Donnells Zimmer. Es war etwas größer als das von Dixon. Als Erstes holte Reacher sein Geld, seinen Reisepass und seine Bankkarte wieder aus O'Donnells Koffer.

O'Donnell bemerkte: »Du rechnest anscheinend damit, dass du bleiben kannst.«

»Ich denke schon«, sagte Reacher.

»Weshalb?«

»Weil Charlie die Tür ganz allein geöffnet hat.«
»Und das bedeutet?«
»Angela macht den Eindruck, eine ziemlich gute Mutter zu sein. Schlimmstenfalls normal. Charlie war sauber, gut genährt, gut angezogen, ausgeglichen, gut versorgt, gut betreut. Daraus können wir schließen, dass Angela ihre Mutterpflichten ernst nimmt. Trotzdem hat sie dem Kleinen erlaubt, zwei wildfremden Menschen die Haustür aufzumachen.«
Dixon sagte: »Sie ist frisch verwitwet. Vielleicht war sie in Gedanken woanders.«
»Eher im Gegenteil. Ihr Mann ist vor über drei Wochen ermordet worden. Ich vermute, dass sie ihre anfängliche Reaktion überwunden hat. Sie klammert sich jetzt mehr denn je an Charlie, weil sie nur noch ihn hat. Trotzdem hat sie den Kleinen die Tür aufmachen lassen und ihm gesagt, er soll zum Spielen hinausgehen. Nicht in sein Zimmer, sondern ins Freie. In Santa Monica? In einen Garten an einer belebten Straße mit viel Fußgängerverkehr? Wieso tat sie das?«
»Keine Ahnung.«
»Weil sie wusste, dass ihm nichts passieren würde.«
»Woher?«
»Weil sie wusste, dass der Deputy ihr Haus überwacht.«
»Glaubst du?«
»Weshalb hat sie vierzehn Tage lang gewartet, bevor sie Neagley angerufen hat?«
»Sie war in Gedanken woanders«, wiederholte Dixon.
»Schon möglich«, sagte Reacher. »Aber vielleicht steckt etwas anderes dahinter. Vielleicht wollte sie uns überhaupt nicht anrufen. Für sie waren wir längst Geschichte. Ihr hat Franz' jetziges Leben besser gefallen. Natürlich, denn sie *war* Franz' jetziges Leben. Wir haben die schlimme alte Zeit verkörpert: raubeinig, gefährlich, ungehobelt. Ich glaube, sie

war nicht mit uns einverstanden, wahrscheinlich sogar ein bisschen eifersüchtig.«

»Genau«, sagte Neagley. »Das war auch mein Eindruck.«

»Wieso hat sie dich also angerufen?«

»Das weiß ich nicht.«

»Du musst die Sache aus dem Blickwinkel der Deputies sehen. Kleine Truppe, beschränkte Möglichkeiten. Sie finden einen Kerl tot in der Wüste und identifizieren ihn, sie setzen die Maschinerie in Gang. Alles genau nach Vorschrift. Als Erstes erstellen sie ein Profil des Opfers. Dabei zeigt sich, dass er bei der Militärpolizei einer brandheißen Ermittlertruppe angehört hat. Und sie stellen fest, dass seine alten Kumpel bis auf einen noch zu leben scheinen.«

»Und sie verdächtigen *uns?*«

»Nein, ich bezweifle, dass sie sich lange mit uns aufhalten. Aber sie kommen nicht weiter. Keine Spuren, keine Hinweise, kein Durchbruch. Sie stecken fest.«

»Also?«

»Nach zwei frustrierenden Wochen kommt ihnen eine Idee. Angela hat ihnen alles von der alten Einheit, ihrer Loyalität und unserem Slogan erzählt, und sie wittern eine Chance. Im Prinzip wartet ein freiberufliches Ermittlerteam in den Kulissen. Ein cleveres, erfahrenes Team, das vor allem hoch motiviert ist. Deshalb veranlassen sie Angela dazu, uns anzurufen. Sie soll uns nur benachrichtigen, sonst nichts. Aber die Deputies wissen, dass wir verdammt schnell hier aufkreuzen, dass wir mit Hochdruck ermitteln werden. Sie wissen, dass sie einfach im Hintergrund bleiben, uns beobachten und als Trittbrettfahrer von unseren Ermittlungen profitieren können.«

»Das ist lächerlich«, meinte O'Donnell.

»Aber genau das ist passiert, glaube ich«, entgegnete Reacher. »Angela hat gemeldet, dass sie Neagley erreicht hat; dann haben sie Neagley auf eine Beobachtungsliste gesetzt, sie beschattet, als sie angekommen ist, sich zurückgelehnt und verfolgt, wie wir nacheinander eingetrudelt sind. Und sie haben alles mitverfolgt, was wir seither getan haben. Polizeiarbeit durch Stellvertreter. *Das* hat Angela uns nicht erzählt. Die Deputies haben sie gebeten, uns als Ermittler herzulocken, und sie hat mitgemacht. Und deshalb bin ich noch hier. Das ist die einzig mögliche Erklärung. Sie rechnen sich aus, dass ein Nasenbeinbruch unter Betriebskosten fällt.«

»Unsinn!«

»Es gibt nur eine Methode, das festzustellen. Jemand muss einen Spaziergang um den Block machen und mit dem Deputy reden.«

»Glaubst du?«

»Dixon sollte gehen. Sie war in Santa Ana nicht dabei. Habe ich mich getäuscht, erschießt der Kerl sie vielleicht nicht.«

31

Dixon verließ wortlos das Zimmer. O'Donnell sagte: »Ich bin der Meinung, dass Angela heute nichts verschwiegen hat. Deshalb glaube ich nicht, dass Franz überhaupt einen Klienten hatte.«

»Wie sehr habt ihr sie unter Druck gesetzt?«, fragte Reacher.

»Wir brauchten sie nicht unter Druck zu setzen. Alles war sonnenklar. Sie hatte uns nichts zu erzählen. Auf so riskante Ermittlungen hätte Franz sich bestimmt nur für einen gut zahlenden Stammkunden eingelassen, den er seit Jahren kannte, und ich kann mir nicht vorstellen, dass es einen solchen gegeben haben soll, ohne dass Angela wenigstens einmal seinen Namen gehört hätte.«

Reacher nickte. Dann lächelte er flüchtig. Das gefiel ihm an seinem alten Team. Auf seine Leute war unbedingt Verlass. Schickte er Neagley, Dixon und O'Donnell mit Fragen los, kamen sie mit Antworten zurück. Immer, worum es sich auch handelte, wie schwierig die Informationen auch zu beschaffen sein mochten. Hätte er sie nach Atlanta beordert, wären sie mit der Coca-Cola-Rezeptur zurückgekommen.

Neagley fragte: »Wie geht's weiter?«

»Ich schlage vor, dass wir erst mit den Deputies reden«, sagte Reacher. »Mich interessiert vor allem, ob sie in Vegas waren.«

»In Sanchez' und Orozcos Büro? Dixon war erst dort. Es schien unberührt.«

»Sie hat nicht ihre Wohnungen gesehen.«

Nach einer halben Stunde kam Dixon zurück. Sie teilte mit: »Er hat mich nicht erschossen.«

»Das ist gut«, sagte Reacher.

»Ganz meine Meinung.«

»Hat er irgendetwas gestanden?«

»Er hat nichts bestätigt, nichts geleugnet.«

»Ist er wütend wegen seiner Nase?«

»Verdammt wütend.«

»Wie sieht's also aus?«

»Er hat seinen Boss angerufen. Sie wollen mit uns reden. Hier, in einer Stunde.«

»Wer ist sein Boss?«

»Ein Mann namens Curtis Mauney. Vom Sheriff's Department im L.A. County.«

»Okay«, sagte Reacher. »Das lässt sich machen. Wir sehen uns mal an, was der Typ hat, und behandeln ihn wie irgendeinen beschissenen Kommandeur der Militärpolizei. Alles nehmen, nichts geben.«

Sie verbrachten die einstündige Wartezeit unten in der Hotelhalle. Ohne Stress, ohne Nervosität. Beim Militär lernt man zu warten. O'Donnell fläzte sich auf einem Sofa und reinigte sich die Fingernägel mit seinem Springmesser. Dixon studierte die sieben Tabellen wieder und wieder, legte sie dann weg und schloss die Augen. Neagley hatte etwas abseits in einem Sessel an der Wand Platz genommen, Reacher saß unter einem alten gerahmten Foto von Raquel Welch. Die Aufnahme war spätnachmittags am Pool des Hotels gemacht worden, und das Licht wirkte so golden wie ihr Teint. Die magische Stunde, nannten Fotografen sie. Kurz, leuchtend, wundervoll. Wie der Ruhm selbst, dachte Reacher.

Der schwarzhaarige Vierziger, der sich Alan Mason nannte, wartete ebenfalls – auf einen Geheimtreff in seinem Zimmer im Hotel Brown Palace in Denver. Er war ungewöhnlich nervös und missgestimmt. Das hatte drei Gründe. Erstens sah sein Zimmer düster und schäbig aus, weit entfernt von dem Standard, den er erwartet hatte. Zweitens hatte er einen Koffer an der Wand stehen. Einen dunkelgrauen Hartschalenkoffer von Samsonite, der wie seine gesamte Ausstattung sorgfältig ausgewählt war: teuer genug, um ihn wohlhabend erscheinen zu lassen, aber nicht protzig genug, um unerwünschte Aufmerksamkeit zu erregen. Der Koffer enthielt Wertpapiere, geschliffene Diamanten und Zugangscodes für Schweizer Bankkonten, die eine Menge Geld wert waren. Genau gesagt fünfundsechzig Millionen Dollar, und die Leute, mit denen er hier zusammentreffen würde, waren keine Menschen, denen ein kluger Mann im Umgang mit übertragbaren, nicht nachweisbaren Aktiva trauen durfte.

Und drittens hatte er schlecht geschlafen. In der Nachtluft hatte ein unangenehmer Geruch gelegen, den er nach einer Weile als den von Hundefutter identifizieren konnte. Offenbar gab es irgendwo in der Nähe eine Fabrik, und der

Wind kam ausgerechnet aus dieser Richtung. Dann hatte er wach gelegen und sich Sorgen wegen der Bestandteile von Hundefutter gemacht. Vor allem natürlich Fleisch. Er wusste, dass der Geruchssinn ein physischer, vom Auftreffen wirklicher Moleküle auf die Nasenwände abhängiger Mechanismus war. Daher gelangten jetzt tatsächlich winzige Fleischstückchen in seine Nase. Sie kamen in Kontakt mit seinem Körper. Und es gab bestimmte Tiere, mit deren Fleisch Azhari Mahmoud niemals, unter keinen Umständen in Berührung kommen sollte.

Er ging ins Bad. Wusch sich zum fünften Mal an diesem Tag das Gesicht. Betrachtete sich im Spiegel. Biss die Zähne zusammen. Er war nicht Azhari Mahmoud. Nicht in diesem Augenblick. Er war Alan Mason, ein Westeuropäer, der einen Auftrag auszuführen hatte.

Als Erster erschien der von Reacher zusammengeschlagene Deputy Thomas Brant in der Hotelhalle im Château Marmont. Er hatte eine purpurrote Schwellung an der linken Stirnseite, und die gebogene Aluminiumschiene, die seine Nase fixierte, war so fest mit Pflaster auf seinen Wangenknochen befestigt, dass die Haut um seine Augen spannte. Er ging, als würde ihm jeder Schritt wehtun. Er schien zu ungefähr einem Drittel fuchsteufelswild darüber zu sein, dass er niedergeschlagen worden war, zu einem Drittel verlegen, dass er das hatte geschehen lassen, und zu einem Drittel sauer darüber, dass er seine Wut wegen der Ermittlungen hinunterschlucken musste. Ihm folgte ein älterer Mann, wohl sein Boss Curtis Mauney. Mauney, etwa Ende vierzig, war klein und stämmig und hatte den leicht erschöpften Gesichtsausdruck, der davon kommt, dass man zu lange dieselbe eintönige Arbeit getan hat. Sein Haar war in einem matten Schwarz gefärbt, das nicht zu seinen Augenbrauen passte. Er trug einen abgewetzten schwarzen Aktenkoffer und fragte: »Wer von euch Arschlöchern hat meinen Mann flachgelegt?«

»Ist das wichtig?«, fragte Reacher.

»Hätte nicht passieren dürfen.«

»Denken Sie sich nichts dabei. Er hatte keine Chance. Es waren drei gegen einen. Auch wenn einer der drei eine Frau war.«

Neagley bedachte ihn mit einem Blick, der ihn erdolcht hätte, wenn Blicke Messerklingen wären. Mauney schüttelte den Kopf und sagte: »Das war keine Kritik an der Fähigkeit meines Mannes, sich selbst zu verteidigen. Das sollte heißen, dass Sie nicht hier aufkreuzen und Cops angreifen können.«

Reacher entgegnete: »Er war außerhalb seines Zuständigkeitsbereichs, hat sich nicht zu erkennen gegeben und sich verdächtig benommen. Damit hat er den Angriff geradezu provoziert.«

»Wozu sind Sie überhaupt hier?«

»Wir sind zur Beerdigung unseres Freundes gekommen.«

»Die Leiche ist noch nicht freigegeben.«

»Dann warten wir eben.«

»Haben *Sie* meinen Mann niedergeschlagen?«

Reacher nickte. »Dafür entschuldige ich mich. Aber Sie hätten nur zu bitten brauchen.«

»Worum?«

»Um unsere Hilfe.«

Mauney sah ihn mit verständnislosem Blick an. »Sie glauben, wir hätten Sie hergelockt, damit Sie uns helfen?«

»Stimmt das vielleicht nicht?«

Mauney schüttelte den Kopf.

»Nein«, sagte er. »Wir haben Sie hergeholt, weil Sie als Köder dienen sollen.«

32

Thomas Brant blieb mürrisch stehen, als wäre er nicht zu einer sozialen Geste wie dem Platznehmen als Teil der Gruppe bereit. Aber sein Boss Curtis Mauney nahm Platz. Er setzte sich in einen Sessel, stellte den Aktenkoffer zwischen seine Füße und stützte beide Ellbogen auf die Knie.

»Lassen Sie mich ein paar Dinge klarstellen«, begann er. »Wir sind Sheriffs aus dem L.A. County. Wir sind keine Hinterwäldler und keine Idioten, und wir sind niemandes arme Verwandte. Wir sind schnell, clever und aktiv. Innerhalb von zwölf Stunden nach der Auffindung von Calvin Franz' Leiche haben wir alle Einzelheiten seines Lebens gekannt. Auch dass er einer von acht Überlebenden einer militärischen Eliteeinheit gewesen war. Und binnen vierundzwanzig Stunden haben wir gewusst, dass drei weitere Angehörige dieser Einheit spurlos verschwunden sind – einer hier aus L.A., zwei aus Vegas. Was die Frage aufwirft, wie elitär Sie alle waren, finden Sie nicht auch? Sie hatten von einem Augenblick zum nächsten fünfzig Prozent Verluste.«

Reacher sagte: »Bevor ich irgendwelche Leistungsbeurteilungen abgebe, müsste ich wissen, wer der Gegner war.«

»Jedenfalls nicht die Rote Armee.«

»Unser Gegner war nie die Rote Armee. Wir haben gegen die U.S. Army gekämpft.«

»Na schön, dann will ich mal rumfragen«, sagte Mauney. »Mich erkundigen, ob die 81st Airborne in letzter Zeit größere Siege errungen hat.«

»Ihre Theorie ist, dass jemand es auf uns acht abgesehen hat?«

»Ich weiß nicht, was meine Theorie ist, aber das ist natürlich eine Möglichkeit. Deshalb war's für mich nur vorteilhaft, Sie alle herzulocken. Kommen Sie nicht, haben die bösen Buben Sie vielleicht schon erwischt, was mir weitere Teile des Puzzlespiels liefert. Kreuzen Sie dagegen hier auf, dienen Sie als Köder, die mir helfen können, *sie* aus der Deckung zu locken.«

»Was ist, wenn es niemand auf uns vier Überlebende abgesehen hat?«

»Dann können Sie weiter hier herumhängen und auf die Beerdigung warten. Das ist mir egal.«

»Waren Sie in Vegas?«

»Nein.«

»Woher wissen Sie dann, dass die beiden aus Vegas verschwunden sind?«

»Weil ich dort angerufen habe«, antwortete Mauney. »Wir arbeiten viel mit der Nevada State Police zusammen, die ihrerseits viel mit den Cops in Vegas zusammenarbeitet, und Ihre Kerle Sanchez und Orozco werden seit drei Wochen vermisst; ihre Wohnungen sind völlig verwüstet worden. Das alles habe ich am Telefon erfahren. Nützliche Technologie.«

»So gründlich verwüstet wie Franz' Büro?«

»Anscheinend von denselben Leuten.«

»Haben sie irgendwas übersehen?«

»Wieso sollten sie?«

»Jeder kann mal etwas übersehen.«

»Haben sie etwas in Franz' Büro übersehen? Haben wir etwas übersehen?«

Reacher hatte gesagt: *Wir behandeln ihn wie irgendeinen beschissenen Kommandeur der Militärpolizei. Alles nehmen, nichts geben.* Aber Mauney war besser als irgendein beschissener Kommandeur der Militärpolizei. Das war klar. Er schien ein ziemlich guter Cop zu sein. Nicht dumm, aber vielleicht beeinflussbar. Deshalb nickte Reacher und sagte: »Franz hat sich aus Sicherheitsgründen Computerdateien mit der Post geschickt. Die Kerle haben sie übersehen. Sie haben sie übersehen. Wir haben sie sichergestellt.«

»Aus seinem Postfach?«

Reacher nickte.

»Das ist nach Bundesgesetz strafbar«, erklärte Mauney. »Sie hätten sich einen richterlichen Durchsuchungsbefehl besorgen müssen.«

»Das konnte ich nicht«, sagte Reacher. »Ich bin nicht mehr bei der Militärpolizei.«

»Dann hätten Sie die Finger davon lassen müssen.«

»Okay, verhaften Sie mich.«

»Das kann ich nicht«, sagte Mauney. »Ich bin nicht beim FBI.«

»Was haben sie in Vegas übersehen?«

»Soll das ein Tauschgeschäft werden?«

Reacher nickte. »Aber Sie fangen an.«

»Okay«, sagte Mauney. »In Vegas haben sie eine Serviette mit einer handschriftlichen Notiz übersehen. Eine dieser Papierservietten, die beigelegt werden, wenn man sich chinesisches Essen kommen lässt. Sie hat fettig und zusammengeknüllt in Sanchez' Mülleimer gelegen. Ich vermute, dass Sanchez beim Essen war, als das Telefon klingelte. Er hat sich rasch etwas notiert, das er später in ein Buch oder eine Datei übertrug, die wir nicht haben. Danach hat er die Serviette weggeworfen, weil er sie nicht mehr brauchte.«

»Woher wissen wir, dass das irgendwas mit irgendwas zu tun hat?«

»Das wissen wir nicht«, entgegnete Mauney. »Aber der Zeitablauf ist interessant. Dieses chinesische Essen zu bestellen scheint ungefähr das Letzte gewesen zu sein, was Sanchez jemals in Vegas getan hat.«

»Was hat er sich auf der Serviette notiert?«

Mauney beugte sich vor, hob den abgewetzten Aktenkoffer auf seine Knie, drückte die Schlösser, klappte den Deckel auf. Nahm eine Klarsichthülle heraus, in der eine Farbkopie steckte. Die Fotokopie war grauschwarz eingerahmt, weil die Serviette kleiner als das Vorlagenglas gewesen war. Sie zeigte Knicke und Fettflecken, die geprägte Papierstruktur und eine hingekritzelte Halbzeile in Jorge Sanchez' vertrauter Handschrift: *650 zu $100k pro.* Kräftig, selbstbewusst, leicht nach rechts geneigt, mit blauem Filzstift geschrieben, der sich von dem ungebleichten Beige des dünnen Papiers deutlich abhob.

650 zu $100k pro.

Mauney fragte: »Was bedeutet das?«

Reacher antwortete: »Ich kann auch nur raten.« Er betrachtete die Zahlen und wusste, dass Dixon das ebenfalls tat. Der Buchstabe *k* bedeutete *tausend* und war eine amerikanischen Soldaten in Sanchez' Alter, die eine Technikerausbildung hatten oder lange in Übersee stationiert gewesen waren, wo Entfernungen statt in Meilen in Kilometern gemessen wurden, vertraute Abkürzung. Daher bedeutete *$100k* nichts anderes als *hunderttausend* Dollar. Und das *pro* war eine gewöhnliche lateinische Präposition wie in pro Stück, pro Person, pro Exemplar …

»Ich glaube, dass das ein Gebot oder Angebot ist«, sagte Mauney. »Zum Beispiel: Sie können sechshundertfünfzig von irgendetwas für hunderttausend Dollar pro Stück haben.«

»Oder ein Marktbericht«, warf O'Donnell ein. »Zum Beispiel: sechshundertfünfzig von irgendetwas sind für hundert Mille pro Stück verkauft worden. Im Gesamtwert von fünfundsechzig Millionen Dollar. Ein ziemlich großer Deal. Jedenfalls groß genug, dass deswegen Morde passiert sein können.«

»Man kann wegen fünfundsechzig Cent umgebracht werden«, meinte Mauney. »Dazu braucht's nicht immer Millionen von Dollar.«

Karla Dixon schwieg weiter. Sie war ruhig, in Gedanken woanders. Reacher wusste, dass sie in der Zahl 650 etwas gesehen hatte, das ihm entgangen war. Er konnte sich nicht vorstellen, was das sein sollte. Die 650 war keine interessante Zahl.

650 zu $100k pro.

»Keine cleveren Ideen?«, fragte Mauney.

Niemand sprach.

Mauney sagte: »Was haben Sie in Franz' Postfach gefunden?«

»Einen USB-Stick«, erklärte Reacher. »Für einen Computer.«

»Was ist darauf?«

»Das wissen wir nicht. Wir können das Passwort nicht knacken.«

»Wir könnten's versuchen«, sagte Mauney. »Es gibt ein Labor, mit dem wir zusammenarbeiten.«

»Ungern. Wir haben nur noch einen Versuch.«

»Tatsächlich bleibt Ihnen keine andere Wahl. Das Ding ist ein Beweisstück, deshalb gehört es uns.«

»Teilen Sie sich die Informationen mit uns?«

Mauney nickte. »Wir befinden uns hier offenbar in einem Teilungsmodus.«

»Okay«, sagte Reacher. Er nickte Neagley zu. Sie steckte eine Hand in ihre Umhängetasche und zog den silbernen USB-Stick heraus. Warf ihn Reacher aus der offenen Hand zu. Er fing ihn auf und gab ihn Mauney.

»Viel Erfolg«, sagte er.

»Hinweise?«, fragte Mauney.

»Es ist bestimmt eine Zahl«, erwiderte Reacher. »Franz war eher ein Zahlenmensch.«

»Okay.«

»Es war kein Flugzeug, wissen Sie.«

»Ich weiß«, sagte Mauney. »Das war vorgetäuschte Ahnungslosigkeit, um Ihr Interesse zu wecken. Es war ein Hubschrauber. Können Sie sich vorstellen, wie viele Hubschrauber es in Reichweite der Stelle gibt, wo wir ihn gefunden haben?«

»Nein.«

»Über neuntausend.«

»Sind Sie in Swans Büro gewesen?«

»Er ist entlassen worden. Er hatte kein Büro mehr.«

»Haben Sie sich sein Haus angesehen?«

»Durch die Fenster«, sagte Mauney. »Es war nicht durchwühlt und verwüstet worden.«

»Badezimmerfenster?«

»Milchglas.«

»Noch eine letzte Frage«, sagte Reacher. »Sie haben Nachforschungen nach Swan angestellt und die Nevada State Police auf Sanchez und Orozco angesetzt. Warum haben Sie nicht in Washington, New York und Chicago angerufen, um sich nach uns anderen zu erkundigen?«

»Weil ich mit dem gearbeitet habe, was ich damals hatte.«

»Was war das?«

»Ich hatte alle vier auf Band. Franz, Swan, Sanchez und Orozco. Alle vier zusammen. Am letzten Abend, bevor Franz weggefahren und nicht wiedergekommen ist, von einer Überwachungskamera aufgenommen.«

33

Curtis Mauney ließ sich nicht erst lange bitten. Er klappte seinen Aktenkoffer erneut auf und holte eine weitere Klarsichthülle heraus. Diese enthielt ein schwarz-weißes Standfoto vom Videoband einer Überwachungskamera. Vier Männer, die Schulter an Schulter an einer Art Ladentheke standen. Da Reacher das Bild auf dem Kopf stehend und aus einiger Entfernung sah, konnte er nicht viele Einzelheiten erkennen.

Mauney erklärte: »Die Identifizierung habe ich mithilfe alter Schnappschüsse vorgenommen, die Franz in einem Schuhkarton in seinem Schlafzimmerschrank aufbewahrte.« Dann gab er das Foto rechts an Neagley weiter. Die Reflexion der glänzenden Kunststoffhülle erhellte ihr Gesicht, während sie das Bild ausdruckslos betrachtete. Sie reichte es entgegen dem Uhrzeigersinn an Dixon weiter. Dixon starrte es zehn lange Sekunden an, blinzelte einmal und hielt es O'Donnell hin. Der nahm es entgegen, studierte es, schüttelte den Kopf und händigte es Reacher aus.

Manuel Orozco, der links außen stehend nach rechts blickte, war von der Kamera in seiner charakteristischen ständigen Ruhelosigkeit festgehalten worden. Dann kam Calvin Franz mit geduldigem Gesichtsausdruck und beiden Händen in den Taschen. Als Nächster folgte Tony Swan, der mit schwer zu deutender Miene geradeaus schaute. Rechts außen stand Jorge Sanchez in einem bis oben zugeknöpften Hemd ohne Krawatte und einem Zeigefinger im Kragen. Diese Pose kannte Reacher. Er hatte sie schon Hunderte Male gesehen. Sie bedeutete, dass Sanchez sich vor ungefähr zehn Stunden rasiert hatte und die jetzt neu sprießenden Bartstoppeln zu jucken begannen. Selbst ohne die rechts unten eingedruckte Zeitangabe hätte Reacher gewusst, dass diese Aufnahme am frühen Abend gemacht worden sein musste.

Alle vier sahen etwas älter aus. Orozco war an den Schläfen ergraut und hatte Falten um seine müde wirkenden Augen. Franz schien etwas Gewicht verloren zu haben; seine Schultern wirkten nicht mehr so muskulös wie früher. Swan war mit gewölbter Brust und etwas mehr Bauch so breit wie früher. Er trug sein Haar ziemlich kurz; der Haaransatz schien ein bis zwei Zentimeter weit nach hinten gerutscht zu sein. Sanchez' finsterer Gesichtsausdruck war zu einer verdrießlichen Miene erstarrt, deren Falten sich von der

Nase ausgehend an den Mundwinkeln vorbei bis zum Kinn zogen.

Älter, aber vielleicht auch etwas klüger. Auf diesem Foto war eine Menge Begabung, Erfahrung und Befähigung versammelt. Auch ungezwungene Kameradschaft und gegenseitiges Vertrauen. Vier harte Kerle. Nach Reachers Meinung vier der weltweit besten acht.

Wer oder was hatte sie in die Knie gezwungen?

Hinter ihnen, von der Kamera wegführend, waren enge Regalreihen zu sehen, die ihm bekannt vorkamen.

»Wo war das?«, fragte Reacher.

Mauney antwortete: »Das ist die Apotheke in Culver City. Neben Franz' Büro. Der Apotheker hat sich an sie erinnert. Swan hat Aspirin gekauft.«

»Das sieht Swan nicht ähnlich.«

»Für seinen Hund. Der hatte Arthritis in den Hinterläufen. Hüften. Er hat ihm jeden Tag eine Vierteltablette Aspirin gegeben. Nach Auskunft des Apothekers tun das viele Besitzer alter Hunde. Vor allem großer Hunde.«

»Wie viel Aspirin hat er gekauft?«

»Die Sparpackung. Sechsundneunzig Tabletten eines Generikums.«

Dixon sagte: »Bei einer Vierteltablette pro Tag war das ein Vorrat für ein Jahr und neunzehn Tage.«

Reacher betrachtete die Aufnahme nochmals. Vier Kerle in entspannter Haltung, keine Eile, massenhaft Zeit, ein Routineeinkauf als Vorsorge für ein Haustier, die über ein Jahr weit in die Zukunft reichen sollte.

Sie haben's nicht mal kommen sehen.

Wer oder was hatte sie in die Knie gezwungen?

»Kann ich dieses Bild behalten?«, fragte er.

»Wozu?«, wollte Mauney wissen. »Sehen Sie etwas darauf?«

»Vier meiner alten Freunde.«

Mauney nickte. »Okay, behalten Sie's. Es ist eine Kopie.«
»Wie geht's weiter?«
»Sie bleiben hier«, erwiderte Mauney. Er klappte seinen Aktenkoffer zu, ließ die Schlösser zuschnappen. In der Stille war dieses Geräusch sehr laut. »Sie bleiben sichtbar und rufen mich an, falls Sie jemanden herumschnüffeln sehen. Keine selbstständigen Ermittlungen mehr, verstanden?«
»Wir sind nur zur Beerdigung hier«, sagte Reacher.
»Aber wessen Beerdigung?«
Darauf gab Reacher keine Antwort. Er stand auf, drehte sich um und betrachtete erneut das Foto von Raquel Welch. In dem Bilderglas spiegelte sich die Hotelhalle, und er verfolgte, wie Mauney aus seinem Sessel aufstand und die anderen seinem Beispiel folgten. Um aufstehen zu können, muss ein Sitzender etwas nach vorn rutschen, sodass eine Gruppe automatisch näher zusammenrückt. Als Nächstes machen alle einen Schritt rückwärts, wenden sich ab, gehen auseinander, vergrößern den Kreis, respektieren die Privatsphäre der anderen. Neagley reagierte natürlich als Erste und am schnellsten. Mauney schlängelte sich zwischen zwei Sesseln hindurch in Richtung Ausgang. O'Donnell war in entgegengesetzter Richtung ins Innere des Hotels gegangen. Dixon bewegte sich parallel zu ihm: klein, flink, leichtfüßig, einem Couchtisch ausweichend.
Nur Thomas Brant war in Gegenrichtung unterwegs.
Auf ihn zu.
Reacher hielt seinen Blick auf die Glasscheibe vor dem Bild Raquel Welchs gerichtet. Beobachtete Brants Spiegelbild. Er wusste sofort, was passieren würde. Brant würde ihm mit der linken Hand auf die rechte Schulter tippen. Daraufhin sollte Reacher sich fragend umdrehen und eine krachende Gerade mitten ins Gesicht bekommen.
Brant kam näher. Reacher konzentrierte sich auf den Goldring, der die beiden Hälften von Raquels Bikiniober-

teil zusammenhielt. Brants linke Hand schob sich nach vorn, seine rechte wurde etwas zurückgenommen. Der Zeigefinger seiner Linken war ausgestreckt, und seine Rechte bildete eine Faust von der Größe eines Softballs. Gut, aber keine großartige Angriffstechnik. Reacher spürte, dass Brant keineswegs ideal stand. Brant war ein Schläger, kein Boxer. Ohne es zu erkennen, verringerte er seine Kampfkraft so um die Hälfte.

Brant tippte ihm auf die Schulter.

Weil Reacher damit gerechnet hatte, warf er sich unerwartet schnell herum und fing Brants rechte Gerade mit der linken Hand einen Viertelmeter vor seinem Gesicht ab. Als finge ein Infielder einen Schlag die Linie entlang mit der bloßen Hand. Hinter dieser Geraden steckte einiges an Gewicht. Sie traf laut klatschend in Reachers Handfläche. Den brennenden Schmerz spürte er bis in die Armsehnen.

Dann ging es um übermenschliche Selbstbeherrschung.

Reachers Killerinstinkt und sein Muskelgedächtnis forderten einen Kopfstoß gegen Brants gebrochene Nase. Diese Reaktion verstand sich von selbst. Man nutzte das körpereigene Adrenalin. Man winkelte den Oberkörper in der Hüfte ab, hatte dann gewaltig Schwung, setzte seine Stirn als Waffe ein. Reacher, der diese Methode schon mit fünf Jahren perfekt beherrscht hatte, konnte fast nicht anders reagieren.

Aber Reacher beherrschte sich.

Er blieb einfach stehen, hielt Brants geballte Faust mit seiner Linken umklammert. Er sah Brant in die Augen, atmete langsam aus und schüttelte den Kopf.

»Ich habe mich bereits entschuldigt«, sagte er. »Und ich tue es jetzt noch mal. Genügt Ihnen das nicht, warten Sie gefälligst, bis diese Sache vorbei ist, okay? Ich bleibe noch eine Weile da. Sie können ein paar Kumpel zusammentrommeln und zu dritt über mich herfallen, wenn ich gerade nicht aufpasse. Das ist doch fair, oder?«

»Vielleicht mache ich das wirklich«, sagte Brant.

»Das sollten Sie. Aber suchen Sie sich Ihre Kumpel sorgfältig aus. Bringen Sie keinen mit, der sich nicht ein halbes Jahr im Krankenhaus leisten kann.«

»Angeber.«

»Ich bin nicht der, der hier eine Nasenschiene trägt.«

Curtis Mauney kam herüber und sagte: »Keine Schlägerei. Weder jetzt noch später.« Er schleppte Brant am Kragen weg. Reacher wartete, bis die beiden nach draußen verschwunden waren; dann verzog er das Gesicht, schüttelte seine linke Hand heftig und sagte: »Verdammt, das brennt.«

»Pack sie in Eis ein«, schlug Neagley vor.

»Nimm ein kaltes Bier in die Hand«, riet O'Donnell.

»Sieh zu, dass du darüber hinwegkommst, und lass mich mit dir über die Zahl sechshundertfünfzig reden«, sagte Dixon.

34

Die vier fuhren in Dixons Zimmer hinauf, wo sie die sieben Tabellen ordentlich auf dem Bett auslegte. »Okay«, begann sie, »hier haben wir eine Folge von sieben Kalendermonaten. Irgendeine Art Leistungsanalyse. Der Einfachheit halber wollen wir einfach von Treffern und Fehlschüssen sprechen. Die ersten drei Monate sind ziemlich gut. Massenhaft Treffer, kaum Fehlschüsse. Eine mittlere Erfolgsquote von rund neunzig Prozent. Eine Kleinigkeit über neunundachtzig Komma vier Prozent, um es präzise auszudrücken, worauf ihr sicher Wert legt.«

»Bitte weiter«, sagte O'Donnell.

»Im vierten Monat stürzen wir jedoch ab und werden stetig schlechter.«

»Das wissen wir bereits«, meinte Neagley.

»Nehmen wir das erste Vierteljahr mal rein theoretisch als Ausgangsbasis. Wir wissen, dass sie neunzig Prozent Treffer erzielen können, plus oder minus. Dazu sind sie imstande. Diesen Leistungsstand hätten sie endlos lange halten können oder sollen.«

»Aber das haben sie nicht getan«, warf O'Donnell ein.

»Genau. Sie hätten's tun sollen, aber sie haben's nicht getan. Mit welchem Ergebnis?«

Neagley sagte: »Später hat's mehr Fehlschüsse gegeben als anfangs.«

»Wie viele mehr?«

»Das weiß ich nicht.«

»Ich schon«, sagte Dixon. »Hätten sie ihre ursprüngliche Erfolgsquote gehalten, hätten sie sich in den letzten vier Monaten exakt sechshundertfünfzig Fehlschüsse erspart.«

»Tatsächlich?«

»Tatsächlich«, wiederholte Dixon. »Zahlen lügen nicht, und Prozentsätze sind Zahlen. Nach dem dritten Monat ist irgendetwas passiert, das ihnen dann sechshundertfünfzig vermeidbare Misserfolge eingebracht hat.«

Reacher nickte. Insgesamt 183 Tage, insgesamt 2197 Ereignisse, insgesamt 1314 Erfolge und 883 Misserfolge. Aber mit markant ungleicher Verteilung. Im ersten Vierteljahr waren es 897 Ereignisse, 802 Erfolge und 95 Misserfolge gewesen. In den folgenden vier Monaten hatte es bei 1300 Ereignissen kümmerliche 512 Erfolge und katastrophale 788 Misserfolge gegeben, von denen 650 nicht passiert wären, wenn sich nicht etwas verändert hätte.

»Ich wollte, wir wüssten, über was wir reden«, sagte er.

»Sabotage«, erklärte O'Donnell. »Irgendwer ist dafür bezahlt worden, dass er irgendwas vermasselt.«

»Jedes Mal für hundert Mille?«, fragte Neagley. »Und das sechshundertfünfzigmal? Ein Traumjob!«

»Sabotage scheidet aus«, sagte Reacher. »Ein Büro, eine Fabrik oder was auch immer kann man leicht für hundert Mille abfackeln lassen. Vermutlich eine ganze Kleinstadt. Aber man würde nicht pro Ereignis zahlen.«

»Worum geht's hier also?«

»Keine Ahnung.«

»Aber die Zahlen passen zusammen«, sagte Dixon. »Nicht wahr? Es gibt einen klaren mathematischen Zusammenhang zwischen dem, was Franz, und dem, was Sanchez wusste.«

Eine Minute später trat Reacher ans Fenster und blickte auf die Hügel hinaus, fragte: »Können wir annehmen, dass Oronzco über alles informiert war, was Sanchez wusste?«

»Garantiert«, erwiderte O'Donnell. »Und natürlich umgekehrt. Die beiden waren Freunde. Sie haben zusammengearbeitet. Sie müssen dauernd miteinander geredet haben.«

»Also fehlt uns nur noch, was Swan wusste. Von den drei anderen besitzen wir Fragmente. Von ihm haben wir nichts.«

»In seinem Haus gab es nichts. Absolut nichts.«

»Also muss es in seinem Büro sein.«

»Er hatte kein Büro mehr. Er war bei New Age rausgeflogen.«

»Aber erst neulich. Also steht sein dortiges Büro leer. New Age entlässt Leute, statt welche einzustellen. Folglich werden keine neuen Räume gebraucht. Sein Büro ist eingemottet – mitsamt dem Computer, der noch auf seinem Schreibtisch steht. Und vielleicht liegen in den Schubladen Notizen oder Ähnliches.«

Neagley fragte: »Du willst die Dragon Lady noch mal aufsuchen?«

»Das müssen wir, glaube ich.«

»Wir sollten sie anrufen, bevor wir die weite Fahrt auf uns nehmen.«

»Besser wär's, unangemeldet aufzukreuzen.«

»Ich möchte sehen, wo Swan gearbeitet hat«, sagte O'Donnell.

»Ich auch«, sagte Dixon.

Dixon fuhr. Ihr Leihwagen, ihre Verantwortung. Sie folgte dem Sunset Boulevard nach Osten, um zum Freeway 101 zu gelangen. Wie sie dann weiterfahren musste, erklärte Neagley ihr. Eine komplizierte Route. Stockender Verkehr. Aber die Fahrt durch Hollywood war malerisch. Dixon schien sie zu genießen. Sie mochte L.A.

Der Mann in dem dunkelblauen Anzug verfolgte sie auf der gesamten Strecke in seinem dunkelblauen Chrysler. Außerhalb der KTLA Studios, kurz vor dem Freeway, rief er seinen Boss an, um zu melden: »Sie sind nach Osten unterwegs. Alle vier in einem Wagen.«

Sein Boss sagte: »Ich bin noch in Colorado. Behalten Sie sie für mich im Auge, okay?«

35

Dixon fuhr durchs offene Tor auf das Gelände von New Age und parkte auf demselben Besucherparkplatz wie zuvor Neagley, sodass der Kühlergrill fast den glänzenden Glaswürfel der Firmenzentrale berührte. Der große Parkplatz war noch immer halb leer. Die Alibibäume standen bewegungslos in der stickigen Luft. Am Empfang hatte dieselbe Blondine Dienst. Dasselbe Polohemd, dieselbe träge Reaktion. Obwohl sie gehört haben musste, dass die Tür aufging, sah sie nicht auf, bevor Reacher eine Hand auf die Theke legte.

»Kann ich was für Sie tun?«

»Wir müssen noch mal Ms. Berenson sprechen«, sagte Reacher. »Ihre Personalchefin.«

»Ich frag mal, ob sie Zeit hat«, entgegnete die Empfangsdame. »Nehmen Sie bitte Platz.«

O'Donnell und Neagley setzten sich, aber Reacher und Dixon blieben stehen. Dixon war zu nervös, um sich irgendwo niederzulassen. Reacher stand, denn wenn er neben Neagley Platz nahm, würde er sie einengen, und wenn er sich anderswo hinsetzte, würde sie sich fragen, warum er das tat.

Sie mussten wieder exakt vier Minuten warten, bevor sie Berensons Absätze auf den Schieferplatten klicken hörten. Sie bog aus dem Korridor kommend um die Ecke und bedachte die Empfangsdame mit einem Nicken. Dann hielt sie ohne zu zögern auf die Besucher zu, die sie mit unterschiedlichen Arten des Lächelns begrüßte. Das eine war für Reacher und Neagley bestimmt, die sie schon kannte, das andere für O'Donnell und Dixon, die sie zum ersten Mal sah. Dabei schüttelte sie allen die Hand. Dieselben Narben unter dem Make-up, der gleiche eisige Atem. Sie öffnete die Aluminiumtür und wartete, bis die Besucher an ihr vorbeigegangen waren und den kleinen Besprechungsraum betreten hatten.

Bei fünf Anwesenden fehlte hier ein Stuhl, weshalb Berenson am Fenster stehen blieb. Höflich, aber auch psychologisch dominierend. Die Besucher mussten zu ihr aufblicken und wegen der Helligkeit hinter ihr die Augen zusammenkneifen. Sie fragte: »Wie kann ich Ihnen heute behilflich sein?« In ihrem Tonfall lag leichte Herablassung. Ein wenig Gereiztheit. Ein gewisser Nachdruck auf *heute*.

»Tony Swan ist verschwunden«, sagte Reacher.

»Verschwunden?«

»Wie in: Wir können ihn nicht finden.«

»Das verstehe ich nicht.«

»Das dürfte nicht schwer zu begreifen sein.«

»Aber er kann überall sein. Ein neuer Job, vielleicht in einem anderen Bundesstaat. Oder ein lange hinausgeschobener Urlaub. Eine Reise, die er schon immer mal machen wollte. Unter solchen Umständen tun das manche Leute. Damit die dunkle Wolke einen Silberrand bekommt.«

O'Donnell sagte: »Seine Hündin ist in seinem Haus eingesperrt verdurstet. Also kein Silberrand. Nichts als Wolke. Swan hat garantiert keine Reise gemacht, die er selbst geplant hatte.«

»Seine Hündin? Wie schrecklich!«

»Allerdings«, sagte Dixon.

»Sie hat Maisi geheißen«, sagte Neagley.

»Ich sehe nicht, wie ich Ihnen helfen könnte«, sagte Berenson. »Mr. Swan ist seit über drei Wochen nicht mehr bei uns. Wäre das nicht ein Fall für die Polizei?«

»Die arbeitet daran«, antwortete Reacher. »Und wir ebenfalls.«

»Ich weiß nicht, wie ich Ihnen da helfen könnte.«

»Wir würden gern seinen Schreibtisch sehen. Und seinen Computer. Und seinen Terminkalender. Vielleicht gibt's Notizen. Oder Informationen oder Termine.«

»Notizen worüber?«

»Über die Ursache seines Verschwindens.«

»Er ist nicht wegen New Age verschwunden.«

»Vielleicht nicht. Aber es kommt vor, dass Leute während der Bürozeit private Dinge erledigen. Und es kommt vor, dass Leute sich Notizen über Dinge aus ihrem Leben außerhalb der Firma machen.«

»Nicht hier.«

»Wieso nicht? Wird hier ausschließlich für die Firma gearbeitet?«

»In diesem Haus gibt's keine Notizen. Kein Papier. Weder Bleistifte noch Kugelschreiber. Aus Sicherheitsgründen arbeiten wir in einer völlig papierlosen Umgebung. Das ist weit sicherer. Sollte jemand auch nur daran denken, gegen diese Vorschrift zu verstoßen, fliegt er raus. Wir arbeiten ausschließlich an Computern. Wir haben ein gut funktionierendes Intranet mit sicheren Firewalls und automatischen Kontrollen nach dem Zufallsprinzip.«

»Können wir dann seinen Computer sehen?«, fragte Neagley.

»Sie könnten ihn *sehen,* nehme ich an«, antwortete Berenson. »Aber das würde Ihnen nichts nützen. Verlässt jemand unsere Firma, wird seine Festplatte binnen einer halben Stunde ausgebaut und vernichtet. Zertrümmert. Mit Hämmern zerschlagen. Das ist eine weitere Sicherheitsbestimmung.«

»Mit Hämmern?«, fragte Reacher.

»Das ist die einzig wirksame Methode. Sonst lassen sich die Daten immer rekonstruieren.«

»Also gibt's hier keine Spur mehr von ihm?«

»Überhaupt keine mehr, fürchte ich.«

»Sie haben ganz schön strenge Vorschriften.«

»Ja, ich weiß. Mr. Swan hat sie selbst eingeführt. Gleich in der ersten Woche. Sie waren sein erster großer Beitrag.«

»Hat er mit jemandem geredet?«, fragte Dixon. »Flurgespräche? Gibt's hier jemanden, dem er seine Sorgen anvertraut hätte?«

»Privater Natur?«, erkundigte sich Berenson. »Das bezweifle ich. Das hätte nicht zu den Umständen gepasst. Er musste hier den Cop, den Aufpasser spielen. Um glaubwürdig zu wirken, musste er sich ein wenig unnahbar geben.«

»Wie steht's mit seinem Boss?«, wollte O'Donnell wissen. »Vielleicht haben die beiden sich ausgetauscht. Professionell saßen sie im selben Boot.«

»Ich werde nicht vergessen, ihn danach zu fragen«, erwiderte Berenson.

»Wie heißt er?«
»Das darf ich Ihnen nicht sagen.«
»Sie sind sehr diskret.«
»Darauf hat Mr. Swan bestanden.«
»Können wir selbst mit ihm sprechen?«
»Im Augenblick ist er verreist.«
»Wer hält dann hier die Stellung?«
»Gewissermaßen Mr. Swan. Alle seine Verfahren sind weiter in Kraft.«
»Hat er mit Ihnen gesprochen?«
»Über private Dinge? Nein, bestimmt nicht.«
»War er in der Woche, in der er ausgeschieden ist, durcheinander oder besorgt?«
»Davon habe ich nichts gemerkt.«
»Hat er viel telefoniert?«
»Sicher. Das tun wir alle.«
»Was könnte ihm Ihrer Meinung nach zugestoßen sein?«
»Meiner Meinung nach?«, fragte Berenson. »Ich weiß es wirklich nicht. Ich habe ihn zu seinem Wagen begleitet und ihm versprochen, ihn sofort anzurufen, sobald unsere Lage sich gebessert habe, und er hat gesagt, er freue sich schon jetzt auf meinen Anruf. Danach habe ich ihn nicht mehr gesehen.«

Sie stiegen wieder in Dixons Wagen, und sie stieß von der Spiegelglasfassade zurück. Reacher beobachtete, wie die Reflexion des Fords kleiner und kleiner wurde.
Neagley erklärte: »Umsonst hergefahren. Ich hab euch ja gesagt, dass wir hätten anrufen sollen.«
Dixon sagte: »Ich wollte sehen, wo er gearbeitet hat.«
O'Donnell bemerkte: »Arbeiten ist das falsche Wort. Er ist hier ausgenutzt worden, sonst nichts. Sie haben ihn ein Jahr lang ausgequetscht und dann rausgeschmissen. Sie haben sein Wissen gekauft, statt ihm einen Job zu geben.«

»So sieht's leider aus«, sagte Neagley.

»Hier wird überhaupt nichts hergestellt. Dies ist ein ungesichertes Gebäude.«

»Offensichtlich. Sie müssen irgendwo eine dritte Einrichtung haben. Eine abgelegene Fabrik, in der tatsächlich etwas hergestellt wird.«

»Wieso gibt's dann dafür keine UPS-Zustelladresse?«

»Vielleicht ist sie geheim, und sie bekommen dort keine Post.«

»Mich würde interessieren, was sie produzieren.«

»Weshalb?«, fragte Dixon.

»Nur aus Neugier. Je mehr wir wissen, desto eher kommt uns der Zufall zu Hilfe.«

Reacher sagte: »Dann findet's doch heraus.«

»Ich kenne niemanden, den ich fragen könnte.«

»Aber ich«, sagte Neagley. »Ich kenne einen Typen, der im Pentagon für Beschaffungen zuständig ist.«

Reacher sagte: »Ruf ihn an.«

In seinem Hotelzimmer in Denver beendete der schwarzhaarige Vierziger, der sich Alan Mason nannte, jetzt seine Besprechung. Sein Geschäftspartner war auf die Minute pünktlich gekommen und hatte nur einen Leibwächter mitgebracht. Beide Tatsachen hatte Mason als positive Anzeichen vermerkt. Er wusste Pünktlichkeit im Geschäftsleben zu schätzen. Und einer nur zweifachen Übermacht gegenüberzustehen war ein Luxus. Zu vielen Verhandlungen erschien die andere Seite mit sechs oder zehn Mann.

Also ein guter Anfang. Und anschließend hatte es spürbare Fortschritte gegeben. Keine lahmen Ausreden wegen verspäteter Lieferung, verringerter Stückzahl oder sonstiger Schwierigkeiten. Kein unseriöses Lockvogelangebot. Kein Versuch, Neuverhandlungen durchzusetzen. Keine nachträgliche Preiserhöhung. Nur die Lieferung zu den vereinbarten Konditionen: sechshundertfünfzig Stück zu je hunderttausend Dollar.

Mason hatte seinen Koffer geöffnet, und sein Geschäftspartner hatte den langwierigen Prozess begonnen, den darin enthaltenen Gegenwert aufzuaddieren. Die Wertpapiere und die Schweizer Bankguthaben standen außerhalb jeglicher Diskussion. Ihr genauer Wert war unstrittig. Die Bewertung von Diamanten war subjektiver. Ihr Karatgewicht stand natürlich fest, aber viel hing von Schliff und Reinheit ab. Tatsächlich hatten Masons Leute ihren Wert bewusst zu niedrig angesetzt, damit er wie ein Pferdehändler noch etwas drauflegen konnte. Sein Geschäftspartner begriff das sehr rasch. Er erklärte sich für ganz und gar befriedigt und stimmte mit Mason überein, der Kofferinhalt sei fünfundsechzig Millionen Dollar wert.

Worauf der Koffer in seinen Besitz überging.

Im Tausch dafür erhielt Mason einen Schlüssel und ein Stück Papier.

Der Schlüssel war klein, alt, verkratzt und abgewetzt, schlicht und unbezeichnet. Er sah wie einer aus, den man sich bei einem Schlüsseldienst machen lässt, während man wartet. Soviel Mason wusste, passte dieser Schlüssel in ein Vorhängeschloss, mit dem ein Container gesichert war, der im Hafen von Los Angeles auf seine Verschiffung wartete.

Das Stück Papier war ein Seefrachtbrief, in dem angegeben war, dass der Inhalt des Containers aus sechshundertfünfzig DVD-Playern bestehe.

Sobald Masons Geschäftspartner und sein Leibwächter gegangen waren, zog Mason sich ins Bad zurück und verbrannte seinen Reisepass in der Kloschüssel. Eine halbe Stunde später verließ Andrew MacBride das Hotel und fuhr zum Flughafen. Zu seiner Überraschung stellte er fest, dass er sich darauf freute, wieder diese Jug-Band Music zu hören.

Frances Neagley telefonierte auf dem Rücksitz von Dixons Wagen mit Chicago. Sie wies ihren Assistenten an, ihrem Kontaktmann eine E-Mail zu schicken und ihm mitzuteilen, sie sei nicht in ihrem Büro, sondern in Kalifornien – weit vom nächsten abhörsicheren Telefon entfernt –, und habe eine Frage in Bezug auf das oder die Produkte von New Age Defense Systems. Sie wusste, dass ihr Typ lieber per E-Mail antworten würde, als zu riskieren, ihre Anfrage übers Handy zu beantworten.

O'Donnell fragte: »Du hast in deinem Büro abhörsichere Telefone?«

»Klar.«

»Große Klasse. Wer ist der Typ?«

»Bloß ein Kerl«, sagte Neagley, »der mir verdammt viel schuldig ist.«

»Genug, um solche Informationen zu liefern?«

»Immer.«

Dixon verließ den Freeway 101 Sunset Boulevard und fuhr Richtung Westen zum Château Marmont weiter. Der Verkehr stockte wieder mal. Ein Jogger hätte die Strecke schneller zurücklegen können. Als sie endlich ankamen, wartete vor ihrem Hotel ein Crown Victoria. Ein neutrales Polizeifahrzeug. Nicht Thomas Brants Wagen. Dieses Fahrzeug war neuer, unbeschädigt und anders lackiert.

Es handelte sich um Curtis Mauneys Dienstwagen.

Er stieg aus, sobald Dixon geparkt hatte. Dann kam er herüber: klein, stämmig, ausgepowert, müde. Er blieb direkt vor Reacher stehen und machte eine kurze Pause. Dann fragte er: »Hatte einer Ihrer Freunde eine Tätowierung auf dem Rücken?«

Mit sanfter Stimme.

Ruhig.

Mitfühlend.

Reacher sagte: »Ah, Jesus!«

36

Manuel Orozco hatte auf Kosten der U.S. Army vier Jahre an einem College studiert und angenommen, er werde als Offizier zur Infanterie gehen. Seine kleine Schwester hatte in irrationaler Panik befürchtet, er werde im Kampf fallen und so schwere Gesichtsverletzungen erleiden, dass seine Leiche sich nicht mehr identifizieren ließe. So würde sie nie erfahren, was ihm zugestoßen war. Er verwies auf die Erkennungsmarke, die jeder Soldat trug. Sie sagte, sie könne weggerissen werden oder sonst wie verloren gehen. Er verwies auf Fingerabdrücke. Sie sagte, er könne Gliedmaßen verlieren. Er verwies auf eine mögliche Identifizierung nach Zahnschema. Sie sagte, der ganze Unterkiefer könne ihm weggeschossen werden.

Später war ihm klar geworden, dass ihre Sorge tiefere Ursachen hatte, aber damals glaubte er, ihre Befürchtungen widerlegen zu können, indem er sich auf dem Rücken quer über die Schultern in großen schwarzen Lettern seinen Namen *Orozco, M.* und darunter ebenso groß seine Wehrstammnummer eintätowieren ließ. Als er damit nach Hause gekommen war, hatte er sich triumphierend das Hemd ausgezogen und war völlig verwirrt gewesen, als die Kleine nur noch heftiger geweint hatte.

Letztlich war er doch nicht bei der Infanterie, sondern als wichtiger Teamangehöriger bei der 110th MP gelandet, wo Reacher ihm sofort den Spitznamen Seesack verpasst hatte, weil sein breiter olivbrauner Rücken an den mit einer Schablone beschrifteten Seesack eines GIs erinnerte. Fünfzehn Jahre später stand Reacher jetzt auf dem sonnenheißen Parkplatz des Château Marmont und sagte: »Sie haben eine weitere Leiche gefunden.«

»Ja, leider«, erwiderte Mauney.

»Wo?«

»In derselben Gegend. In einer kleinen Schlucht.«

»Hubschrauber?«

»Vermutlich.«

»Orozco«, sagte Reacher.

»Das ist der Name auf seinem Rücken«, sagte Mauney.

»Wieso fragen Sie dann?«

»Wir müssen sichergehen.«

»Wären doch alle Leichen so praktisch!«

»Wer sind die nächsten Angehörigen?«

»Er hat irgendwo eine Schwester. Jünger.«

»Also sollten Sie ihn offiziell identifizieren. Wenn Sie so freundlich sein wollen. Das ist wirklich nichts, was eine jüngere Schwester sehen sollte.«

»Wie lange hat er in der Schlucht gelegen?«

»Ziemlich lange.«

Sie stiegen wieder ein, und Dixon fuhr bis zu einer Einrichtung des L.A. Countys nördlich von Glendale hinter Mauney her. Niemand sprach. Reacher, der wieder hinten neben O'Donnell saß, tat genau das, was bestimmt auch O'Donnell tat: Er erinnerte sich an zahllose Szenen aus ihrer Zeit mit Orozco. Der Kerl, teils absichtlich, teils unabsichtlich ein Komiker, war als Sohn mexikanischer Eltern in Texas geboren und in New Mexico aufgewachsen, hatte sich aber viele Jahre lang als Australier ausgegeben. Er hatte jedermann *Kumpel* genannt. Obwohl er ein erstklassiger Offizier gewesen war, erteilte er niemals wirklich Befehle. Er wartete ab, bis ein Untergebener begriff, was er tun sollte, und sagte dann: *Wenn's recht ist, Kumpel, bitte.* Das war zu einem Slogan ihrer Einheit geworden, der so häufig zitiert wurde wie *Mit den Sonderermittlern legt man sich nicht an.*

Kaffee?

Wenn's recht ist, Kumpel, bitte.

Zigarette?

Wenn's recht ist, Kumpel, bitte.

Soll ich seine Mutter erschießen?

Wenn's recht ist, Kumpel, bitte.

O'Donnell sagte: »Wir haben's bereits gewusst. Dies ist keine Überraschung.«

Niemand antwortete.

Die Einrichtung des L.A. Countys erwies sich als brandneues Klinikzentrum an einer breiten neuen Straße. Auf der anderen Seite lag ein hochmodernes Leichenhaus für Gemeinden, die über kein eigenes verfügten. Es war ein weißer Betonwürfel auf drei Meter hohen Stelzen, sodass Leichenwagen direkt zu den Aufzügen unter dem Gebäude gelangen konnten. Ordentlich, sauber, diskret. Kalifornisch. Mauney fuhr auf den von Bäumen gesäumten Besucherparkplatz. Dixon parkte gleich neben ihm. Alle stiegen aus und blieben einen Augenblick stehen, reckten sich, sahen sich um, hatten es nicht eilig.

Auf das Kommende war niemand scharf.

Mauney ging voraus. Ein betonierter Fußweg führte zu einem Personenaufzug. Als Mauney den Rufknopf drückte, glitt die Stahltür zur Seite und entließ einen Schwall eiskalter, nach Chemikalien riechender Luft. Mauney betrat als Erster die Kabine, dann folgten Reacher, O'Donnell, Dixon und Neagley.

Mauney drückte die Drei.

Der dritte Stock war kalt wie ein Fleischkühlraum. Hier gab es einen schäbigen Leichenschaubereich mit einem breiten internen Fenster, hinter dem eine Jalousie geschlossen war. Mauney ging daran vorbei und führte sie durch eine Tür in den Kühlraum dahinter. Die Stirnseiten von Dutzenden von Kühlfächern nahmen drei Wände ein. Die mit Chemikalien geschwängerte Luft war bitterkalt, und die grelle

Deckenbeleuchtung spiegelte sich in Flächen aus rostfreiem Stahl. Mauney zog ein Kühlfach heraus. Es lief lautlos und leicht auf Kugellagern. In voller Länge, bis es ganz offen gegen Gummistopper knallte.

In dem Fach lag eine gekühlte Leiche. Ein Mann, ein Latino. Hand- und Fußgelenke waren mit einem groben Strick gefesselt, der sich tief eingeschnitten hatte. Die Arme lagen auf dem Rücken. Kopf und Schultern waren fast bis zur Unkenntlichkeit entstellt.

»Er ist mit dem Kopf voraus gefallen«, erklärte Reacher leise. »Weil er so gefesselt war, vermute ich. Wenn Sie mit dem Hubschrauber recht haben.«

»Keine hin- oder wegführenden Spuren«, sagte Mauney.

Andere Einzelheiten waren schwer zu erkennen. Die Verwesung war ziemlich fortgeschritten, aber aufgrund der trockenen Wüstenhitze glich sie eher einer Mumifizierung. Die Leiche wirkte geschrumpft, kleiner, eingesunken, ledrig, leer. Tiere hatten sie angefressen, aber im Vergleich zu den anderen Verletzungen waren diese Spuren unbedeutend.

Mauney fragte: »Erkennen Sie ihn?«

»Eigentlich nicht«, sagte Reacher.

»Sehen Sie sich die Tätowierung an.«

Reacher bewegte sich nicht.

Mauney fragte: »Soll ich jemanden vom Personal rufen?«

Reacher schüttelte den Kopf und schob eine Hand unter die eiskalte Schulter des Toten. Hob sie an. Die Leiche drehte sich wie ein Stück Baumstamm steif zur Seite. Als sie auf dem Bauch liegend zur Ruhe kam, ragten ihre gefesselten Arme verdreht nach oben, als hätte der verzweifelte Überlebenskampf bis zuletzt gedauert.

Was bestimmt der Fall war, dachte Reacher.

Die Tätowierung war wegen der Schlaffheit der toten Haut und des unnatürlichen seitlichen Drucks der Oberarme leicht faltig, gekräuselt und verschrumpelt.

Sie war im Lauf der Zeit leicht verblasst.
Aber sie war unverkennbar.
Orozco, M.
Darunter eine siebenstellige Wehrstammnummer.
»Er ist's«, sagte Reacher. »Manuel Orozco.«
Mauney sagte: »Das tut mir sehr leid.«
Danach herrschte einen Augenblick lang Schweigen. Nichts zu hören außer dem Rauschen gekühlter Luft in den Lüftungsgittern aus Aluminium. Reacher fragte: »Suchen Sie das Gebiet weiter ab?«
»Nach den anderen?«, fragte Mauney. »Nicht systematisch. Schließlich geht's hier nicht um ein vermisstes Kind.«
»Ist Franz auch hier? In einer dieser verdammten Schubladen?«
»Möchten Sie ihn sehen?«, fragte Mauney.
»Nein«, sagte Reacher. Dann betrachtete er wieder Orozco und fragte: »Wann findet die Autopsie statt?«
»Bald.«
»Kann der Strick einen Hinweis liefern?«
»Er ist vermutlich ein Allerweltsprodukt.«
»Lässt sich abschätzen, wann er gestorben ist?«
Mauney lächelte schwach, von Cop zu Cop. »Als er aufgeschlagen ist.«
»Und das war wann?«
»Vor drei, vier Wochen. Unserer Schätzung nach vor Franz. Aber das erfahren wir vielleicht nie genau.«
»Doch, das tun wir«, sagte Reacher.
»Wie?«, fragte Mauney.
»Ich frage den Täter danach. Und er wird's mir sagen. Er wird darum betteln, mir alles erzählen zu dürfen.«
»Keine Ermittlungen auf eigene Faust, verstanden?«
»Träumen Sie nur weiter.«

Mauney blieb da, um den notwendigen Papierkram zu erledigen. Reacher, Neagley, Dixon und O'Donnell fuhren mit dem Aufzug wieder nach unten. Sie standen auf dem Parkplatz zusammen, sagten jedoch nichts. Taten nichts. Zuckten und zitterten vor unterdrücktem Zorn. Natürlich machen alle Soldaten sich Gedanken über den Tod. Sie leben damit, sie akzeptieren ihn. Sie erwarten ihn. Aber in ihrem Innersten wollen sie, dass er *fair* ist. Ich gegen ihn, möge der Bessere gewinnen. Sie wollen, dass er *nobel* ist. Wenn sie schon unterliegen, soll der Tod wenigstens bedeutsam sein.

Nichts war erniedrigender als ein gefallener Soldat mit auf den Rücken gefesselten Armen. Es zeugte von Hilflosigkeit, Unterwerfung und Misshandlung. Von Machtlosigkeit.

Es raubte einem alle Illusionen.

»Kommt, wir fahren«, sagte Dixon. »Hier vergeuden wir nur unsere Zeit.«

37

Im Hotel ließ Reacher sich für einen Moment auf einen Stuhl sinken und betrachtete das Foto, das Mauney ihm überlassen hatte. Die Aufnahme der Überwachungskamera. Vier Männer vor dem Ladentisch der Apotheke. Manuel Orozco links außen, nach rechts blickend, ruhelos. Dann Calvin Franz, beide Hände in den Taschen, geduldiger Gesichtsausdruck. Anschließend Tony Swan, der geradeaus sah. Und rechts außen Jorge Sanchez mit einem Finger im Kragen.

Vier Freunde.

Zwei davon bestimmt tot.

Vermutlich alle vier tot.

»Scheiße passiert eben«, sagte O'Donnell.

Reacher nickte. »Wir werden darüber hinwegkommen.«

»Wirklich?«, fragte Neagley. »Auch dieses Mal?«
»Das haben wir immer getan.«
»So was ist noch nie passiert.«
»Mein Bruder ist gestorben.«
»Ich weiß. Aber diese Sache ist schlimmer.«
Reacher nickte erneut. »Ja, das stimmt.«
»Ich hatte gehofft, den drei anderen sei vielleicht doch nichts zugestoßen.«
»Das haben wir alle.«
»Aber wir müssen uns damit abfinden, dass sie alle tot sind.«
»Sieht so aus.«
»Wir müssen uns an die Arbeit machen«, sagte Dixon. »Das ist jetzt unser einziger Trost.«

Sie fuhren in Dixons Zimmer hinauf, aber Arbeit war ein relativer Begriff. Sie befanden sich in einer Sackgasse. Sie hatten nichts, worauf sie hätten aufbauen können. Dieses Gefühl verstärkte sich noch, als sie in Neagleys Zimmer überwechselten und dort eine E-Mail von ihrem Kontaktmann im Pentagon vorfanden: *Sorry, nichts zu machen. New Age ist geheim.* Nur acht Wörter, nichtssagend und ablehnend.

»Er scheint dir doch nicht so viel schuldig zu sein«, meinte O'Donnell.

»Doch, das tut er«, sagte Neagley. »Mehr, als ihr euch vorstellen könnt. Dies sagt mehr über New Age aus als über ihn und mich.«

Sie suchte in ihrer Ablage weiter. Dann machte sie bei einer anderen Nachricht desselben Absenders halt. Ausgeschriebener Vorname, andere E-Mail-Adresse.

»Wegwerfartikel«, erklärte Neagley. »Das ist eine einmal nutzbare kostenlose Mailadresse.«

Sie rief die Nachricht auf: *Frances, ich habe mich sehr*

gefreut, von Dir zu hören. Wir sollten uns mal wieder treffen. Zum Abendessen und ins Kino? Und ich muss Dir Deine Hendrix-CDs zurückgeben. Vielen Dank fürs Ausleihen. Ich habe sie alle genossen. Der sechste Song des zweiten Albums ist dynamisch brillant. Lass mich wissen, wann Du wieder in Washington bist. Ruf bitte möglichst bald an.

Reacher fragte: »Du hast CDs?«

»Nein«, antwortete Neagley. »Erst recht keine von Jimi Hendrix. Den kann ich nicht leiden.«

O'Donnell sagte: »Du bist mit diesem Kerl zum Abendessen und ins Kino gegangen?«

»Niemals«, erwiderte Neagley.

»Also verwechselt er dich mit irgendeiner anderen Frau.«

»Unwahrscheinlich«, meinte Reacher.

»Das ist eine verschlüsselte Mitteilung«, sagte Neagley. »Sie enthält die Antwort auf meine Frage. Eine koschere Antwort von seiner Dienststelle aus, dann eine verschlüsselte Folgemitteilung von einer inoffiziellen Adresse. So ist er zweifach abgesichert.«

Dixon fragte: »Woraus besteht der Code?«

»Er hat irgendwas mit dem sechsten Song des zweiten Hendrix-Albums zu tun.«

Reacher fragte: »Was war das zweite Hendrix-Album?«

O'Donnell sagte: »*Electric Ladyland?*«

»Das war später«, sagte Dixon. »Das erste war *Are You Experienced?*«

»Welches hatte die nackten Frauen auf dem Cover?«

»Das war *Electric Ladyland.*«

»Dieses Cover habe ich geliebt.«

»Widerlich! Du warst damals acht.«

»Fast neun.«

»Das ist trotzdem widerlich.«

Reacher sagte: »*Axis Bold As Love.* Das war sein zweites Album.«

»Was war der sechste Song?«, fragte Dixon.
»Keine Ahnung.«
O'Donnell sagte: »Geht's taff zu, gehen die Taffen einkaufen.«

Sie mussten auf dem Sunset Boulevard lange zu Fuß nach Osten laufen, bis sie einen Plattenladen fanden. Sie gingen hinein, spürten kühle Luft, sahen junge Leute, hörten laute Musik und entdeckten den Buchstaben H in den Rock-und-Pop-Regalen. Die dicht an dicht stehenden Jimi-Hendrix-Alben nahmen ungefähr einen halben Meter ein. Vier alte Titel, die Reacher kannte, und massenhaft posthumes Zeug. *Axis Bold As Love* war dreimal vorhanden. Reacher zog ein Exemplar heraus und drehte es um. Der Strichcode des Ladens war so auf die Plastikhülle geklebt, dass er die zweite Hälfte des Inhaltsverzeichnisses verdeckte.
Auch beim zweiten Album.
Ebenso beim dritten.
»Reiß die Hülle ab«, schlug O'Donnell vor.
»Das geht nicht. Die CD gehört nicht uns.«
»Du schlägst Cops zusammen, aber traust dich nicht, eine Plastikhülle zu beschädigen?«
»Das ist etwas anderes.«
»Was hast du also vor?«
»Ich kaufe die CD. Dann können wir sie im Auto abspielen. Autos haben CD-Radios, stimmt's?«
»Seit ungefähr hundert Jahren«, sagte Dixon.
Reacher nahm die CD mit und stellte sich hinter einem Mädchen an, das mehr Metall im Gesicht hatte als das Opfer einer Splitterhandgranate. Er rückte zur Kasse vor, zahlte dreizehn seiner restlichen achthundert Dollar und wurde erstmals in seinem Leben Besitzer eines digitalen Mediums.
»Pack sie aus«, forderte O'Donnell ihn auf.
Die Plastikhülle war unerwartet widerstandsfähig. Reacher

benutzte einen Fingernagel, um eine Ecke aufzuschlitzen, und dann seine Zähne, um den Kunststoff zu zerreißen. Als die Hülle abgestreift war, drehte er die CD um und fuhr mit dem Zeigefinger das Inhaltsverzeichnis entlang.

»Little Wing«, sagte er.

O'Donnell zuckte mit den Schultern. Neagley machte ein verständnisloses Gesicht.

»Hilft uns nicht weiter«, sagte Dixon.

»Diesen Song kenne ich«, erklärte Reacher.

»Sing ihn bitte nicht«, meinte Neagley.

»Was bedeutet das also?«, fragte O'Donnell.

Reacher sagte: »Es bedeutet, dass New Age ein Waffensystem herstellt, das Little Wing heißt.«

»Anscheinend. Aber das nützt uns nichts, wenn wir nicht wissen, was Little Wing *ist.*«

»Klingt fliegerisch. Vielleicht eine Drohne oder dergleichen.«

»Schon mal davon gehört?«, fragte Dixon. »Irgendwer?«

O'Donnell schüttelte den Kopf.

»Ich auch nicht«, sagte Neagley.

»Dann ist diese Waffe wirklich supergeheim«, sagte Dixon. »Kein loses Mundwerk in D.C. oder an der Wall Street oder unter all den Leuten, die Neagley kennt.«

Reacher versuchte die CD-Hülle zu öffnen, aber sie war mit einem Titelaufkleber verschlossen, der über die gesamte Oberkante reichte. Als er ihn mit den Fingernägeln abzuziehen versuchte, löste er sich in klebrige Kleinteile auf.

»Kein Wunder, dass es der Musikbranche schlecht geht«, sagte er. »Sie macht es einem nicht sehr einfach, sich an ihren Produkten zu erfreuen.«

Dixon fragte: »Was machen wir jetzt?«

»Was hat in der E-Mail gestanden?«

»Du weißt, was darin gestanden hat.«

»Aber weißt du's auch?«

»Was soll das heißen?«

»Was hat darin gestanden?«

»Finde den sechsten Song des zweiten Hendrix-Albums.«

»Und?«

»Und nichts.«

»Nein, sie soll bitte möglichst bald anrufen.«

»Lächerlich«, sagte Neagley. »Würde er's mir am Telefon erzählen, wenn er's mir nicht mal mailen will?«

»Er hat nicht ›bitte ruf *mich* an‹ geschrieben. Bei verschlüsselten Nachrichten ist jedes Wort wichtig.«

»Wen soll ich also anrufen?«

»Es muss jemanden geben. Er weiß, dass du jemanden kennst, der dir weiterhelfen kann.«

»Wer soll mir bei dieser Sache helfen? Wenn er's nicht kann oder will?«

»Wen kennst du, von dem er weiß? Vielleicht in Washington, weil er's eigens erwähnt hat und jedes Wort zählt?«

Neagley öffnete den Mund, um *niemanden* zu sagen, aber dann hielt sie inne.

»Dort gibt's eine Frau«, sagte sie. »Sie heißt Diana Bond. Wir kennen sie beide. Sie arbeitet im Stab eines Typs im Kapitol. Der Mann sitzt im Verteidigungsausschuss.«

»Da haben wir's. Wer ist er?«

Neagley nannte einen bekannten, aber ungeliebten Namen.

»Du hast eine Freundin, die bei diesem Arschloch arbeitet?«

»Sie ist eigentlich keine Freundin.«

»Das will ich hoffen!«

»Jeder braucht einen Job, Reacher. Anscheinend nur du nicht.«

»Jedenfalls unterschreibt ihr Boss die Schecks, also muss er das Produkt kennen. Er weiß, was Little Wing ist. Folglich weiß sie's auch.«

»Nicht, wenn die Waffe geheim ist.«

»Der Kerl kann allein kaum seinen Namen schreiben. Weiß er's, weiß sie's auch, darauf kannst du Gift nehmen.«

»Sie wird mir nichts verraten.«

»Doch, das tut sie. Weil du hart zur Sache gehst. Du rufst sie an und erzählst ihr, dass du hier von Little Wing gehört hast und der Presse sagen wirst, dass die undichte Stelle sich im Büro ihres Bosses befindet – und dass sie sich dein Schweigen nur damit erkaufen kann, dass sie dir alles erzählt, was sie darüber weiß.«

»Das ist unanständig.«

»Das ist Politik. Wenn sie bei diesem Kerl arbeitet, kann ihr dieses Verfahren nicht ganz unbekannt sein.«

»Müssen wir das wirklich wissen? Ist es wichtig?«

»Je mehr wir wissen, desto eher kommt uns ein Zufall zur Hilfe.«

»Ich will sie nicht in diese Sache hineinziehen.«

»Das will dein Kumpel im Pentagon aber«, sagte O'Donnell.

»Das war nur Reachers Vermutung.«

»Nein, dahinter steckt mehr. Denk an die E-Mail. Er hat geschrieben, der sechste Song sei dynamisch brillant. Ein merkwürdiger Ausdruck. Er hätte einfach großartig sagen können. Oder wundervoll. Oder nur brillant. Aber er hat dynamisch brillant geschrieben – mit den Buchstaben *d* und *b*. Wie die Anfangsbuchstaben des Namens Diana Bond.«

38

Neagley bestand darauf, allein mit Diana Bond zu telefonieren. Als sie ins Château Marmont zurückkamen, zog sie sich in eine Ecke der Hotelhalle zurück und wählte mehrere Nummern nacheinander. Dann sprach sie längere Zeit ernsthaft mit jemandem. Lange zwanzig Minuten später gesellte sie sich wieder zu den anderen. Mit leicht angewiderter Miene und gewissem Unbehagen in ihrer Körpersprache, aber auch etwas aufgeregt.

»Hat einige Zeit gedauert, bis ich sie an den Apparat kriegte«, erklärte sie. »Zufällig hält sie sich nicht weit von hier entfernt auf. Sie ist für ein paar Tage droben auf der Edwards Air Force Base. Zu irgendeiner großen Präsentation.«

O'Donnell sagte: »Deshalb wollte dein Typ, dass du möglichst bald anrufst. Er wusste, dass sie in Kalifornien ist. Jedes Wort zählt.«

»Was hat sie gesagt?«, fragte Reacher.

»Sie kommt hierher«, antwortete Neagley. »Sie will persönlich mit uns reden.«

»Tatsächlich?«, sagte Reacher. »Wann?«

»Sobald sie dort weg kann.«

»Das ist beeindruckend.«

»Allerdings! Little Wing muss wichtig sein.«

»Hast du ein schlechtes Gefühl wegen des Anrufs?«

Neagley nickte. »Ich habe bei allem ein schlechtes Gefühl.«

Sie fuhren in Neagleys Zimmer hinauf und benutzten den Routenplaner ihres Notebooks, um zu ermitteln, wann Diana Bond frühestens hier sein konnte. Edwards lag jenseits der San Gabriel Mountains in der Mojavewüste, ungefähr hundertzehn Kilometer nordöstlich von hier, an Palmdale und Lancaster vorbei, etwa auf halber Strecke nach Fort Irwin. Mindestens zwei Stunden Wartezeit, wenn Bond gleich weg konnte. Länger, wenn sie noch aufgehalten wurde.

»Ich mache einen Spaziergang«, sagte Reacher.

»Ich komme mit«, meinte O'Donnell.

Sie gingen wieder auf dem Sunset Boulevard nach Osten,

wo West Hollywood ins echte Hollywood überging. Es war früher Nachmittag, und wegen seines Bürstenhaarschnitts fühlte Reacher die Sonne auf seine Kopfhaut brennen. Als würden die Sonnenstrahlen noch intensiver, wenn sie von glitzernden Luftverschmutzungspartikeln reflektiert wurden.

»Ich sollte mir eine Mütze zulegen«, sagte er.

»Du solltest dir ein besseres Hemd kaufen«, sagte O'Donnell. »Du kannst dir jetzt eines leisten.«

»Vielleicht mach ich das.«

Sie sahen einen Laden, an dem sie auf dem Weg zu Tower Records vorbeigekommen waren. Eine Filiale irgendeiner beliebten Kette, mit einem vornehm blassen, nicht überfüllten Schaufenster, aber nicht teuer. Sie führte Baumwollsachen: Jeans, Chinos, Hemden und T-Shirts. Und Baseballmützen – Neuware, jedoch auf alt gemacht, sodass sie wie hundertmal gewaschen aussahen. Reacher entschied sich für eine blaue ohne Aufschrift. Er kaufte nie etwas mit irgendeiner Aufschrift. Dafür hatte er zu lange Uniform getragen. Dreizehn lange Jahre mit Namensschildern, Aufnähern und sonstiger Buchstabensuppe.

Er löste das Verstellband und probierte die Mütze auf.

»Was hältst du davon?«, fragte er.

O'Donnell sagte: »Such dir einen Spiegel.«

»Was ich im Spiegel sehe, spielt keine Rolle. Du lachst immer darüber, wie ich aussehe«

»Die Mütze ist in Ordnung.«

Reacher behielt sie auf und ging durch den Laden zu einem niedrigen Tisch, auf dem T-Shirts gestapelt lagen. In der Tischmitte stand ein Torso, der zwei davon – blassgrün und dunkelgrün – übereinander trug. Von dem unteren Hemd waren nur der Kragen, ein Stück Ärmel und der untere Saum zu sehen. Zusammen wirkten die beiden Schichten beruhigend dick und stabil.

Reacher fragte: »Was hältst du davon?«

»Jedenfalls auch ein Look«, meinte O'Donnell.

»Müssen sie verschiedene Größen haben?«

»Vermutlich nicht.«

Reacher entschied sich für zwei T-Shirts in Hellblau und Dunkelblau, beide in Größe XXL. Er nahm die Mütze ab und trug alle drei Kleidungsstücke zur Kasse. Lehnte eine Tragetüte ab, riss die Preisschilder herunter und zog sein Bowlinghemd mitten im Laden aus. Stand bis zur Taille nackt im eisigen Luftstrom der Klimaanlage.

»Haben Sie einen Mülleimer?«, fragte er.

Die junge Frau an der Kasse bückte sich und brachte einen Kunststoffeimer mit eingesetztem Müllbeutel zum Vorschein. Reacher warf sein altes Hemd hinein, dann zog er die neuen T-Shirts übereinander an. Zupfte sie noch etwas glatt, bewegte die Schultern, bis sie bequem saßen, und setzte die Mütze auf. Dann verließ er das Geschäft und wandte sich wieder nach Osten.

O'Donnell fragte: »Wovor läufst du weg?«

»Ich laufe vor nichts weg.«

»Du hättest das alte Hemd behalten können.«

»Ein gefährlich glatter Pfad«, sagte Reacher. »Habe ich ein zweites Hemd, habe ich bald auch eine zweite Hose. Dann brauche ich einen Koffer. Und bevor ich mich recht versehe, besitze ich ein Haus und ein Auto und ein Prämiensparkonto und fülle alle möglichen Vordrucke aus.«

»Das tun viele Leute.«

»Nicht ich.«

»Also frage ich noch mal: Wovor läufst du weg?«

»Vermutlich davor, wie andere Leute zu sein.«

»Ich bin wie sie. Ich habe ein Haus und ein Auto und ein Prämiensparkonto. Ich fülle Vordrucke aus.«

»Wie's für dich am besten ist.«

»Hältst du mich für spießig?«

Reacher nickte. »In dieser Hinsicht schon.«

»Nicht jeder kann wie du sein.«

»Das ist verkehrt herum. Tatsache ist, dass ein paar von uns nicht wie du sein können.«

»Möchtest du das sein?«

»Es kommt nicht darauf an, was ich möchte. Es geht einfach nicht.«

»Warum nicht?«

»Okay, ich laufe weg.«

»Wovor? Davor, wie ich zu sein?«

»Davor, anders zu sein, als ich früher war.«

»Wir sind jetzt alle anders als früher.«

»Aber das muss uns nicht allen gefallen.«

»Mir gefällt's auch nicht«, sagte O'Donnell. »Aber ich setze mich damit auseinander.«

Reacher nickte. »Du kommst großartig zurecht, Dave. Das meine ich ernst. Ich mache mir um mich Sorgen, weißt du. Ich habe Neagley und Karla und dich angesehen und mich wie ein Loser gefühlt.«

»Wirklich?«

»Sieh mich doch an!«

»Das Einzige, was wir dir voraushaben, sind Koffer.«

»Aber was habe ich, das ihr nicht habt?«

O'Donnell gab keine Antwort. Sie bogen nach Norden auf die Vine Street ab, am helllichten Nachmittag in der zweitgrößten Stadt Amerikas, und sahen zwei Kerle mit Pistolen in den Händen aus einem langsam fahrenden Wagen springen.

39

Der Wagen war ein viertüriger schwarzer Lexus, blitzend neu. Er fuhr sofort wieder an und ließ die beiden Kerle ungefähr dreißig Meter vor ihnen allein auf dem Gehsteig zurück. Es handelte sich um den Mann mit dem Geldsack und den mit dem Stoff von dem unbebauten Grundstück hinter dem Wachsmuseum. Ihre Pistolen waren AMT Hardballer: aus rostfreiem Stahl hergestellte Kopien des Colts Government Kaliber .45, Modell 1911. Die Hände, von denen sie umklammert wurden, zitterten leicht, als sie jetzt die Waffen hochrissen, um mit dem aus Gangsterfilmen bekannten beidhändigen Anschlag böser Kerle zu schießen.

O'Donnells Hände griffen in seine Taschen.

»Meinen die uns?«, fragte er.

»Mich«, sagte Reacher. Er sah sich kurz um. Dass er von einer schlecht gehaltenen Kaliber .45 aus dieser Entfernung getroffen werden könnte, machte ihm kaum Sorgen. Er bot ein großes Ziel, aber die Statistik sprach für ihn. Handfeuerwaffen waren Waffen fürs Haus. Stand der Schütze noch dazu unter Stress, betrug ihre wirksame Reichweite nur drei bis vier Meter. Aber selbst wenn Reacher nicht getroffen wurde, konnten andere gefährdet sein. Ein Passant, der einen Straßenblock weit entfernt war, vielleicht sogar ein tief fliegendes Flugzeug. Kollateralschäden. Die Straße hinter ihm war voller potenzieller Ziele: Männer, Frauen, Kinder und weitere Gestalten, von denen Reacher nicht recht wusste, wie er sie einordnen sollte.

Er sah wieder nach vorn. Die beiden Kerle waren kaum näher gekommen, nur ein paar Schritte weit. O'Donnell verfolgte ihre Bewegungen mit Argusaugen.

»Wir sollten zusehen, dass wir von der Straße wegkommen, Dave«, meinte Reacher.

O'Donnell sagte: »Verstanden.«

»Unterwegs«, sagte Reacher. Während er sich seitlich bewegte, riskierte er einen Blick nach links. Die nächste Tür führte in den schmalen Salon einer Kartenlegerin. Sein Verstand arbeitete auf Hochtouren. Er bewegte sich normal, aber die Welt um ihn herum schien langsamer zu werden. Der Gehsteig war zu einem vierdimensionalen Raum geworden, der durch drei Bewegungsrichtungen – vorwärts, rückwärts, seitlich – und die Zeit definiert wurde.

»Einen Meter zurück und links, Dave«, sagte er.

O'Donnell bewegte sich wie ein Blinder. Er fixierte weiter die Kerle, ließ sie nicht aus den Augen. Als er Reachers Stimme hörte, machte er sofort zwei Schritte rückwärts und bewegte sich rasch nach links. Reacher riss die Tür zum Salon der Kartenleserin auf und ließ O'Donnell an sich vorbei eintreten. Die beiden Männer waren jetzt bis auf zwanzig Meter herangekommen. Reacher folgte O'Donnell auf den Fersen. Der Salon war leer bis auf eine junge Frau von neunzehn oder zwanzig Jahren, die allein an einem Tisch saß. Auf diesem zweieinhalb Meter langen Esstisch mit seiner bodenlangen roten Samtdecke lagen mehrere Stapel Tarotkarten. Die Kartenlegerin hatte schulterlange schwarze Haare und trug ein lila Kleid aus indischer Baumwolle, dessen Pflanzenfarbe vermutlich grässlich abfärbte.

»Haben Sie ein Hinterzimmer?«, fragte Reacher sie.

»Nur eine Toilette«, sagte sie.

»Gehen Sie dort rein, und legen Sie sich auf den Boden. Sofort!«

»Was ist denn los?«

»Das könnte ich Sie fragen.«

Die junge Frau bewegte sich nicht, bis O'Donnell seine Hände aus den Taschen zog. Der Schlagring an seiner rechten Faust blitzte wie ein grinsender Hai. Das Springmesser in seiner linken Hand war noch geschlossen. Dann schnappte es mit einem Geräusch auf, als zerbräche ein Knochen. Die Kartenlegerin sprang auf und flüchtete. Eine Latina, die in der Vine Street arbeitete. Sie kannte die Spielregeln.

O'Donnell fragte: »Wer sind die Männer?«

»Sie haben mir gerade diese T-Shirts gekauft.«

»Kann's Probleme geben?«

»Möglicherweise.«

»Plan?«

»Gefallen dir die Hardballer?«

»Besser als nichts.«

»Also gut.« Reacher hob die Tischdecke hoch, ließ sich auf die Knie nieder und rutschte rückwärts unter den Tisch. O'Donnell folgte ihm auf der linken Seite und zog die Decke wieder zurecht. Als er sie leicht mit seinem Messer berührte, erschien vor seinen Augen ein Schlitz, den er mit den Fingern etwas verbreiterte. Dann schnitt er auch für Reacher einen Sehschlitz in die Tischdecke. Reacher stemmte beide Hände flach gegen die Unterseite des schweren Tischs. O'Donnell nahm sein Springmesser in die Rechte und stemmte sich mit der Linken wie Reacher ein.

Dann warteten sie.

Die beiden Kerle waren in ungefähr acht Sekunden an der Tür. Sie blieben stehen und spähten durch den Glaseinsatz, bevor sie die Tür öffneten und hereinkamen. Blieben sichernd stehen: zwei Meter vor dem Tisch, mit parallel auf den Fußboden gerichteten Waffen.

Sie machten vorsichtig einen weiteren Schritt in den Raum hinein.

Blieben erneut stehen.

O'Donnells Rechte steckte in dem Schlagring und hielt das Springmesser, aber sie war die einzige freie Hand unter dem Tisch. Er benutzte sie für den Countdown. Daumen, Zeigefinger, Mittelfinger. Eins, zwo, drei.

Bei drei schleuderten Reacher und O'Donnell den Tisch

mit explosiver Wucht in einem Viertelkreis hoch und nach vorn. Die senkrecht auftreffende Tischplatte schlug den Kerlen als Erstes die Pistolen aus den Händen; dann bewegte sie sich weiter und traf Brust und Gesicht der beiden. Der Tisch war schwer. Massivholz. Vielleicht sogar Eiche. Er legte die Männer mühelos flach. Die beiden knallten in einer Wolke aus Tarotkarten auf den Rücken und blieben mit rotem Samt drapiert unter der Tischplatte liegen. Reacher stand auf, stellte sich wie ein Surfer auf den umgekippten Tisch und sprang dann ein paarmal hoch.

O'Donnell passte die Augenblicke ab, in denen Reacher in der Luft war, um den Tisch mit einigen Tritten so weit zurückzuschieben, dass Oberkörper und Hände der beiden Kerle sichtbar wurden. Er nahm ihnen die Hardballer ab und benutzte sein Springmesser dazu, den Kerlen den Daumenballen zu zerschneiden. Schmerzhafte Wunden, die verhindern würden, dass sie wieder eine Pistole hielten, bevor ihre Verletzungen geheilt waren, was von Wundpflege und Ernährung abhängig war und lange dauern konnte. Reacher grinste kurz. Diese Methode hatte zu den Standardverfahren seiner Einheit gehört. Dann verschwand sein Grinsen, weil ihm einfiel, dass Jorge Sanchez sie entwickelt hatte – und dass Jorge Sanchez jetzt irgendwo tot in der Wüste lag.

»War kein großes Problem«, sagte O'Donnell.

»Wir können's noch«, sagte Reacher.

O'Donnell verstaute seine Waffen aus Keramikmaterial wieder und steckte sich eine Hardballer unter seinem Jackett in den Hosenbund. Die zweite Pistole gab er Reacher, der sie in die Hüfttasche schob und seine T-Shirts darüberzog. Dann traten sie wieder in den Sonnenschein hinaus, gingen auf der Vine Street nach Norden weiter und bogen am Hollywood Boulevard nach Westen ab.

Im Château Marmont erwartete Karla Dixon sie in der Hotelhalle.

»Curtis Mauney hat angerufen«, sagte sie. »Franz' Posttrick hat ihn auf eine Idee gebracht. Er hat seine Kollegen in Vegas nochmals Sanchez' und Orozcos Büro durchsuchen lassen. Und sie haben etwas gefunden.«

40

Eine halbe Stunde später kreuzte Mauney selbst auf. Er kam durch die Drehtür herein: wie zuvor müde wirkend, wie zuvor mit seinem abgewetzten schwarzen Aktenkoffer in der Hand. Er ließ sich in einen Sessel fallen und fragte: »Wer ist Adrian Mount?«

Reacher sah auf. *Azhari Mahmoud, Adrian Mount, Alan Mason, Andrew MacBride, Anthony Matthews.* Der Syrer und seine vier falschen Namen. Informationen, von denen Mauney nicht wusste, dass sie sie besaßen.

»Keine Ahnung«, sagte er.

»Bestimmt nicht?«

»Ziemlich sicher.«

Mauney balancierte seinen Aktenkoffer auf den Knien, klappte den Deckel auf und nahm ein Blatt Papier heraus. Übergab es Reacher. Der Druck war undeutlich und verschwommen. Es sah wie ein Fax einer Kopie einer Faxkopie aus. Oben stand *Department of Homeland Security.* Aber nicht in der Art eines offiziellen Briefkopfs. Das Ganze machte fast den Eindruck, als wäre es das Ergebnis eines Hackerangriffs. Der Text bezog sich auf einen Flug London-New York, den ein Mann namens Adrian Mount bei British Airways gebucht hatte. Dieser Flug war vor zwei Wochen reserviert und vor drei Tagen angetreten worden. Erster

Klasse, einfach, Heathrow nach JFK, Sitz 2K, letzter Abendflug, teuer, mit einer gültigen Kreditkarte bezahlt. Über die britische BA-Homepage gebucht, obwohl sich unmöglich sagen ließ, an welchem Ort der Welt die Mausklicks erfolgt waren.

»Das ist mit der Post gekommen?«, fragte Reacher.

Mauney sagte: »Es war noch im Speicher ihres Faxgeräts. Die Nachricht ist vor zwei Wochen eingegangen. Das Gerät hatte kein Papier mehr. Aber wir wissen, dass Sanchez und Orozco vor zwei Wochen nicht mehr in Vegas waren. Folglich muss das die Antwort auf eine mindestens eine Woche früher gestellte Anfrage sein. Wir glauben, dass sie mehrere Namen auf eine inoffizielle Überwachungsliste gesetzt haben.«

»Mehrere Namen?«

»Wir haben etwas gefunden, das wir für die ursprüngliche Anfrage halten. Die beiden haben wichtige Unterlagen an sich selbst adressiert zur Post gegeben – genau wie Franz. Vier Namen.« Mauney zog ein zweites Blatt Papier aus dem Aktenkoffer: die Fotokopie einer Seite, die mit Manuel Orozcos unverwechselbarer Krakelschrift bedeckt war. *Adrian Mount, Alan Mason, Andrew MacBride, Anthony Matthews, Ankunft über HSB prüfen.* Rasches, unordentliches Gekritzel, anscheinend in großer Eile geschrieben, aber Orozco war natürlich nie ein Schönschreiber gewesen.

Vier Namen. Nicht fünf. Azhari Mahmouds richtiger Name fehlte. Vermutlich hatte Orozco gewusst, dass Mahmoud, wer, zum Teufel, er auch sein mochte, unter anderem Namen reisen würde. Es hatte keinen Zweck, falsche Namen zu haben, wenn man sie nicht nutzte.

»HSB«, sagte Mauney. »Die Heimatschutzbehörde. Wissen Sie eigentlich, wie schwierig es für Zivilisten ist, von dort eine Auskunft zu bekommen? Ihr Kumpel Orozco muss jede Menge Gefälligkeiten eingefordert oder Unmengen von

Bestechungsgeldern gezahlt haben. Ich muss wissen, weshalb.«

»Vermutlich im Zusammenhang mit dem Kasinogeschäft.«

»Möglich, obwohl die Sicherheitsdienste in Vegas sich nicht unbedingt Sorgen machen, wenn böse Kerle in New York landen. Wer dort ankommt, ist eher nach Atlantic City unterwegs. Das Problem anderer Leute.«

»Vielleicht tauschen sie Informationen aus. Vielleicht gibt es ein Netzwerk. Gangster können erst in Jersey, dann in Nevada abkassieren.«

»Möglich«, wiederholte Mauney.

»Ist dieser Adrian Mount wirklich in New York eingetroffen?«

Mauney nickte. »Der INS-Computer hat ihn in Terminal vier registriert. Terminal sieben war bereits geschlossen. Sein Flug hatte Verspätung.«

»Und was dann?«

»Er fährt in ein Hotel in der Madison Avenue.«

»Und dann?«

»Er verschwindet. Ohne die geringste Spur zu hinterlassen.«

»Aber?«

»Wir gehen zum nächsten Namen auf der Liste. Alan Mason fliegt nach Denver, Colorado. Quartiert sich in einem Hotel in der Innenstadt ein.«

»Und dann?«

»Das wissen wir nicht. Die Überprüfung läuft noch.«

»Aber Sie glauben, dass das immer derselbe Kerl ist?«

»Natürlich ist's derselbe Kerl. Die identischen Anfangsbuchstaben sind Beweis genug.«

Reacher meinte: »Dann bin ich Vorsitzender des Obersten Gerichtshofs.«

»So benehmen Sie sich jedenfalls.«

»Wer ist er also?«

»Keine Ahnung. Der INS-Inspektor kann sich nicht an ihn erinnern. Die Männer im Terminal vier sehen pro Tag zehntausend Gesichter. In dem New Yorker Hotel kann sich auch niemand an ihn erinnern. Mit Denver haben wir noch nicht gesprochen. Aber ich möchte wetten, dass er auch dort niemandem aufgefallen ist.«

»Ist er bei der Einreise nicht fotografiert worden?«

»Wir sind dabei, uns das Bild schicken zu lassen.«

Reacher studierte wieder das erste Fax. Die Informationen der Heimatschutzbehörde. Die vorab übermittelten Angaben zu dem Fluggast Adrian Mount.

»Er ist Engländer«, sagte er.

Mauney sagte: »Nicht unbedingt. Er hatte zumindest einen britischen Pass, das ist alles.«

»Was haben Sie also vor?«

»Wir verbreiten eine eigene Überwachungsliste. Früher oder später taucht irgendwo Andrew MacBride oder Anthony Matthews auf. Dann wissen wir zumindest, wohin er unterwegs ist.«

»Was wollen Sie von uns?«

»Haben Sie einen oder alle diese Namen jemals gehört?«

»Nein.«

»Sie haben keine Freunde mit den Initialen A und M?«

»Nicht dass ich wüsste.«

»Feinde?«

»Meines Wissens nicht.

»Hat Orozco jemanden mit diesen Anfangsbuchstaben gekannt?«

»Weiß ich nicht. Ich habe seit zehn Jahren nicht mehr mit ihm gesprochen.«

»Ich habe mich geirrt«, sagte Mauney. »Was die Stricke betrifft, mit denen er gefesselt war. Ich habe sie von einem Sachverständigen untersuchen lassen. Sie sind keine Alltagsware, sondern ein aus Indien eingeführtes Sisalprodukt.«

»Wo würde man es bekommen?«

»Es wird nirgends in den Vereinigten Staaten verkauft, muss also mit dem Verpackungsmaterial von Importen ins Land gekommen sein.«

»Was wird von dort eingeführt?«

»Gerollte Orientteppiche, Rohbaumwolle in Ballen, solches Zeug.«

»Danke, dass Sie uns auf dem Laufenden gehalten haben.«

»Kein Problem. Nochmals mein Beileid.«

Mauney ging, und sie fuhren in Dixons Zimmer hinauf. Ohne bestimmten Grund. Sie steckten weiter in einer Sackgasse fest. Aber sie konnten nicht endlos lange in der Hotelhalle herumsitzen. O'Donnell spülte das Blut von seinem Springmesser und überprüfte in gewohnt methodischer Art die Hardballer. Die Pistolen waren von AMT nicht weit von hier in Irwindale, Kalifornien, hergestellt worden und mit Stahlmantelgeschossen Kaliber .45 geladen, sehr gepflegt und voll funktionsfähig. Sauber, geölt und unbeschädigt, was darauf schließen ließ, dass sie erst vor Kurzem gestohlen worden waren. Drogenhändler gingen nie sehr sorgfältig mit ihren Waffen um. Der einzige Nachteil war die Tatsache, dass sie exakte Kopien einer Handfeuerwaffe aus dem Jahr 1911 waren. Ihr Magazin enthielt nur sieben Patronen, was in einer Welt voller Sechsschüsser durchaus in Ordnung gewesen sein mochte, aber im Vergleich zu modernen Pistolen mit fünfzehn oder mehr Schuss recht kümmerlich war.

»Scheißdinger«, sagte Neagley.

»Besser, als Steine zu werfen«, meinte O'Donnell.

»Für meine Hand zu groß«, sagte Dixon. »Mir persönlich gefällt die Glock 19.«

»Mir gefällt alles, was funktioniert«, sagte Reacher.

»Die Glock hat ein Magazin mit siebzehn Schuss.«

»Pro Kopf braucht man nur einen. Hinter mir sind noch nie siebzehn Leute auf einmal her gewesen.«

»Könnte aber passieren.«

Der schwarzhaarige Vierziger, der sich Andrew MacBride nannte, saß in der U-Bahn des Flughafens Denver. Er musste etwas Zeit totschlagen, weshalb er mehrfach zwischen dem Haupttterminal und dem Concource C, der Endstation, hin und her fuhr. Ihm gefiel die Jug-Band Music. Er fühlte sich erleichtert, unbehindert, wieder frei. Sein Gepäck war jetzt auf ein Minimum zusammengeschrumpft. Kein schwerer Rollenkoffer mehr. Nur noch ein kleiner Trolley als Kabinengepäck, dazu sein Aktenkoffer. Der Seefrachtbrief steckte zusammengefaltet in einem Buch mit festem Einband, das sich in dem Aktenkoffer befand. Der Schlüssel des Vorhängeschlosses lag sicher in einem Reißverschlussfach.

Der Mann in dem dunkelblauen Anzug telefonierte in dem dunkelblauen Chrysler sitzend mit seinem Handy.

»Sie sind wieder im Hotel«, sagte er. »Alle vier.«

»Kommen sie gefährlich dicht an uns heran?«, fragte sein Boss.

»Das kann ich nicht beurteilen.«

»Bauchgefühl?«

»Ja, sie kommen gefährlich nah an uns heran, denke ich.«

»Okay, also wird's Zeit, sie zu erledigen. Sie lassen sie dort und kommen zurück. In ein paar Stunden schlagen wir dann zu.«

41

O'Donnell stand auf, trat an Dixons Fenster und fragte: »Was haben wir bisher?«

Das war eine Routinefrage aus der Vergangenheit, ein wichtiger Bestandteil der Arbeitsweise der Sonderermittler früher. Eine Gewohnheit, die ihnen in Fleisch und Blut übergegangen war. Reacher hatte auf ständigen kurzen Wiederholungen bestanden. Er hatte darauf bestanden, die gesammelten Informationen immer wieder zu sichten, neu zu formulieren, auf den Prüfstand zu stellen und im Licht späterer Erkenntnisse neu zu bewerten. Diesmal antwortete jedoch nur Dixon, die sagte: »Das Einzige, was wir haben, sind vier tote Freunde.«

Im Raum herrschte Stille.

»Kommt, wir gehen zum Abendessen«, sagte Neagley. »Zwecklos, dass wir vier Überlebenden uns tothungern.«

Abendessen. Reacher musste an den Burgerschuppen vor vierundzwanzig Stunden denken. Sunset Boulevard, der Lärm, die dicken Frikadellen, das kalte Bier. Der runde Vierertisch. Die Unterhaltung. Wie der Mittelpunkt der allgemeinen Aufmerksamkeit ständig woanders gelegen hatte. Jeweils ein Redner und drei Zuhörer, eine bewegliche Pyramide, deren Spitze sich mal hierhin, mal dorthin neigte.

Ein Redner, drei Zuhörer.

»Fehler«, sagte er.

Neagley fragte: »Essen ist ein Fehler?«

»Nein, esst nur, wenn ihr wollt. Aber wir machen einen Fehler. Einen großen Denkfehler.«

»Wo?«

»Allein meine Schuld. Ich habe voreilig falsche Schlüsse gezogen.«

»Wieso?«

»Warum können wir Franz' Klienten nicht finden?«

»Das weiß ich nicht.«

»Weil Franz keinen hatte. Wir haben einen Fehler gemacht. Weil er zuerst tot aufgefunden worden war, haben wir einfach angenommen, die ganze Sache drehe sich um ihn. Als wäre er hier die treibende Kraft gewesen, der Redner, und die anderen drei nur Zuhörer. Aber was ist, wenn er nicht der Redner war?«

»Wer denn sonst?«

»Wir haben die ganze Zeit gesagt, so angestrengt hätte er sich sicher nur für jemand Besonderes, dem er irgendwie verpflichtet war.«

»Aber das heißt doch wieder, er *sei* die treibende Kraft gewesen. Mit einem Klienten, den wir nicht finden können.«

»Nein, wir stellen uns die Hierarchie völlig falsch vor. Sie lautet nicht unbedingt: erstens der Klient, dann Franz, dann die anderen, die Franz helfen. Tatsächlich hat Franz in der Hackordnung tiefer gestanden, glaube ich. Bestimmt nicht ganz oben an der Spitze. Versteht ihr, was ich meine? Was wäre, wenn *er* einem der anderen geholfen hätte? Wenn er nicht der Redner, sondern einer der Zuhörer gewesen wäre? Wenn die ganze Sache im Prinzip Orozcos Fall gewesen wäre? Für einen *seiner* Klienten? Oder Sanchez'? Wen hätten *sie* gerufen, wenn sie Hilfe gebraucht hätten?«

»Franz und Swan.«

»Genau. Wir sind von Anfang an von falschen Voraussetzungen ausgegangen. Wir müssen von allem das genaue Gegenteil annehmen. Was, wenn Franz einen Panikanruf von Orozco oder Sanchez bekommen hätte? Das wäre jemand Besonderes für ihn gewesen. Jemand, dem er sich bestimmt verpflichtet gefühlt hätte. Kein Klient, aber er kann nicht Nein sagen. Er muss ohne Rücksicht auf Angela oder Charlie zupacken und helfen.«

Schweigen im Raum.

Reacher fuhr fort: »Orozco hat Verbindung zur Heimatschutzbehörde aufgenommen. Das war sicher schwierig. Und es ist der einzige aktive Schritt, den wir bisher erkennen können. Jedenfalls mehr, als Franz getan zu haben scheint.«

O'Donnell warf ein: »Mauneys Leute glauben, Orozco sei vor Franz tot gewesen. Das könnte bedeutsam sein.«

»Ja«, sagte Dixon. »Weshalb hätte Franz die schwierigen Aufgaben an Orozco delegieren sollen, wenn dies sein Deal war? Franz hätte sie vermutlich auch selbst bewältigen können. Das beweist gewissermaßen die wahren Befehlsstrukturen, nicht?«

»Schon möglich«, sagte Reacher. »Aber wir wollen nicht zweimal den gleichen Fehler machen. Der Anstoß könnte von Swan gekommen sein.«

»Swan hat nicht gearbeitet.«

»Dann von Sanchez, nicht von Orozco.«

»Eher von beiden gemeinsam.«

Neagley sagte: »Was bedeuten würde, dass es um etwas geht, das nicht hier in L.A., sondern in Vegas angesiedelt war. Könnten diese Zahlen etwas mit Spielkasinos zu tun haben?«

»Möglich«, sagte Dixon. »Sie könnten zeigen, wie die Gewinne des Hauses zurückgehen, nachdem jemand ein System vervollkommnet hat.«

»Welches Glücksspiel wird neun- oder zehn- oder zwölfmal am Tag gespielt?«

»Praktisch alle. Es gibt kein wirkliches Minimum oder Maximum.«

»Karten?«

»Bestimmt, wenn wir von einem System reden.«

O'Donnell nickte. »Sechshundertfünfzig unvorhergesehene Gewinne zu durchschnittlich hundert Mille müssten jedem auffallen.«

Dixon warf ein: »Sie würden keinen Kerl über vier Monate hinweg sechshundertfünfzigmal gewinnen lassen.«

»Vielleicht ist's mehr als ein einzelner Kerl. Vielleicht ist's ein Kartell.«

Neagley sagte: »Wir müssen nach Vegas.«

Im nächsten Augenblick klingelte das Telefon auf Dixons Nachttisch. Sie nahm den Hörer ab, es war ihr Zimmer, ihr Telefon. Sie hörte kurz zu, dann übergab sie Reacher den Hörer.

»Curtis Mauney«, sagte sie. »Für dich.«

Reacher meldete sich, und Mauney sagte: »Andrew Bride ist gerade in Denver in ein Flugzeug nach Vegas gestiegen. Das erzähle ich Ihnen aus rein professioneller Höflichkeit. Sie bleiben gefälligst, wo Sie sind. Keine Ermittlungen auf eigene Faust, verstanden?«

42

Sie beschlossen, nach Las Vegas zu fahren, nicht zu fliegen. Das war schneller zu planen und einfacher zu organisieren und von Haus zu Haus nicht zeitaufwendiger. Außerdem hätten sie die Hardballer im Flugzeug nicht mitnehmen können, denn sie mussten davon ausgehen, dass sie früher oder später Schusswaffen brauchen würden. Also wartete Reacher in der Hotelhalle, während die anderen packten. Neagley kam als Erste herunter und bezahlte die drei Zimmer, sah sich die Rechnung nicht einmal an, unterschrieb sie nur. Dann ließ sie ihren Rollenkoffer an der Drehtür stehen und wartete mit Reacher. O'Donnell tauchte als Nächster auf. Zuletzt erschien Dixon mit ihrem Hertz-Schlüssel in der Hand.

Sie verstauten ihr Gepäck im Kofferraum und nahmen ihre Plätze ein: Dixon und Neagley vorn, Reacher und

O'Donnell hinten. Sie fuhren auf dem Sunset Boulevard nach Osten und kämpften sich durch ein Labyrinth aus verstopften Straßen bis zum Freeway 15 vor. Er führte nach Norden durch die Berge, dann nach Nordosten aus Kalifornien heraus und weiter bis nach Vegas.

Er führte auch an der Stelle vorbei, an der ihres Wissens ein Hubschrauber mehr als drei Wochen zuvor mindestens zweimal geschwebt hatte: tausend Meter hoch, mitten in der Nacht, mit offener Kabinentür. Reacher hatte nicht hinübersehen wollen, aber dann tat er's doch. Als der Freeway die letzten Hügel hinter sich ließ, schaute er unwillkürlich nach Westen über die sandfarbene Wüstenebene hinaus. Er stellte fest, dass O'Donnell das auch tat. Ebenso Neagley und Dixon. Sie nahm ihren Blick immer nur sekundenlang von der Straße und starrte nach links. Ihre Augen waren wegen der untergehenden Sonne zusammengekniffen und ihre Lippen zusammengepresst.

Abends aßen sie in Barstow, Kalifornien, in einem schäbigen Restaurant, für das nichts sprach, außer dass es kein anderes gab. Die Bude war dreckig, der Service langsam, das Essen schlecht. Reacher war kein Feinschmecker, aber selbst er fand es miserabel. In früheren Zeiten hätten er, Dixon oder Neagley, erst recht jedoch O'Donnell sich beschwert oder einen Stuhl durchs Fenster geschleudert, aber das ließen sie an diesem Abend bleiben. Sie erduldeten das dreigängige Menü, tranken dünnen Kaffee und fuhren weiter.

Der Mann in dem blauen Anzug telefonierte vom Parkplatz des Châteaus Marmont aus. »Sie sind abgehauen. Sie sind weg. Alle vier.«

Sein Boss fragte: »Wohin?«

»Nach Vegas, glaubt die Frau am Empfang. Das hat sie mitbekommen.«

»Sehr gut. Wir machen's dort. In jeder Beziehung besser. Fahren Sie hin, statt zu fliegen.«

Als der schwarzhaarige Vierziger, der sich Andrew MacBride nannte, auf dem Flughafen Las Vegas aus dem Jetway trat, sah er als Erstes eine Reihe von Spielautomaten. Sperrige Kästen in Schwarz, Silber und Gold mit neonblinkenden Fronten. Etwa zwanzig Stück in zwei Zehnerreihen, die Rücken an Rücken aufgebaut waren. Vor jedem Automaten stand ein Vinylhocker. An jedem Gerät war unten eine schmale graue Kunststoffleiste angebracht – mit einem Aschenbecher links und einem Becherhalter rechts. Etwa ein Dutzend der zwanzig Hocker waren besetzt. Die darauf sitzenden Männer und Frauen starrten die Bildschirme mit übermüdeter Konzentration an.

Andrew MacBride beschloss, sein Glück zu versuchen. Er beschloss, das Ergebnis als Omen für zukünftige Erfolge zu werten. Gewann er, würde alles gelingen.

Und wenn er verlor?

Er lächelte. Er wusste, dass er dieses Ergebnis als vernunftwidrig ablehnen würde. Er war nicht abergläubisch.

Er setzte sich auf einen Hocker und lehnte seinen Aktenkoffer an einen Knöchel. In einer Jackentasche hatte er eine Kleingeldbörse. Damit konnte er Sicherheitskontrollen schneller passieren und fiel deshalb weniger auf. Er zog sie heraus, stocherte darin herum und holte alle Quarter heraus. Es waren nicht viele. Sie bildeten nur eine kurze Reihe zwischen Aschenbecher und Becherhalter.

Er warf sie nacheinander ein. Durch den Schlitz fallend erzeugten sie ein befriedigendes metallisches Geräusch. Eine rote LED zeigte ein Guthaben von fünf Spielen an. Gestartet wurden die Spiele über ein großes Touchpad. Es war von einer Million Finger abgenutzt und fettig.

Er drückte wieder und wieder darauf.

Die ersten vier Male verlor er.

Beim fünften Mal gewann er.

Ein gedämpftes Glockenzeichen erklang, leises Sirenengeheul ertönte, und das Gerät schwankte ein wenig, als ein stabiler Mechanismus in seinem Inneren hundert Quarter abzählte. Sie rasselten eine Rinne hinunter und fielen klappernd in eine Metallschale neben seinem Knie.

Zwischen Barstow, Kalifornien, und Las Vegas, Nevada, lagen ungefähr dreihundertzwanzig Kilometer. Bei allem Respekt vor der Highway Patrol des einen Staats und der State Police des anderen bedeutete das nachts auf dem Freeway 15 eine Fahrzeit von etwas über drei Stunden. Dixon sagte, sie fahre gern die ganze Strecke. Da sie in New York lebte, hatten weite Überlandfahrten für sie den Reiz des Neuen. O'Donnell döste in seiner Ecke. Reacher starrte aus dem Fenster. Neagley sagte: »Verdammt, wir haben Diana Bond ganz vergessen. Sie kommt von Edwards nach L.A. Aber wir sind nicht mehr da.«

»Spielt keine Rolle mehr«, meinte Dixon.

»Ich sollte sie anrufen«, sagte Neagley. Aber sie bekam mit ihrem Handy keine Verbindung mehr. Sie waren weit draußen in der Mojavewüste, wo der Netzempfang nur noch sporadisch war.

Las Vegas erreichten sie um Mitternacht – nach Reachers Meinung genau die Zeit, in der die Stadt am besten aussah. Er war schon früher hier gewesen. Bei Tageslicht wirkte Vegas absurd. Alltäglich, trivial, billig, desillusionierend, bloßgestellt, keineswegs geheimnisvoll. Aber bei Nacht, wenn alle Lichter brannten, bot die Stadt ein wahrhaft fantastisches Bild.

Den Strip erreichten sie vom schlimmen Ende aus, und Reacher entdeckte eine Bar, einen fensterlosen Betonbau mit abblätterndem Anstrich und einem Leuchtschild ohne Satzzeichen: *Billiges Bier Willige Girls.* Gegenüber standen mehrere staubige Billigmotels und ein einziger verblasster Hotelturm. Normalerweise hätte er sich hier auf die Suche nach Zimmern gemacht, aber Dixon hielt wortlos weiter auf die einen Kilometer vor ihnen glitzernden Paläste zu. Als sie vor einem dieser Paläste mit einem italienischen Namen vorfuhr, stürzte sich eine Schar von Pagen und Angestellten des Parkservices auf sie, grapschte sich ihr Gepäck und fuhr ihren Wagen weg. Die Hotelhalle war voller Fliesen, Wasserbecken und Springbrunnen und dem Scheppern von Spielautomaten. Neagley trat an die Rezeption und bezahlte vier Zimmer. Reacher sah ihr dabei über die Schulter.

»Teuer«, sagte er nachdenklich.

»Aber vielleicht eine Abkürzung«, antwortete Neagley. »Vielleicht haben sie Sanchez und Orozco hier gekannt. Vielleicht haben sie hier sogar ihren Sicherheitskontrakt bekommen.«

Reacher nickte. *Aus der großen grünen Maschine hierher.* In diesem Fall wäre *hierher* ein gewaltiger Aufstieg gewesen – zumindest in Bezug auf die Verdienstmöglichkeiten. Vegas schwamm buchstäblich in Geld. Die Wasserbecken und Springbrunnen waren ein Symbol dafür. So viel Wasser mitten in der Wüste zeugte von atemberaubendem Luxus. Das investierte Kapital musste gigantisch hoch, der Umsatz gewaltig sein. Hatten Sanchez und Orozco dazu beigetragen, dieses riesige Unternehmen zu sichern, war das sehr beachtlich gewesen. Er stellte fest, dass er sehr stolz auf seine alten Kumpel war. Aber zugleich gaben sie ihm auch Rätsel auf. Bei seinem Ausscheiden aus der Army war ihm bewusst gewesen, dass nun der Rest seines Lebens vor ihm lag, aber er hatte nie weiter als bis zum nächsten Tag gedacht. Er hatte keine Pläne geschmiedet, keine Visionen entworfen.

Das hatten die anderen getan.

Wie?

Warum?

Neagley verteilte die Schlüsselkarten, und sie einigten sich darauf, sich etwas frischzumachen und in einer Viertelstunde zu treffen, um mit der Arbeit zu beginnen. Obwohl nach Mitternacht, war Vegas tatsächlich eine Stadt, die niemals schlief. Die Zeit hatte hier keine Bedeutung. Es gab bekannte Klischees über das Fehlen von Fenstern und Uhren in den Spielkasinos, die nach Reachers Wissen alle zutrafen. Nichts durfte den Geldstrom verlangsamen. Schon gar nicht etwas so Triviales wie das Schlafbedürfnis eines Spielers. Es gab nichts Besseres als einen übermüdeten Kerl, der die ganze Nacht lang verlor.

Reachers Zimmer lag im sechzehnten Stock. Es war ein düsterer Betonwürfel, dessen Einrichtung einen alten venezianischen Salon vorspiegeln sollte. Insgesamt nicht sehr überzeugend, wenn man wie Reacher Venedig kannte. Er klappte seine Zahnbürste auf und stellte sie in ein Glas auf der Spiegelablage im Bad. Damit war das Auspacken beendet. Er spritzte sich etwas kaltes Wasser ins Gesicht, fuhr sich mit den Handflächen über seinen Bürstenhaarschnitt und fuhr wieder nach unten, um sich schon einmal umzusehen.

Selbst in einem teurem Hotel wie diesem waren die meisten Flächen im Erdgeschoss für Spielautomaten reserviert. Geduldig, unermüdlich und von Mikroprozessoren gesteuert schöpften sie einen kleinen, aber stetigen Prozentsatz des Geldstroms ab, der sich vierundzwanzig Stunden am Tag und sieben Tage die Woche in sie ergoss. Piep- und Klingelzeichen ertönten. Viele Leute gewannen, aber etwas mehr verloren. Die Überwachung ging sehr dezent vonstatten. Wegen der strengen Glücksspielaufsicht des Staates Nevada und weil an Maschinen gespielt wurde, gab es hier kaum Gelegenheit zu stehlen oder zu betrügen. Von den Hunderten

Menschen im Saal konnte Reacher nur zwei als Aufsichtspersonal identifizieren. Einen Mann und eine Frau, die wie alle anderen gekleidet waren und so gelangweilt wie alle anderen wirkten – jedoch ohne den hoffnungsvoll glänzenden Blick der Spieler.

Sanchez und Orozco hatten sich bestimmt nicht lange mit Spielautomaten aufgehalten.

Er ging in die nach hinten hinaus liegenden Säle weiter, in denen Roulette, Poker und Blackjack gespielt wurden. Er richtete den Blick nach oben und entdeckte Überwachungskameras. Sah nach links und rechts sowie nach vorn und sah risikofreudige Spieler, Sicherheitspersonal und Nutten in immer größerer Zahl.

Er blieb an einem Roulettetisch stehen. Aus seiner Sicht unterschied Roulette sich nicht wesentlich von Spielautomaten – solange der Kessel in Ordnung war. Die Gäste setzten Geld in Form von Chips, und der Roulettekessel verteilte es bis auf den automatisch abgezogenen Anteil des Hauses sofort wieder an andere Gäste. Das tat er so unermüdlich und zuverlässig wie der Mikroprozessor eines Spielautomaten.

Sanchez und Orozco hatten sich bestimmt nicht lange mit Roulette aufgehalten.

Er ging zu den Kartentischen weiter, an denen es vermutlich am spannendsten war. Kartenspiele waren die einzige Glücksspielsparte, in der menschliche Intelligenz wirklich eingesetzt werden konnte. Und wo menschliche Intelligenz eingesetzt wurde, folgten sehr bald Verbrechen nach. Aber für ein wirkliches Verbrechen wäre mehr als nur ein Spieler nötig gewesen. Ein Spieler, der Selbstdisziplin mitbrachte, über ein sehr gutes Gedächtnis verfügte und statistisches Grundwissen besaß, konnte seine Gewinnchancen erheblich verbessern. Aber das war kein Verbrechen. Und damit konnte kein Mensch in vier Monaten fünfundsechzig Millionen verdienen. So hoch waren die Gewinne einfach nicht.

Um sie in solcher Größenordnung zu ermöglichen, hätte der ursprüngliche Einsatz dem Bruttosozialprodukt eines Kleinstaats entsprechen müssen.

Fünfundsechzig Millionen in vier Monaten hätten das Mitwirken eines Kartengebers erfordert. Und ein Geber, der so viel verlor, wäre binnen einer Woche geflogen. Vielleicht sogar binnen eines Tages oder einer Stunde. Eine vier Monate anhaltende Glückssträhne hätte einen Großbetrug erfordert. Geheime Absprachen. Betrügerische Machenschaften. Dutzende von Gebern, Dutzende von Spielern. Vielleicht sogar Hunderte von Gebern und Spielern.

Vielleicht spielte das ganze Haus gegen seine Besitzer.

Vielleicht tat das die ganze Stadt.

Das wäre eine Sache gewesen, die Tote zur Folge gehabt hätte.

Hier gab es reichlich Sicherheitsmaßnahmen. Überwachungskameras – manche groß und auffällig, andere klein und diskret – waren auf Geber und Spieler gerichtet. Vermutlich existierten noch weitere, die unsichtbar installiert waren. Männer und Frauen patrouillierten in Abendkleidung und mit Ohrhörern und Handgelenkmikrofonen wie Secret-Service-Agenten durch den Saal. Außerdem lief zusätzliches Sicherheitspersonal in unauffälliger Kleidung herum. Reacher entdeckte binnen einer Minute fünf weitere Sicherheitsleute und nahm an, viele übersehen zu haben.

Er machte sich wieder auf den Rückweg in die Hotelhalle. Dort fand er Karla Dixon vor, die an einem der Brunnen wartete. Sie hatte geduscht und trug statt Jeans und ihrer Lederjacke einen schwarzen Hosenanzug. Ihr noch feuchtes Haar war glatt zurückgekämmt, ihr Jackett zugeknöpft, weil sie darunter keine Bluse trug. Sie sah verdammt gut aus.

»Vegas ist von den Mormonen besiedelt worden«, erklärte sie. »Hast du das gewusst?«

»Nein«, sagte Reacher.

»Jetzt wächst die Stadt so schnell, dass ihr Telefonbuch zweimal im Jahr neu gedruckt wird.«

»Auch das habe ich nicht gewusst.«

»Siebenhundert neue Häuser pro Monat.«

»Irgendwann geht ihnen das Wasser aus.«

»Das steht außer Zweifel. Aber bis dahin machen sie kräftig Kohle. Allein das Glücksspiel wirft pro Jahr fast sieben Milliarden Dollar ab.«

»Du hast wohl einen Reiseführer gelesen?«

Dixon nickte. »In meinem Zimmer liegt einer. Vegas hat dreißig Millionen Besucher im Jahr. Das bedeutet, dass jeder von ihnen durchschnittlich über zweihundert Dollar pro Besuch verliert.«

»Zweihundertdreiunddreißig Dollar und dreiunddreißig Cent«, sagte Reacher automatisch. »Die Definition irrationalen Verhaltens.«

»Die Definition menschlichen Hoffens«, sagte Dixon. »Jeder glaubt, dass er der große Gewinner sein wird.«

Dann kreuzte O'Donnell auf. Derselbe Anzug, eine andere Krawatte, ein frisches Hemd. Seine Schuhe glänzten im Lampenlicht. Vielleicht hatte er in seinem Bad ein Poliertuch gefunden.

»Dreißig Millionen Besucher pro Jahr«, sagte er.

Reacher entgegnete: »Das hat Dixon mir schon erzählt. Gleicher Reiseführer.«

»Das sind zehn Prozent aller Amerikaner. Und sieh dir diesen Laden an!«

»Gefällt er dir?«

»Er lässt Sanchez und Orozco in ganz anderem Licht erscheinen.«

Reacher nickte. »Wie ich schon sagte: Ihr habt euch alle hochgearbeitet.«

Dann trat Neagley aus dem Aufzug. Wie Dixon trug sie

einen strengen schwarzen Hosenanzug. Ihr Haar war zu einem Nackenknoten zusammengefasst.

»Wir tauschen Informationen aus dem Reiseführer aus«, sagte Reacher.

»Ich habe meinen nicht gelesen«, sagte Neagley. »Stattdessen habe ich Diana Bond angerufen. Sie war da, hat eine Stunde gewartet und ist zurückgefahren.«

»War sie sauer auf uns?«

»Sie ist in Sorge. Ihr gefällt's nicht, dass der Name Little Wing bekannt geworden ist. Ich habe ihr versprochen, mich wieder zu melden.«

»Weshalb?«

»Sie macht mich neugierig. Ich weiß gern Bescheid.«

»Ich auch«, sagte Reacher. »Im Augenblick interessiert mich, ob jemand in dieser Stadt fünfundsechzig Millionen Bucks ergaunert hat. Und wie.«

»Das wäre ein Riesending«, sagte Dixon. »Auf ein ganzes Jahr hochgerechnet entspräche das fast drei Prozent der Gesamteinnahmen.«

»Zwei Komma sieben acht«, sagte Reacher automatisch.

»Kommt, wir fangen hier an«, sagte O'Donnell.

43

Sie begannen an der Rezeption, wo sie den diensthabenden Sicherheitsmanager zu sprechen verlangten. Als der Portier wissen wollte, ob es ein Problem gebe, sagte Reacher: »Wir glauben, dass wir gemeinsame Freunde haben.«

Sie mussten lange warten, bis der Sicherheitsmanager vom Dienst erschien. Gesellschaftliche Besuche standen auf seiner Prioritätenliste offenbar ganz weit unten. Nach einiger Zeit kam ein mittelgroßer Mann, der italienische Schuhe und einen Tausenddollaranzug trug, auf sie zu. Er war ungefähr fünfzig, schlank und fit, ganz entspannt Herr der Lage, aber die Falten um seine Augen zeigten, dass er mindestens zwanzig Jahre lang einen anderen Job gehabt haben musste. Einen anstrengenderen Job. Er verbarg seine Ungeduld gut, stellte sich vor und schüttelte allen die Hand. Er sagte, er heiße Wright, und schlug vor, sie sollten in einer ruhigen Ecke miteinander reden. Ein bloßer Reflex, dachte Reacher. Instinkt und Ausbildung rieten ihm, potenzielle Störenfriede möglichst weit abzudrängen. Nichts durfte den Geldstrom hemmen.

Sie fanden eine ruhige Ecke. Natürlich ohne Sessel. Kein Kasino in Vegas hätte seinen Gästen bequeme Sitzgelegenheiten außerhalb der Spielsäle angeboten. Aus demselben Grund waren die Zimmer nur schummrig beleuchtet. Ein Gast, der lesend in seinem Zimmer saß, brachte keinen Umsatz. Sie bildeten einen ordentlichen Kreis. O'Donnell wies seinen Washingtoner Detektivausweis und ein kurzes Empfehlungsschreiben der Metro Police vor. Dixon konnte ihren Detektivausweis und eine vom NYPD ausgestellte Karte vorzeigen. Neagley besaß eine Karte vom FBI. Reacher wies nichts vor. Zog nur seine T-Shirts etwas herunter, damit sie die Umrisse der Pistole in seiner Tasche verdeckten.

Wright sagte zu Neagley: »Ich war früher mal beim FBI.«

Reacher fragte ihn: »Haben Sie Manuel Orozco und Jorge Sanchez gekannt?«

»Habe ich das?«, fragte Wright. »Oder tue ich das?«

»Haben Sie«, sagte Reacher. »Orozco ist tot, und wir vermuten, dass Sanchez es auch ist.«

»Freunde von Ihnen.«

»Aus der Army.«

»Das tut mir sehr leid.«

»Uns auch.«

»Seit wann tot?«

»Seit drei, vier Wochen.«

»Wie umgekommen?«

»Das wissen wir nicht. Deshalb sind wir hier.«

»Ich habe sie gekannt«, sagte Wright. »Sogar ziemlich gut. In der Branche hat jeder sie gekannt.«

»Haben die beiden für Sie gearbeitet?«

»Nicht bei uns. Wir beschäftigen niemanden von außerhalb. Wir sind zu groß. Das gilt für alle größeren Kasinos.«

»Sie haben alles im eigenen Haus?«

Wright nickte. »Hier kommen FBI-Agenten und Police Lieutenants her, um ihren Lebensabend zu verbringen. Wir können uns die besten Leute aussuchen. Bei den hier gebotenen Gehältern reicht die Schlange bis zur Tür hinaus. Kein Tag vergeht, ohne dass ich mit mindestens zwei Leuten spreche, die ihren letzten Urlaub vor der Pensionierung hier verbringen.«

»Woher haben Sie Sanchez und Orozco also gekannt?«

»Weil die Betriebe, für die sie arbeiten, gewissermaßen Trainingslager sind. Hat jemand eine neue Idee, probiert er sie nicht in einem Kasino unserer Größe aus. Das wäre verrückt. Sie wird erst mal in kleinem Rahmen erprobt. Daher halten wir uns Leute wie Sanchez und Orozco warm, weil wir ihre Informationen im Voraus brauchen. Wir setzen uns gelegentlich alle zusammen, wir reden miteinander, essen gemeinsam zu Abend, genehmigen uns zwanglos ein paar Drinks.«

»Hatten sie viel zu tun? Haben Sie viel zu tun?«

»Wie einarmige Tapezierer.«

»Haben Sie jemals den Namen Azhari Mahmoud gehört?«

»Nein. Wer ist das?«

»Das wissen wir nicht. Aber wir glauben, dass er unter falschem Namen hier ist.«

»Hier?«

»Irgendwo in Vegas. Können Sie Hotelreservierungen kontrollieren?«

»Ich kann natürlich unsere überprüfen. Und ich kann herumtelefonieren.«

»Versuchen Sie's mit Andrew MacBride und Anthony Matthews.«

»Subtil.«

Dixon fragte: »Woran merken Ihre Leute und Sie, dass ein Spieler betrügt?«

Wright sagte: »Wenn er gewinnt.«

»Aber die Leute müssen gewinnen.«

»Sie gewinnen so viel, wie wir ihnen zubilligen. Ist's mehr, betrügen sie. Das ist eine Frage der Statistik. Zahlen lügen nicht. Es geht darum, wie sie betrügen, nicht, ob sie's tun.«

O'Donnell sagte: »Sanchez hatte sich auf einem Zettel eine Zahl notiert. Fünfundsechzig Millionen Dollar. Genau gesagt über vier Monate hinweg sechshundertfünfzigmal jeweils hundert Mille.«

»Und?«

»Ist das die Art Zahl, die Sie erkennen würden?«

»Als was?«

»Als Betrug.«

»Was wäre das pro Jahr? Fast zweihundert Millionen?«

»Hundertfünfundneunzig«, antwortete Reacher.

»Denkbar«, sagte Wright. »Wir versuchen unseren Verlust unter acht Prozent zu drücken. Das ist gewissermaßen ein Industrieziel. Folglich verlieren wir pro Jahr weit mehr als zweihundert Millionen. Aber zweihundert Millionen durch einen einzelnen Betrugsfall wäre natürlich ein verdammt hoher Einzelschaden. Damit würden wir unser Ziel von acht Prozent natürlich weit verfehlen. In diesem Fall würde ich anfangen, mir Sorgen zu machen.«

»Den beiden hat es Sorgen gemacht«, sagte Reacher. »Wir glauben, dass es sie das Leben gekostet hat.«

»Das wäre eine Riesensache«, meinte Wright. »Fünfundsechzig Millionen in vier Monaten? Dafür müsste man

Croupiers, Kartengeber und Sicherheitsleute anwerben. Man müsste die Kameras manipulieren und Videoaufzeichnungen. Auch die Kassierer müssten bestochen werden. Das wäre ein echter Großbetrug.«

»So könnte es gewesen sein.«

»Warum reden dann nicht die Cops mit mir?«

»Wir sind ihnen etwas voraus.«

»Dem Vegas Police Department? Der Glücksspielaufsicht?«

Reacher schüttelte den Kopf. »Unsere Freunde sind jenseits der Staatgrenze im L.A. County gestorben. Dort führen ein paar Sheriffs die Ermittlungen.«

»Und Sie sind ihnen voraus? Was soll das heißen?«

Reacher sagte nichts. Wright schwieg sekundenlang. Dann sah er sie nacheinander an: erst Neagley, dann Dixon, dann O'Donnell, dann Reacher.

»Augenblick«, sagte er. »Ich komme selbst drauf. Die Army? Sie sind die Sonderermittler. Ihre alte Einheit. Von der haben sie ständig erzählt.«

Reacher sagte: »In diesem Fall verstehen Sie unser Interesse. Sie haben selbst mit Leuten zusammengearbeitet.«

»Sagen Sie mir Bescheid, wenn Sie etwas rauskriegen?«

»Verdienen Sie's sich«, sagte Reacher.

»Es gibt eine junge Frau«, erklärte Wright. »Sie arbeitet in irgendeinem grässlichen Schuppen mit einer künstlichen Feuerstelle. In einer Bar in der Nähe des ehemaligen Hotels Riviera. Sie kennt Sanchez.«

»Seine Freundin?«

»Nicht direkt. Vielleicht früher einmal. Aber die beiden kennen sich gut. Sie weiß bestimmt mehr als ich.«

44

Wright kehrte zu seiner Arbeit zurück, und Reacher ließ sich von dem Portier erklären, wo das Riviera gewesen war. Die Wegbeschreibung führte wieder zum billigen Ende des Strips zurück. Sie gingen zu Fuß durch die warme, trockene Wüstennacht. Jenseits der Dunstglocke und des Lichts der Straßenlampen standen fern am Horizont Sterne. Die Gehsteige waren mit weggeworfenen farbigen Werbepostkarten von Prostituierten übersät. Der freie Markt schien den Grundpreis auf einen Cent unter fünfzig Dollar gedrückt zu haben. Reacher bezweifelte allerdings nicht, dass dieser Preis sich rasch erhöhen würde, sobald irgendein ahnungsloser Freier tatsächlich ein Mädchen auf sein Zimmer mitnahm. Die Frauen auf den Karten sahen hübsch aus, aber er glaubte nicht, dass sie real waren. Vermutlich handelte es sich um geklaute Bilder von Models für Bademoden aus Miami oder Rio. Vegas war eine Stadt der Illusionen. Sanchez und Orozco mussten mehr als beschäftigt gewesen sein. *Wie einarmige Tapezierer,* hatte Wright gesagt, und Reacher glaubte ihm das sofort.

Sie erreichten den abblätternden Betonklotz der Bar mit dem billigen Bier und den willigen Girls und bogen dort nach rechts in ein Labyrinth aus von eingeschossigen beigen Gebäuden gesäumten Straßen ab. Manche waren Motels, manche Lebensmittelmärkte, manche Restaurants, manche Bars. Die Lebensmittelgeschäfte warben mit Mineralwasser im Sechserpack für 1,99 Dollar, Motels brüsteten sich mit Klimaanlagen, Pools und Kabelfernsehen; in den Restaurants konnte man sich Tag und Nacht an Frühstücksbüfetts gütlich tun, an denen man beliebig viel essen konnte, und in den Bars gab es Happy Hours und Dauertiefstpreise für Bourbon. Alle sahen gleich aus. Sie kamen an fünf oder sechs Bars vorüber, bevor sie die mit dem Schild *Fire Pit* fanden.

Dieses Schild stand vor einem schlichten Schuhkarton von einem Gebäude mit zu wenig Fenstern. Es sah nicht wie eine Bar aus. Es hätte alles Mögliche sein können, zum Beispiel eine STD-Ambulanz oder die Kirche einer Sekte. Nicht jedoch innen. Drinnen war es eindeutig eine Bar in Vegas – schrill ausgestattet, von lauter Musik erfüllt. Fünfhundert Gäste, die tranken, lärmten, lachten, sich schreiend unterhielten, purpurrote Wände, rote Kunstlederbänke. Hier schien nichts gerade oder quadratisch zu sein. Die dicht umlagerte lange Bar war S-förmig, und der Schwanz dieser Schlange endete in einer kreisrunden Vertiefung. In ihrer Mitte befand sich eine künstliche Feuerstelle, deren Flammen durch gezackte orangerote Seidentücher imitiert wurden, die ein versteckter Ventilator in Bewegung hielt. Sie tanzten und schlängelten sich grellrot angestrahlt. Den Raum außerhalb der Feuerstelle nahmen Sitznischen mit Samtbänken ein, die alle voll besetzt waren. Dazwischen standen überall Leute. Aus verdeckten Lautsprechern kam Musik. Bedienungen in knappen Kostümen schlängelten sich mit hochgehaltenen Tabletts geschickt durch das Gedränge.

»Große Klasse«, bemerkte O'Donnell.

»Holt die Geschmackspolizei«, sagte Dixon.

»Los, wir suchen das Mädchen und nehmen es mit nach draußen«, erklärte Neagley. Sie fühlte sich in dem Getümmel sichtlich unwohl. Aber sie konnten das Mädchen nicht finden. Reacher erkundigte sich an der Bar nach Jorge Sanchez' Freundin; die Bardame, mit der er sprach, wusste gleich, wen er meinte, erklärte ihm aber, Milena – so hieß die junge Frau – habe seit Mitternacht dienstfrei. Aus Sicherheitsgründen stellte Reacher zwei Bedienungen die gleiche Frage und bekam von beiden die gleiche Antwort. Ihre Kollegin Milena, die mit einem Sicherheitsmenschen namens Sanchez befreundet war, habe seit Mitternacht frei und sei heimgefahren, um zu schlafen und für die nächste anstrengende Zwölfstundenschicht am morgigen Tag fit zu sein.

Ihre Adresse wollte ihm niemand nennen.

Er kämpfte sich durch das Gewimmel zu den anderen zurück und bahnte ihnen einen Weg ins Freie. Auch um ein Uhr morgens war Vegas noch hell beleuchtet und voller Leben, aber im Vergleich zum Inneren der Bar wirkte der Gehsteig still und friedlich wie die kalte graue Mondoberfläche.

»Plan?«, fragte Dixon.

»Wir sind morgen um halb zwölf wieder hier«, gab Reacher zur Antwort. »Wir fangen sie auf dem Weg zur Arbeit ab.«

»Bis dahin?«

»Nichts. Den Rest der Nacht haben wir frei.«

Sie schlenderten gemütlich zum Strip zurück und bildeten auf dem Gehsteig eine Viererreihe. Dreißig Meter hinter ihnen bremste ein dunkelblauer viertüriger Chrysler scharf, scherte aus dem träge fließenden Verkehr aus und hielt am Randstein.

45

Der Mann in dem dunkelblauen Anzug erstattete sofort telefonisch Meldung: »Ich habe sie gefunden. Unglaublich! Sie sind gerade vor mir aufgetaucht.«

Sein Boss fragte: »Alle vier?«

»Ich habe sie genau vor mir.«

»Können Sie sie erledigen?«

»Ich denke schon.«

»Gut, dann los! Warten Sie nicht auf Verstärkung. Legen

Sie sie um, und sehen Sie zu, dass Sie hierher zurückkommen.«

Der Kerl in dem blauen Anzug klappte sein Handy zu, fuhr an, überquerte schwungvoll alle vier Fahrspuren und hielt dann in einer Seitenstraße vor einem Laden mit den billigsten Zigaretten der Stadt. Er stieg aus, schloss seinen Wagen ab und ging mit der rechten Hand in der Tasche seines Jacketts rasch zu Fuß auf dem Strip zurück.

In Las Vegas war die Hotelzimmerdichte höher als in jeder anderen Stadt der Welt, aber Azhari Mahmoud befand sich in keinem davon. Er wohnte in einem gemieteten Haus in einem fünf Kilometer vom Strip entfernten Vorort. Dieses Haus war zwei Jahre zuvor für eine Operation gemietet worden, die dann doch nicht stattfand. Es war damals sicher gewesen und war es auch jetzt.

Mahmoud stand in der Küche und hatte die Gelben Seiten aufgeschlagen vor sich auf der Arbeitsfläche liegen. Er blätterte in den Anzeigen von Leihwagenfirmen und versuchte sich auszurechnen, wie groß der Lastwagen sein musste, den er brauchen würde.

Am Strip gab es eine permanente Renovierungswelle, die wie Wasser in einer Badewanne hin und her schwappte. Einst hatte das Riviera den leuchtenden Schlusspunkt gebildet, hatte Investitionen ausgelöst, die wie Lauffeuer den Strip entlanggefegt waren. Bis die Neubauten das andere Ende erreichten, waren sie immer luxuriöser ausgefallen, und das Riviera hatte im Vergleich zu den neuen Gebäuden plötzlich alt und schäbig gewirkt. Deshalb hatte sofort eine gegenläufige Kapitalflucht eingesetzt, die sich Block für Block zurückverfolgen ließ. Das Ergebnis war eine ungefähr einen Straßenblock lange Wanderbaustelle, die die neuen, eben errichteten Bauten von den etwas älteren trennte, die demnächst abgerissen werden sollten. Gleichzeitig wurden die Fahrbahnen und der Gehsteig begradigt. Während der neue Strip schnurgerade verlief, führte die alte Route durch eine Trümmerlandschaft. Dort wirkte die Stadt auf einem kurzen Wegstück still und verlassen wie unbewohntes Niemandsland.

In genau diesem Niemandsland schloss der Mann in dem dunkelblauen Anzug zu den Zielpersonen auf. Sie liefen zu viert nebeneinander her, langsam, als hätten sie ein Ziel, aber keine Eile, es zu erreichen. Neagley ging links außen, Reacher und O'Donnell befanden sich in der Mitte, und Dixon bildete den rechten Flügel. Dicht nebeneinander, ohne sich jedoch zu berühren. Wie eine Marschkolonne, die den gesamten Gehsteig einnahm. Gemeinsam bildeten sie eine gut drei Meter breite Zielscheibe. Es war Neagley gewesen, die sich für den alten Gehweg entschieden hatte, und die anderen waren ihr einfach gefolgt.

Der Mann in dem Anzug zog seine Pistole aus der rechten Tasche seines Jacketts. Die Waffe war eine südkoreanische Daewoo DP 51: schwarz, klein, illegal beschafft, nicht registriert, nicht nachweisbar. Ihr Magazin enthielt dreizehn Neun-Millimeter-Patronen. Sie wurde in der Art getragen, die ihr Besitzer aus langer beruflicher Erfahrung als einzig sichere Transportmöglichkeit betrachtete: gesichert und mit leerer Kammer.

Er hielt die Pistole in der rechten Hand, betätigte probeweise den Abzug und plante den Ablauf. Er beschloss, Prioritäten zu setzen und die größten Ziele zuerst zu erledigen. Also ein Schuss mitten in Reachers Rücken, dann ein kleiner Schwenk nach rechts zu O'Donnell, danach ein radikaler Zielwechsel auf Neagley, zuletzt einer auf Dixon. Vier Schüsse, vielleicht drei weitere, alle aus sieben bis acht Metern – dicht genug, um sicher zu treffen, aber nicht so nahe, dass extreme Schwenks erforderlich gewesen wären.

So würde er mit etwas über zwanzig Grad auskommen. Einfache Geometrie. Eine einfache Aufgabe. Kein Problem.

Er sah nach vorn.

Niemand.

Er sah sich um.

Niemand.

Er entsicherte die Waffe, packte den Lauf der Daewoo mit der Linken und zog mit der rechten Hand den Schlitten zurück. Spürte, wie die erste dicke Patrone nach oben in die Kammer gedrückt wurde.

Die Nacht war von allen möglichen städtischen Geräuschen erfüllt. Der Verkehr auf dem Strip, auf Hochhausdächern brummende Klimaanlagen, surrende Ventilatoren, das gedämpfte Grollen von hunderttausend eifrig spielenden Menschen. Aber Reacher hörte, wie sieben bis acht Meter hinter ihm der Schlitten einer Pistole zurückgezogen wurde. Er vernahm es sehr deutlich. Es war genau das Geräusch, das niemals zu überhören er sich anerzogen hatte. Für seine Ohren war dies eine komplexe, nur Bruchteile von Sekunden dauernde Symphonie, deren einzelne Bestandteile er genau registrierte. Das Gleiten von Metall auf Metall, dessen Resonanz durch eine fleischige Handfläche, einen Daumenballen und die Seite eines Zeigefingers teilweise gedämpft wurde, die dankbare Ausdehnung der Magazinfeder, das satte Klatschen, mit dem eine Messingpatrone in der Kammer landete, das Zurückgleiten des Schlittens.

Diese Geräusche brauchten etwa eine Dreißigstelsekunde, um seine Ohren zu erreichen, und er benötigte ungefähr eine weitere Dreißigstelsekunde, um sie zu verarbeiten.

In seinem Leben und seiner Biografie fehlte vieles. Stabilität oder Normalität, Behaglichkeit oder Konvention hatte er nie gekannt. Er hatte nie etwas außer Überraschung, Unberechenbarkeit und Gefahr gekannt. Er nahm alles, wie es kam, akzeptierte alles zum Nennwert. Als er hörte, wie der Schlitten zurückgezogen wurde, empfand er deshalb keinen lähmenden Schock. Keine Panik. Kein ungläubiges Staunen. Er hielt es für ganz normal und vernünftig, dass er nachts eine Straße entlangging und hinter sich einen Mann hörte, der ihn in den Rücken schießen wollte. Es gab kein Zögern, keine Mutmaßungen, keine Selbstzweifel, kein Stocken. Es gab nur ein rein mechanisches Problem zu lösen, das hinter ihm aus Zeit und Raum, Zielen, schnellen Kugeln und langsamen Körpern ein unsichtbares vierdimensionales Diagramm darzustellen schien.

Und dann seine Reaktion, wieder eine Dreißigstelsekunde später.

Er wusste, wem die erste Kugel gelten würde. Er wusste, dass jeder vernünftige Angreifer mit der größten Zielperson anfangen würde. Das legte der gesunde Menschenverstand nahe. Also würde der erste Schuss ihm gelten.

Oder vielleicht O'Donnell.

Vorsicht ist besser als Nachsicht.

Er rammte O'Donnell seinen rechten Ellbogen so gegen den linken Oberarm, dass er gegen Dixon fiel, und prallte dann nach links fallend gegen Neagley. Sie stolperten beide, und als er auf die Knie sank, hörte er hinter sich einen Schuss und spürte die Kugel durch die Lücke pfeifen, die eben noch durch seinen Rücken ausgefüllt gewesen war.

Bevor seine Knie den Gehsteig berührten, umfasste seine Rechte bereits die Hardballer. Während er sie aus der Tasche zog, berechnete er schon Schusswinkel und -bahnen. Die Pistole hatte zwei Sicherungen. Einen herkömmlichen Sicherungshebel auf der linken Seite und eine Griffsicherung, die entsichert war, wenn der Griff richtig gehalten wurde.

Aber schon bevor er die Waffe entsichert hatte, war er entschlossen, nicht zu schießen.

Zumindest nicht gleich.

Er war mit Neagley halb unter sich auf der Innenseite des Gehsteigs gelandet. Ihr Angreifer befand sich mitten auf dem Gehweg. Jede Kugel, die vom Gehwegrand aus durch seine Mitte ging, war in Richtung Straße unterwegs. Verfehlte er den Kerl, konnte er ein vorbeifahrendes Auto treffen. Doch selbst wenn er den Mann nicht verfehlte, konnte er eines treffen. Ein Stahlmantelgeschoss Kaliber .45 konnte Fleisch und Knochen durchschlagen. Mühelos. Reichlich Energie. Reichlich Durchschlagskraft.

Er entschied sich blitzschnell dafür, auf O'Donnell zu warten.

O'Donnels Schusswinkel war besser. Viel besser. Er war auf Dixon gefallen, lag mit ihr am Bordstein, fast im Rinnstein. Von dort aus würde er nach innen schießen. Auf die Rohbauten. Ein Fehltreffer oder ein Durchschuss konnten keinen Schaden anrichten. Die Kugel würde in einem Sandhaufen stecken bleiben.

Also war es besser, O'Donnell schießen zu lassen.

Reacher verdrehte seinen Körper, als er aufschlug. Er befand sich wieder in der Zone, in der sein Verstand auf Hochtouren arbeitete, aber die physische Welt sich im Zeitlupentempo bewegte. Er hatte das Gefühl, sein Körper stecke in einem riesigen Melassekessel fest. Er brüllte ihn an, sich zu beeilen, aber sein Körper reagierte nur widerstrebend und äußerst langsam. Neben ihm ging Neagley mit Zeitlupenpräzision im Staub zu Boden. Aus dem Augenwinkel heraus sah er sie mit der Schulter aufprallen, wobei die Bewegungsenergie ihren Kopf wie den einer Stoffpuppe hin und her schleuderte. Er drehte den eigenen Kopf, der mit schweren Gewichten belastet zu sein schien, mit gewaltiger Anstrengung zur Seite und sah Dixon unter O'Donnell ausgestreckt liegen.

Als Nächstes sah er, wie O'Donnells linker Arm sich quälend langsam bewegte. Sah seine Hand. Sah seinen Daumen die Hardballer entsichern.

Ihr Angreifer drückte erneut ab.

Und schoss wieder daneben. Statt O'Donnell in den Rücken zu treffen, ging sein vorausgeplanter Schuss ins Leere. Der Kerl hielt sich an eine eingeübte Sequenz. *Schießen-schwenken-schießen,* Reacher und O'Donnell zuerst. Ein vernünftiger Plan, aber der Kerl war außerstande, auf unerwartete Veränderungen zu reagieren. Er dachte langsam, konventionell und war weiter auf die Ausgangslage fixiert. Gut, aber nicht gut genug.

Reacher verfolgte, wie O'Donnells Hand den Griff seiner Pistole umklammerte, sein Zeigefinger Druckpunkt nahm, die Mündung höher, immer höher kam.

Er sah O'Donnell abdrücken.

Ein Schuss aus der Bewegung heraus, aus einem noch unruhigen Gewirr aus Armen und Beinen auf dem Gehsteig. O'Donnell hatte abgedrückt, noch bevor sein Körper zur Ruhe gekommen war.

Zu tief, dachte Reacher. *Das ist bestenfalls eine Beinverletzung.*

Er zwang seinen Kopf in die andere Richtung. Er hatte recht, der Angreifer hatte eine Beinverletzung. Aber ein Beindurchschuss mit einem Hochgeschwindigkeitsstahlmantelgeschoss Kaliber .45 war keine Kleinigkeit. Er wirkte, als hätte jemand eine starke Bohrmaschine mit einem dreißig Zentimeter langen 15-mm-Steinbohrer bestückt und damit das Bein durchbohrt. In weniger als einer Tausendstelsekunde. Die Schäden waren spektakulär. Der Kerl erlitt einen Oberschenkeldurchschuss, und sein Schenkelknochen explodierte wie von einer Bombendetonation von innen heraus. Gewaltiges Trauma. Lähmender Schock. Augenblicklicher katastrophaler Blutverlust aus zerfetzten Arterien.

Der Kerl stand noch, aber seine Hand mit der Pistole sank kraftlos herab. O'Donnell war sofort auf den Beinen. Er rappelte sich auf, griff in eine Tasche seines Jacketts, legte die sieben, acht Meter im Spurt zurück und knallte dem Kerl seinen Schlagring ins Gesicht. Eine rechte Gerade mit neunzig Kilo Körpermasse dahinter. Als träfe man eine Wassermelone mit einem Vorschlaghammer.

Der Kerl fiel auf den Rücken. O'Donnell beförderte seine Pistole mit einem Tritt zur Seite, dann ging er neben ihm in die Hocke und rammte ihm die Mündung seiner Hardballer unters Kinn.

Spiel aus, basta.

46

Reacher half Dixon beim Aufstehen. Neagley rappelte sich allein hoch. O'Donnell bewegte sich in engen Kreisen, während er versuchte, außerhalb der großen Lache zu bleiben, die sich durch das Blut aus dem Bein des Kerls gebildet hatte. Die Oberschenkelschlagader war offenbar zerfetzt. Ein gesundes menschliches Herz ist eine ziemlich leistungsfähige Pumpe, und das dieses Kerls war damit beschäftigt, seinen Blutvorrat auf die Straße zu befördern. Ein Mann seiner Größe hatte vermutlich sechs bis sieben Liter Blut, die größtenteils schon herausgepumpt waren.

»Bleib weg, Dave«, rief Reacher. »Lass ihn verbluten. Hat keinen Zweck, sich die Schuhe zu ruinieren.«

»Wer ist er?«, fragte Dixon.

»Das erfahren wir vielleicht nie«, sagte Neagley. »Sein Gesicht ist praktisch nicht zu erkennen.«

Sie hatte recht. O'Donnells Schlagring aus Keramikmaterial hatte ganze Arbeit geleistet. Der Typ sah aus, als wäre er mit Hämmern und Messern überfallen worden. Reacher ging in weitem Bogen um ihn herum, packte ihn am Kragen und schleifte ihn rückwärts. Dabei wurde die Blutlache tropfenförmig. Reacher nutzte die trockenen Gehsteigplatten, ging in die Hocke und durchsuchte die Taschen des Mannes.

Sie enthielten nichts.

Keine Geldbörse, keinen Ausweis, gar nichts.

Nur Autoschlüssel und eine Fernbedienung an einem einfachen Stahlring.

Der Kerl war blass und wurde allmählich blau. An seiner Halsschlagader ertastete Reacher noch einen schwachen, unregelmäßigen Puls. Das aus seinem Oberschenkel quellende Blut wurde schaumig. Die Adern enthielten jetzt viel Luft. Blut heraus, Luft hinein. Einfache Physik. Die Natur scheut die Leere.

»Er macht's nicht mehr lange«, meinte Reacher.

»Gut geschossen, Dave«, sagte Dixon.

»Noch dazu mit links«, sagte O'Donnell. »Was ihr hoffentlich bemerkt habt.«

»Du bist Rechtshänder.«

»Ich bin auf den rechten Arm gefallen.«

»Klasse gemacht«, sagte Reacher.

»Was hast du gehört?«

»Den Schlitten. Das hängt mit der Evolution zusammen. Als ob ein Raubtier auf einen dürren Zweig träte.«

»Es hat also Vorteile, dem Höhlenmenschen näher zu sein als wir anderen?«

»Und ob!«

»Aber wer macht so was? Wer greift mit nicht durchgeladener Waffe an?«

Reacher trat einen Schritt zurück, um sich den Mann genau ansehen zu können.

»Ich glaube, ich erkenne ihn«, sagte er.

»Wie denn?«, fragte Dixon. »Seine eigene Mutter würde ihn nicht wiedererkennen.«

»An seinem Anzug«, antwortete Reacher. »Den habe ich schon mal gesehen, glaube ich.«

»Hier?«

»Weiß ich nicht. Irgendwo. Kann mich nicht erinnern.«

»Denk weiter nach.«

O'Donnell sagte: »Ich habe diesen Anzug noch nie gesehen.«

»Ich auch nicht«, sagte Neagley.

»Ebenfalls«, sagte Dixon. »Aber das ist eigentlich ein gutes Zeichen, stimmt's? In L.A. hat niemand versucht, uns umzulegen. Anscheinend kommen wir näher heran.«

Reacher warf Neagley die Pistole und die Autoschlüssel des Kerls zu und riss ein Feld des Bauzauns ein. Damit wenig Spuren entstanden, schleppte er den Mann so schnell wie möglich durch die Lücke. Reacher schleifte ihn zwischen Kiesbergen über den unebenen Boden, bis er einen breiten Graben mit einer Sperrholzschalung erreichte. Der Boden dieses ungefähr zweieinhalb Meter tiefen Fundamentgrabens, der mit Beton ausgegossen werden sollte, war mit Kies bedeckt. Reacher wälzte den Kerl über den Grabenrand. Er fiel zweieinhalb Meter tief, schlug schwer auf und blieb halb auf der Seite liegen.

»Sucht Schaufeln«, sagte Reacher. »Wir müssen ihn mit Kies zudecken.«

Dixon fragte: »Ist er schon tot?«

»Wen kümmert's?«

O'Donnell sagte: »Wir sollten ihn auf den Rücken drehen. Dann brauchen wir weniger Kies.«

»Meldest du dich freiwillig?«, fragte Reacher.

»Ich hab einen guten Anzug und im Übrigen als Einziger schwer gearbeitet.«

Also zuckte Reacher mit den Schultern und sprang in den Graben hinunter. Beförderte den Kerl mit einem Tritt auf den Rücken, trampelte ihn flach und versenkte ihn so zum Teil in dem schon vorhandenen Kies. Dann kletterte er wieder nach oben, wo O'Donnell ihm eine Schaufel reichte. Jeder von ihnen musste zwanzigmal zum nächsten Kieshaufen, bis der Kerl wirklich nicht mehr zu sehen war. Neagley fand ein Standrohr, rollte den Schlauch aus und stellte das Wasser an. Damit spritzte sie den Gehsteig ab und spülte wässriges Blut in den Rinnstein. Dann wartete sie, folgte den anderen rückwärtsgehend von der Baustelle und spritzte ihre Fußabdrücke von dem sandigen Boden.

Reacher setzte das Stück Bauzaun wieder ein, drehte sich einmal um sich selbst und begutachtete den Tatort. *Nicht perfekt, aber brauchbar.* Er wusste, dass es hier für kompetente Spurensicherer genug zu finden gegeben hätte, aber er sah nichts, was auf den ersten Blick auffällig gewesen wäre. Ihnen blieb ein gewisser Spielraum. Zumindest ein paar Stunden, vielleicht auch länger. Vielleicht wurde der Graben morgen bei Arbeitsbeginn mit Beton gefüllt, und der Kerl würde sich einfach in einen weiteren Vermissten verwandeln. Nicht der einzige Vermisste, der in Las Vegas einbetoniert war, vermutete Reacher.

Er atmete aus.

»Okay«, sagte er. »*Jetzt* nehmen wir uns den Rest der Nacht frei.«

Sie klopften den Staub aus ihren Sachen und gingen weiter den Strip entlang: langsam, zu viert nebeneinander und bereit, sich zu entspannen. In der Hotelhalle wartete jedoch Wright auf sie. Der Sicherheitsmanager des Hauses. Für einen Typen aus Vegas hatte er kein tolles Pokergesicht. Man sah ihm sofort an, dass er wegen irgendetwas nervös war.

47

Wright hastete auf sie zu, als sie hereinkamen, und führte sie in dieselbe ruhige Ecke der Hotelhalle, in der sie zuvor miteinander gesprochen hatten.

»Azhari Mahmoud ist in keinem der hiesigen Hotels«, erklärte er. »Das steht fest. Auch Andrew MacBride und Anthony Matthews nicht.«

Reacher nickte.

»Danke, dass Sie das überprüft haben«, sagte er.

Wright sagte: »Und ich habe am Telefon ein paar Panikgespräche mit meinen Kollegen geführt, um nicht die ganze Nacht wach liegen und mir Sorgen machen zu müssen. Und wissen Sie, was ich rausgekriegt habe? Ihr Leute habt nur Scheiß erzählt. Auf gar keinen Fall ist diese Stadt in den vergangenen vier Monaten um fünfundsechzig Millionen Dollar betrogen worden. Das ist einfach nicht passiert.«

»Wissen Sie das bestimmt?«

Wright nickte. »Alle Kasinos haben ihren Cashflow stichprobenartig überprüft. Und dabei hat sich nichts ergeben. Die üblichen kleinen Schwankungen, das war alles. Sonst nichts. Meine Prozac-Rechnung schicke ich Ihnen. Heute Nacht habe ich praktisch eine Überdosis geschluckt.«

Sie fanden eine von der Hotelhalle aus zugängliche Bar, luden sich gegenseitig zum Bier ein und saßen nebeneinander an vier beleuchteten Spielautomaten. Das Gerät vor Reacher simulierte wieder und wieder einen verlockend großen Jackpotgewinn. Die vier Walzen hielten bei vier Kirschen an, und Lichter blinkten, blitzten und jagten über die ganze Front hintereinander her. Vier Walzen mit jeweils acht Symbolen. Auch ohne die heimliche Intervention des Mikroprozessors astronomisch geringe Gewinnchancen. Reacher versuchte auszurechnen, wie viele Tonnen Quarter ein Spieler einwerfen musste, bevor ihm der erste Hauptgewinn sicher war. Aber er wusste nicht genau, wie viel ein Quarter wog. Bestimmt nur ein paar Gramm, die sich aber rasch addieren würden. Die Folgen lagen auf der Hand: Muskelkater, Sehnenscheidenentzündung, Schäden durch gleichförmig wiederholte Bewegungen. Er fragte sich, ob Kasinobesitzer Anteile an orthopädischen Kliniken besaßen. Vermutlich.

Dixon sagte: »Wright wusste gleich, dass die gesamte Branche an diesem Betrug beteiligt sein müsste. Das hat er auch gesagt. Geber, Croupiers, Sicherheitspersonal, Kameras, Videos, Kassierer. Von dort aus ist's nur noch ein kleiner Schritt zu der Idee, der registrierte Cashflow lasse sich verfälschen. Sie könnten ein Trojanerprogramm installiert haben, das alles koscher erscheinen lässt, solange sie darauf angewiesen sind. Genau das würde ich tun.«

Reacher fragte: »Wann würde der Betrug auffliegen?«

»Wenn am Ende ihres Geschäftsjahrs Bilanz gezogen wird. Dann ist das Geld entweder da – oder eben nicht.«

»Wie könnten Sanchez und Orozco schon früher davon erfahren haben?«

»Vielleicht haben sie sich weiter unten in der Nahrungskette eingeklinkt und den Rest extrapoliert.«

»Wer müsste daran beteiligt sein?«

»Leute in Schlüsselpositionen.«

»Wie Wright selbst?«

»Möglicherweise«, sagte Dixon.

O'Donnell meinte: »Wir haben mit ihm geredet, und eine halbe Stunde später hat jemand versucht, uns von hinten zu erschießen.«

»Wir müssen Sanchez' Freundin finden«, erklärte Neagley. »Bevor es jemand anders tut.«

»Geht nicht«, sagte Reacher. »Keine Bar gibt einer Gruppe Unbekannter die Adresse eines ihrer Mädchen.«

»Wir könnten ihnen sagen, dass sie in Gefahr ist.«

»Als ob sie das noch nie gehört hätten.«

»Auf irgendeine andere Weise«, meinte Dixon. »Mit der UPS-Masche.«

»Wir wissen ihren Familiennamen nicht.«

»Was tun wir also?«

»Vorerst gar nichts. Wir warten auf morgen Vormittag.«

»Sollen wir das Hotel wechseln? Für den Fall, dass Wright zu den bösen Kerlen gehört?«

»Zwecklos. Dann hätte er in ganz Vegas Komplizen. Sperrt einfach eure Türen ab.«

Reacher befolgte den eigenen Ratschlag, als er sein Zimmer betrat. Er legte den Schließhebel um und hängte die Sicherheitskette ein. Keine wirkungsvollen Mittel gegen einen entschlossenen Gegner, aber damit gewann man ein paar Sekunden Zeit, und mehr als ein paar Sekunden brauchte Reacher im Allgemeinen nicht.

Die Hardballer kam in die Nachttischschublade. Er legte seine Kleidung unter die Matratze, um sie zu »bügeln«, und duschte lange und heiß. Dann begann er, an Karla Dixon zu denken.

Sie war allein.

Vielleicht gefiel ihr das nicht.

Vielleicht würde sie sich zu zweit sicherer fühlen.

Reacher wickelte sich ein Badetuch um die Taille und ging barfuß ans Telefon. Aber bevor er es erreichte, wurde an seine Tür geklopft. Er änderte seinen Kurs, ignorierte den Spion. Er mochte es nicht, sein ungeschütztes Auge ans Glas zu bringen. Für einen draußen lauernden Angreifer wäre es ein Leichtes gewesen abzuwarten, bis die Linse sich verdunkelte, und dann mit einer großkalibrigen Waffe auf sie zu schießen. Das Ergebnis wäre schlimm gewesen: das Geschoss, dazu Glas- und Metallsplitter, alle durchs Auge und ins Gehirn und am Hinterkopf wieder hinaus. Nein, Spione waren eine schlechte Erfindung, fand Reacher.

Er hakte die Kette aus und legte den Hebel um. Öffnete die Tür.

Karla Dixon.

Sie war noch immer vollständig bekleidet. Das musste sie natürlich sein, um durch Korridore gehen und mit dem Aufzug fahren zu können.

»Darf ich reinkommen?«, fragte sie.

»Ich wollte dich eben anrufen«, sagte Reacher.

»Ah?«

»Ich war auf dem Weg zum Telefon.«

»Warum?«

»Einsam.«

»Du?«

»Ich bestimmt. Du hoffentlich.«

»Darf ich also reinkommen?«

Er hielt die Tür weit auf. Sie kam herein. Binnen einer Minute entdeckte er, dass eine Bluse nicht das Einzige war, was sie unter dem Hosenanzug nicht trug.

Morgens um halb neun klingelte das Telefon auf seinem Nachttisch. Neagley war am Apparat.

»Dixon ist nicht in ihrem Zimmer«, sagte sie.

»Vielleicht trainiert sie«, entgegnete Reacher. »Oder joggt oder sonst was.«

Dixon lächelte und kuschelte sich an ihn.

Neagley sagte: »Dixon trainiert nicht.«

»Dann steht sie vielleicht unter der Dusche.«

»Ich hab schon zweimal versucht, sie anzurufen.«

»Keine Aufregung. Ich versuch's mal. Wir treffen uns in einer halben Stunde unten zum Frühstück.«

Er legte auf. Dann übergab er den Hörer Dixon und wies sie an, bis sechzig zu zählen, anschließend Neagley anzurufen und ihr zu erklären, sie komme gerade aus dem Bad. Eine halbe Stunde später frühstückten sie alle gemeinsam in dem vom Lärm der Spielautomaten erfüllten Hotelrestaurant. Eine weitere Stunde später waren sie wieder auf dem Strip und zu der Bar mit der Feuergrube unterwegs.

48

Las Vegas am späten Vormittag wirkte in der grellen Wüstensonne klein, flach und exponiert. Das Licht war erbarmungslos. Es enttarnte jeden Fehler, jeden faulen Kompromiss. Was nachts wie genialischer Impressionismus ausgesehen hatte, erwies sich tagsüber als plumpe Fälschung. Der Strip selbst hätte jede abgefahrene vierspurige Stadtstraße in Amerika sein können. Diesmal bewegten sie sich als geschlossene Vierergruppe: zwei voraus, zwei dahinter, ein kleineres Gesamtziel, wachsam und ständig darüber informiert, wen sie vor und hinter sich hatten.

Aber vor oder hinter ihnen ging niemand. Der Verkehr war überschaubar, die Gehsteige waren leer. Um diese Tageszeit herrschte in Vegas beinahe Stille.

Auch auf der Großbaustelle auf halber Strecke rührte sich nichts.

Sie war verwaist.

Menschenleer.

»Ist heute Sonntag?«, fragte Reacher.

»Nein«, antwortete O'Donnell.

»Feiertag?«

»Nein.«

»Warum arbeiten sie dann nicht?«

Hier waren keine Cops zu sehen. Kein Absperrband, das einen Tatort sicherte. Keine großen Ermittlungen. Einfach nichts. Reacher konnte sehen, wo er in der Nacht zuvor ein Stück des Bauzauns eingerissen hatte. Dahinter war der Erdboden schlammig, wo Neagley ihn mit dem Schlauch abgespritzt hatte. Auf dem alten Gehsteig zeichnete sich ein riesiger angetrockneter Fleck ab. Im Rinnstein führte noch eine dünne rötliche Schlammspur zum nächsten Gully. Alles ziemlich unordentlich, aber Großbaustellen waren nie ordentlich. *Nicht perfekt, aber brauchbar.* Hier gab es nichts, was Passanten ins Auge gefallen wäre.

»Verrückt«, sagte Reacher.

»Vielleicht ist ihnen das Geld ausgegangen«, meinte O'Donnell.

»Schlimm. Der Kerl fängt bestimmt bald zu riechen an.«

Sie gingen weiter. Diesmal wussten sie genau, wohin sie wollten, fanden bei Tageslicht eine Abkürzung durch das Labyrinth aus Schlängelstraßen und erreichten die noch nicht geöffnete Bar mit der Feuergrube aus einer anderen Richtung. Sie setzten sich auf eine niedrige Stützmauer, warteten und blinzelten in der Sonne. Es war sehr warm, fast heiß.

»Zweihundertelf klare Tage pro Jahr in Vegas«, dozierte Dixon.

»Höchsttemperatur im Sommer einundvierzig Grad.«

»Tiefsttemperatur im Winter zwei Grad.«

»Hundert Millimeter Regen im Jahr.«

»Fünfundzwanzig Millimeter Schnee – manchmal.«

»Ich bin noch immer nicht dazugekommen, den Reiseführer zu lesen«, sagte Neagley.

Als die Uhr in Reachers Kopf dann 11.40 Uhr anzeigte, erschienen die ersten Leute zur Arbeit. Sie kamen einzeln, zu zweit oder in lockeren Gruppen die Straße entlang: Männer und Frauen, die sich langsam, ohne sichtbaren Enthusiasmus bewegten. Als sie vorbeigingen, fragte Reacher alle Frauen, ob ihr Name Milena sei. Alle sagten Nein.

Dann wurde es auf dem Gehweg wieder still.

Um neun vor zwölf tauchte die nächste Gruppe auf. Reacher erkannte, dass er den Busfahrplan in Aktion beobachtete. Drei Frauen schlenderten an ihnen vorbei. Jung, müde, unauffällig gekleidet, mit großen weißen Sneakers an den Füßen.

Keine von ihnen hieß Milena.

Die Uhr in Reachers Kopf lief weiter. Eine Minute vor zwölf. Neagley sah auf ihre Armbanduhr.

»Machst du dir schon Sorgen?«, fragte sie.

»Nein«, erwiderte Reacher, weil er über ihre Schulter hinweg eine junge Frau entdeckte, die Milena sein musste. Sie war ungefähr fünfzig Meter weit entfernt, hatte es ein bisschen eilig. Sie war klein und zierlich, ein südländischer Typ, und trug ausgebleichte Low-rider-Jeans und ein kurzes T-Shirt. In ihrem Nabel glitzerte ein falscher Edelstein. Über einer Schulter trug sie einen blauen Nylonrucksack. Pechschwarzes langes Haar umrahmte das hübsche Gesicht einer Zwanzigjährigen. Aber nach ihrer Art, sich zu bewegen, schätzte Reacher sie eher auf dreißig. Sie wirkte müde und schien in Gedanken woanders zu sein.

Sie sah unglücklich aus.

Als sie bis auf fünf Meter herangekommen war, erhob sich Reacher von der Mauer und fragte: »Milena?« Sie machte mit der plötzlichen Besorgnis halt, die jede Frau empfinden würde, wenn sie auf der Straße von einem großen unbekannten Mann angesprochen würde. Sie schaute nach vorn zum Eingang der Bar und dann zum anderen Gehsteig hinüber, als versuchte sie, sich ihre Chancen für eine rasche Flucht auszurechnen. Dabei stolperte sie leicht, wie zwischen ihrem Bedürfnis, stehen zu bleiben, und ihrem Fluchtbedürfnis hin- und hergerissen.

Reacher sagte: »Wir sind Freunde von Jorge.«

Sie sah ihn an, dann betrachtete sie die anderen, dann blickte sie wieder zu ihm auf. In ihrer Miene zeichnete sich allmähliches Verstehen ab: erst Verwirrung, dann Hoffnung, dann Ungläubigkeit und zuletzt Akzeptanz. Wie bei einem Pokerspieler, vermutete Reacher, wenn er in seinem Blatt das vierte Ass aufdeckt.

In ihrem Blick lag eine Art stummer Befriedigung, als hätte eine Hoffnung sich entgegen allen Erwartungen als wahr erwiesen.

»Sie sind von der Army«, sagte sie. »Er hat mir erzählt, dass Sie kommen würden.«

»Wann?«

»Oh, dauernd. Er hat gesagt, wenn er jemals Schwierigkeiten hätte, würden Sie früher oder später aufkreuzen.«

»Und jetzt sind wir da. Wo können wir miteinander reden?«

»Ich will drinnen nur rasch sagen, dass ich heute etwas später komme.« Sie lächelte ein wenig verlegen, machte einen Bogen um die vier und verschwand in der Bar. Kam drei Minuten später wieder heraus, bewegte sich rascher, trug den Kopf höher und hatte die Schultern gestrafft, als wäre eine Last von ihr abgefallen. Als wäre sie nicht länger allein. Sie wirkte jung, aber lebenstüchtig. Sie hatte klare braune Augen, einen glatten Teint und die schmalen, sehnigen Hände einer Frau, denen schwere Arbeit nicht fremd war.

»Lassen Sie mich raten«, sagte die junge Frau. Sie sah zu Neagley. »Sie müssen Neagley sein.« Sie nickte Dixon zu. »Also sind Sie Karla.« Dann wandte sie sich Reacher und O'Donnell zu und sagte: »Reacher und O'Donnell, stimmt's? Der Große und der Gutaussehende.« O'Donnell lächelte ihr zu. Sie schaute wieder zu Reacher auf und sagte: »Ich habe gehört, dass Sie letzte Nacht hier nach mir gefragt haben.«

Reacher sagte: »Wir wollten mit Ihnen über Jorge reden.«

Milena holte tief Luft, schluckte und fragte: »Er ist tot, stimmt's?«

»Wahrscheinlich«, antwortete Reacher. »Dass Manuel Orozco tot ist, wissen wir bestimmt.«

Die junge Frau sagte: »Nein!«

Reacher sagte: »Tut mir leid.«

Dixon fragte: »Wo können wir hingehen, um miteinander zu reden.«

»Am besten gehen wir zu Jorge«, schlug Milena vor. »In seine Wohnung. Sie sollten sie sehen.«

»Wir haben gehört, dass sie verwüstet worden ist.«

»Ich habe ein bisschen aufgeräumt.«

»Ist's weit bis dorthin?«

»Wir können zu Fuß gehen.«

Sie liefen zu fünft in einer Reihe nebeneinander den Strip entlang zurück. Die Großbaustelle war noch immer verwaist. Keine Aktivitäten. Andererseits auch kein Auflauf. Und keine Cops. Milena fragte noch zweimal, ob Sanchez wirklich tot sei, als könnte die Wiederholung dieser Frage irgendwann die gewünschte Antwort bringen. Beide Male antwortete Reacher: »Wahrscheinlich.«

»Aber Sie wissen's nicht bestimmt?«

»Seine Leiche ist noch nicht gefunden worden.«

»Aber Orozcos schon?«

»Ja. Wir haben sie gesehen.«

»Was ist mit Calvin Franz und Tony Swan? Warum sind sie nicht hier?«

»Franz ist tot. Swan vermutlich auch.«

»Bestimmt?«

»Franz bestimmt.«

»Aber nicht Swan?«

»Nicht sicher.«

»Und auch Jorge nicht bestimmt?«

»Nicht bestimmt. Aber wahrscheinlich.«

»Okay.« Sie ging weiter, weigerte sich zu kapitulieren, weigerte sich, die Hoffnung aufzugeben. Sie passierten ein Luxushotel nach dem anderen und durchquerten auf wenigen hundert Metern Strecke gezeichnete Kopien der großen Städte der Welt. Dann sahen sie Apartmentgebäude. Milena führte sie nach links, dann wieder nach rechts auf eine Parallelstraße. Sie blieb im Schatten der Markise stehen, unter der sich der Eingang eines Gebäudes befand, das vier Renovierungszyklen zuvor die beste Adresse der Stadt gewesen sein mochte.

»Hier wohnt er«, sagte sie. »Ich habe einen Schlüssel.«

Milena ließ ihren Rucksack von der Schulter gleiten, wühlte darin herum und brachte eine Geldbörse zum Vorschein. Sie zog den Reißverschluss auf und holte einen leicht angelaufenen Messingschlüssel heraus.

»Wie lange haben Sie ihn gekannt?«, fragte Reacher.

Sie machte eine lange Pause, als würde sie darüber nachdenken, ob sie die Vergangenheitsform benutzen müsse, und versuchen, eine Möglichkeit zu finden, sie weniger definitiv klingen zu lassen.

»Wir haben uns vor ein paar Jahren kennengelernt«, sagte sie.

Die junge Frau führte sie in die Eingangshalle. Dort saß ein Portier an einem Schreibtisch. Er begrüßte sie, als würde er sie schon länger kennen. Milena ging zum Aufzug voraus. Sie fuhren in den neunten Stock und wandten sich in dem Korridor nach rechts. Blieben vor einer grün gestrichenen Wohnungstür stehen.

Milena benutzte ihren Schlüssel.

Das Apartment war keine riesige Luxuswohnung, aber auch nicht klein. Zwei Schlafzimmer, ein Wohnzimmer, Küche und Bad. Schlicht möbliert, hauptsächlich weiß, nur wenige kräftige Farben, ein bisschen altmodisch. Riesige Fenster. Früher musste die Aussicht auf die Wüste atemberaubend gewesen sein, aber heute versperrte einem ein neuerer Wohnblock in der nächsten Querstraße den Blick.

Die Wohnung eines Mannes: nüchtern, schmucklos, in keiner Weise modern.

Und völlig verwüstet.

Sie hatte Ähnliches mitgemacht wie Calvin Franz' Büro in der Ladenzeile. Wände, Boden und Decke bestanden aus Beton und hatten deshalb nicht gelitten, aber ansonsten war sie ähnlich demoliert. Alle Polster waren aufgeschlitzt, alle Möbel kurz und klein geschlagen. Sessel, Sofas, ein Schreibtisch, ein Tisch. Überall lagen Bücher, Papiere und CDs verstreut. Der Fernseher und die Stereoanlage waren zertrümmert, Teppiche aufgehoben und zur Seite geworfen worden. Die Küche war nahezu völlig zerstört.

Milenas Aufräumen hatte sich darauf beschränkt, einige Trümmer am Rand zu stapeln und einen Bruchteil der Daunen wieder in die aufgeschlitzten Polster zu stopfen. Einen kleinen Teil der Bücher und Papiere hatte sie vor den zertrümmerten Regalen, aus denen sie stammten, aufgetürmt. Ansonsten hatte sie nicht viel tun können. Eine hoffnungslose Aufgabe.

In der Küche fand Reacher den Mülleimer, in dem nach Curtis Mauneys Auskunft die zerknüllte Serviette lag. Der Eimer war aus seiner Halterung unter dem Ausguss gerissen und mit einem Fußtritt quer durch den Raum befördert worden. Sein Inhalt schien zum Teil herausgefallen zu sein, zum Teil auch nicht.

»Hier haben sich Leute mehr abreagiert, als effizient zu suchen«, erklärte Reacher. »Zerstörung praktisch um ihrer selbst willen. Als wären sie ebenso wütend wie besorgt gewesen.«

»Genau«, sagte Neagley.

Reacher öffnete die Tür, die ins Elternschlafzimmer führte. Das Bettgestell war zertrümmert, die Matratze aufgeschlitzt. Die Sachen aus dem Kleiderschrank lagen auf dem Boden verstreut. Die Kleiderstangen waren verbogen, die Regalbretter herausgerissen. Jorge Sanchez war von Natur aus ein ordentlicher Mensch gewesen, und diese Eigenschaft wurde durch seine Dienstzeit in der Army noch gefördert. Nichts von ihm schien in seiner Wohnung mehr übrig zu sein. Keine Spur, kein Echo.

Milena bewegte sich ziellos durch die Wohnung, schichtete weitere Sachen provisorisch auf und machte ab und zu eine Pause, um in einem Buch zu blättern oder sich ein Foto anzusehen. Sie schob das ruinierte Sofa mit der Hüfte auf seinen angestammten Platz, obwohl niemals jemand wieder darauf sitzen würde.

Reacher fragte sie: »Sind die Cops hier gewesen?«

»Ja«, antwortete sie.

»Haben sie irgendwelche Vermutungen angestellt?«

»Sie glauben, dass die Leute, die das hier angerichtet haben, als Wartungstechniker verkleidet waren. Kabel oder Telefon.«

»Okay.«

»Aber ich denke, dass sie den Portier bestochen haben. Das wäre einfacher gewesen.«

Reacher nickte. *Vegas, die Stadt der Tricks und Finten.* »Hatten die Cops einen Verdacht, warum das passiert ist?«

»Nein«, sagte sie.

»Wann haben Sie Jorge zuletzt gesehen?«, wollte er wissen.

»Wir haben zu Abend gegessen«, sagte sie. »Hier. Chinesisches Essen zum Mitnehmen.«

»Wann?«

»An seinem letzten Abend in Vegas.«

»Sie waren also hier?«

»Wir waren nur zu zweit.«

Reacher sagte: »Er hat sich etwas auf einer Serviette notiert.«

Milena nickte.

»Weil jemand ihn angerufen hat?«
Milena nickte erneut.
Reacher fragte: »Wer hat ihn angerufen?«
Milena sagte: »Calvin Franz.«

49

Milena war so wackelig auf den Beinen, dass Reacher mit einem Unterarm die Porzellansplitter von der Arbeitsfläche in der Küche wischte, damit sie sich setzen konnte. Sie stemmte sich hoch und saß mit nach außen gedrehten Ellbogen auf ihren Händen, die sie flach auf dem Resopal liegend unter ihre Oberschenkel geschoben hatte.

Reacher sagte: »Wir müssen wissen, woran Jorge gearbeitet hat. Wir müssen wissen, was hinter diesen ganzen Scherereien steckt.«

»Ich weiß nicht, was es war.«

»Aber Sie waren manchmal mit ihm zusammen.«

»Sogar oft.«

»Und Sie haben ihn gut gekannt.«

»Sehr gut.«

»Über Jahre hinweg.«

»Mit kleinen Unterbrechungen.«

»Also muss er mit Ihnen über seine Arbeit geredet haben.«

»Ständig.«

»Was hat ihm also Sorgen gemacht?«

Milena sagte: »Das Geschäft ist schlecht gegangen. Das hat ihm Sorgen gemacht.«

»Sein hiesiges Geschäft? In Vegas?«

Milena nickte. »Zu Anfang ist's großartig gelaufen. Vor Jahren waren sie immer ausgelastet. Sie hatten einen Haufen

Verträge. Aber die großen Betriebe haben sie nacheinander abserviert, und alle haben ihre eigenen Sicherheitsdienste aufgebaut. Jorge hat gemeint, das ist unvermeidlich. Ab einer gewissen Größe ist das vernünftiger.«

»Wir haben in unserem Hotel mit einem Mann gesprochen, der gesagt hat, Jorge sei sehr beschäftigt gewesen. Wie ein einarmiger Tapezierer.«

Milena lächelte schwach. »Der Mann ist nur höflich gewesen. Jorge hat gute Miene zum bösen Spiel gemacht. Manuel Orozco auch. Anfangs haben sie erklärt: Wir schummeln, bis wir's geschafft haben. Später dann: Wir schummeln, weil wir's jetzt nicht mehr schaffen. Sie haben den Schein gewahrt. Sie waren zu stolz, um zu betteln.«

»Was wollen Sie damit sagen? Dass alles den Bach runtergegangen ist?«

»Im Eiltempo. Ab und zu haben sie etwas Muskelarbeit bekommen. Türsteher in verschiedenen Klubs, Falschspieler aus der Stadt befördern, solches Zeug. Manchmal haben sie auch Hotels beraten. Aber nicht mehr oft. Diese Leute glauben immer, sie wüssten alles besser, auch wenn's nicht stimmt.«

»Haben Sie gesehen, was Jorge auf die Serviette geschrieben hat?«

»Natürlich. Ich hab das Geschirr abgeräumt, als er gegangen war. Er hat sich Zahlen notiert.«

»Was haben sie bedeutet?«

»Keine Ahnung. Aber er war ihretwegen sehr besorgt.«

»Was hat er als Nächstes getan? Nachdem Franz ihn angerufen hatte?«

»Er hat Manuel Orozco angerufen. Sofort. Auch Orozco war wegen der Zahlen sehr besorgt.«

»Wie hat alles angefangen? Wer ist zu ihnen gekommen?«

»Zu ihnen gekommen?«

Reacher fragte: »Wer war ihr Klient?«

Milena starrte ihn forschend an. Dann drehte sie sich etwas zur Seite und musterte O'Donnell, dann Dixon und zuletzt Neagley.

»Sie hören nicht zu«, sagte sie. »Sie hatten keine richtigen Klienten. Schon lange nicht mehr.«

»Irgendetwas muss passiert sein«, insistierte Reacher.

»Ich weiß nicht, was Sie meinen.«

»Ich meine, dass jemand mit einem Problem zu ihnen gekommen sein muss. Vielleicht irgendwo bei der Arbeit, vielleicht im Büro.«

»Ich weiß nicht, wer das gewesen sein soll.«

»Jorge hat nichts davon erzählt?«

»Nein. An einem Tag haben sie noch untätig herumgesessen, am nächsten sind sie rumgerannt, als hätten sie Hummeln im Hintern. So haben sie's immer genannt. Hummeln im Hintern, nicht einarmige Tapezierer.«

»Aber Sie wissen nicht, warum?«

Milena schüttelte den Kopf. »Mir haben sie's nicht erzählt.«

»Wer könnte sonst etwas wissen?«

»Orozcos Frau vielleicht.«

50

In dem verwüsteten Apartment wurde es sehr still. Reacher starrte Milena verblüfft an und fragte: »Manuel Orozco war verheiratet?«

Milena nickte. »Sie haben drei Kinder.«

Reacher sah zu Neagley hinüber und fragte: »Wieso haben wir das nicht gewusst?«

»Ich kann nicht alles wissen«, erwiderte Neagley.

»Mauney haben wir erzählt, die nächste Angehörige sei seine Schwester.«

Dixon fragte: »Wo hat Orozco gewohnt?«
»Hier die Straße entlang«, sagte Milena. »In einem ganz ähnlichen Gebäude.«

Milena führte sie einen halben Kilometer weiter vom Stadtzentrum weg zu einem Apartmentgebäude auf der anderen Seite derselben Straße. Es sah Sanchez' Gebäude sehr ähnlich. Das gleiche Alter, der gleiche Stil, dieselbe Bauweise, dieselbe Größe, eine blaue Markise über dem Gehsteig, wo die von Sanchez' Gebäude grün gewesen war.
Reacher fragte: »Wie heißt seine Frau mit Vornamen?«
»Tammy«, antwortete Milena.
»Ist sie jetzt zu Hause?«
Milena nickte. »Sie schläft wahrscheinlich. Sie arbeitet nachts. In einem Kasino. Sie kommt heim, bringt die Kinder zum Schulbus und geht dann sofort ins Bett.«
»Heute müssen wir sie leider wecken.«

Geweckt wurde sie dann von dem Portier des Gebäudes. Er telefonierte aus dem Foyer nach oben. Nach langem Klingeln meldete sich jemand. Der Pförtner nannte Milenas Namen und fügte Reachers, Neagleys, Dixons und O'Donnells hinzu. Der Mann hatte mitbekommen, in welcher Stimmung sie waren, und sprach sehr ernst. Er ließ keinen Zweifel daran, dass dieser Besuch nichts Gutes bedeutete.
Nun entstand eine weitere lange Pause. Reacher vermutete, dass Tammy Orozco die vier neuen Namen mit den nostalgischen Erinnerungen ihres Ehemanns verglich und zwei und zwei zusammenzählte. Dann würde sie vermutlich in ihren Morgenrock schlüpfen. Er hatte schon früher Witwen besucht. Er wusste, wie so etwas ablief.
»Sie möchten bitte hinaufkommen«, sagte der Portier.
Sie fuhren in der kleinen Aufzugkabine zusammengedrängt in den siebten Stock, folgten dem Korridor nach

links und machten vor einer blauen Tür halt. Sie stand bereits einen Spaltweit offen. Milena klopfte trotzdem an und führte sie dann hinein.

Tammy Orozco war eine kleine zusammengekauerte Gestalt auf dem Sofa. Wild zerzauste schwarze Mähne, blasser Teint, schwarz-weiß karierter Morgenrock. Sie musste um die vierzig sein, sah aber im Augenblick eher wie sechzig aus. Jetzt hob sie den Kopf. Sie ignorierte Reacher, O'Donnell, Dixon und Neagley völlig, sah sie nicht einmal an. Es ging eine gewisse Feindseligkeit von ihr aus. Nicht nur Eifersucht oder vage Ressentiments wie bei Angela Franz, sondern wirklicher Zorn. Sie starrte Milena an und fragte: »Manuel ist tot, nicht wahr?«

Milena setzte sich neben sie und entgegnete: »Das sagen diese Leute. Tut mir schrecklich leid.«

Tammy fragte: »Jorge auch?«

Milena erwiderte: »Das wissen wir noch nicht.«

Die beiden Frauen umarmten sich und weinten. Reacher ließ ihnen Zeit. Er wusste, wie so etwas ablief. Die Wohnung schien größer zu sein als Sanchez' Apartment. Vermutlich drei Schlafzimmer, anderer Zuschnitt, andere Ausrichtung. Die Luft war abgestanden, roch nach Fritten. Hier wirkte alles abgenutzt und unordentlich. Vielleicht weil die Wohnung drei Wochen zuvor verwüstet worden war, vielleicht aber auch, weil hier, wo zwei Erwachsene und drei Kinder lebten, schon immer Chaos geherrscht hatte. Auch wenn Reacher nicht viel von Kindern verstand, ließen die überall herumliegenden Bücher, Spielsachen und Kleidungsstücke darauf schließen, dass Orozcos drei noch ziemlich klein waren. Er sah Puppen, Teddybären, Videospiele und komplizierte Konstruktionen aus Legosteinen. Also mussten die Kinder ungefähr neun, sieben und fünf Jahre alt sein. Jedenfalls waren sie alle erst nach seinem Militärdienst geboren worden. In der Army war Orozco nicht verheiratet gewesen. Zumindest das wusste Reacher ziemlich sicher.

Endlich sah Tammy Orozco wieder auf und fragte: »Wie ist es passiert?«

Reacher antwortete: »Die Polizei kennt alle Einzelheiten.«

»Hat er leiden müssen?«

»Er war sofort tot«, sagte Reacher, wie er vor langem gelernt hatte. Das wurde von allen Gefallenen behauptet, wenn es sich nicht direkt widerlegen ließ. Für die Hinterbliebenen war das angeblich ein Trost und bei Orozco nicht einmal gelogen. Allerdings erst nach der Entführung, den Misshandlungen, dem Hunger und Durst, dem Hubschrauberflug und dem zwanzig Sekunden dauernden langen freien Fall.

»Warum ist das passiert?«, fragte Tammy.

»Das versuchen wir herauszubekommen.«

»Das sollten Sie auch. Das ist das Mindeste, was Sie tun können.«

»Deswegen sind wir hier.«

»Aber hier gibt's keine Antworten.«

»Es muss welche geben. Angefangen mit dem Klienten.«

Tammys rot geweinte Augen blickten verständnislos zu Milena.

»Klient?«, fragte sie dann. »Sie wissen noch nicht, wer's war?«

»Nein«, sagte Reacher. »Sonst wären wir nicht hier, um Fragen zu stellen.«

»Sie hatten keine Klienten«, sagte Milena stellvertretend für Tammy. »Schon lange nicht mehr. Das habe ich Ihnen bereits erklärt.«

»Diese Sache hat mit irgendetwas angefangen«, beharrte Reacher. »Jemand ist in ihrem Büro oder in einem der Kasinos mit einem Problem zu ihnen gekommen. Wir müssen herausfinden, wer das war.«

»Das ist nicht passiert«, sagte Tammy.

»Dann sind sie wahrscheinlich selbst über das Problem gestolpert. In diesem Fall müssen wir wissen, wo, wann und wie.«

Nun folgte langes Schweigen, bis Tammy es unterbrach: »Sie verstehen wirklich nichts, was? Diese Sache hatte nichts mit ihnen zu tun. Überhaupt nichts. Sie hatte auch nichts mit Vegas zu tun.«

»Wirklich nicht?«

»Nein.«

»Wie hat sie also angefangen?«

»Mit einem Hilferuf«, antwortete Tammy. »So hat sie angefangen. Mit einem Anruf, der plötzlich aus heiterem Himmel gekommen ist. Von einem eurer Leute in Kalifornien. Von einem eurer geschätzten alten Kameraden aus der Army.«

51

Azhari Mahmoud warf Andrew McBrides Reisepass auf der Fahrt zu dem Lastwagenverleih U-Haul in einen Müllbehälter und verwandelte sich in Anthony Matthews. Er hatte einen Packen gültiger Kreditkarten und einen auf diesen Namen ausgestellten Führerschein in der Tasche. Die Adresse auf dem Führerschein hätte jeder Überprüfung standgehalten. Sie bezeichnete ein reales Gebäude, ein bewohntes Haus, nicht nur einen Briefkasten oder ein unbebautes Grundstück. Die Rechnungsanschrift für Kreditkartenbelastungen war damit identisch. Im Lauf der Jahre hatte Mahmoud viel dazugelernt.

Er hatte beschlossen, einen mittelgroßen Lastwagen zu mieten. Im Allgemeinen bevorzugte er in allem den Mittelweg, die mittlere Ausführung. Sie war weniger auffällig.

Angestellte erinnerten sich an Leute, die etwas in größter oder kleinster Ausführung verlangt hatten, und ein mittelgroßer Lastwagen reichte für seine Zwecke aus. Seine mathematischen Fähigkeiten waren bescheiden, aber für einfache Rechnungen genügten sie. Er wusste, dass der Rauminhalt sich aus Länge mal Breite mal Höhe ergab. Somit ließen sich sechshundertfünfzig Kartons dreizehn lang, zehn breit und fünf hoch aufstapeln. Anfangs hatte er geglaubt, zehn Kartons seien für jeden Lastwagen zu breit, aber dann war ihm klar geworden, dass er die Breite verringern konnte, indem er die Schmalseiten aneinanderstellte. So würde es klappen.

Tatsächlich wusste er, dass alles klappen würde, weil er die am Flughafen gewonnenen hundert Quarter noch in der Tasche hatte.

Sie sprachen Tammy Orozco ihr Beileid aus, gaben ihr Curtis Mauneys Namen und ließen sie allein auf ihrem Sofa zurück. Dann begleiteten sie Milena zu der Bar, ihrer Arbeitsstelle, zurück. Sie musste sich ihren Lebensunterhalt verdienen und hatte an diesem Tag schon drei Stunden gefehlt. Sie sagte, sie könne entlassen werden, wenn sie den Ansturm zur Happy Hour am Spätnachmittag verpasse. Auf dem Strip herrschte um diese Zeit etwas mehr Leben. Aber die Großbaustelle schien weiterhin verwaist. Dort gab es keinerlei Aktivitäten. Die Schlammspur im Rinnstein war endlich getrocknet. Die Sonne brannte zwar nicht herab, aber der Tag war trotzdem warm. Reacher begann darüber nachzudenken, wie tief der Kerl wirklich vergraben war. Auch über Verwesung, Gase, Gerüche und neugierige Tiere.

»Gibt's hier Kojoten?«, fragte er.

»In der Stadt?«, sagte Milena. »Ich habe noch nie einen gesehen.«

»Okay.«

»Warum?«

»Nur so aus Interesse.«

Sie gingen weiter. Nahmen dieselbe Abkürzung wie zuvor und erreichten die Bar wenige Minuten nach fünfzehn Uhr.

»Tammy ist zornig«, sagte Milena. »Das tut mir leid.«

»Es war zu erwarten«, meinte Reacher.

»Sie befand sich in der Wohnung, als die Mistkerle die Wohnung durchsuchen wollten. Schlafend im Bett. Man hat ihr einen Schlag auf den Kopf verpasst, sodass sie eine Woche lang bewusstlos war. Sie kann sich an nichts erinnern. Jetzt macht sie den unbekannten Anrufer für alle ihre Schwierigkeiten verantwortlich.«

»Begreiflich«, sagte Reacher.

»Aber ich werfe Ihnen nichts vor«, erklärte Milena. »Von Ihnen hat keiner angerufen. Ich vermute, dass die eine Hälfte von Ihnen in diese Sache verwickelt war – und die andere eben nicht.«

Sie verschwand in der Bar, ohne sich noch einmal umzusehen. Reacher wandte sich ab und hockte sich wieder auf die Stützmauer, auf der sie morgens gesessen hatten.

»Tut mir leid, Leute«, sagte er. »Wir haben gerade einen Haufen Zeit vergeudet. Allein meine Schuld.«

Niemand antwortete.

»Neagley sollte das Kommando übernehmen«, fuhr er fort. »Ich bin nicht mehr in Form.«

»Mahmoud ist hierhergekommen«, wandte Dixon ein. »Nicht nach L.A.«

»Vielleicht ist er nur umgestiegen und in diesem Augenblick in L.A.«

»Wieso ist er nicht direkt hingeflogen?«

»Wieso benutzt er vier falsche Pässe? Weil er vor allem vorsichtig ist. Er genießt es, falsche Spuren zu legen.«

»Wir sind hier überfallen worden«, stellte Dixon fest. »Nicht in L.A. Das passt nicht zusammen.«

»Wir haben gemeinsam beschlossen herzukommen«, bemerkte O'Donnell. »Keiner hat widersprochen.«

Reacher hörte eine Sirene auf dem Strip. Nicht das Messinggebimmel eines Löschfahrzeugs, nicht das hektische Heulen eines Krankenwagens. Ein Cop Car, das es eilig hatte. Er stand auf, tat ein paar Schritte nach rechts, legte eine Hand über die Augen und beobachtete das sichtbare kurze Stück des Strips. Ein Cop hat nichts zu bedeuten, dachte er. War ein Baupolier endlich zur Arbeit gekommen und hatte die Leiche entdeckt, würde ein ganzer Konvoi vorbeirasen.

Er wartete.

Nichts. Keine weiteren Sirenen. Keine weiteren Cops. Kein Konvoi. Vielleicht nur ein Einsatz an einem Unfallort. Er machte noch einen Schritt, um sein Gesichtsfeld zu erweitern, um sicherzugehen. Entdeckte hinter der Ecke eines Lebensmittelmarkts etwas rot und blau aufblitzen. Ein in der Sonne geparktes Auto. Die rote Kunststoffabdeckung einer Schlussleuchte. Eine dunkelblau lackierte Stoßstange.

Ein Auto.

Dunkelblauer Lack.

Er sagte: »Ich weiß, wo ich diesen Kerl schon mal gesehen habe.«

52

Sie umstanden den Chrysler in vorsichtigem und respektvollem Abstand, als wäre er ein von Kordeln umgebenes Ausstellungsstück in einem Museum für moderne Kunst. Ein 300C, dunkelblau, kalifornisches Kennzeichen. Der Wagen stand dicht am Randstein geparkt, von der Fahrt etwas staubig. Neagley holte die Schlüssel, die Reacher dem Sterbenden abgenommen hatte, aus ihrer Umhängetasche und betätigte die Fernbedienung.

Die Blinker des dunkelblauen Chryslers leuchteten auf, als seine Türen entriegelt wurden.

»Er hat hinter dem Château Marmont gestanden«, erklärte Reacher. »Einfach nur in Warteposition. Am Steuer hat derselbe Kerl gesessen. Sein Anzug hatte die gleiche Farbe wie die Lackierung. Ich habe ihn für den Chauffeur einer Mietwagenfirma gehalten, die originell sein wollte.«

»Die anderen haben ihnen gesagt, dass wir kommen würden«, sagte O'Donnell. »Anfangs vermutlich als Drohung und später dann zur eigenen Beruhigung. Deshalb haben sie den Kerl losgeschickt, um uns zu erledigen. Er hat uns kurz nach unserer Ankunft auf dem Gehsteig entdeckt. Plötzlich hatte er alle vier vor sich. Welch ein Glück!«

»Meinst du?«, fragte Reacher. »Dann wünsche ich allen unseren Feinden noch viel mehr Glück.«

Er öffnete die Fahrertür. Das tadellos saubere Wageninnere roch nach Kunststoff und neuem Leder. Im Türfach steckten ordentlich zusammengefaltete Straßenkarten. Das war alles. Er glitt hinein und öffnete das Handschuhfach, holte eine Geldbörse und ein Handy heraus. Mehr enthielt es nicht. Keinen Fahrzeugschein, keinen Versicherungsnachweis. Keine Betriebsanleitung. Nur eine Geldbörse und ein Mobiltelefon. Die Geldbörse war ein schmales Lederrechteck, das in jede Anzugtasche passte. Sie enthielt einen Klappbügel für Geldscheine und auf der anderen Seite Fächer für Kreditkarten. In dem Bügel steckten über siebenhundert Dollar – hauptsächlich Zwanziger und Fünfziger. Reacher nahm das Geld an sich, steckte es in seine Tasche.

»Das sind weitere zwei Wochen, bevor ich einen Job finden muss«, meinte er. »Keine Wolke ohne Silberrand.«

Er wandte sich den Kartenfächern zu. Sie enthielten einen gültigen kalifornischen Führerschein und vier Kreditkarten: zwei von Visa, eine von Amex und eine MasterCard. Alle noch mindestens zwei Jahre gültig. Der Führerschein und die vier Karten waren auf einen Mann namens Saropian ausgestellt. Die auf dem Führerschein angegebene Adresse – eine fünfstellige Hausnummer, eine Straße in L.A. und eine Postleitzahl – sagte Reacher nichts.

Er ließ die Geldbörse auf den Beifahrersitz fallen.

Das Mobiltelefon war ein dünnes silbernes Klapphandy mit einem runden LCD-Fenster auf der Vorderseite. Es hatte hier sehr guten Empfang, aber sein Akku war ziemlich leer. Als Reacher es aufklappte, leuchtete das große farbige Display auf und zeigte fünf eingegangene Nachrichten an.

Er übergab das Handy Neagley.

»Kannst du diese Nachrichten lesen?«, fragte er.

»Nicht ohne seine PIN.«

»Sieh dir die angerufenen Nummern an.«

Neagley blätterte in den Menüs und wählte eine Option aus.

»Alle ein- und abgehenden Gespräche sind von derselben Nummer gekommen oder mit ihr geführt worden«, sagte sie. »Mit der Vorwahl 310. Das ist Los Angeles.«

»Festnetz oder Mobilfunk?«

»Könnte beides sein.«

»Ein Untergebener, der seinem Boss Meldung erstattet?«

Neagley nickte. »Und umgekehrt. Ein Boss, der einem Untergebenen Befehle erteilt.«

»Könnte dein Mann in Chicago den Namen und die Adresse des Bosses rauskriegen?«

»Irgendwann schon.«

»Okay, dann soll er gleich damit anfangen. Auch mit dem Kennzeichen dieses Wagens.«

Neagley benutzte ihr eigenes Handy, um ihren Assistenten anzurufen. Reacher klappte die Mittelkonsole auf, aber das Fach enthielt nur einen Kugelschreiber und das Netzteil des Handys. Er kontrollierte auch das Fach in der hinteren Armlehne. Es war leer. Er stieg aus und warf einen Blick in den Kofferraum. Reserverad, Wagenheber, Kreuzschlüssel. Sonst nichts.

»Kein Gepäck«, erklärte er. »Dieser Kerl hat keinen langen Trip geplant und wohl geglaubt, wir seien leicht zu erledigen.«

»Fast hätte es ja geklappt«, meinte Dixon.

Neagley klappte das Handy des toten Kerls zu und gab es Reacher zurück. Er legte es neben die Geldbörse auf dem Beifahrersitz.

Dann griff er wieder danach.

»Diese Sache läuft irgendwie verkehrt«, sagte er. »Stimmt's? Wir wissen nicht, wer diesen Kerl hergeschickt hat – oder woher oder weshalb.«

»Aber?«, fragte Dixon.

»Aber wir haben seine Nummer, wer immer er auch ist. Wenn wir wollten, könnten wir ihn anrufen und hallo sagen.«

»Wollen wir denn?«

»Ja, ich glaube schon.«

53

Um Ruhe zu haben, setzten sie sich in den geparkten Chrysler. Seine wuchtigen, schweren Türen schlossen dicht und verliehen dem Wageninneren die intime Atmosphäre, die eine Luxuslimousine bieten sollte. Reacher klappte das Handy des toten Mannes auf, rief sein letztes Gespräch auf und drückte die grüne Taste, um diese Nummer erneut zu wählen. Dann hielt er sich das Mobiltelefon ans Ohr und wartete. Und hörte zu. Er hatte nie ein Handy besessen, wusste jedoch, wie ein

Anruf ablief. Leute fühlten ihr Handy vibrieren oder hörten es klingeln, angelten es aus der Tasche, sahen aufs Display, um festzustellen, wer sie anrief, und überlegten dann, ob sie den Anruf entgegennehmen sollten oder nicht. Insgesamt dauerte das viel länger als bei einem gewöhnlichen Telefon. Mindestens fünf bis sechs Klingelzeichen lang.

Das Telefon klingelte einmal.

Zweimal.

Dreimal.

Dann wurde der Anruf hastig, sehr hastig beantwortet.

Eine Stimme fragte: »Wo, zum Teufel, haben Sie gesteckt?«

Die Stimme war tief. Ein Mann, nicht jung, nicht klein. Hinter der vorwurfsvollen Hastigkeit steckte ein gebildeter Westküstenakzent, professionell, aber mit deutlichen Spuren einer auf der Straße erworbenen Ruppigkeit. Reacher gab keine Antwort. Er horchte angestrengt auf Hintergrundgeräusche vom anderen Ende. Aber er hörte nichts. Keinen Laut. Nur Stille wie in einem geschlossenen Raum oder einem ruhigen Büro.

Die Stimme sagte: »Hallo? Wo, zum Teufel, sind Sie? Was ist passiert?«

»Wer sind *Sie?*«, fragte Reacher, als hätte er jedes Recht dazu. Als wäre er ohne sein Zutun falsch verbunden worden.

Aber der Typ biss nicht an. Er hatte die Anrufidentifizierung gesehen.

»Nein, wer sind *Sie?*«, fragte er langsam.

Reacher machte eine kurze Pause, dann sagte er: »Ihr Mann hat letzte Nacht versagt. Er ist tot und buchstäblich begraben. Als Nächster sind Sie dran.«

Am anderen Ende herrschte eine Weile Schweigen. Dann fragte die Stimme: »Reacher?«

»Sie kennen meinen Namen?«, fragte Reacher. »Dann ist's nicht fair, dass ich Ihren nicht weiß.«

»Niemand hat jemals gesagt, das Leben sei fair.«

»Richtig. Aber fair oder nicht, genießen Sie den Rest, der Ihnen noch bleibt. Besorgen Sie sich eine Flasche Wein, leihen Sie sich eine DVD. Aber keine ganze Box. Sie haben noch ungefähr zwei Tage zu leben. Maximal.«

»An mich kommen Sie nicht heran.«

»Sehen Sie aus Ihrem Fenster.«

Reacher hörte eine plötzliche Bewegung. Das Rascheln eines Jacketts, der Schwenk eines Drehstuhls. Ein Büro. *Ein Kerl in einem Anzug. Ein Schreibtisch, an dem er mit dem Rücken zum Fenster sitzt.*

Davon gibt's im Bereich der Vorwahl 310 nur ungefähr eine Million.

»An mich kommen Sie nicht heran«, wiederholte die Stimme.

»Wir sehen uns bald«, sagte Reacher. »Dann machen wir gemeinsam einen Hubschrauberflug. Genau wie die vorigen. Aber mit einem großen Unterschied. Meine Freunde wollten nicht raus, nehme ich an. Aber Sie werden darum bitten, springen zu dürfen. Sie werden darum betteln. Das kann ich Ihnen versprechen.«

Dann klappte er das Handy zu und ließ es in seinen Schoß fallen.

In dem Chrysler war es still.

»Erste Eindrücke?«, fragte Neagley.

Reacher atmete aus.

»Eine Führungskraft«, sagte er. »Ein wichtiger Mann. Ein Boss. Nicht dumm. Normale Stimme. Einzelbüro mit Fenster und geschlossener Tür.«

»Wo?«

»Nicht festzustellen. Keine Hintergrundgeräusche. Kein Verkehr, keine Flugzeuge. Und dass ich seine Nummer habe, scheint ihn nicht besonders zu beunruhigen. Sein Handy ist garantiert unter falschem Namen angemeldet. Dieser Wagen bestimmt auch.«

»Was machen wir jetzt?«

»Wir fahren nach L.A. zurück. Wir hätten dort bleiben sollen.«

»Hier geht's um Swan«, sagte O'Donnell. »Richtig? Wir können die Sache nicht so hinbiegen, als ginge es um Franz; um Sanchez oder Orozco geht's erst recht nicht. Was bleibt also übrig? Er muss sofort nach seinem Ausscheiden bei New Age etwas Neues angefangen haben. Vielleicht hat der neue Job schon auf ihn gewartet.«

Reacher nickte. »Wir müssen mit seinem ehemaligen Boss reden, ihn fragen, ob Swan vor seinem Weggang mit ihm über irgendwelche privaten Sorgen gesprochen hat.« Er wandte sich an Neagley. »Du musst ein neues Treffen mit Diana Bond vereinbaren. Mit dieser Frau aus Washington. Wegen New Age und Little Wing. Wir brauchen ein Druckmittel. Swans ehemaliger Boss packt vielleicht eher aus, wenn er weiß, dass wir etwas Lohnendes zu verschweigen haben. Außerdem bin ich neugierig geworden.«

»Ich auch«, sagte Neagley.

Sie klauten den Chrysler, stiegen nicht einmal aus. Reacher ließ sich von Neagley die Schlüssel geben, startete den Motor und fuhr zum Hotel. Während die anderen hineingingen, um zu packen, wartete er in der Spur für ankommende Gäste. Dieser Wagen gefiel ihm. Er war stark und leise. Der 300C spiegelte sich in der Glasfassade des Hotels. In Dunkelblau sah er gut aus. Er verfügte über eine Maschine, die zu ihm passte. Reacher machte sich mit den Armaturen vertraut, schloss das Handy des toten Kerls an sein Ladegerät an und legte es ins Ablagefach der Mittelkonsole, deren Deckel er wieder zuknallte.

Dixon trat als Erste aus der Hotelhalle. Sie ging hinter einem Pagen mit ihrem Gepäck und einem Mann vom Parkservice her, der sich beeilte, ihren Wagen zu holen. Dann erschien O'Donnell. Ihnen folgte Neagley, die eine Kreditkartenquittung in ihre Handtasche stopfte und gleichzeitig ihr Handy zuklappte.

»Wir sind fündig geworden, was den Wagen betrifft«, erklärte sie. »Er ist auf eine Scheinfirma namens Walter zugelassen, die nur aus einer Postfachadresse bei einem kommerziellen Anbieter besteht.«

»Clever«, sagte Reacher. »Walter wie in Walter Chrysler. Ich wette, dass das Handy einer Firma Alexander gehört – wie in Graham Bell.«

»Die Walter Corporation hat insgesamt sieben Autos geleast«, sagte Neagley.

Reacher nickte. »Das müssen wir im Hinterkopf behalten. Irgendwo steht massive Verstärkung bereit.«

Dixon sagte, O'Donnell werde ihr auf der Rückfahrt in ihrem Leihwagen Gesellschaft leisten. Also entriegelte Reacher den Kofferraum des Chryslers, sodass Neagley ihr Gepäck verstauen konnte, um dann rechts vorn Platz zu nehmen.

»Wo quartieren wir uns ein?«, erkundigte sich Dixon durchs offene Fenster.

»Mal woanders«, erwiderte Reacher. »Bisher haben sie uns im Wilshire und im Château Marmont gesehen. Deshalb brauchen wir jetzt einen Wechsel und die Art Unterkunft, auf die sie nicht gleich kommen. Ich schlage vor, dass wir's mit dem Dunes am Sunset versuchen.«

»Was ist das?«

»Ein Motel, wie ich es mag.«

»Wie schlimm?«

»Es ist in Ordnung, hat Betten und abschließbare Türen.«

Reacher und Neagley fuhren voraus. Bis zur Stadtgrenze herrschte dichter Verkehr, aber auf dem Freeway 15 nahm er merklich ab, und Reacher machte sich für die Fahrt durch die Wüste bereit. Der 300C fuhr lautlos und zivilisiert dahin. Neagley verbrachte die erste halbe Stunde damit, auf der Edwards Air Force Base telefonisch Fangen zu spielen, um Diana Bond zu erreichen, bevor ihr Handy keine Verbindung mehr bekam. Reacher konzentrierte sich auf die Straße vor ihm. Er war ein brauchbarer, aber kein erstklassiger Fahrer. Er hatte sich das Autofahren in der Army beigebracht, aber nie eine zivile Prüfung abgelegt, nie einen zivilen Führerschein besessen. Neagley fuhr weit besser als er. Und viel schneller. Als sie mit ihren Telefongesprächen fertig war, wurde sie vor Ungeduld ganz zappelig, sah immer wieder auf den Tacho.

»Fahr ihn, als hättest du ihn geklaut«, sagte sie. »Was ja schließlich auch stimmt.«

Also gab er etwas mehr Gas. Überholte ein paar Fahrzeuge, darunter einen mittelgroßen U-Haul-Lastwagen, der auf der rechten Fahrspur nach Westen bretterte.

Fünfzehn Kilometer vor Barstow schloss Dixon zu ihnen auf, blinkte sie an und setzte sich neben sie, während O'Donnell auf dem Beifahrersitz Essbewegungen machte. Sie aßen in dem schäbigen Restaurant, das sie bereits kannten. In weitem Umkreis gab es keine Alternativen, und sie hatten alle Hunger.

Das Essen schmeckte so schlecht wie beim ersten Mal, ihre Unterhaltung sprang von einem Thema zum nächsten. Sie sprachen hauptsächlich über Sanchez und Orozco. Wie schwierig es war, eine lebensfähige kleine Firma zu führen, besonders für ehemalige Soldaten, die mit ganz falschen Vorstellungen ins Zivilleben überwechselten. Sie erwarteten dieselben Eigenschaften, die sie bisher gekannt hatten: Offenheit, Transparenz, Ehrlichkeit, kollektive Opferbereitschaft. Reacher hatte den Eindruck, Dixon und O'Donnell sprächen zeitweise über sich selbst. Er fragte sich, wie erfolgreich sie hinter ihren Fassaden wirklich waren. Wie ihre Bilanz tatsächlich aussah, wenn es Zeit wurde, die Einkommensteuererklärung abzugeben. Und wie sie in einem Jahr aussehen würde. Dixon würde es nicht leicht haben, weil sie ihren letzten Job hingeschmissen hatte. Und O'Donnell war wegen seiner Schwester eine Zeit lang aus dem Geschäft gewesen. Nur Neagley schien keine Sorgen zu haben. Sie schien ohne Einschränkungen Erfolg zu haben – doch sie war eine von neun Personen. Das entsprach einer Erfolgsquote von nur knapp über elf Prozent bei einigen der besten Leute, die es in der Army je gegeben hatte.

Nicht gut.

Du kannst von Glück sagen, dass du dich ausgeklinkt hast, hatte Dixon gesagt.

Das denke ich meistens auch, hatte er geantwortet.

Das Einzige, was wir dir voraushaben, sind Koffer, hatte O'Donnell gemeint.

Aber was habe ich, das ihr nicht habt?, hatte Reacher erwidert.

Nach diesem Abendessen war er einer Antwort etwas näher gekommen.

Nach Barstow kamen Victorville und Lake Arrowhead. Dann ragten die Berge vor ihnen auf. Aber zuvor sahen sie rechts von der Straße das wüste Land, das der Hubschrauber überflogen hatte. Reacher nahm sich erneut vor, nicht hinzusehen – und tat es doch. Er nahm sekundenlang den Blick von der Fahrbahn und schaute nach Nordwesten. Sanchez und Swan lagen vermutlich irgendwo dort draußen. Es gab keinen Grund, etwas anderes zu glauben.

Neagleys Handy klingelte, als sie sich wieder im Sendebereich eines Mobilfunkmasts befanden. Diana Bond rief an, um mitzuteilen, sie sei in Edwards abfahrbereit. Reacher sagte: »Sie soll ins Denny's am Sunset kommen, in dem wir neulich waren.« Neagley verzog das Gesicht, aber sie sagte: »Im Vergleich zu der Bude von vorhin wirst du dir wie im Pariser Maxim's vorkommen.«

Also vereinbarte Neagley dieses Treffen. Nun gab sie etwas mehr Gas und nahm die erste lange Steigung am Mount San Antonio in Angriff. Knapp eine Stunde später mieteten sie sich im Motel Dunes ein.

Das Dunes gehörte zu der Art Unterkunft, in der kein Zimmerpreis pro Nacht auch nur annähernd dreistellig war und die Gäste eine Sicherheitsleistung für die TV-Fernbedienung hinterlegen mussten, die dann feierlich zusammen mit dem Zimmerschlüssel übergeben wurde. Reacher bezahlte die vier Zimmer mit seinem erbeuteten Geld in bar, sodass sie ihre wirklichen Namen nicht nennen und sich auch nicht ausweisen mussten. Sie parkten die beiden Wagen außer Sichtweite der Straße und versammelten sich dann in der düsteren, ziemlich heruntergekommenen Lounge neben einem Wäscheraum – so anonym, wie es vier Menschen im Los Angeles County überhaupt möglich war.

Ein Motel, wie es Reacher gefiel.

Ungefähr eine Stunde später rief Diana Bond an, um Neagley mitzuteilen, sie biege gerade auf den Parkplatz des Denny's ein.

54

Sie gingen das kurze Stück den Sunset Boulevard entlang zu Fuß, betraten das neonhelle Foyer des Schnellrestaurants und fanden dort eine hochgewachsene Blondine vor, die auf sie wartete. Sie war ganz in Schwarz gekleidet: schwarze Jacke, schwarze Bluse, schwarzer Rock, schwarze Strümpfe, schwarze Pumps mit hohen Absätzen. Ein strenger Ostküstenstil, in Kalifornien leicht deplatziert und in einem kalifornischen Denny's gänzlich fehl am Platz. Sie war schlank, attraktiv, offensichtlich intelligent, irgendwo Ende dreißig.

Sie wirkte leicht irritiert und gedankenverloren.

Sie wirkte leicht besorgt.

Neagley stellte sie den anderen vor. »Das hier ist Diana Bond«, erklärte sie. »Aus Washington, D.C., über die Edwards Air Force Base hergekommen.«

Diana Bond hatte außer einer kleinen Krokohandtasche nichts bei sich. Keinen Aktenkoffer, aber Reacher erwartete ohnehin keine Blaupausen oder Unterlagen. Sie gingen durch das schäbige Restaurant nach hinten und fanden dort einen runden Tisch. Für fünf Personen waren die Sitznischen zu klein. Als eine Bedienung erschien, bestellten sie Kaffee. Sie kam mit fünf schweren Bechern zurück, die sie aus einer Thermoskanne füllte. Nachdem jeder einen Schluck genommen hatte, herrschte Schweigen. Dann ergriff Diana Bond das Wort. Sie hielt sich nicht mit langen Vorreden auf, sagte stattdessen: »Ich könnte Sie alle verhaften lassen.«

Reacher nickte.

»Mich wundert's eigentlich, dass Sie das nicht getan haben«, erwiderte er. »Ich hatte erwartet, Sie hier von Agenten umringt anzutreffen.«

Bond sagte: »Ein Anruf bei der Defense Intelligence Agency hätte genügt.«

»Wieso haben Sie es dann nicht getan?«

»Ich versuche, zivilisiert zu sein.«

»Und loyal«, sagte Reacher. »Ihrem Boss gegenüber.«

»Und meinem Land gegenüber. Ich möchte Sie wirklich auffordern, diese Ermittlungen nicht fortzusetzen.«

Reacher entgegnete: »Dann hätten Sie eine weitere Fahrt vergebens gemacht.«

»Das würde mir nicht das Geringste ausmachen.«

»Alles von unseren Steuergeldern.«
»Ich bitte Sie!«
»Taube Ohren.«
»Ich appelliere an Ihren Patriotismus. Hier geht's um die nationale Sicherheit.«
Reacher sagte: »Wir vier haben gemeinsam sechzig Jahre in Uniform auf dem Buckel. Wie viele haben Sie?«
»Keines.«
»Wie viele hat Ihr Boss?«
»Keines.«
»Dann halten Sie die Klappe, was Patriotismus und nationale Sicherheit betrifft, okay? Dafür sind Sie nicht qualifiziert.«
»Wieso um Himmels willen brauchen Sie Informationen über Little Wing?«
»Wir hatten einen Freund, der bei New Age arbeitete. Jetzt versuchen wir, seinen Nachruf zu vervollständigen.«
»Er ist tot?«
»Wahrscheinlich.«
»Das tut mir sehr leid.«
»Danke.«
»Aber ich möchte Sie trotzdem bitten, diese Nachforschungen einzustellen.«
»Ausgeschlossen.«
Diana Bond machte eine lange Pause. Dann nickte sie.
»Okay, wir tauschen«, sagte sie. »Ich informiere Sie in groben Zügen, und Sie schwören bei diesen sechzig Jahren in Uniform, nichts davon weiterzugeben.«
»Abgemacht.«
»Und nachdem ich dieses eine Mal mit Ihnen gesprochen habe, höre ich nie wieder etwas von Ihnen.«
»Abgemacht.«
Eine weitere lange Pause, als ränge Bond mit ihrem Gewissen.

»Little Wing ist ein neuartiger Torpedo«, erklärte sie dann. »Für die U-Boote der Pazifikflotte der Navy. Weitgehend konventionell, aber mit seiner neu entwickelten Elektronik erheblich besser steuerbar.«

Reacher grinste.

»Netter Versuch«, sagte er. »Aber das nehmen wir Ihnen nicht ab.«

»Wieso nicht?«

»Ihre erste Antwort hätten wir so und so nicht geglaubt, weil sie natürlich versuchen würden, uns mit einem Bluff abzuwimmeln. Außerdem haben wir es den größten Teil der schon erwähnten sechzig Jahre mit Lügnern zu tun gehabt – folglich erkennen wir einen, wenn wir einen sehen. Des Weiteren haben wir einige dieser sechzig Jahre damit verbracht, allen möglichen Scheiß aus dem Pentagon zu lesen – folglich wissen wir, wie man sich dort ausdrückt. Ein neuer Torpedo würde viel eher Little Fish heißen. Abgesehen davon ist New Age eine Neugründung, die sich überall hätte niederlassen können, und wenn die Firma wirklich mit der Navy zu tun hatte, hätte sie sich für San Diego, Connecticut, oder Newport News, Virginia, entschieden. Aber das hat sie nicht getan. Stattdessen ist sie nach East L.A. gegangen. In der weiteren Umgebung von East L.A. gibt's nur Stützpunkte der Air Force – darunter auch die Edwards Air Force Base, wo Sie gerade herkommen –, daher ist Little Wing irgendein Flugkörper.«

Diana Bond zuckte mit den Schultern.

»Ich musste es versuchen«, sagte sie.

»Versuchen Sie's noch mal«, forderte Reacher sie auf.

Wieder eine Pause.

»Es ist eine Infanteriewaffe«, sagte sie dann. »Für die Army, nicht für die Luftwaffe. New Age befindet sich in East L.A., um in der Nähe von Fort Irwin zu sein. Aber Sie haben recht, es handelt sich um einen Flugkörper.«

»Zweck?«

»Es ist eine tragbare, von der Schulter abzuschießende Fla-Rakete. Die nächste Generation.«

»Was kann sie?«

Diana Bond schüttelte den Kopf. »Das darf ich Ihnen nicht sagen.«

»Das müssen Sie aber. Sonst ist Ihr Boss erledigt.«

»Das ist nicht fair!«

»Im Vergleich wozu?«

»Ich kann nur sagen, dass sie eine revolutionäre Neuerung darstellt.«

»Das haben wir schon oft genug gehört. Es bedeutet, dass die neue Waffe nicht schon nach sechs Monaten, sondern erst nach einem Jahr veraltet sein wird.«

»Tatsächlich rechnen wir mit zwei Jahren.«

»Was kann sie also?«

»Sie dürfen nicht die Zeitungen anrufen. Damit würden Sie Ihr Land verkaufen.«

»Stellen Sie uns auf die Probe.«

»Meinen Sie das ernst?«

»Todernst.«

»Ich kann's nicht glauben!«

»Das müssen Sie aber. Sonst braucht Ihr Boss morgen einen neuen Job. Was das betrifft, würden wir unserem Land sogar einen Gefallen tun.«

»Sie mögen ihn nicht.«

»Mag ihn denn irgendjemand?«

»Die Zeitungen würden Ihre Geschichte nicht bringen.«

»Glauben Sie?«

Bond schwieg wieder einen Moment.

»Versprechen Sie mir, dass sonst niemand davon erfährt«, sagte sie.

»Das habe ich bereits«, entgegnete Reacher.

»Die Sache ist kompliziert.«

»Nur etwas für Raketenwissenschaftler?«

»Sie kennen die Stinger?«

Reacher nickte. »Ich habe sie im Einsatz gesehen. Das haben wir alle.«

»Was tut sie?«

»Sie steuert die Wärmesignatur der heißen Triebwerksabgase an.«

»Aber von unten«, sagte Bond, »was ein entscheidender Schwachpunkt ist. Sie muss ihr Ziel im Steigflug ansteuern. Das macht sie relativ langsam und schwerfällig. Sie ist im nach unten blickenden Radar sichtbar. Ein guter Pilot kann sie ausmanövrieren. Und sie kann durch Abwehrmittel wie Düppel oder Leuchtkörper getäuscht werden.«

»Aber?«

»Die Little Wing ist revolutionär. Wie alle großen Ideen geht sie von einer sehr simplen Idee aus. Im Steigflug ignoriert sie ihr Ziel völlig. Sie greift es erst auf dem Weg nach unten an.«

»Ich verstehe«, sagte Reacher.

Bond nickte. »Im Steigflug ist sie nur eine ungelenkte Rakete, aber schnell, sehr schnell. Sie erreicht über zwanzigtausend Meter, wird dann langsamer, kippt um und beginnt zu fallen. Jetzt wird die Elektronik eingeschaltet, und sie ist auf dem Weg, ihr Ziel aufzuspüren. Sie verfügt über ein Leitwerk und Steuertriebwerke, und weil die Erdanziehungskraft den größten Teil der Arbeit übernimmt, kann sie unglaublich präzise gesteuert werden.«

»Sie stößt von oben auf ihre Beute herab«, sagte Reacher. »Wie ein Habicht.«

Bond nickte erneut.

»Mit unglaublicher Geschwindigkeit«, sagte sie. »Im hohen Überschallbereich. Sie kann ihr Ziel nicht verfehlen, und nichts kann sie aufhalten. Das Zielsuchradar von Flugzeugen schaut immer nach unten. Düppel und Leuchtkörper werden nach unten ausgestoßen. Nach heutigem Stand sind Flugzeuge von oben sehr verwundbar. Das konnten sie sich leisten, weil bisher von oben sehr wenig kam. Damit ist in Zukunft Schluss. Deshalb ist diese Sache so heikel. Vor uns liegen ungefähr zwei Jahre, in denen unsere Boden-Luft-Raketen absolut unschlagbar sein werden. Ungefähr zwei Jahre lang kann jeder, der die Little Wing einsetzt, alles abschießen, was fliegt. Vielleicht sogar etwas länger. Das hängt davon ab, wie rasch Abwehrmittel entwickelt und eingebaut werden.«

»Ihre Geschwindigkeit wird Abwehrmaßnahmen schwierig machen«, merkte Reacher an.

»Fast unmöglich«, sagte Bond. »Die menschliche Reaktionszeit ist viel zu lang. Also muss die Abwehr automatisiert werden: Wir müssen darauf vertrauen, dass Computer den Unterschied zwischen einem Vogel in zweihundert Metern Höhe, einer Little Wing in zwanzig Kilometern Höhe und einem Satelliten in zweihundert Kilometer Entfernung erkennen. Potenziell droht absolutes Chaos. Fluggesellschaften werden wegen der Gefahr von Terroranschlägen ebenfalls Abwehrmittel fordern. Aber der Himmel in der Umgebung von Flughäfen ist voller gestaffelter Verkehrsmaschinen. Fehlalarme wären die Norm, nicht die Ausnahme. Also müssten sie ihre Abwehrsysteme bei Start und Landung ausschalten – ausgerechnet dann, wenn sie am verwundbarsten sind.«

»Eine Zwickmühle«, warf Dixon ein.

»Aber nur theoretisch«, sagte O'Donnell. »Unseres Wissens funktioniert die Little Wing nicht sehr gut.«

»Darüber darf ich nicht sprechen«, sagte Bond.

»Wir haben Ihnen Verschwiegenheit zugesichert.«

»Das sind jetzt kommerzielle Geheimnisse.«

»Die natürlich viel wichtiger als Verteidigungsgeheimnisse sind.«

»Die Prototypen waren in Ordnung«, fuhr Bond fort. »Auch die Betatests sind erfolgreich verlaufen. Aber mit der Produktion gibt's Schwierigkeiten.«

»Triebwerke oder Elektronik oder beides?«

»Elektronik«, erwiderte Bond. »Die Triebwerkstechnologie ist über vierzig Jahre alt. Die Feststofftriebwerke können sie im Schlaf bauen. Das passiert in Denver, Colorado. Aber die Elektronik verursacht immer wieder Ausfälle. Hier unten in L.A. Sie haben noch nicht mal mit der Massenproduktion angefangen. Bisher werden nur Kleinserien gebaut. Aber auch die funktionieren nicht mehr richtig.«

Reacher nickte, ohne etwas zu sagen. Er starrte kurz aus dem Fenster, dann zog er einen Stapel Servietten aus dem Spender, breitete sie fächerförmig aus und schob sie wieder ordentlich zusammen. Stellte den Zuckerstreuer darauf. Das Restaurant war inzwischen ziemlich leer. Am anderen Ende des Lokals hockten zwei Männer an Einzeltischen: beide anscheinend Landschaftsgärtner, müde und zusammengesunken. Sonst keine Gäste. Draußen ging der Spätnachmittag allmählich in den Abend über. Das rot-gelbe Neonlicht der riesigen Leuchtreklame des Restaurants wurde heller und heller. Auf dem Sunset Boulevard fuhren manche Autos schon mit Licht.

»Die Little Wing folgte dem alten Muster«, sagte O'Donnell in die Stille hinein. »Ein Hirngespinst des Pentagon, das nur Geld verbrennt.«

Diana Bond sagte: »So war's nicht geplant.«

»Das ist es nie.«

»Das System ist kein Totalversager. Manche der Einheiten funktionieren.«

»Das hat's beim Gewehr M-16 auch geheißen – ein wirklicher Trost, wenn man damit auf Spähtrupp war.«

»Aber das M-16 ist irgendwann perfektioniert worden. Die Little Wing *wird* eines Tages funktionieren. Und es wird sich lohnen, darauf zu warten. Wissen Sie, was das bestgeschützte Flugzeug der Welt ist?«

Dixon antwortete: »Wahrscheinlich die Air Force One. Politikerärsche sind immer am wichtigsten.«

Bond sagte: »Die Little Wing könnte sie mühelos vom Himmel holen.«

»Na, dann los!«, warf O'Donnell ein. »Einfacher, als zur Wahl zu gehen.«

»Sie sollten das Patriotengesetz lesen. Schon dafür, dass Sie das *denken,* könnten Sie verhaftet werden.«

»Die Gefängnisse wären nicht groß genug«, sagte O'Donnell.

Ihre Kellnerin kam zurück und hielt sich in ihrer Nähe auf. Bei einem so großen Tisch hoffte sie offenbar auf etwas Lukrativeres als fünf Tassen Kaffee. Dixon und Neagley verstanden diesen Wink und bestellten Eisbecher. Diana Bond lehnte dankend ab. O'Donnell bestellte einen Hamburger. Die Kellnerin stand da und sah demonstrativ Reacher an. Er nahm sie überhaupt nicht zur Kenntnis und spielte weiter mit seinem Serviettenstapel. Stellte den Zuckerstreuer darauf, nahm ihn weg, stellte ihn wieder darauf.

»Sir?«, sagte die Bedienung.

Reacher sah auf.

»Gedeckten Apfelkuchen«, sagte er, »mit Eiscreme. Und mehr Kaffee.«

Die Kellnerin entfernte sich, und Reacher wandte sich wieder seinem Serviettenstapel zu. Diana Bond hob ihre Handtasche, die sie neben sich abgestellt hatte, vom Fußboden auf und wischte sie betont umständlich ab.

»Ich müsste zurückfahren«, erklärte sie.

»Okay«, sagte Reacher. »Vielen Dank, dass Sie gekommen sind.«

55

Diana Bond ging, um ihre lange Rückfahrt nach Edwards anzutreten. Reacher schob seinen Serviettenstapel ordentlich zusammen und stellte den Zuckerstreuer wieder genau mittig darauf. Die Nachspeisen kamen, frischer Kaffee wurde eingeschenkt und O'Donnels Burger serviert. Reacher war halb mit seinem Kuchen fertig, als er plötzlich zu essen aufhörte. Er blieb sekundenlang schweigend sitzen und starrte wieder aus dem Fenster. Dann hob er eine Hand, deutete auf den Zuckerstreuer, sah zu Neagley hinüber und fragte sie: »Weißt du, was das ist?«

»Zucker«, antwortete sie.

»Nein, ein Briefbeschwerer«, sagte er.

»Und?«

»Wer trägt eine Pistole ungeladen?«

»Jemand, der so ausgebildet worden ist.«

»Wie ein Cop. Oder ein ehemaliger Cop. Vielleicht einer, der früher beim Los Angeles Police Department war.«

»Und?«

»Die Dragon Lady bei New Age hat uns belogen. Die Leute machen sich Notizen. Sie zeichnen Strichmännchen. Mit Papier und Bleistift arbeiten sie besser. Es gibt keine völlig papierlose Umgebung.«

»Vielleicht hat sich manches geändert, seit du zuletzt einen Job hattest«, warf O'Donnell ein.

»Als wir zum ersten Mal mit ihr geredet haben, hat sie uns erzählt, Swan habe seinen Berliner-Mauer-Betonbrocken als Briefbeschwerer benutzt. Aber wer benutzt in einer völlig papierlosen Umgebung einen Briefbeschwerer?«

O'Donnell entgegnete: »Das war vielleicht bloß eine Redewendung. Briefbeschwerer, Souvenir, Schreibtischzierde, wo ist da der Unterschied?«

»Beim ersten Besuch mussten wir an der Einfahrt warten. Erinnerst du dich?«

Neagley nickte. »Aus dem Tor ist ein Lieferwagen gekommen.«

»Was für ein Lieferwagen?«

»Fotokopierer. Lieferung oder Wartung.«

»Nicht ganz einfach, in einer völlig papierlosen Umgebung Fotokopierer zu benutzen, richtig?«

Neagley schwieg.

Reacher sagte: »Hat sie in diesem Punkt gelogen, kann sie alle möglichen anderen Lügen erzählt haben.«

Niemand sprach.

Reacher sagte: »Der Sicherheitsdirektor von New Age war früher beim LAPD. Ich wette, dass das auch auf die meisten seiner Leute zutrifft. Sicherungshebel umgelegt, keine Patrone in der Kammer. Grundausbildung.«

Niemand sprach.

Reacher sagte: »Ruf Diana Bond noch mal an. Sie soll sofort zurückkommen.«

»Sie ist eben erst weggefahren«, wandte Neagley ein.

»Dann hat sie's nicht weit. Sie kann umdrehen. Ihr Wagen hat bestimmt ein Lenkrad.«

»Das wird sie nicht wollen.«

»Sie wird wollen müssen. Sag ihr, dass sonst morgen sehr viel mehr als nur der Name ihres Bosses in der Zeitung steht.«

Diana Bond brauchte etwas mehr als fünfunddreißig Minuten, um zurückzukommen. Stockender Verkehr, ungünstige Ausfahrten. Sie sahen ihren Wagen auf den Parkplatz einbiegen. Eine Minute später kam sie herein. Diesmal blieb sie stehen, funkelte Reacher wütend an.

»Wir hatten eine Vereinbarung«, sagte sie. »Ich rede einmal mit Ihnen, Sie lassen mich in Ruhe.«

»Sechs weitere Fragen«, entgegnete Reacher. »Danach lassen wir Sie in Ruhe.«

»Scheren Sie sich zum Teufel!«

»Diese Fragen sind wichtig.«

»Nicht für mich.«

»Sie sind zurückgekommen. Sie hätten weiterfahren können. Sie hätten die DIA anrufen können. Aber das haben Sie nicht getan. Machen Sie sich und uns also nichts vor. Sie werden antworten.«

Stille im Lokal. Kein Geräusch, nur das Geräusch von Autoreifen auf dem Asphalt und ein fernes Summen aus der Küche. Vielleicht von einem Geschirrspüler.

»Sechs Fragen?«, sagte Bond. »Okay, aber ich zähle mit.«

»Setzen Sie sich«, forderte Reacher sie auf. »Bestellen Sie sich eine Nachspeise.«

»Ich will kein Dessert«, sagte sie. »Nicht hier.« Aber sie setzte sich.

»Erste Frage«, begann Reacher. »Hat New Age irgendwo einen Konkurrenten mit vergleichbarer Technologie?«

Diana Bond antwortete: »Nein.«

»Niemand, der völlig frustriert und verbittert ist, weil er unterboten wurde?«

»Nein«, wiederholte Bond. »New Age hat ein einzigartiges Produkt.«

»Okay, zweite Frage. Will die Regierung wirklich, dass die Little Wing funktioniert?«

»Wieso um alles in der Welt sollte sie das nicht wollen?«

»Weil Regierungen unter Umständen davor zurückschrecken, neue Angriffsmöglichkeiten zu entwickeln, ohne die entsprechenden Abwehrmittel bereits installiert zu haben.«

»Das ist ein Argument, das ich nie gehört habe.«

»Wirklich nicht? Was wäre, wenn eine Little Wing erbeutet und nachgebaut würde? Das Pentagon weiß, wie viel

Schaden sie anrichten kann. Wollen wir riskieren, dass diese Waffe gegen uns eingesetzt werden könnte?«

»Diese Frage stellt sich nicht«, sagte Bond. »Dächten wir so, würde nie etwas Neues entwickelt. Das Manhattan Project wäre gestrichen worden, Überschalljäger, alles.«

»Okay«, fuhr Reacher fort. »Erzählen Sie mir jetzt von der Kleinserienfertigung bei New Age.«

»Ist das die dritte Frage?«

»Ja.«

»Was ist mit der Kleinserienfertigung?«

»Erklären Sie mir, wie so was abläuft. Ich habe nie in der Elektronikindustrie gearbeitet.«

»Der Zusammenbau erfolgt per Hand«, sagte Bond. »In Reinräumen sitzen Frauen mit Duschhauben an Montageplätzen und arbeiten mit Lupenbrillen und Lötkolben.«

»Zeitraubend«, bemerkte Reacher.

»Allerdings. Pro Tag ein Dutzend Einheiten, nicht Hunderte oder Tausende.«

»Ein Dutzend?«

»Mehr ist vorläufig nicht drin. Neun, zehn, zwölf oder dreizehn pro Tag.«

»Wann hat dieser Kleinserienbau begonnen?«

»Ist das die vierte Frage?«

»Ja.«

»Die Fertigung in Kleinserien läuft seit ungefähr sieben Monaten.«

»Wie hat sie geklappt?«

»Ist das die fünfte Frage?«

»Nein, eine Anschlussfrage.«

»In den ersten drei Monaten tadellos. Sie haben ihre Ziele getroffen.«

»An sechs Tagen in der Woche, stimmt's?«

»Ja.«

»Wann hat's Probleme gegeben?«

»Vor ungefähr vier Monaten.«

»Was für Probleme?«

»Ist das die letzte Frage?«

»Nein, eine weitere Anschlussfrage.«

»Nach der Montage werden die Einheiten getestet. Dabei hat's mehr und mehr Ausfälle gegeben.«

»Wer testet sie?«

»Dafür gibt's einen Leiter der Qualitätskontrolle.«

»Unabhängig?«

»Nein. Er ist der ehemalige Chefkonstrukteur der Little Wing. Jetzt ist er der Einzige, der sie testen kann, weil er als Einziger weiß, wie sie funktionieren sollte.«

»Was passiert mit den ausgesonderten Einheiten?«

»Die werden vernichtet.«

Reacher schwieg.

Diana Bond sagte: »Ich muss jetzt wirklich weiter.«

»Letzte Frage«, sagte Reacher. »Haben Sie New Age wegen dieser Probleme den Geldhahn zugedreht? Hat die Firma Leute entlassen müssen?«

»Natürlich nicht«, antwortete Bond. »Sind Sie verrückt? So funktioniert das nicht. Wir haben weiter gezahlt. Die Firma hat ihre Leute weiter beschäftigt. Das mussten wir tun. Das musste sie tun. Wir müssen dieses Ding gemeinsam einsatzbereit machen.«

56

Diana Bond ging zum zweiten Mal, und Reacher widmete sich wieder seinem Apfelkuchen. Die Äpfel waren kalt, die Kruste war ledrig und die Eiskreme zerlaufen. Aber das störte ihn nicht. Er schmeckte kaum, was er aß.

O'Donnell sagte: »Wir sollten feiern.«

»Meinst du?«, fragte Reacher.

»Natürlich sollten wir das! Wir wissen jetzt, wie alles gelaufen ist.«

»Und das bedeutet, dass wir feiern sollen?«

»Wieso denn nicht?«

»Erzähl's mir, dann wirst du's selbst merken.«

»Okay, Swan war nicht in irgendeine Privatsache verwickelt. Er hat in seiner eigenen Firma ermittelt. Er wollte herausbekommen, weshalb die Erfolgsquote nach den ersten drei Monaten so dramatisch zurückgegangen ist. Er war besorgt wegen möglicher Insiderverwicklungen. Deshalb brauchte er Unterstützung von außen, weil in seiner Firma Telefongespräche abgehört und gespeicherte Daten nach dem Zufallsprinzip kontrolliert wurden. Also hat er Franz, Sanchez und Orozco angeheuert. Wem hätte er sonst trauen sollen?«

»Und?«

»Als Erstes haben sie die Produktion analysiert. Das waren all die Zahlen, die wir gefunden haben. Sieben Monate, sechs Tage in der Woche. Danach haben sie Sabotage ausgeschlossen. New Age hatte keine Konkurrenz, die davon hätte profitieren können, und das Pentagon hat nicht hinter den Kulissen gegen die Firma gearbeitet.«

»Also?«

»Der Rest liegt auf der Hand. Sie sind zu dem Schluss gelangt, der Leiter der Qualitätssicherung habe sechshundertfünfzig intakte Einheiten fälschlicherweise ausgesondert, damit die Firma sie als vernichtet abbuchen konnte, während sie in Wirklichkeit unter der Hand zum Stückpreis von hundert Mille verkauft wurden – an einen gewissen Azhari Mahmoud oder wie er sich sonst nennt. Daher die Namenliste und die Zahlen auf Sanchez' Serviette.«

»Und?«

»Sie haben New Age vorzeitig mit ihren Ermittlungsergebnissen konfrontiert und sind dafür ermordet worden. Die Firma hat sich eine Story ausgedacht, um Swans Verschwinden zu erklären, und die Dragon Lady hat euch damit abgespeist.«

»Und nun sollen wir feiern?«

»Wir wissen jetzt, was passiert ist, Reacher. Das haben wir immer gefeiert.«

Reacher sagte nichts.

»Die Sache ist praktisch im Kasten«, erklärte O'Donnell. »Hab ich recht? Und weißt du, was fast komisch ist? Du hast gesagt, wir sollten mit Swans früherem Boss reden. Nun, ich glaube, dass wir das schon getan haben. Wer sonst sollte der Mann gewesen sein, mit dem du dieses Handygespräch geführt hast? Das war der Sicherheitsdirektor von New Age.«

»Vermutlich.«

»Wo liegt also das Problem?«

»Was hast du in diesem Hotelzimmer in Beverly Hills gesagt?«

»Weiß ich nicht mehr. Alles Mögliche.«

»Du hast gesagt, du wolltest auf die Gräber ihrer Vorfahren pissen.«

»Und das werde ich!«

»Das wirst du nicht«, widersprach Reacher. »Und ich und die anderen auch nicht. Was uns schwerfallen wird. Deshalb können wir nicht feiern.«

»Sie sind hier in der Stadt. Sie sind ein leichtes Ziel.«

»Sie haben sechshundertfünfzig funktionierende Elektronikpacke unter der Hand verkauft. Was natürlich Auswirkungen hat. Wer es auf die Technologie abgesehen hat, kauft einen Pack und baut ihn nach. Wer sechshundertfünfzig davon erwirbt, will auch die Raketen selbst. Und er kauft die Elektronik nur, weil er zur gleichen Zeit droben in Colorado die Raketen und Abschussvorrichtungen bekommt. Vor diesem Problem stehen wir hier. Irgendein Typ namens Azhari

Mahmoud besitzt jetzt sechshundertfünfzig Fla-Raketen der neuesten Generation. Unabhängig davon, wer er ist, können wir uns denken, wofür er sie verwenden will. Für irgendein großes, ein brandgefährliches Unternehmen. Also müssen wir jemanden informieren, Leute.«

Niemand sprach.

»Und nachdem wir das getan haben, wimmelt es keine Minute später von FBI-Agenten. Dann dürfen wir ohne Erlaubnis nicht mal mehr über die Straße gehen – und können erst recht nicht losziehen, um uns diese Kerle zu schnappen. Wir müssen untätig zusehen, wie sie sich Anwälte nehmen und in den kommenden zehn Jahren drei anständige Mahlzeiten pro Tag bekommen, während alle ihre Berufungsverfahren laufen.«

Niemand sprach.

»Deshalb können wir nicht feiern«, sagte Reacher. »Sie haben sich mit den Sonderermittlern angelegt, und wir können ihnen nicht das Geringste anhaben.«

57

In dieser Nacht tat Reacher kein Auge zu. Keine Minute, keine Sekunde lang. *Sie haben sich mit den Sonderermittlern angelegt, und wir können ihnen nicht das Geringste anhaben.* Er warf sich im Bett herum und lag Stunde um Stunde wach. Trotz geöffneter Augen sah er alle möglichen Trugbilder und wurde von fiebrigen Halluzinationen heimgesucht. Calvin Franz, der ging, sprach und lachte, voller Auftrieb und Energie. Jorge Sanchez, die zusammengekniffenen Augen, die Andeutung eines Lächelns, der Goldzahn und der ständige Zynismus, der auf die Dauer so beruhigend wie unerschütterliche gute Laune war. Tony Swan, klein, breit, stämmig, ernsthaft, ein durch und durch anständiger Kerl. Manuel Orozco, die absurde Tätowierung, der falsche Akzent, die Witze und das metallische Klicken des unvermeidlichen Zippos.

Lauter Freunde.

Ungerächte Freunde.

Im Stich gelassene Freunde.

Dann gelangten andere in sein Blickfeld – alle so real, als schwebten sie unter der Zimmerdecke. Angela Franz, gepflegt, sorgfältig gekleidet, mit angstvoll geweiteten Augen. Der kleine Charlie in seinem Schaukelstuhl. Milena, die wie ein Gespenst aus der grellen Sonne ins Dunkel der Bar in Vegas eintauchte. Tammy Orozco auf ihrem Sofa. Ihre drei Kinder, die auf der Suche nach ihrem Vater verwirrt durch ihre verwüstete Wohnung streiften. In Reachers Vorstellung handelte es sich um zwei Mädchen und einen Jungen im Alter von neun, sieben und fünf Jahren. Swans Hund war da: mit seinem buschigen Schwanz wedelnd und mit tiefer Stimme bellend. Sogar Swans Briefkasten, der in der Sonne von Santa Ana leuchtete, sah er.

Um fünf Uhr morgens gab Reacher auf, zog sich an und verließ das Motel. Er marschierte auf dem Sunset Boulevard zornig nach Westen, hoffte, jemand werde ihn anrempeln oder ihm in die Quere kommen, damit er schimpfen und schreien und seine Frustration abreagieren konnte. Aber auf dem Gehsteig herrschte gähnende Leere. Um fünf Uhr morgens war in L.A. niemand zu Fuß unterwegs. Auch auf dem Boulevard gab es kaum Verkehr. Nur ein paar Klapperkisten, die Arbeiter transportierten, und eine knatternde Harley mit einem fetten grauhaarigen Fahrer in Lederkluft waren unterwegs. Reacher, der den Lärm lästig fand, zeigte dem Biker den Stinkefinger. Die Harley wurde langsamer, und Reacher hoffte schon, der Kerl würde halten und Streit suchen. Doch nachdem der Biker ihn sich genauer angesehen hatte, gab er Gas und fuhr schnell davon.

Rechts voraus entdeckte Reacher ein mit Maschendraht eingezäuntes unbebautes Eckgrundstück. An einer Bushaltestelle in der Seitenstraße hatte sich eine Gruppe von Tagelöhnern versammelt, die dort auf Arbeit warteten, kleine braune Männer mit müden, stoischen Gesichtern. Sie tranken Kaffee am Wagen einer Missionsgesellschaft, der vor einer Art Bürgerzentrum stand. Reacher ging hin und zahlte hundert seiner geraubten Dollar für einen Becher Kaffee. Das sei eine Spende, erklärte er. Die Frauen hinter dem Wagen nahmen das Geld, ohne Fragen zu stellen. Sie hatten in Hollywood schon Verrückteres erlebt, vermutete er.

Der Kaffee war gut. So gut wie im Denny's. Er trank ihn in kleinen Schlucken und lehnte sich dabei an den Maschendrahtzaun des unbebauten Grundstücks. Das Drahtgeflecht gab leicht nach und stützte seinen Oberkörper wie ein Trampolin. So schwebte er dort – nicht ganz aufrecht, Kaffee im Mund, Nebel im Gehirn.

Dann löste der Nebel sich auf, und er begann nachzudenken.

Hauptsächlich über Neagley und ihren geheimnisvollen Kontaktmann im Pentagon.

Er ist mir verdammt viel schuldig, hatte sie gesagt. *Mehr, als ihr euch vorstellen könnt.*

Als er seinen Kaffee ausgetrunken und den leeren Pappbecher in den bereitstehenden Müllsack geworfen hatte, sah er einen schwachen Hoffnungsschimmer und die Umrisse eines neuen Plans. Erfolgschancen: ungefähr fifty-fifty. Besser als Roulette.

Um sechs Uhr war er wieder im Motel. Er wollte die anderen wecken, aber in ihren Zimmern meldete sich niemand. Also ging er den Sunset entlang und fand sie im Denny's. Er gesellte sich zu ihnen und bestellte Kaffee, Pfannkuchen, Schinken, Wurst, Eier, Toast und Marmelade.

»Du hast Hunger«, stellte Dixon fest.

»Wie ein Bär«, sagte er.

»Wo warst du?«

»Spazieren.«

»Konntest du nicht schlafen?«

»Nicht dran zu denken.«

Die Bedienung kam wieder an ihren Tisch und goss ihm Kaffee ein. Er nahm einen großen Schluck. Die anderen schwiegen, stocherten in ihrem Essen herum. Sie sahen müde und niedergeschlagen aus. Vermutlich hatte keiner von ihnen gut oder überhaupt geschlafen.

O'Donnell fragte: »Wann lassen wir die Bombe platzen?«

Reacher antwortete: »Vielleicht gar nicht.«

Niemand sprach.

»Grundregeln«, sagte Reacher. »Über eines müssen wir uns von Anfang an einig sein. Hat Mahmoud die Fla-Raketen schon, ist diese Sache größer als wir. Dann steht zu viel auf dem Spiel. Dann müssen wir die Zähne zusammenbeißen und die zuständigen Stellen alarmieren. Er ist ein Kriegsherr, der den gesamten Nahen Osten in eine Flugverbotszone verwandeln will, oder ein Terrorist, der eine Aktion plant, im Vergleich zu der der elfte September wie ein Tag am Strand aussehen wird. In beiden Fällen müssten wir mit Hunderten oder Tausenden von Toten rechnen. Vielleicht mit Zehntausenden. Zahlen in dieser Größenordnung haben vor unseren eigenen Interessen Vorrang. Einverstanden?«

Dixon und Neagley nickten, ohne ihn anzusehen.

O'Donnell sagte: »Da gibt's kein Wenn. Wir müssen davon ausgehen, dass Mahmoud die Raketen hat.«

»Nein«, sagte Reacher, »wir müssen davon ausgehen, dass er über die Elektronik verfügt. Ob er die Raketen und Abschussvorrichtungen schon hat, wissen wir nicht. Da stehen die Chancen fifty-fifty. Vielleicht hat er erst die Raketen bekommen, vielleicht erst die Elektronik. Aber er muss beides haben, bevor wir Alarm schlagen.«

»Wie kriegen wir das heraus?«

»Neagley zapft ihren Kerl im Pentagon an. Sie fordert alle Gefälligkeiten ein, die er ihr noch schuldet. Er organisiert draußen in Colorado eine Art Inventur. Fehlen dort Raketen, ist die Sache für uns zu Ende. Ist der Bestand allerdings noch komplett, geht das Spiel weiter.«

Neagley sah auf ihre Uhr. Kurz nach sechs an der Westküste, kurz nach neun im Osten. Im Pentagon wurde seit einer Stunde gearbeitet. Sie klappte ihr Handy auf und tippte eine Nummer ein.

58

Neagleys Kumpel war nicht dumm. Er bestand darauf, sie von außerhalb des Gebäudes anzurufen – und auch nicht mit seinem eigenen Handy. Und er war clever genug, um zu wissen, dass jedes Münztelefon in einer Meile Umkreis um das Pentagon ständig überwacht werden würde. Deshalb legten sie eine einstündige Pause ein, bis er über den Potomac River und durch die halbe Stadt gefahren war, um von einem Telefon an der Außenwand einer Bodega in der New York Avenue aus zu telefonieren.

Dann begann der Spaß.

Neagley erklärte ihm, was sie wollte. Er nannte ihr alle möglichen Gründe dafür, weshalb das nicht möglich sei. Sie fing an, ihre Guthaben bei ihm einzufordern. Der Kerl schien ihr offenbar einiges schuldig zu sein. Das war klar. Reacher empfand gewisses Mitleid mit ihm. Legte einem jemand Daumenschrauben an, sollte das lieber nicht Neagley sein. Binnen zehn Minuten gab der Kerl nach und erklärte sich einverstanden. Dann folgte eine logistische Diskussion. Wie sollte die Überprüfung stattfinden, durch wen, was würde als Beweis gelten? Neagley schlug vor, CID-Offiziere der Army sollten unangemeldet vorfahren, um die Bücher mit dem Lagerbestand zu vergleichen. Ihr Mann war einverstanden und wollte eine Woche Zeit. Neagley gab ihm vier Stunden.

Reacher verbrachte diese vier Stunden schlafend. Sobald der Plan stand und die Entscheidung gefallen war, entspannte er sich so sehr, dass er seine Augen nicht mehr offen halten konnte. Er ging ins Motel zurück und streckte sich auf seinem Bett aus. Nach einer Stunde tauchte ein Zimmermädchen auf. Er schickte es fort und schlief wieder ein. Als Nächstes klopfte Dixon an seine Tür. Sie teilte ihm mit, Neagley warte in der Lounge und habe neue Nachrichten.

Neagleys Nachrichten waren weder gut noch schlecht, sondern irgendwo dazwischen angesiedelt. New Age besaß keine eigene Fabrik in Colorado. Nur ein Büro. Die Firma ließ die Little Wing von einem etablierten Betrieb der Luftfahrtindustrie in Denver in Lohnfertigung bauen. Bei diesem Hersteller lagerte eine ganze Anzahl fertiger Fla-Raketen, die inspiziert werden konnten. Ein CID-Offizier der Army hatte sie besichtigt und gezählt, und das Endergebnis hatte genau dem Buchbestand entsprochen. Alle waren vorhanden und korrekt erfasst. Kein Problem. Bis auf die Tatsache, dass genau sechshundertfünfzig Raketen in einem sicheren Lagerhaus versandfertig verpackt darauf warteten, zu einer Einrichtung in Nevada gebracht zu werden, wo sie außer Dienst gestellt und verschrottet werden sollten.

»Warum?«, fragte O'Donnell.

»Die laufende Produktion wird als Modell zwei bezeichnet«, sagte Neagley. »Verschrottet werden soll der Restbestand des Modells eins.«

»Der zufällig aus genau sechshundertfünfzig Stück besteht.«

»Richtig.«

»Woraus besteht der Unterschied?«

»Modell zwei hat außen einen kleinen Pfeil aus Leuchtfarbe. Um das Laden bei Dunkelheit zu erleichtern.«

»Das ist alles?

»Richtig.«

»Das ist ein Schwindel.«

»Natürlich ist das ein Schwindel. Aber so sehen die Begleitpapiere legal aus, wenn Mahmouds Leute damit aus dem Lagerhaus fahren.«

Reacher nickte. Ein Wachposten am Tor des Lagerhauses würde bis zum Tod kämpfen, den unbefugten Abtransport von Waffen zu verhindern. Waren die Begleitpapiere jedoch in Ordnung, würde er die Ladung mit einem Lächeln und fröhlich winkend passieren lassen. Selbst wenn als Begründung das Fehlen eines kleinen Leuchtpfeils auf etwas herhalten musste, das mehr kostete, als er im Jahr verdiente. Reacher hatte erlebt, dass das Pentagon Dinge aus lächerlicheren Gründen verschrottete.

Er fragte: »Wie passt der Elektronikpack daran?«

»Hinein«, sagte Neagley. »Nicht daran. In die Seite der Rakete ist eine Zugangsluke eingelassen. Man schraubt sie auf und setzt den Elektronikpack ein. Danach sind Tests und eine Kalibrierung notwendig.«

»Das bezweifle ich. Dafür müsstest du ausgebildet sein. Im Einsatz wäre das ein Job für Spezialisten.«

»Also, könnte Mahmoud das auch nicht. Genauso wenig wie seine Leute.«

»Wir müssen davon ausgehen, dass sie dafür jemanden haben. Sie würden nicht fünfundsechzig Millionen Dollar ausgeben, ohne gezeigt zu bekommen, wie man die Dinger zusammensetzt.«

»Können wir den Versand stoppen?«
»Nicht, ohne Alarm zu schlagen. Und damit würden wir praktisch die Bombe platzen lassen.«
»Ist dein Kerl im Pentagon dir noch etwas schuldig?«
»Ich denke schon.«
»Sag ihm, dass jemand dich in dem Augenblick benachrichtigen soll, in dem der Transport abgeht.«
»Und bis dahin?«
»Bis dahin sind die Raketen nicht in Mahmouds Hand. Bis dahin besitzen wir völlige Handlungsfreiheit.«

59

Ab diesem Augenblick wurde die Sache zu einem Wettlauf gegen die Uhr. Sobald das Tor des Lagerhauses in Colorado sich öffnete, würde in L.A. eine Tür anderer Art krachend zufallen. Aber es gab noch viel vorzubereiten, noch viel zu ermitteln. Unter anderem waren exakte Ortsbestimmungen erforderlich. Der Glaswürfel von New Age in East L.A. war anscheinend nicht der Mittelpunkt des Ganzen. Vor allem stand dort kein Hubschrauber.
Und sie brauchten genaue Identitäten.
Sie mussten wissen, wer eingeweiht gewesen und wer geflogen war.
»Ich will sie alle«, sagte Reacher.
»Auch die Dragon Lady?«, fragte Neagley.
»Von der Dragon Lady angefangen. Sie hat mich belogen.«
Sie brauchten Ausrüstung, Kleidung, Nachrichtenmittel und weitere Fahrzeuge.
Und Training, fand Neagley.
»Wir sind alt, wir sind langsam, und wir sind eingerostet«,

erklärte sie. »Wir sind Lichtjahre von dem entfernt, was wir früher waren.«

»So schlecht sind wir auch wieder nicht«, widersprach O'Donnell.

»Früher hättest du den Kerl mit zwei Schüssen durch die Augen erledigt«, sagte sie. »Nicht mit einem Zufallstreffer ins Bein.«

Sie saßen in der Lounge wie vier Touristen, die darüber diskutierten, wie sie den Tag verbringen wollten. Was Waffen betraf, hatten sie zwei Hardballer und die Daewoo DP 51 aus Vegas. Jeweils dreizehn Schuss für die Hardballer und elf für die Daewoo. Nicht mal annähernd genug. O'Donnell, Dixon und Neagley verfügten über Mobiltelefone, die unter ihren richtigen Namen und Adressen registriert waren. Reacher besaß nichts. Das war nicht mal annähernd genug. Sie hatten einen von Dixon unter ihrem richtigen Namen gemieteten Ford 500 von Hertz und den erbeuteten Chrysler. Nicht mal annähernd genug. O'Donnell trug einen Tausenddollaranzug von seinem Schneider in Washington, Neagley und Dixon hatten Jeans, Jacken und Abendkleidung. Nicht mal annähernd genug.

Neagley beteuerte, Geld spiele keine Rolle. Aber das beeinflusste den Zeitfaktor kaum. Sie brauchten vier nicht nachweisbare Prepaid-Handys, vier anonyme Autos und Arbeitskleidung. Das alles zu beschaffen würde einen Tag dauern. Dann benötigten sie Waffen und Munition. Im besten Fall konnte jeder sich seine Waffe selbst aussuchen und hatte reichlich Munition. Schlimmstenfalls bekamen sie eine weitere halbwegs brauchbare Pistole und reichlich Munition. Dafür mussten sie einen weiteren Tag rechnen. Wie in den meisten Großstädten gab es in L.A. einen florierenden Schwarzmarkt für nicht nachweisbare Waffen, aber es würde Zeit kosten, bis zu den Händlern vorzudringen.

Zwei Tage, um die Ausrüstung zu beschaffen.

Vermutlich zwei weitere Tage für Überwachung und Recherchen.

»Für Training bleibt uns keine Zeit«, sagte Reacher.

Azhari Mahmoud hatte Zeit für einen gemächlichen Lunch, den er in einem Straßencafé in Laguna Beach einnahm. Er wohnte nicht weit entfernt in einer gemieteten Wohnung. Dort fühlte er sich sicher. Das Apartment war rechtmäßig gemietet. In dieser Wohnanlage wechselten die Mieter häufig. Es war nicht ungewöhnlich, dort U-Haul-Lastwagen über Nacht geparkt zu sehen. Mahmouds Fahrzeug stand abgesperrt und leer auf einem zwei Straßen entfernten Parkplatz.

Es würde nicht mehr lange leer bleiben.

Seine Vertragspartner bei New Age hatten darauf bestanden, die Little Wing dürfe nicht in den Vereinigten Staaten eingesetzt werden. Dieser Bedingung hatte er bereitwillig zugestimmt. Er hatte gesagt, er beabsichtige, die Waffen an der Grenze in Kaschmir gegen die indische Luftwaffe einzusetzen. Das war natürlich eine Lüge gewesen. Er hatte darüber gestaunt, dass sie ihn für einen Pakistaner gehalten hatten. Ebenso gestaunt hatte er darüber, dass sie sich für seine Absichten interessierten. Vielleicht waren sie Patrioten, oder sie hatten Verwandte, die oft innerhalb der USA flogen.

Aber es war sinnvoll gewesen, mitzumachen, um allen Problemen aus dem Weg zu gehen. Deshalb hatte er die Umstände mit dem Seecontainer und der Lagerung im Hafen auf sich nehmen müssen. Aber das ließ sich leicht ändern. Überall in Südkalifornien gab es massenhaft Tagelöhner. Mahmoud nahm an, dass sie keine halbe Stunde brauchen würden, um den U-Haul zu beladen.

Sie rechneten sich aus, dass Kleidung und Mobiltelefone mühelos zu beschaffen sein würden. Jede Einkaufspassage hielt bereit, was sie brauchten. Bei Waffen sah die Sache anders aus. Dixon wollte eine Glock 19. Neagleys Hände waren größer, daher plädierte sie für eine Glock 17. O'Donnell hatte schon immer eine Vorliebe für Berettas gehabt. Reacher war jede Waffe recht. Er hatte ohnehin nicht vor, jemanden zu erschießen. Er wollte sie mit bloßen Händen erledigen. Aber er sagte, er werde eine Glock oder SIG, eine Beretta oder eine H&K oder irgendeine andere Neunmillimeter-Pistole nehmen. Dann konnten sie alle die gleiche Munition verwenden. Das war effizienter.

Autos ließen sich noch schwieriger beschaffen. Es war fast unmöglich, einen wirklich anonymen Wagen zu finden. Zuletzt schlug O'Donnell vor, »Reisraketen« zu nehmen: tiefergelegte japanische Limousinen und Coupés, die mit riesigen Auspuffen, Breitreifen, blauen Scheinwerfern und dunkel getönten Scheiben aufgemotzt waren. Drei bis vier Jahre alte Exemplare waren billig zu beschaffen, überall auf den Straßen anzutreffen und in Südkalifornien praktisch unsichtbar. Und O'Donnell fand, psychologisch seien sie eine höchst wirkungsvolle Tarnung. In der öffentlichen Wahrnehmung wurden sie unweigerlich mit lateinamerikanischen Machos in Verbindung gebracht, sodass niemand hinter den getönten Scheiben einen weißen Exsoldaten vermuten würde.

Sie beschlossen, Autos und Handys seien zunächst wichtiger als Waffen. So war wenigstens zwei oder drei von ihnen schon mal möglich, mit der Überwachung zu beginnen. Und wenn sie zum Radio Shack fuhren, um Mobiltelefone zu kaufen, konnten sie sich ebenso gut bei Gap oder in einem Jeansladen Klamotten besorgen. Mit Handys und in unauffälliger Kleidung waren sie in der Lage, einzeln zu Gebrauchtwagenhändlern auszuschwärmen, bis sie die richtigen Wagen gefunden hatten.

Das alles kostete Geld – Bargeld. Jede Menge Geld. Also musste Neagley es abheben. Reacher fuhr sie mit dem erbeuteten Chrysler zu einer Filiale ihrer Bank in Beverly Hills und wartete draußen. Eine Viertelstunde später kam sie mit fünfzigtausend Dollar in einer braunen Sandwichtüte heraus. Anderthalb Stunden später hatten sie Kleidung und Mobiltelefone: Prepaid-Handys in einfachster Ausführung ohne Kamerafunktion, ohne Spiele, ohne Rechner. Dazu erstanden sie Kfz-Ladegeräte und Ohrhörer. Ihre neue Kleidung bestand aus weichen grauen Jeans, grauen Jeanshemden und schwarzen Windjacken, die sie in einem Discountladen am Santa Monica Boulevard erwarben – je zweimal für O'Donnell, Dixon und Neagley, je einmal für Reacher. Dazu kamen Handschuhe, Wollmützen und Stiefel aus einem Trekkingladen in der Melrose Avenue.

Sie zogen sich im Motel um und verbrachten zehn Minuten damit, in der Lounge ihre jeweiligen Handynummern zu speichern und auszuprobieren, wie man Konferenzgespräche führte. Dann brachen sie nach Nordwesten zum Van Nuys Boulevard auf, um sich Gebrauchtwagen anzusehen. In jeder Großstadt gab es mindestens eine Straße mit Autohändlern und in L.A. sogar mehr als eine. O'Donnell hatte jedoch gehört, der Van Nuys Boulevard nördlich des Ventura Freeways sei die beste Gegend. Und er hatte richtig gehört. Dort war das Angebot riesig. Unbegrenzte Auswahl, neu oder gebraucht, billig oder teuer, keine unbequemen Fragen. Binnen vier Stunden war Neagleys Budget für Autokäufe erschöpft, und sie besaßen nun vier gebrauchte Hondas. Zwei tiefergelegte Civics und zwei tiefergelegte Preludes, zwei in Silber, zwei in Weiß. Alle vier waren klapprig und würden bald den Geist aufgeben. Aber sie fuhren, ließen sich lenken und bremsen, und niemand würde sie eines zweiten Blickes würdigen.

Mit dem erbeuteten Chrysler hatten sie jetzt fünf Autos, die sie zum Sunset Boulevard bringen mussten, aber nur vier Fahrer. Also mussten sie zweimal fahren. Dann übernahm jeder einen Honda und machte sich nach East L.A. auf, um einmal an dem Glaswürfel von New Age vorbeizufahren. Aber wegen des dichten Verkehrs trafen sie erst am Spätnachmittag ein. Die Firmenzentrale sah unbeleuchtet und verlassen aus. Dort gab es nichts zu sehen.

Sie vereinbarten per Handy-Konferenzgespräch einen Plan und fuhren zum Abendessen nach Pasadena. In einer belebten Straße fanden sie eine Burger-Bar, in der sie an einem Vierertisch Platz nahmen: je zwei und zwei gegenüber, Schulter an Schulter in ihren grauen Jeansklamotten – fast eine Art Uniform. Niemand sprach darüber, aber Reacher wusste, dass alle sich gut fühlten. Konzentriert, energiegeladen, in Bewegung, mit hohem Einsatz spielend. Sie sprachen über die Vergangenheit. Über Eskapaden, Streiche, Skandale, Schandtaten. Die Jahre schienen von ihnen abzufallen, und vor Reachers innerem Auge verwandelte das Grau sich in Grün, während Pasadena zu Heidelberg, Manila oder Seoul wurde.

Die alte Einheit, wieder zusammen.

Beinahe.

Als sie zwei Stunden später wieder am Sunset Boulevard eintrafen, erklärten O'Donnell und Neagley sich bereit, die erste Wache bei New Age zu übernehmen. Sie wollten am folgenden Morgen vor fünf Uhr dort sein. Reacher und Dixon hatten den Auftrag, Waffen zu besorgen. Bevor Reacher ins Bett ging, nahm er aus dem Chrysler das Handy des Toten mit und wählte nochmals die Nummer, die er von Vegas aus angerufen hatte. Diesmal meldete sich niemand, nur ein Anrufbeantworter. Reacher hinterließ keine Nachricht.

60

Nach Reachers Erfahrung besorgte man sich eine unregistrierte Waffe am besten von jemandem, der sie seinerseits gestohlen hatte oder illegal besaß. Dann gab es keine amtlichen Nachfragen oder dergleichen. Manchmal gab es inoffizielle Scherereien wie mit den Typen hinter dem Wachsmuseum, aber die ließen sich mit wenig Aufwand bewältigen.

Vier bestimmte Waffen zu beschaffen erforderte jedoch weit mehr Mühe. Gruppen waren immer schwerer zu bewaffnen als Einzelpersonen. Die Festlegung auf ein gemeinsames Kaliber machte die Sache nicht leichter. Legte man außerdem Wert auf gut erhaltene, gepflegte Waffen, wurde alles noch schwieriger. Bei der ersten Tasse Kaffee am Morgen stellte er müßige Berechnungen an. Das Kaliber neun Millimeter war sicher beliebt, aber auf der Straße waren die Kaliber .380, .45, .22, .357 und .40 noch in allen Varianten zahlreich anzutreffen. Setzte man voraus, dass sich mit jedem vierten Raubüberfall eine Neunmillimeter-Pistole erbeuten ließ, von denen vielleicht jede dritte Waffe noch einwandfrei funktionierte, hätten sie achtundvierzig Raubüberfälle verüben müssen, um die Garantie zu haben, dass sie bekamen, was sie wollten. Und das alles an einem einzigen Tag!

Dann überlegte er, ob er versuchen sollte, einen korrupten Versorgungsunteroffizier in der Army aufzutun. Fort Irwin lag nicht weit entfernt. Oder noch besser einen korrupten Versorgungsunteroffizier beim Marinekorps. Camp Pendleton war weiter entfernt, aber die Straßen waren besser, somit schneller zu erreichen. Außerdem bewerteten ausnahmslos alle Marineinfanteristen die Neunmillimeter-Beretta als unzuverlässig. Ihre Waffenoffiziere scheuten sich nicht, sie rasch als defekt auszusondern. Manche waren defekt, manche nicht. Die nicht tatsächlich defekten Pistolen gingen unter der Hand für einen Hunderter weg, im Prinzip das gleiche Betrugsmanöver wie bei New Age. Aber einen Kauf zu vereinbaren konnte Tage dauern, ja sogar Wochen. Erst musste Vertrauen aufgebaut werden, was nicht einfach war. Vor Jahren hatte er das als verdeckter Ermittler mehrmals getan. Eine mühsame Arbeit ohne große greifbare Erfolge.

Karla Dixon glaubte, eine bessere Idee zu haben, und erläuterte sie beim Frühstück. Natürlich dachte sie nicht daran, ins nächste Waffengeschäft zu gehen und die Pistolen legal zu erwerben. Weder Reacher noch sie kannten die in Kalifornien gültigen Bestimmungen, aber sie vermuteten beide, dass man sich als Käufer ausweisen und registrieren lassen musste, bevor man die Waffe, vielleicht erst nach Ablauf einer Wartefrist von einigen Tagen, bekam. Daher schlug Dixon vor, in ein benachbartes County zu fahren, in dem die Republikaner stärker vertreten waren – also nach Süden ins Orange County. Gemeinsam würden sie Pfandhäuser aufsuchen und mit Neagleys Cash winken, um die hoffentlich weniger strengen Bestimmungen dort zu umgehen. Sie ging davon aus, dass größerer Respekt der Einheimischen vor dem Zweiten Verfassungszusatz und die Aussicht auf höhere Gewinne ihnen helfen würden und auch reichlich Ware vorhanden wäre. So könnten sie sich aussuchen, welche Pistolen sie wollten.

Reacher war weniger zuversichtlich; trotzdem erklärte er sich damit einverstanden. Er schlug vor, sie solle statt ihrer Jeanskluft wieder den schwarzen Hosenanzug tragen und statt des klapprigen Hondas den blauen Chrysler nehmen. So würde sie wie eine Mittelstandslady wirken und vermutlich kein Misstrauen erwecken. Sie würde immer nur eine Pistole kaufen, und er würde als ihr Berater auftreten. Vielleicht als ein Nachbar, der auf einschlägige Erfahrungen mit Waffen zurückgreifen konnte.

»So weit sind die anderen auch gekommen, stimmt's?«, fragte Dixon.

»Weiter«, antwortete Reacher.

Dixon nickte. »Sie haben alles gewusst. Wer, was, wo, wie und warum. Trotzdem sind sie in die Falle gegangen. Was war das?«

»Keine Ahnung«, sagte Reacher. Genau diese Frage stellte er sich schon seit Tagen.

Sie fuhren gleich nach dem Frühstück ins Orange County. Obwohl sie nicht wussten, wann Pfandhäuser öffneten, rechneten sie sich aus, dass morgens weniger Betrieb herrschen würde als später am Tag. Reacher folgte erst dem 101er, dann dem 5er, genau wie O'Donnels Navi sie zu Swans Haus geführt hatte. Diesmal blieben sie jedoch etwas länger auf dem Freeway und bogen dann nach Osten ab. Dixon wollte es erst in Tustin versuchen. Sie hatte Schlimmes darüber gehört, oder Gutes, je nach Standpunkt.

»Was hast du vor, wenn dies alles vorüber ist?«, fragte sie.

»Hängt davon ab, ob ich überlebe.«

»Zweifelst du daran?«

»Wie Neagley gesagt hat, sind wir nicht mehr so gut wie früher. Die anderen waren's jedenfalls nicht.«

»Wir kommen schon zurecht, denke ich.«

»Das hoffe ich.«

»Hättest du Lust, anschließend in New York vorbeizuschauen?«

»Würd ich gern.«

»Aber?«

»Ich mache keine Pläne, Karla.«

»Warum nicht?«

»Darüber habe ich schon mit Dave gesprochen.«

»Leute machen Pläne.«

»Ja, ich weiß. Leute wie Calvin Franz. Und Jorge Sanchez.

Und Manuel Orozco. Und Tony Swan. Er wollte seinem Hund in den kommenden vierundfünfzigeinhalb Wochen jeden Tag eine Vierteltablette Aspirin geben.«

Sie suchten die parallel zum Freeway verlaufenden Straßen ab. Einkaufszentren, Tankstellen und Drive-in-Banken lagen träge und verschlafen in der Morgensonne. Matratzenläden, Sonnenstudios und Möbeldiscounter machten überhaupt kein Geschäft.

Dixon fragte: »Wer braucht in Südkalifornien ein Sonnenstudio?«

Den ersten Pfandleiher entdeckten sie in einer luxuriösen Einkaufspassage neben einer Buchhandlung. Aber er war völlig ungeeignet. Erstens hatte er geschlossen, wie die Scherengitter vor Ladentür und Schaufenstern zeigten, und zweitens war er auf die falsche Ware spezialisiert. Seine Auslage zeigte lediglich antikes Silber, Bestecke, Obstschalen, Serviettenringe, Silberschmuck, reich verzierte Bilderrahmen, aber keine Glock, auch keine SIG-Sauer, Beretta oder H&K.

Sie fuhren weiter. Zwei Straßenblocks östlich des Freeways stießen sie auf das richtige Pfandhaus, das auch geöffnet hatte. Seine Schaufenster waren voller Elektrogitarren und klobiger Herrenringe aus neunkarätigem Gold mit eingesetzten kleinen Brillanten und billigen Armbanduhren.

Und hier gab es Waffen.

Nicht in der Auslage selbst, aber in der langen Glasvitrine, die als Ladentisch diente. Ungefähr fünfzig Handfeuerwaffen, Pistolen und Revolver, schwarz und vernickelt, Holz- und Hartgummigriffe, alle sauber aufgereiht. Der richtige Laden.

Aber der falsche Besitzer.

Er war ein ehrlicher Mann. Gesetzestreu. Ein Weißer, Mitte dreißig, ziemlich übergewichtig, gute Gene durch zu viel Essen ruiniert. An der Wand hinter seinem Kopf hing eine Waffenhändlerlizenz. Die Verpflichtungen, die sie ihm auferlegte, betete er herunter wie ein Geistlicher eine Litanei. Ein Kunde musste sich als Erstes eine Unbedenklichkeitsbescheinigung ausstellen lassen, die praktisch eine Erlaubnis zum Waffenkauf war. Dann hatte er sich drei verschiedenen Überprüfungen zu unterziehen, von denen die erste bestätigte, dass er nicht versuchte, in einem Zeitraum von dreißig Tagen mehr als eine Waffe zu erwerben, während bei der zweiten und dritten das kalifornische Strafregister und auf Bundesebene der NCIC-Computer abgefragt wurden.

Danach würde sie zehn Tage warten müssen, bevor sie ihren Einkauf abholen konnte – nur für den Fall, dass sie ein Verbrechen aus Leidenschaft plante.

Dixon öffnete ihre Handtasche und sorgte dafür, dass der Mann das Bündel Geldscheine gut sehen konnte. Aber er ließ sich nicht umstimmen. Sah nur kurz hin und wieder weg.

Sie fuhren weiter.

Fünfzig Kilometer nördlich von ihnen stand Azhari Mahmoud leicht schwitzend in der Sonne und verfolgte, wie der Seecontainer leer und sein U-Haul-Lastwagen voll wurde. Die Kartons waren kleiner als erwartet. Natürlich, sagte er sich, weil die Einheiten, die sie enthielten, kaum größer als Zigarettenpackungen waren. Sie als Bestandteile von Heimkinoanlagen zu deklarieren war töricht gewesen, fand er. Außer sie gingen als persönliche DVD-Player durch, wie Leute sie an Bord von Flugzeugen mitnahmen. Oder vielleicht als MP3-Spieler mit weißen Kabeln und winzigen Ohrhörern. Das wäre glaubwürdiger gewesen.

Dann lächelte er in sich hinein. *Flugzeuge.*

Reacher fuhr nach Osten, navigierte auf einem willkürlichen Zickzackkurs von einer Discounter-Werbetafel zur nächsten und suchte das billigste Viertel der Stadt. Seiner Überzeugung nach musste es von Beverly Hills bis Malibu reichlich finanzielle Probleme geben, aber dort oben blieben sie diskret verborgen. Hier unten in Teilen von Tustin waren sie unübersehbar. Sobald die Reifenhändler anfingen, vier Radialreifen für weniger als hundert Bucks anzubieten, begann er besser aufzupassen und wurde fast augenblicklich belohnt. Er entdeckte ein Pfandhaus auf der rechten Straßenseite und Dixon eines gegenüber. Dixons Leihhaus schien größer zu sein, deshalb fuhren sie zur nächsten Ampel weiter, um dort zu wenden, wobei sie noch an drei Pfandhäusern vorbeikamen.

»Reichlich Auswahl«, sagte Reacher. »Da können wir experimentieren.«

»Wie experimentieren?«, fragte Dixon.

»Mit der direkten Methode. Aber du musst im Auto bleiben. Du siehst zu sehr nach Cop aus.«

»*Du* hast gesagt, dass ich mich so anziehen soll.«

»Der Plan hat sich geändert.«

Reacher parkte den Chrysler an einer Stelle, die von dem Leihhaus aus nicht sichtbar war. Er ließ sich Neagleys Geld aus Dixons Handtasche geben und stopfte es in eine Tasche seiner Jeans. Dann zog er los, um den Laden zu inspizieren. Für ein Pfandhaus wirkte er ziemlich groß. Reacher kannte eher staubige, kleine städtische Ladenlokale. Dies hier war ein Kaufhaus von der Größe eines Teppichgeschäfts mit zwei riesigen Schaufenstern. Die Auslagen waren voller Unterhaltungselektronik, Kameras, Musikinstrumente und Schmuck. Und Gewehren. Hinter einem Wald aus senkrechten Gitarrenhälsen standen ungefähr ein Dutzend Sportwaffen aufgereiht. Brauchbare Waffen, auch wenn Reacher sie nicht für sportlich hielt. Er fand es nicht fair, Rotwild zu jagen, indem man sich in hundert Metern Entfernung mit einer Schachtel Hochleistungsmunition hinter einem Baum versteckte.

Er trat an die Tür des Pfandhauses, um hineinzuschauen, und gab sofort auf. Der Laden war zu groß. Zu viel Personal. Die direkte Methode funktionierte nur, wenn man ein kleines Gespräch unter vier Augen führen konnte. Er kehrte zum Chrysler zurück und sagte: »Mein Fehler. Wir brauchen einen kleineren Pfandleiher.«

»Auf der anderen Straßenseite«, sagte Dixon.

Sie verließen den Parkplatz und fuhren hundert Meter weit nach Westen, um an der Ampel zu wenden. Kamen zurück und holperten über den rissigen Beton des Parkplatzes vor einem Getränkemarkt. Daneben befanden sich ein No-Name-Vitaminshop und ein weiteres Pfandhaus. Nicht städtisch, aber ganz sicher staubig und klein. Im Schaufenster der übliche Krempel: Uhren, Schlagzeuge, Becken, Gitarren. Aber im Halbdunkel des Ladeninneren war ein Drahtglasschrank auszumachen, der sich über die ganze Rückseite des Raums erstreckte und voller Handfeuerwaffen steckte. Schätzungsweise dreihundert Stück, die an ihren Abzugbügeln an Nägeln baumelten. Hinter dem Ladentisch nur ein einzelner Mann.

»Meine Art Laden«, erklärte Reacher.

Er ging wieder allein hinein. Auf den ersten Blick sah der Pfandleiher dem ersten Typen sehr ähnlich. Weiß, Mitte dreißig, übergewichtig. Die beiden hätten Brüder sein können, aber dieser hier wäre das schwarze Schaf der Familie gewesen. Während der erste Typ einen rosigen Teint gehabt hatte, war dieser von Drogen, Alkohol und Nikotin aschfahl. Seine verblassten blau-roten Tätowierungen sahen nach Erziehungsheim oder Gefängnis oder auch Navy aus. Er hatte gerötete Augen, die unstet umherirrten, als stünde er unter Strom.

Kinderspiel, dachte Reacher.

Er zog den größten Teil von Neagleys Geld aus der Tasche, fächerte die Scheine auf und schob sie wieder zu einem Packen zusammen, den er aus einer gewissen Höhe auf den Ladentisch fallen ließ, dass es befriedigend dumpf klatschte. Gebrauchte Scheine in größerer Menge waren schwerer, als die meisten Leute dachten. Papier, Druckfarbe, Schmutz, Fett. Der Pfandleiher konzentrierte seinen Blick lange genug, um das Geld genau in Augenschein zu nehmen, und fragte dann: »Kann ich was für Sie tun?«

»Das können Sie bestimmt«, antwortete Reacher. »Von einem Ihrer Kollegen habe ich mir gerade einen Vortrag über Bürgerrechte anhören müssen. Will jemand sich vier Pistolen zulegen, muss er anscheinend durch alle möglichen Reifen springen.«

»Stimmt genau«, sagte der Kerl und wies mit dem Daumen hinter sich. An der Wand hing seine Waffenhändlerlizenz – exakt so gerahmt wie die des ersten Typs.

»Führt irgendein Weg an diesen Reifen vorbei?«, fragte Reacher. »Oder unter ihnen hindurch, über sie hinweg?«

»Nein«, sagte der Kerl. »Reifen sind Reifen.« Dann grinste er, als hätte er etwas besonders Tiefschürfendes gesagt. Reacher überlegte sekundenlang, ob er ihn am Genick packen und mit seinem Kopf das Glas des Waffenschranks einschlagen sollte. Dann schaute der Kerl wieder auf das auf dem Ladentisch liegende Geld hinunter und erklärte: »Ich muss mich an das kalifornische Waffengesetz halten.« Das sagte er jedoch auf eine ganz bestimmte Art, wobei sein Blick vorübergehend verharrte, sodass Reacher wusste, dass etwas Gutes folgen würde.

»Sind Sie ein Anwalt?«, fragte der Mann.

»Sehe ich so aus?«, gab Reacher zurück.

»Ich hab schon mal mit einem geredet«, sagte der Mann.

Viel öfter als einmal, dachte Reacher. *Meistens in abgeschlossenen Räumen, in denen Tisch und Stühle am Fußboden festgeschraubt waren.*

»Es gibt eine Bestimmung«, gab der Kerl zu bedenken. »Im Waffengesetz.«

»Tatsächlich?«, sagte Reacher.

»Eine formale Spitzfindigkeit«, fuhr der Kerl fort. Um das Wort richtig herauszubringen, brauchte er mehrere Anläufe. Längere Wörter bereiteten ihm anscheinend Schwierigkeiten. »Ich oder Sie oder sonst jemand kann niemandem eine Schusswaffe verkaufen oder schenken, ohne alle Formalitäten einzuhalten.«

»Aber?«

»Ich oder Sie oder jeder andere darf eine verleihen. Ein zeitweiliges, nicht allzu häufiges Verleihen für weniger als dreißig Tage ist in Ordnung.«

»Tatsächlich?«, wiederholte Reacher.

»So steht's im Gesetz.«

»Interessant.«

»Zum Beispiel unter Familienmitgliedern«, sagte der Kerl. »Ehemann und Ehefrau, Vater und Tochter.«

»Ja, ich verstehe.«

»Oder unter Freunden. Ein Freund kann einem Freund eine Waffe leihen, für dreißig Tage, vorübergehend.«

»Sind wir Freunde?«, fragte Reacher.

»Wir könnten welche werden«, erwiderte der Kerl.

»Was tun Freunde alles füreinander?«, erkundigte sich Reacher.

Der Kerl antwortete: »Vielleicht leihen sie sich gegenseitig alle möglichen Dinge. Der eine verleiht vielleicht eine Waffe, der andere etwas Geld.«

»Aber nur vorübergehend«, sagte Reacher. »Dreißig Tage.«

»Manche Kredite werden nicht zurückgezahlt, die muss man einfach abschreiben. Dieses Risiko besteht immer. Leute ziehen weg, zerstreiten sich. Bei Freunden weiß man das nie so genau.«

Reacher ließ das Geld auf dem Ladentisch liegen, trat an den Drahtglasschrank. Darin hing einiges an Schrott, aber auch ziemlich viel gutes Zeug. Ungefähr zur Hälfte Revolver, zur Hälfte Pistolen. Von den Pistolen waren etwa zwei Drittel Massenware und ein Drittel Qualitätsprodukte. Und von diesen war ungefähr jede vierte eine Neunmillimeter-Pistole.

Insgesamt konnte er also unter dreizehn geeigneten Pistolen bei zirka dreihundert Waffen auswählen. Viereindrittel Prozent. Fast doppelt so schlecht wie seine beim Frühstück angestellte Schätzung.

Bei sieben der geeigneten Pistolen handelte es sich um Glocks. Sie waren offenbar mal in Mode gewesen, aber diese Zeit schien vorbei zu sein. Eine war eine Glock 19. Die anderen sechs waren Glock 17, in gutem bis neuwertigem Zustand.

»Nehmen wir mal an, Sie würden mir vier Glocks leihen«, sagte Reacher.

»Nehmen wir mal an, ich tät's nicht«, entgegnete der Mann.

Reacher drehte sich um. Das Geld war vom Ladentisch verschwunden. Damit hatte Reacher gerechnet. Dafür hielt der Kerl jetzt einen Revolver in der Hand. Damit hatte Reacher nicht gerechnet.

Wir sind alt, wir sind langsam, und wir sind eingerostet, hatte Neagley gesagt. *Wir sind Lichtjahre von dem entfernt, was wir früher waren.*

Stimmt, dachte Reacher.

Die Waffe war ein Colt Python. Brünierter Stahl, Griffschalen aus Walnuss, .375 Magnum, zwanzig Zentimeter langer Lauf. Nicht der größte Revolver der Welt, aber doch nahe daran. Und bestimmt einer der treffsichersten.

»Das ist nicht sehr freundschaftlich«, sagte Reacher.

»Wir sind keine Freunde«, erklärte der Kerl.

»Und auch irgendwie dumm«, sagte Reacher. »Ich bin jetzt stinksauer.«

»Damit müssen Sie leben. Und halten Sie Ihre Hände so, dass ich sie sehen kann.«

Reacher blieb stehen, dann hob er die Arme halb hoch: die Handflächen nach außen, die Finger leicht gespreizt, nicht bedrohlich. Der Kerl sagte: »Passen Sie auf, dass die Tür Ihnen nicht auf den Arsch knallt, wenn Sie rausgehen.«

Der Laden war ein Handtuch. Reacher stand ganz hinten. Der Kerl hielt sich im ersten Drittel des Wegs zur Tür hinter dem Ladentisch auf. Der Gang war eng. Durchs Schaufenster fielen schräge Sonnenstrahlen.

Der Kerl sagte: »Verlassen Sie das Gebäude, Elvis.«

Reacher blieb noch einen Augenblick stehen. Horchte angestrengt. Sah nach links, sah nach rechts, sah sich um. In der linken hinteren Ecke befand sich eine Tür. Vermutlich nur eine Toilette, kein Büro. Hinter dem Ladentisch war Papierkram gestapelt. Niemand stapelt dort Papier, wenn er einen eigenen Raum dafür hat. Folglich war der Kerl allein. Kein Partner, keine Verstärkung.

Keine Überraschungen mehr.

Reacher setzte die Art Gesichtsausdruck auf, die er sich in Vegas abgeschaut hatte. Er gab den reumütigen Verlierer. *War 'nen Versuch wert. Man muss mitmachen, um gewinnen zu können.* Als er jetzt vortrat, ließ er die Hände in Schulterhöhe. Einen Schritt. Zwei. Drei. Beim vierten Schritt befand er sich genau auf gleicher Höhe mit dem Kerl, nur durch die Breite des Ladentischs von ihm getrennt. Reacher war der Tür zugekehrt. Der Mann stand in einem Winkel von neunzig Grad links neben ihm. Der Ladentisch war ungefähr achtzig Zentimeter breit.

Reachers ruckartig ausgestreckter linker Arm schnellte zur Seite.

Die Reichweite des Boxers Muhammad Ali hatte etwa

einen Meter betragen, und seine Fäuste waren exakt hundertdreißig Stundenkilometer schnell gewesen. Reacher konnte sich nicht im Entferntesten mit ihm vergleichen. Vor allem auf seiner schwächeren Seite nicht. Seine linke Hand war höchstens hundert Kilometer schnell. Aber hundert Stundenkilometer entsprachen anderthalb Kilometer in der Minute und die wiederum fünfundzwanzig Meter in der Sekunde. Das bedeutete, dass Reachers Hand keine dreißigstel Sekunde brauchte, um den Ladentisch zu überqueren. Und auf halber Strecke wurde sie zur Faust geballt.

Und eine dreißigstel Sekunde war viel zu kurz, als dass der Kerl mit dem Python noch hätte abdrücken können. Jeder Revolver ist ein kompliziertes mechanisches System, und ein großer wie der Python erforderte mehr Fingerkraft als die meisten. Sein Abzug war nicht leicht versehentlich zu betätigen. Der Kerl kam nicht einmal dazu, den Zeigefinger zu krümmen. Er hatte Reachers Faust schon im Gesicht, bevor sein Gehirn auch nur registrierte, dass sie sich bewegte. Reacher war viel langsamer als Ali, aber seine Arme waren um einiges länger. Das bedeutete, dass der Kopf des Kerls weitere zwanzig Zentimeter beschleunigte, bevor Reachers Arm ganz gestreckt war. Und auch danach beschleunigte der Kopf des Typs noch weiter, bis er an die Wand hinter dem Ladentisch knallte und das Glas der gerahmten Waffenhändlerlizenz zersplittern ließ.

In diesem Augenblick hörte die Beschleunigung auf und ging in ein langsames Zusammensacken über.

Reacher setzte mit einer Flanke über den Ladentisch, beförderte den Python mit einem Tritt zur Seite und brach dem Mann mit seinen Absätzen die Finger an beiden Händen. In einer waffenstrotzenden Umgebung unumgänglich und schneller, als wenn er versucht hätte, ihn zu fesseln. Dann zog er ihm Neagleys Cash wieder aus der Tasche und seine Schlüssel. Machte erneut eine Flanke über den Ladentisch, ging nach hinten und sperrte den Drahtglasschrank auf. Nahm alle sieben Glocks heraus, zog eine Reisetasche aus einem Stapel gebrauchter Gepäckstücke und verstaute die Pistolen darin. Anschließend wischte er seine Fingerabdrücke von den Schlüsseln und seine Handabdrücke vom Ladentisch und schlenderte in den Sonnenschein hinaus.

Sie hielten bei einem richtigen Waffengeschäft in Tustin und kauften Munition. Große Mengen. Für solche Käufe schien es keine Beschränkungen zu geben. Dann fuhren sie nach Norden zurück. Der Verkehr stockte immer wieder. Ungefähr auf Höhe von Anaheim kam ein Anruf von O'Donnell in East L.A.

»Hier passiert nichts«, teilte er mit.

»Nichts?«, fragte Reacher.

»Keinerlei Aktivitäten. Du hättest sie nicht aus Vegas anrufen sollen. Das war ein schlimmer Fehler. Damit hast du sie in Panik versetzt. Jetzt haben sie sich komplett eingeigelt.«

61

Dixon und Reacher blieben bis Hollywood auf dem 101er, stellten den Chrysler auf dem Motelparkplatz ab und schnappten sich zwei Hondas für die lange Fahrt nach East L.A. Reacher hatte ein silbernes Prelude-Coupé mit einem getunten, nervösen Vierzylinder, Breitreifen, die auf schlechter Fahrbahn trampelten, und einen röhrenden Auspuff, der ihn drei Straßenblocks weit amüsierte und ihm dann auf die Nerven ging. Die Polster stanken nach Reinigungsshampoo, und die Frontscheibe wies einen Riss auf, der sich bei jedem Stoß sichtbar vergrößerte. Doch der Fahrersitz ließ sich so weit zurückschieben, dass er bequem saß, und die Klimaanlage funktionierte. Insgesamt kein schlechtes Überwachungsfahrzeug. Er hatte schon Schlimmeres erlebt.

Sie parkten weit voneinander entfernt und fanden sich zu einem Konferenzgespräch per Handy zusammen. Reacher, der zwei Straßenblocks von der New-Age-Zentrale entfernt stand, konnte einen Teil des Haupteingangs beobachten, wenn er zwischen einem Archivgebäude und einem schlichten grauen Lagerhaus hindurchschaute. Das aufs Firmengelände führende Tor war geschlossen, und der Parkplatz sah ziemlich leer aus. Auch die Vorhänge hinter den Türen des Empfangsbereichs waren zugezogen. Das ganze Gebäude wirkte unbelebt.

»Wer ist dort drinnen?«, fragte Reacher.

»Vielleicht niemand«, antwortete O'Donnell. »Wir sind seit fünf Uhr hier, und in dieser Zeit ist keiner reingegangen.«

»Nicht mal die Dragon Lady?«

»Negativ.«

»Haben wir ihre Telefonnummer?«

»Ich habe die Nummer ihrer Vermittlung«, sagte Neagley. Sie gab sie durch. Reacher trennte die Verbindung, tippte sie in sein Handy ein und drückte die grüne Taste.

Klingelzeichen.

Keine Antwort.

Er wählte sich wieder in das Konferenzgespräch ein.

»Ich hatte gehofft, wir würden jemandem zu dem Herstellungsbetrieb hinüber folgen können.«

»Das wird nicht passieren«, sagte O'Donnell.

Schweigende Mobiltelefone. Keine Aktivitäten in dem Glaswürfel.

Fünf Minuten. Zehn. Zwanzig.

»Genug«, sagte Reacher. »Zurück zum Stützpunkt. Wer zuletzt ankommt, zahlt das Mittagessen.«

Reacher kam als Letzter an. Er war kein rasanter Fahrer. Die anderen drei Hondas standen schon auf dem Parkplatz, als er endlich eintraf. Er stellte seinen Prelude in einer unauffälligen Ecke ab, holte die Reisetasche mit den erbeuteten Pistolen aus dem Chrysler und sperrte sie in seinem Zimmer ein. Dann ging er ins Denny's. Dort entdeckte er als Erstes Curtis Mauneys neutralen Dienstwagen auf dem Parkplatz, den Crown Vic des L.A. Sheriffs. Dann sah er durchs Fenster Mauney selbst, der im Restaurant mit Neagley, O'Donnell und Dixon an einem runden Tisch saß. Fünf Stühle, einer davon unbesetzt, auf ihn wartend; auf dem Tisch kein Eiswasser, keine Servietten, kein Besteck. Sie hatten noch nicht bestellt. Also waren sie noch nicht lange da. Reacher ging hinein und setzte sich wortlos auf den freien Stuhl. Nach kurzem gespannten Schweigen sagte Mauney: »So sieht man sich wieder.«

Seine Stimme klang sanft.

Ruhig.

Mitfühlend.

Reacher fragte: »Sanchez oder Swan?«

Mauney gab keine Antwort.

»Was, gleich beide?«, fragte Reacher.

»Dazu kommen wir noch. Erzählen Sie mir erst, weshalb Sie sich verstecken.«

»Wer sagt, dass wir uns verstecken?«

»Sie haben Vegas verlassen. Sie sind in keinem Hotel in L.A. gemeldet.«

»Das bedeutet nicht, dass wir uns verstecken.«

»Sie wohnen unter falschen Namen in einer Bruchbude in West Hollywood. Der Angestellte am Empfang hat Sie verpfiffen. Als Gruppe sind Sie physisch relativ auffällig. Es war nicht schwierig, Sie aufzuspüren. Und dass Sie zum Mittagessen hierherkommen würden, war leicht zu erraten. Andernfalls wäre ich heute Abend wieder aufgekreuzt. Oder morgen zur Frühstückszeit.«

Reacher fragte: »Jorge Sanchez oder Tony Swan?«
Mauney antwortete: »Tony Swan.«

62

Mauney sagte: »In den letzten Wochen haben wir einiges dazugelernt. Wir lassen jetzt die Bussarde für uns arbeiten. Jede halbe Stunde, die wir erübrigen können, sind wir wie Ornithologen da draußen. Steht man mit einem Fernglas auf dem Dach seines Autos, hat man einen guten Überblick. Zwei kreisende Vögel bedeuten meist, dass dort ein nach einem Schlangenbiss verendeter Kojote liegt. Mehr als zwei lassen auf eine größere Beute schließen.«
Reacher fragte: »Wo?«
»Im selben Gebiet.«
»Wann?«
»Vor längerer Zeit.«
»Hubschrauber?«
»Nicht anders denkbar.«
»Einwandfrei identifiziert?«
»Er hat auf dem Rücken gelegen, mit hinter dem Körper gefesselten Händen. Seine Fingerabdrücke waren gut erhalten. Die Geldbörse hat in der Hüfttasche gesteckt. Mein aufrichtiges Beileid.«
Die Bedienung, die sie bereits kannten, kam herbei. Sie blieb kurz stehen, registrierte die Stimmung am Tisch und ging wieder.
Mauney fragte: »Warum verstecken Sie sich?«
»Wir verstecken uns nicht«, sagte Reacher. »Wir warten nur auf die Beerdigungen.«
»Wozu dann die falschen Namen?«
»Sie haben uns als Köder hergelockt. Wir wollen es den

Leuten, die es vielleicht auf uns abgesehen haben, nicht zu leicht machen.«

»Sie wissen noch nicht, wer sie sind?«

»Wissen Sie's?«

»Keine Vergeltung auf eigene Faust, okay?«

»Wir befinden uns hier am Sunset Boulevard«, sagte Reacher, »der nicht in Ihrem Revier liegt. Sprechen Sie auch für Ihre Kollegen vom Los Angeles Police Department?«

»Freundschaftlicher Rat«, sagte Mauney.

»Zur Kenntnis genommen.«

»Andrew MacBride ist in Vegas verschwunden. Ist angekommen, hat sich kein Hotelzimmer genommen, hat keinen Wagen gemietet, ist nicht wieder weggeflogen. Eine Sackgasse.«

Reacher nickte. »Ist so was nicht scheußlich?«

»Aber ein Kerl namens Anthony Matthews hat einen U-Haul-Lastwagen gemietet.«

»Der letzte Name auf Orozcos Liste.«

Mauney nickte. »Endspiel.«

»Wohin ist er damit gefahren?«

»Keine Ahnung.« Mauney zog vier Visitenkarten aus seiner Hemdtasche. Er ordnete sie zu einem kleinen Fächer an, den er sorgfältig auf die Tischplatte legte. Die Karten trugen seinen Namen und seine Telefonnummer. »Rufen Sie mich an. Das meine ich ernst. Vielleicht brauchen Sie Hilfe. Sie haben's hier nicht mit Amateuren zu tun. Tony Swan hat wie ein taffer Kerl ausgesehen, das, was noch von ihm übrig war.«

Mauney verließ das Lokal. Kurz darauf kam die Bedienung zurück und wartete in der Nähe ihres Tischs. Reacher konnte sich vorstellen, dass auch den anderen der Appetit vergangen war, aber sie bestellten trotzdem alle etwas. Aus alter Gewohnheit. Iss, wenn du kannst, statt späteren Energiemangel zu riskieren. Damit wäre Swan sehr einverstanden gewesen. Swan hatte überall, jederzeit, dauernd gegessen, sogar bei Autopsien, bei Exhumierungen und an Tatorten.

Keiner erwähnte Tony Swan.

Niemand sprach überhaupt. Draußen schien strahlend hell die Sonne. Ein herrlicher Tag. Blauer Himmel, kleine weiße Wolken. Auf dem Boulevard fuhren Autos vorbei, Gäste kamen und gingen. Telefone klingelten; der Apparat in der Küche und Handys in den Taschen von Gästen. Reacher aß mechanisch, ohne überhaupt wahrzunehmen, was auf seinem Teller lag.

»Sollen wir umziehen?«, fragte Dixon nach einer Weile. »Nachdem Mauney nun weiß, wo wir sind?«

»Mir gefällt nicht, dass der Kerl am Empfang uns verpfiffen hat«, sagte O'Donnell. »Wir sollten ihm seine verdammten Fernbedienungen klauen.«

»Wir brauchen nicht umzuziehen«, erklärte Reacher. »Mauney stellt keine Gefahr für uns dar. Und ich möchte es gleich erfahren, wenn sie Sanchez finden.«

»Wie geht's also weiter?«, fragte Dixon.

»Wir ruhen uns aus«, sagte Reacher. »Nach Einbruch der Dunkelheit brechen wir wieder auf. Wir statten New Age einen Besuch ab. Überwachung bringt uns nicht weiter, also wird's Zeit, aktiv zu werden.«

Er ließ zehn Dollar als Trinkgeld auf dem Tisch liegen und zahlte ihre Rechnung an der Kasse. Dann traten sie ins Freie und standen einen Augenblick lang blinzelnd in der Sonne, bevor sie sich auf den Rückweg ins Motel machten.

Reacher holte die Reisetasche. Sie versammelten sich in O'Donnells Zimmer, um die geraubten Pistolen zu begutachten. Dixon nahm die Glock 19 und erklärte, sie sei damit zufrieden. Aus den übrigen sechs Waffen suchte O'Donnell die drei besten Glock 17 heraus. Sie bekamen auch die Magazine der drei ausgesonderten Waffen, sodass Neagley, Reacher und er bei Bedarf schnell nachladen konnten. Dixon würde nach den ersten siebzehn Schüssen manuell nachladen müssen, aber das war kein großes Problem. War ein Schusswechsel mit Pistolen nach siebzehn Schuss nicht beendet, passte irgendjemand nicht auf, und Reacher vertraute darauf, dass Dixon aufpassen würde. Das hatte sie in der Vergangenheit immer getan.

Reacher fragte: »Mit welchen Sicherheitsvorkehrungen müssen wir bei New Age rechnen?«

»Mit modernsten Schlössern«, antwortete Neagley, »und einer Alarmsicherung am Tor. Ich vermute, dass der Türöffner am Eingang nachts als Bewegungsmelder fungiert und diese Tür zusätzlich gesichert ist. Dazu kommen bestimmt massenhaft Bewegungsmelder und vielleicht zusätzliche Einbruchssicherungen an einzelnen Bürotüren. Alle mit telefonischer Alarmierung nach draußen. Möglicherweise mit Funk oder sogar einer Satellitenverbindung als Reserve.«

»Und wer wird darauf reagieren?«

»Das ist eine sehr gute Frage. Nicht die Cops, denke ich. Die sind zu unwichtig. Ich vermute, dass ein etwaiger Alarm direkt an den eigenen Sicherheitsdienst geht.«

»Nicht ans Verteidigungsministerium?«

»Das wäre natürlich vernünftiger. Das Pentagon gibt dort Zillionen aus, daher müsste die Regierung eingebunden sein. Aber ich bezweifle das. Heutzutage ist nicht mehr alles vernünftig. So sind die Sicherheitskontrollen auf Flughäfen Privatfirmen übertragen worden. Und die nächste Außenstelle des Ministeriums liegt weit entfernt. Deshalb glaube ich, dass New Age über einen eigenen Sicherheitsdienst verfügt, selbst wenn Little Wing noch so cool ist.«

»Wie viel Zeit bleibt uns, sobald wir durch die Sperre am Tor sind?«

»Wer sagt, dass wir da durchkommen? Wir haben keinen Schlüssel, und ein Schloss dieser Art lässt sich nicht mit einem rostigen Nagel öffnen. Ich gehe nicht davon aus, dass wir irgendeines ihrer Schlösser werden knacken können.«

»Lass das meine Sorge sein. Wie viel Zeit bleibt uns, wenn wir drinnen sind?«

»Zwei Minuten«, sagte Neagley. »Unter solchen Umständen ist die Zweiminutenregel die einzig verlässliche Komponente.«

»Okay«, sagte Reacher. »Wir fahren um ein Uhr morgens los. Abendessen um sechs. Ruht euch ein bisschen aus.«

Dixon und Neagley gingen zur Tür. Er folgte ihnen mit den Schlüsseln des geraubten Chryslers in der Hand. Neagley sah ihn fragend an.

»Den brauchen wir nicht mehr«, sagte er. »Ich werde ihn zurückgeben. Aber vorher lasse ich ihn waschen. Wir sollten versuchen, uns zivilisiert zu benehmen.«

Reacher fuhr mit dem Chrysler zum Van Nuys Boulevard nördlich des Ventura Freeways zurück. Zu dem Autostrip, an dem sich auf beiden Straßenseiten zahlreiche Betriebe der Kfz-Branche aneinanderreihten. Vor allem natürlich solche für Neu- und Gebrauchtwagen, billig und teuer, knallig und dezent, aber auch Reifen- und Felgenhändler, Reparaturbetriebe, Ölwechselwerkstätten, Auspuff- und Stoßdämpferschnelldienste sowie Geschäfte für Autozubehör.

Und Autowaschanlagen.

Die Auswahl war ungeheuer groß. Maschinenwäsche, Textilwäsche, bürstenlose Handwäsche, Unterbodenwäsche, Dreistufenwachs, Komplettreinigung. Er fuhr den Boulevard eine Meile weit hinauf und hinunter und machte vier Betriebe aus, die alles anboten. Dann hielt er bei dem ersten und verlangte das volle Programm. Während er in der Sonne stehend zusah, fiel eine Horde Männer in Overalls über den Chrysler her. Als Erstes wurde der Wagen gestaubsaugt, dann zog eine Kette ihn durch einen Glastunnel, in dem er aus Wasser- und allen möglichen Reinigungsmitteldüsen eingesprüht wurde. Kerle mit Schwämmen wuschen das Blech, andere Kerle auf Kunststofftritten rubbelten das Dach ab. Anschließend rollte der Wagen unter einem röhrenden Trockengebläse hindurch auf den Vorplatz, wo weitere Kerle darauf warteten, sich mit Sprays und Putzlappen sein Inneres vorzunehmen. Sie reinigten jeden Quadratzentimeter und hinterließen den Chrysler makellos glänzend. Reacher zahlte, gab ein Trinkgeld, zog seine Handschuhe aus der Tasche, streifte sie über und fuhr davon.

Wenige hundert Meter weiter hielt er bei der zweiten Autowaschanlage und bestellte die gleiche Prozedur noch einmal. Die Kassiererin musterte ihn zweifelnd, dann zuckte sie mit den Schultern und winkte ein Team heran. Reacher stand wieder in der Sonne und verfolgte die Show. Das Staubsaugen, die Außenwäsche, die Innenreinigung, die Sprays und Putzlappen. Er zahlte, gab ein Trinkgeld und fuhr davon.

Er stellte den Chrysler in einer Ecke des Motelparkplatzes in der Sonne ab, um ihn trocknen zu lassen. Dann ging er einen langen Block weit nach Süden zur Fountain Avenue, wo er einen Laden fand, der als Apotheke angefangen hatte und jetzt ein Drugstore war, in dem es alle möglichen kleinen Haushaltsartikel gab. Er ging hinein und erstand vier Stablampen von Maglite mit drei Monozellen: schwarz, hell genug, um nützlich zu sein, klein genug, um nicht zu behindern, groß genug, um sich zum Zuschlagen verwenden zu lassen. Die junge Frau an der Kasse steckte sie in eine weiße Tragetasche mit dem Aufdruck *I love LA,* drei Großbuchstaben mit einem roten Herzen dazwischen. Reacher trug sie ins Motel, schwang sie sanft hin und her und horchte auf das leise Rascheln des Plastikmaterials.

Niemand hatte Lust, zum Abendessen ins Denny's zu gehen. Also ließen sie sich stattdessen von Domino's Pizza kommen und verzehrten sie in der schäbigen Lounge. Dazu gab es Limonade aus dem roten Automaten draußen neben der Tür. Eine für ihr Vorhaben ideale Mahlzeit. Reichlich Kalorien, etwas Fett, komplexe Kohlenhydrate – allmählich freigesetzte Energie, die etwa zwölf Stunden anhalten würde. Das hatte ein Militärarzt ihnen schon vor Jahren genau erklärt.

»Einsatzziele für heute Nacht?«, fragte O'Donnell.

»Drei«, sagte Reacher. »Erstens: Dixon durchsucht die Empfangstheke nach etwas Nützlichem. Zweitens: Neagley findet das Büro der Dragon Lady und durchsucht es. Du und ich nehmen uns die übrigen Büroräume vor. Hundertzwanzig Sekunden, rein und raus. Drittens: Wir identifizieren die Sicherheitsleute, wenn sie aufkreuzen.«

»Wir bleiben anschließend noch da?«

»Ich bleibe«, antwortete Reacher. »Ihr anderen fahrt zurück.«

Reacher ging in sein Zimmer, putzte sich die Zähne und duschte lange heiß. Dann streckte er sich auf dem Bett aus und machte ein Nickerchen. Seine innere Uhr weckte ihn pünktlich um halb eins morgens. Er reckte sich, putzte sich erneut die Zähne und zog sich an. Graue Jeans, graues Jeanshemd, schwarze Windjacke, Reißverschluss ganz hochgezogen. Stiefel fest geschnürt. Handschuhe angezogen. Die Chryslerschlüssel in einer Hosentasche, das Reservemagazin seiner Glock in der anderen. Das in Vegas erbeutete Handy in einer Brusttasche seines Hemds, sein eigenes Handy in der anderen. Die Maglite in einer Jackentasche, die Glock selbst in der anderen. Sonst nichts.

Um zehn vor eins ging er auf den Parkplatz hinaus. Die anderen waren schon da: eine schemenhafte Dreiergruppe, die sich von allen Lichtquellen fernhielt.

»Okay«, sagte Reacher. Er nickte O'Donnell und Neagley zu. »Ihr beiden fahrt eure Hondas.« Er wandte sich an Dixon. »Karla, du fährst meinen, stellst ihn in der Nähe ab, Fahrtrichtung Westen, und lässt den Schlüssel stecken. Dann kommst du mit Dave zurück.«

Dixon fragte: »Willst du den Chrysler wirklich dort zurücklassen?«

»Wir brauchen ihn nicht.«

»Er ist voller Fingerabdrücke, Haare und Fasern.«

»Jetzt nicht mehr. Dafür haben ein Haufen Kerle an der Van Nuys gesorgt. Also los jetzt!«

Sie schlugen wie Baseballspieler die Fäuste leicht aneinander, ein altes Ritual, dann verteilten sie sich auf ihre Fahrzeuge. Reacher setzte sich ans Steuer des Chryslers und ließ den Motor an, dessen dumpfer V-8-Takt laut durch die Dunkelheit hallte. Er hörte die Hondas anspringen, deren kleinere Motoren stotterten und Fehlzündungen hatten, während ihre großen Auspuffe röhrten. Er stieß rückwärts aus der Parklücke, wendete und fuhr auf die Straße hinaus. Im Rückspiegel sah er drei helle blaue Scheinwerferpaare wie eine Perlenkette hinter sich aufgereiht. Er bog am Sunset nach Osten ab, folgte der La Brea nach Süden, fuhr auf dem Wilshire wieder nach Osten und hatte dabei die anderen ständig hinter sich: ein improvisierter kleiner Konvoi, dem es ohne viel Mühe gelang, im schwachen nächtlichen Verkehr zusammenzubleiben.

63

In der großen Stadt wurde es ruhig, sobald sie am MacArthur Park vorbei den Freeway 110 erreichten. Rechts von ihnen lag die Innenstadt still und scheinbar verlassen da. Chinatown war noch beleuchtet, aber auch dort war keine Aktivität zu erkennen. Auf der anderen Straßenseite ragte das Dodger-Stadion riesig und dunkel auf. Sie verließen den Freeway und tauchten in das Straßenlabyrinth östlich davon ein. Die tagsüber schwierige Navigation war nachts noch komplizierter. Aber Reacher, der diese Strecke schon dreimal zurückgelegt hatte – zweimal als Beifahrer, einmal als Fahrer –, traute sich zu, an den richtigen Stellen abzubiegen.

Und das tat er auch ohne Probleme. Drei Straßen vor dem Glaswürfel von New Age wurde er langsamer, damit die anderen zu ihm aufschließen konnten. Vorsichtshalber beschrieb er mit ihnen in zwei Straßenblocks Abstand einen Kreis um das Gebäude, danach einen engeren in nur einem Block Abstand. Die Nacht war dunstig, fast neblig. Der Glaswürfel wirkte dunkel und verlassen. Die dekorativen Bäume auf dem Parkplatz wurden von Tiefstrahlern angeleuchtet, deren Licht zum Teil die verspiegelte Fassade zurückwarf, aber ansonsten gab es keine Parkplatzbeleuchtung. Der Bandstacheldraht auf dem Zaun sah bei Nacht dunkelgrau aus. Das Haupttor war geschlossen.

Reacher fuhr in Tornähe langsamer, streckte einen Arm aus dem Fenster und ließ seinen behandschuhten Zeigefinger wie ein Schiedsrichter kreisen, der beim Baseball einen Homerun anzeigt. *Noch eine Runde*. Nach drei Vierteln dieser letzten Runde deutete er auf den Randstein, an dem sie parken sollten. Erst Neagley, dann O'Donnell hinter ihr, anschließend Dixon. Sie bremsten, hielten und stellten ihre Motoren ab, als Reacher das Zeichen dazu gab, indem er sich mit der Handkante über die Kehle fuhr. O'Donnell machte sich die Mühe, bis ans Tor zu gehen, kam zurück und sagte: »Das Schloss ist verdammt groß.« Reacher saß weiter am Steuer des Chryslers, dessen Motor im Leerlauf brummte. Sein Fenster stand immer noch offen. Er sagte: »Je größer sie sind, desto tiefer fallen sie.«

»Versuchen wir, lautlos reinzukommen?«

»Nicht sehr«, erwiderte Reacher. »Wir treffen uns am Tor.«

Sie gingen voraus, und er ließ den Chrysler langsam hinter ihnen herrollen. Alle Straßen in der Umgebung der New-Age-Zentrale waren Asphaltbänder in der für neue Gewerbegebiete üblichen Standardbreite von sechs Metern. Ohne Gehsteige. Schließlich war dies L.A. Einundzwanzigtausend Meilen Straßen, aber vermutlich keine einundzwanzigtausend Meter Gehsteige. Vor dem Tor, das aufs Firmengelände führte, war eine Parkbucht angelegt, damit ankommende Fahrzeuge warten konnten, ohne die Straße zu versperren. Reacher schätzte die Entfernung zwischen Tor und gegenüberliegendem Bürgersteig auf zweiundvierzig Fuß. Der zahlenverrückte Teil seines Gehirns rechnete ihm sofort vor, das seien vierzehn Yards oder fünfhundertvier Zoll oder 0,00795 Meilen oder ziemlich genau 12,80 Meter.

Reacher bog auf die Ausweichstelle ab und rangierte mehrmals hin und her, bis die vordere Stoßstange des Chryslers fast das Tor berührte. Dann fuhr er rückwärts, bis er spürte, dass der gegenüberliegende Randstein die Hinterreifen blockierte. Mit dem linken Fuß auf dem Bremspedal stellte er den Wählhebel wieder auf D und fuhr alle vier Fenster herunter. Die Nachtluft wehte frisch und kühl herein. Die anderen sahen ihn an, und er bedeutete ihnen, wo sie stehen sollten. Zwei links neben dem Tor, einer rechts davon.

»Gleich fängt die Uhr an zu ticken!«, rief er. »Zwei Minuten!«

Er ließ den Fuß auf dem Bremspedal und gab Vollgas, bis der ganze Wagen bebte, zitterte und schwankte. Dann nahm er abrupt den Fuß weg, sodass der Chrysler nach vorn schoss. Er legte die kurze zur Verfügung stehende Strecke mit quietschenden, durchdrehenden, rauchenden Reifen zurück und krachte frontal gegen das Tor. Das Schloss gab sofort nach, und das Tor sprang auf, während in dem Chrysler ungefähr ein Dutzend Airbags sich öffneten – aus dem Lenkrad, dem Instrumentenbrett, aus Streben, Dachkanten und Sitzen. Darauf war Reacher gefasst. Er lenkte mit einer Hand und hielt sich den anderen Arm schützend vors Gesicht. Den Fahrer-Airbag bremste er mit dem Ellbogen ab. Kein Problem. Die vier offenen Fenster ließen den Entfaltungsknall entweichen und retteten seine Trommelfelle. Trotzdem war der Knall ohrenbetäubend laut – als wäre man im Auto sitzend mit einem Revolver Kaliber .44 beschossen worden. Vor ihm an der Außenwand des Gebäudes begann eine blaue Blinkleuchte zu blitzen. Falls auch eine Sirene ertönte, konnte er sie nicht hören.

Reacher ließ das Gaspedal durchgetreten. Bei dem Aufprall war der Chrysler für Sekundenbruchteile langsamer geworden, aber jetzt beschleunigte er wieder mit durchdrehenden Reifen. Während er das Lenkrad umklammert hielt, riskierte er einen Blick in den Rückspiegel und sah die anderen in schnellem Tempo hinter sich herrennen. Er schaute wieder nach vorn, lenkte mit beiden Händen und zielte auf die Eingangstür.

Als er sie erreichte, war er fast achtzig Stundenkilometer schnell. Die Vorderräder prallten so gegen die niedrige Stufe, dass der ganze Wagen abhob und die Tür kniehoch über dem Boden durchstieß. Glas zersplitterte, der Türrahmen wurde herausgerissen, und der Chrysler schoss fast ungebremst weiter. Auch mit durchgetretenem Bremspedal schlitterte er beim Aufprall über den Schieferboden, demolierte die Empfangstheke völlig, ließ die Mauer hinter ihr einstürzen und kam, bis zum unteren Rand der Frontscheibe mit Ziegelbrocken bedeckt, zum Stehen, während Reste der zersplitterten Empfangstheke sich unter der Wagenmitte angesammelt hatten.

Was Dixons Recherchen erschweren dürfte, dachte Reacher.

Dann verdrängte er dieses Problem, löste seinen Gurt und stieß die Tür auf. Zwängte sich aus dem Wagen und begann über den Boden des Foyers wegzukriechen. Überall um ihn herum flammten kleine weiße Blitzleuchten auf. Allmählich konnte er wieder hören. Eine Sirene heulte. Er rappelte sich auf und verfolgte, wie die anderen von draußen hereingestürmt kamen. O'Donnell und Neagley waren zur Einmündung des Korridors unterwegs, aus dem die Dragon Lady zweimal aufgetaucht war. Die hellen Lichtstrahlen ihrer eingeschalteten Stablampen hüpften und tanzten vor ihnen durch wirbelnde weiße Staubwolken. Er zog seine Maglite aus der Jacke, schaltete sie ebenfalls ein und folgte ihnen.

Einundzwanzig Sekunden abgelaufen, dachte er.

Auf halber Länge des Korridors passierte er zwei Aufzüge. Ihre Anzeigen ließen erkennen, dass dies ein zweistöckiges Gebäude war. Er drückte nicht auf den Rufknopf, weil die Aufzüge bei Alarm bestimmt ohne Strom waren. Stattdessen riss er die Treppenhaustür daneben auf. Nahm immer zwei Stufen auf einmal und rannte in den zweiten Stock hinauf. Im Treppenhaus war das Heulen der Alarmsirene unerträglich laut. Er stürmte in den Korridor im zweiten Stock. Seine Stablampe brauchte er hier nicht. Die durch den Alarm ausgelösten Blitzleuchten verwandelten den Flur in eine höllische Disko. In Abständen von sechs Metern führten Bürotüren aus Ahorn vom Korridor ab. An den Türen waren Namensschilder befestigt: lange schwarze Kunststoffschilder, deren eingravierte Buchstaben bis in die weiße Grundschicht hinunterreichten.

Direkt vor Reacher war Neagley dabei, eine Tür mit dem Namensschild *Margaret Berenson* einzutreten. Der Stroboskopeffekt der Blitzleuchten ließ ihre Bewegungen bizarr ruckartig erscheinen. Die Tür gab nicht nach. Neagley zog ihre Glock und gab drei Schüsse auf das Schloss ab. Die leeren Messinghülsen flogen aus dem Hülsenauswurf, rollten über den Teppichboden davon und wurden vom Stroboskoplicht in eine lange goldene Kette verwandelt. Als Neagley jetzt noch einmal gegen die Tür trat, sackte sie nach innen. Neagley verschwand in dem Büro.

Reacher hetzte weiter. *Zweiundfünfzig Sekunden abgelaufen,* dachte er.

Er lief an einer Tür mit dem Namensschild *Allen Lamaison* vorbei. Sechs Schritte weiter kam die nächste Tür: *Anthony Swan.* Er trat an die gegenüberliegende Wand, holte mit dem rechten Bein aus und traf die Tür mit einem gewaltigen Absatzkick knapp über dem Schloss. Das Ahornholz splitterte, und die Tür hing schief, aber das Schloss hielt. Reacher warf sich mit einer Schulter dagegen, sprengte sie auf und taumelte über die Schwelle.

Dreiundsechzig Sekunden abgelaufen, dachte er.

Er stand reglos da und ließ den Lichtstrahl seiner Stablampe durch das Büro seines toten Freundes gleiten. Es war unberührt, als wäre Swan nur eben mal auf die Toilette gegangen oder beim Mittagessen. An einem Kleiderständer hing seine Jacke: eine khakifarbene Windjacke, alt, abgetragen, wie eine Golfjacke mit Schottenkarostoff gefüttert, kurz und weit. Er sah Aktenschränke, Telefone, einen Ledersessel mit Abdrücken vom Gewicht eines schweren Körpers. Auf dem Schreibtisch ein Computer. Und ein neuer leerer Notizblock, Kugelschreiber und Bleistifte. Eine Heftzange, eine Quarzuhr, ein kleiner Stapel Papiere.

Und ein Briefbeschwerer auf diesen Papieren. Ein faustgroßer, unregelmäßig geformter Klumpen ostdeutschen Betons, grau, an einigen Stellen vom Anfassen glatt und glänzend, auf seiner Oberseite noch die schwachen Spuren eines aufgesprühten rot-blauen Graffitos.

Reacher trat an den Schreibtisch und steckte den Briefbeschwerer ein. Rollte auch die Papiere zusammen, die darunter gelegen hatten, und schob sie in die andere Tasche. Plötzlich fiel ihm auf, wie weich der Boden unter seinen Füßen war. Er richtete die Stablampe nach unten. Sah ein reflektiertes leuchtendes Rot. Reich gemustert. Ein großer Orientteppich. Ganz neu. Er dachte an den Strick, mit dem Orozco an Händen und Füßen gefesselt gewesen war, und erinnerte sich an Mauneys Worte: *Ein aus Indien eingeführtes Sisalprodukt. Es muss mit dem Verpackungsmaterial von Importen ins Land gekommen sein.*

Neunundachtzig Sekunden abgelaufen, dachte er.

Reacher trat ans Fenster. Erspähte im Halbdunkel tief unter sich Karla Dixon, die schon wieder in Richtung Tor unterwegs war. Ihre graue Jeans und das Jeanshemd waren mit weißem Staub bedeckt. Sie sah wie ein Gespenst aus. Vom Herumkriechen zwischen dem eingestürzten Mauerwerk, vermutete er. Sie hielt Papiere in der Hand und trug ein weißes Ringbuch unter den Arm geklemmt. Die Blinkleuchte über dem Eingang tauchte sie in bläuliche Lichtblitze.

Noch sechsundzwanzig Sekunden.

Er sah O'Donnell unten wegrennen, als flüchtete er aus einem brennenden Haus: mit Riesenschritten, erbeutete Unterlagen an seine Brust gedrückt. Und eine Sekunde später Neagley, die mit Packen grüner Schnellhefter in beiden Händen hinter ihm herspurtete, sodass ihr langes schwarzes Haar flatterte.

Noch neunzehn Sekunden.

Er durchquerte das Büro und berührte die am Kleiderständer hängende Jacke sanft an der Schulter, als steckte Swan noch darin. Dann setzte er sich in den Ledersessel hinter dem Schreibtisch. Er knarrte, als er sich zurücklehnte. Das hörte er trotz des Sirenengeheuls deutlich.

Noch zwölf Sekunden.

Reacher sah in das irre Blitzen auf dem Korridor hinaus und wusste, dass er einfach nur zu warten brauchte. Früher oder später, vielleicht in weniger als einer Minute, würden die Männer aufkreuzen, die seinen Freund ermordet hatten. Solange es nicht mehr als vierunddreißig waren, konnte er einfach hier sitzen bleiben und sie nacheinander umlegen.

Noch fünf Sekunden.

Nur konnte er das natürlich nicht. So dämlich war niemand. Sobald die ersten drei oder vier Toten sich vor seiner Tür türmten, würden die anderen sich auf dem Korridor verschanzen und über Tränengas, Kevlarwesten und Verstärkung nachdenken. Vielleicht würde ihnen sogar der Gedanke kommen, die Cops oder das FBI zu benachrichtigen. Und Reacher war klar, dass es keine zuverlässige Methode gab, die richtigen Männer zu erwischen, bevor er nach drei- oder viertägiger Belagerung von mehreren durchtrainierten SWAT-Teams überwältigt wurde.

Noch eine Sekunde.

Er schoss aus dem Sessel hoch, stürzte durch die zertrümmerte Tür und schlug einen doppelten Haken: links auf den Korridor hinaus und rechts ins Treppenhaus. Neagley hatte die Tür für ihn offen gelassen. Das Erdgeschoss erreichte er etwa zehn Sekunden über der Zeit. Er bog um den demolierten Chrysler in der Eingangshalle herum und war ungefähr fünfzehn Sekunden zu spät auf dem Parkplatz. Rannte mit vierzig Sekunden Verspätung durch das aufgesprengte Tor auf die Straße hinaus und auf den silbergrauen Prelude zu. Sein Wagen stand hundert Meter weit entfernt. Die beiden anderen Hondas hatten das Gelände schon verlassen. Er legte die hundert Meter in zwanzig Sekunden zurück, warf sich in den Wagen, knallte die Fahrertür zu und rappelte sich sitzend hoch. Er atmete keuchend, mit aufgerissenem Mund. Als er den Kopf zur Seite drehte, sah er in der Ferne ein Scheinwerferpaar, das sich sehr schnell bewegte, auf ihn zukam, um Ecken glitt und eine Nickbewegung machte, als der Wagen scharf bremste.

64

Insgesamt drei Limousinen kreuzten auf. Sie kamen herangerast, hielten kreuz und quer vor dem aufgesprengten Tor auf der Straße und blieben dort stehen: zufällig abgestellt, mit laufenden Motoren und aufgeblendeten Scheinwerfern, die den leichten Nebel durchdrangen. Drei nagelneue Chrysler 300C, dunkelblau, ziemlich identisch mit dem, der schon im Eingangsbereich der Firmenzentrale parkte.

Aus den drei Wagen stiegen insgesamt fünf Männer. Zwei aus dem ersten Fahrzeug, einer aus dem zweiten, zwei aus dem dritten. Reacher war hundert Meter entfernt, beobachtete sie durch getöntes Glas und eine Ecke des Maschendrahtzauns von New Age; von sechs Scheinwerfern geblendet, konnte er nicht allzu viele Einzelheiten erkennen. Aber der Typ, der allein mit dem zweiten Wagen gekommen war, ein großer, schlanker Mann in einem kurzen, dunkelbraunen oder schwarzen Regenmantel, schien das Kommando zu haben. Er starrte das demolierte Tor an und bedeutete den anderen, sie sollten sich davon fernhalten, als wäre es irgendwie gefährlich.

Ein ehemaliger Cop, dachte Reacher, *dem es instinktiv widerstrebt, einen ungesicherten Tatort betreten zu lassen.*

Dann formierten die fünf Männer sich mit dem Mann im Regenmantel an der Spitze zu einer dicht geschlossenen Keilformation. Sie näherten sich dem aufgesprengten Tor langsam und vorsichtig, gingen leicht gebeugt und streckten die Köpfe vor. Dann machten sie halt, zogen sich rasch zurück und verschwanden hinter ihren Wagen. Die Motoren wurden abgestellt, die Scheinwerfer gingen aus, und auf der Straße herrschte wieder Halbdunkel.

Nicht ganz dumm, dachte Reacher. *Sie denken, dies könnte ein Hinterhalt sein. Sie denken, wir könnten noch im Gebäude sein.*

Er beobachtete sie, bis seine Augen sich an das Halbdunkel gewöhnt hatten. Dann zog er das aus Vegas mitgebrachte Handy aus der Tasche und rief die letzte Nummer auf, drückte die grüne Anruftaste, hielt sich das Telefon ans Ohr und blickte weiter nach vorn, um zu sehen, welcher der fünf Männer sich melden würde.

Er tippte auf den Mann im Regenmantel.

Irrtum.

Keiner der fünf Kerle meldete sich.

Keiner von ihnen reagierte. Keiner zog sein Handy aus der Tasche. Keiner bewegte sich auch nur. Das Freizeichen war weiter zu hören, dann schaltete sich der Anrufbeantworter ein. Reacher unterbrach die Verbindung und wählte die Nummer noch mal – mit dem gleichen Ergebnis. Er beobachtete die Kerle genau, aber keiner von ihnen regte auch nur einen Muskel. Es war undenkbar, dass ein Sicherheitsdirektor im Alarmfall ausrückte, ohne sein Mobiltelefon eingeschaltet zu haben. Es war undenkbar, dass ein Sicherheitsdirektor unter solchen Umständen einen Anruf ignorieren würde.

Deshalb war keiner dieser fünf Männer der Sicherheitsdirektor von New Age. Auch der im Regenmantel nicht. Er war bestenfalls die Nummer drei, wenn man Swan als Nummer zwei berücksichtigte. Und er benahm sich wie eine Nummer drei, war langsam und schwerfällig. Er hatte kein taktisches Gespür. Jeder halbwegs Intelligente hätte längst wissen müssen, was zu tun war. Ein kleines quadratisches Gebäude, möglicherweise von Bewaffneten besetzt, drei schwere Limousinen zur Verfügung – sein Problem hätte längst gelöst sein müssen. Alle drei Wagen fahren auf das Gelände, hohes Tempo, verschiedene Richtungen, sie umrunden das Gebäude, sie ziehen Feuer auf sich, zwei Kerle dringen von hinten ein, zwei kommen von vorn, Abpfiff.

Zivilisten, dachte Reacher.

Er wartete.

Schließlich traf der Mann im Regenmantel die richtige Entscheidung. Schmerzhaft langsam, aber letztlich doch. Er beorderte seine Leute in die Fahrzeuge zurück, die sich sammelten und anschließend durchs Tor rasten. Reacher verfolgte, wie sie das Gebäude mehrmals umkreisten, dann ließ er den Motor seines Wagens an und fuhr nach Westen davon.

Reacher blieb auf normalen Straßen und mied den Freeway. Ihm war aufgefallen, dass es auf den Freeways nachts von Cops wimmelte, während es anderswo keine gab. Also war er lieber übervorsichtig. Am Dodger-Stadion verfuhr er sich und beschrieb zuletzt orientierungslos einen Kreis, der an der L.A. Police Academy vorbeiführte. Er hielt im Echo Park und fragte telefonisch nach dem Standort der anderen. Sie waren schon fast am Ziel, fuhren wie von einem Nachtangriff heimkehrende Bomber in unauffälligem Tempo nach Westen.

Um Punkt drei Uhr morgens fanden sie sich wieder in O'Donnells Zimmer ein. Die erbeuteten Dokumente lagen in drei ordentlichen Häufchen auf dem Bett. Reacher zog Swans Papiere aus der Tasche und legte sie daneben. Sie waren nicht sonderlich interessant. Obenauf lag ein Vorschlag zur zukünftigen Überstundenregelung für sein Sekretariat. Beim Rest handelte es sich um eine Begründung für die bisher geleisteten Überstunden.

Auch O'Donnells Material war nicht sehr interessant, aber in negativer Hinsicht lehrreich. Es bewies, dass der Glaswürfel ein reines Verwaltungszentrum war, das ohne strenge Sicherheitsvorkehrungen auskam, weil es dort kaum Wertvolles zu entwenden gab. Das Gebäude enthielt nicht einmal ein Konstruktionsbüro, sondern nur den Verwaltungsapparat von New Age: Personalabteilung, Buchhaltung, Fahrbereitschaft, Wartungs- und Instandhaltungsdienste. Nichts, was an sich wertvoll gewesen wäre.

Was die Suche nach der Fertigungsstätte umso dringlicher machte.

In dieser Beziehung machte Dixons Beute einen gewaltigen Unterschied. Sie hatte die zertrümmerte Empfangstheke durchsucht, war unter den demolierten Chrysler gekrochen und hatte in nur fünfzig Sekunden einen Fund gemacht, der Gold wert war. In einer zersplitterten Schublade hatte sie das Telefonverzeichnis von New Age entdeckt. Jetzt lag es vor ihnen auf dem Bett: ein dicker Blätterstapel in einem weißen Ringbuch, leicht lädiert und mit Staub bedeckt.

Auf der Außenseite des Ordners prangte das Firmenzeichen von New Age Defense Systems, und die meisten Seiten waren voll mit Namen und Nebenstellennummern, die ihnen nichts sagten. Ganz vorn jedoch gab es ein Organigramm, das alle Abteilungen der Firma zeigte. In Kästchen standen Namen, und Striche verbanden diese durch die einzelnen Hierarchien nach unten. An der Spitze des Sicherheitsdienstes stand ein Mann namens Allen Lamaison. Seine Nummer zwei war Tony Swan gewesen. Unter Swan führten zwei Striche zu zwei anderen Männern, unter denen dann wieder fünf Männer standen, von denen einer Saropian geheißen hatte und jetzt so tot wie Tony Swan war – in einem Hotelfundament in Vegas einbetoniert. Insgesamt neun Männer, zwei davon tot, sieben Überlebende.

»Sieh mal ganz hinten nach«, sagte Dixon.

Im letzten Teil fanden sich Kundennummern für FedEx, UPS und DHL, dazu die vollständigen Adressen und Telefonnummern von zwei New-Age-Betrieben, wie Kurierdienste sie benötigten. Der Glaswürfel in East L.A., das Vertragsbüro in Colorado.

Und bizarrerweise eine dritte Adresse mit einer fett gedruckten und doppelt unterstrichenen Anmerkung: *Keine Lieferungen an diese Anschrift.*

Die dritte Adresse war die des Betriebs, der die Elektronikpacks baute.

Er lag auf halber Strecke zwischen Glendale und South Pasadena in Highland Park. Zehn Kilometer nordöstlich der Innenstadt, vierzehn Kilometer östlich ihres Motels.

Praktisch nur einen Steinwurf entfernt.

»Jetzt ein paar Seiten zurück«, sagte Dixon.

Reacher blätterte zurück. Dieser Abschnitt enthielt alle Nebenstellennummern in Highland Park.

»Sieh unter P nach«, forderte Dixon ihn auf.

Der Buchstabe P begann mit einem Kerl namens Pascoe und endete mit einem namens Purcell. Ziemlich in der Mitte stand der Eintrag *Pilotenbüro.*

Dixon sagte: »Wir haben den Hubschrauber gefunden.«

Reacher nickte. Dann lächelte er ihr zu. Stellte sich vor, wie sie mit ihrer Stablampe hineingerannt und fünfzig Sekunden später, über und über mit weißem Staub bedeckt, zu ihrem Wagen zurückgerannt war. Sein altes Team. *Hätte er sie nach Atlanta geschickt, wären sie mit der Coca-Cola-Rezeptur zurückgekommen.*

Neagley hatte die Personalakten des gesamten Sicherheitsdienstes mitgenommen. Neun grüne Dossiers. Eines betraf Saropian, ein anderes Tony Swan. Die sah Reacher sich nicht an. Zwecklos. Er begann ganz oben mit Allen Lamaison. Auf der ersten Seite klebte ein Polaroidfoto von ihm. Lamaison war ein muskulöser, stiernackiger Mann mit ausdruckslosen schwarzen Augen und auffällig kleinem Mund. Die Angaben zur Person auf der nächsten Seite besagten, dass er zwanzig Jahre lang beim Los Angeles Police Department gearbeitet hatte, die letzten zwölf in der Raub- und Mordkommission. Er war neunundvierzig Jahre alt.

Dann folgten die beiden Männer, die sich die dritte Position innerhalb der Hierarchie teilten. Der Erste von ihnen hieß Lennox. Einundvierzig Jahre, früher beim LAPD, grauer Bürstenschnitt, stämmig gebaut, fleischiges rotes Gesicht.

Der zweite Typ war der Mann im Regenmantel. Er hieß Parker. Zweiundvierzig Jahre, auch er früher beim LAPD, groß, schlank, mit blassem, hartem Gesicht, das durch eine Boxernase entstellt war.

»Sie kommen alle aus dem LAPD«, bemerkte Neagley. »Den Unterlagen nach haben sie alle ungefähr gleichzeitig gekündigt.«

»Nach einem Skandal?«

»Skandale gibt's immer. Statistisch gesehen ist's schwierig, das LAPD auf andere Weise zu verlassen.«

»Kann dein Typ in Chicago uns ihre Lebensläufe beschaffen?«

Neagley zuckte mit den Schultern. »Vielleicht kommen wir in ihren Computer rein. Und wir kennen ein paar Leute. Vielleicht gibt's mündliche Informationen.«

»Womit war Berensons Büro ausgelegt?«

»Mit einem neuen Orientteppich. Ein persisches Muster, aber bestimmt eine Kopie aus Pakistan.«

Reacher nickte. »Swans Büro auch. Sie müssen die ganze Führungsetage neu ausgelegt haben.«

Während Neagley ihr Handy aufklappte, um ihrem Typen in Chicago etwas auf den Anrufbeantworter zu sprechen, legte Reacher Parkers Dossier beiseite und sah sich die Fotos der übrigen vier Fußsoldaten an. Dann klappte er ihre Dossiers zu und ordnete sie zu einem Stapel, den er auf Parkers Dossier legte, als gehörten sie zur selben Kategorie.

»Diese fünf habe ich heute Nacht gesehen«, sagte er.

»Wie waren sie?«, fragte O'Donnell.

»Miserabel. Richtig dumm und langsam.«

»Wo waren die beiden anderen?«

»Vermutlich in Highland Park. Dort, wo das ganze gute Zeug ist.«

O'Donnell schob ihm die fünf separaten Dossiers hin und fragte: »Wie konnten wir vier Leute durch die Keystone Cops verlieren?«

»Weiß ich nicht«, sagte Reacher.

65

Zuletzt schlug Reacher doch Tony Swans Personalakte bei New Age auf. Allerdings kam er nur bis zu dem Polaroidfoto. Es war ein Jahr alt und natürlich weit von Studioqualität entfernt, aber trotzdem viel schärfer als Curtis Mauneys Standbild einer Überwachungskamera. Zehn Jahre nach der Army hatte Swan sein Haar kürzer getragen als im Dienst. Damals waren rasierte Schädel bei den Mannschaften in Mode gekommen, aber diese Welle hatte die Offiziere noch nicht erfasst. Swan hatte eine ganz normale Frisur mit Seitenscheitel gehabt. Im Lauf der Jahre musste sein Haar dünner geworden sein, und er hatte sich für einen Bürstenschnitt entschieden. In der Army war es kastanienbraun gewesen, hier sah es staubig grau aus. Er hatte starke Tränensäcke unter den Augen und deutliche Fettansätze an den Kiefergelenken. Sein Hals wirkte noch dicker als früher. Reacher staunte darüber, dass es überhaupt Hemden in dieser Kragenweite gab. Wie Autoreifen.

»Wie geht's weiter?«, fragte Dixon in die Stille hinein. Reacher wusste, dass das keine richtige Frage war, sie wollte ihn nur davon abhalten weiterzulesen. Wollte seine Gefühle schonen. Er klappte das Dossier zu, ließ es etwas von den anderen entfernt aufs Bett fallen. Swan hatte Besseres verdient, als mit seinen ehemaligen Kollegen zusammengeworfen zu werden – und wenn's nur auf Papier war.

»Wer war eingeweiht, wer ist geflogen?«, sagte Reacher. »Das müssen wir rauskriegen. Alle anderen dürfen noch ein bisschen länger leben.«

»Wann erfahren wir das?«

»Heute im Lauf des Tages. Dave und du kundschaften den Betrieb in Highland Park aus. Neagley und ich fahren nach East L.A. zurück. In einer Stunde. Seht also zu, dass ihr noch etwas Schlaf bekommt.«

Reacher und Neagley verließen das Motel um fünf Uhr morgens. Sie lenkten ihre Hondas einhändig und telefonierten miteinander, wie es die meisten Pendler taten. Reacher sagte, bestimmt seien Lamaison und Lennox bei dem Alarm sofort nach Highland Park hinausgefahren. Eine Standardmaßnahme bei Notfällen, vermutete er, weil Highland Park gefährdeter war. Der Überfall in East L.A. konnte ein Ablenkungsmanöver gewesen sein. Aber eine ruhige Nacht würde diese Befürchtung widerlegen, und die beiden würden bei Morgengrauen zum eigentlichen Tatort fahren, entscheiden, dass dort heute nicht gearbeitet werden könne, und allen einen Tag freigeben. Nur den Abteilungsleitern nicht, die bleiben mussten, um die Schäden zu registrieren und Listen mit den entwendeten Gegenständen aufzustellen.

Neagley stimmte seiner Analyse zu. Und sie begriff den nächsten Teil des Plans, ohne nachfragen zu müssen, was einer der Gründe war, weshalb Reacher sie so mochte.

Sie parkten in hundert Meter Abstand auf verschiedenen Straßen, ohne Absicht, sich zu verstecken. Die Sonne ging gerade auf. Reacher, der fünfzig Meter von der New-Age-Zentrale entfernt parkte, konnte das Spiegelbild seines Wagens in der Glasfassade sehen: winzig und fern, eines der vielen Autos, die hier überall standen. Ein Abschleppwagen war rückwärts an den demolierten Eingangsbereich des Gebäudes herangefahren. Sein Stahlseil führte ins dunkle Innere. Der Kerl namens Parker war noch immer da und leitete die Bergung. Er hatte einen Fußsoldaten bei sich. Reacher vermutete, die drei anderen seien nach Highland Park geschickt worden, um Lamaison und Lennox abzulösen.

Das Stahlseil des Abschleppwagens straffte sich ruckend. Der dunkelblaue Chrysler kam rückwärts aus dem Foyer – sehr viel langsamer, als er hineingerast war. Er hatte einen geplatzten Reifen, Kratzer im Lack und einen Frontschaden. Die Windschutzscheibe war undurchsichtig und leicht eingebeult. Insgesamt sah der Wagen jedoch erstaunlich gut aus. Er wurde auf die Stellfläche gezogen, wo der Fahrer die Räder mit Spanngurten sicherte und davonfuhr. Sobald er das Firmengelände verlassen hatte, traf sein unbeschädigter Zwilling ein. Ein weiterer blauer 300C, aus dem Allen Lamaison stieg, um das aufgesprengte Tor zu begutachten.

Reacher erkannte ihn sofort nach dem Foto in seinem Dossier. In Person war er einen Meter achtzig groß und wog vermutlich etwas über hundert Kilo. Breite Schultern, schmale Hüften, dünne Beine. Er wirkte schnell und beweglich, trug einen grauen Anzug mit weißem Hemd und roter Krawatte. Obwohl es nicht windig war, hielt er die Krawatte mit einer Hand flach an seine Brust gedrückt. Nach einem kurzen Blick auf das Tor stieg er wieder ein und fuhr bis zum Gebäude weiter. Als er kurz vor dem demolierten Eingang ausstieg, kam Parker in seinem Regenmantel auf ihn zu, und die beiden begannen ein Gespräch.

Nur um sicherzugehen, zog Reacher das aus Vegas mitgenommene Handy heraus und drückte die Wiederwahltaste. Fünfzig Meter von ihm entfernt griff Lamaison sofort in seine Tasche und brachte ein Handy zum Vorschein. Als er die Telefonnummer auf dem Display sah, erstarrte er.

Erwischt, dachte Reacher.

Er erwartete keine Antwort. Aber Lamaison nahm den Anruf entgegen. Er klappte sein Handy auf, hob es ans Ohr und fragte: »Was?«

»Wie läuft Ihr Tag?«, fragte Reacher.

»Er hat gerade erst angefangen«, antwortete Lamaison.

»Wie war Ihre Nacht?«

»Ich bringe Sie um!«

»Das haben schon viele versucht«, entgegnete Reacher. »Ich bin noch da. Die anderen nicht.«

»Wo sind Sie?«

»Wir sind nicht mehr in L.A. Das ist sicherer. Aber wir kommen zurück. Vielleicht nächste Woche, vielleicht nächsten Monat, vielleicht nächstes Jahr. Gewöhnen Sie sich lieber daran, über die Schulter zu sehen. Das werden Sie in nächster Zeit sehr häufig tun.«

»Ich habe keine Angst vor Ihnen.«

»Dann sind Sie ein Dummkopf«, sagte Reacher und unterbrach die Verbindung. Er beobachtete, wie Lamaison sein Mobiltelefon anstarrte und dann eine Nummer wählte. Er rief jedoch nicht zurück. Reacher wartete, aber sein Handy blieb stumm, und Lamaison begann zu reden, offenbar mit jemand anderem.

Zehn Minuten später kreuzte Lennox mit einem weiteren dunkelblauen 300C auf. Schwarzer Anzug, grauer Bürstenschnitt, stämmig, fleischiges rotes Gesicht. Die zweite Nummer drei, Swans Untergebener, mit Parker gleichgestellt. Er trug ein Papptablett mit Kaffeebechern und verschwand damit im Gebäude. Fünfzig Minuten später traf Margaret Berenson ein, die Dragon Lady. Personalabteilung. Sie fuhr einen mittelgroßen silbergrauen Toyota, bog von der Straße nach rechts ab, fuhr übers Firmengelände und parkte sorgfältig auf einem Platz in der Nähe des Eingangs. Dann arbeitete sie sich durch die Trümmer in das Gebäude vor.

Lamaison kam kurz heraus und schickte den verbliebenen Fußsoldaten als Wachposten ans Tor. Die zweite Verteidigungslinie am Eingang bildete Parker. Er trug noch immer seinen Regenmantel. Zwei weitere Manager kreuzten auf. Finanzchef und Hausverwalter, vermutete Reacher. Der Wachposten winkte sie durch das nicht mehr vorhandene Tor, und Parker ließ sie ins Gebäude ein. Dann tauchte irgendeine Art Generaldirektor auf. Ein alter Mann in einem Jaguar, Servilität am Tor, stramme Haltung von Parker. Der Alte beriet sich mit Parker durchs offene Fenster seines Jaguars und fuhr wieder fort. Er hielt offenbar viel davon, seinen Mitarbeitern freie Hand zu lassen.

Dann wurde es auf dem Gelände ruhig, und diese Ruhe hielt über zwei Stunden an.

Ungefähr in der Mitte dieser Wartezeit rief Dixon aus Highland Park an. O'Donnell und sie waren seit kurz vor sechs auf ihrem Beobachtungsposten. Sie hatten verfolgt, wie die drei Fußsoldaten aufgekreuzt, Lamaison und Lennox weggefahren und Arbeiter gekommen waren. Um sich einen Gesamteindruck zu verschaffen, waren sie mit zwei Straßenblocks Abstand einmal rund um die Fabrik gefahren.

»Dies ist der richtige Laden«, erklärte Dixon. »Mehrere Gebäude, kaum überwindbarer Zaun, ausgezeichnete Sicherheitseinrichtungen. Und nach hinten raus gibt's einen Hubschrauberlandeplatz, mit einem Hubschrauber darauf – einem weißen Bell 222.«

Um halb zehn Uhr morgens verließ die Dragon Lady das Gebäude. Sie schlängelte sich durch die Trümmer, blieb einen Augenblick auf den Stufen vor dem Eingang stehen und ging dann zu ihrem Toyota. Reachers Handy klingelte. Das Prepaid-Handy aus dem Radio Shack, nicht das in Vegas erbeutete. Der Anruf kam von Neagley.

»Fahren wir beide?«, fragte sie.

»Unbedingt«, sagte Reacher. »Du dicht dran, ich dahinter. Jetzt geht's los!«

Er streifte seine Handschuhe über und startete den Motor des Hondas im selben Augenblick, in dem Margaret Berenson den ihres Toyotas anließ. Da sie bei der Ankunft rechts abgebogen war, würde sie beim Wegfahren nach links abbiegen. Reacher fuhr zwanzig Meter und wendete in der Einmündung der nächsten Seitenstraße. Er war vom langen Stillsitzen ganz steif. Jetzt rollte er langsam am Zaun von New Age entlang zurück. Berenson war in flottem Tempo über den Parkplatz in Richtung Tor unterwegs. Einen Straßenblock entfernt sah er Neagleys Honda, der kleine weiße Dampfwölkchen hinter sich herzog. Berenson erreichte das demolierte Tor und brauste hindurch, ohne langsamer zu werden. Bog nach links ab. Neagley bog parallel zu ihr ebenfalls links ab und setzte sich dreißig Meter hinter sie. Reacher fuhr langsamer, wartete noch, bog dann seinerseits ab und setzte sich ungefähr siebzig Meter hinter Neagley, hundert Meter hinter Berenson.

66

Der Prelude war ein tiefergelegtes Coupé, aus dem man nicht die beste Sicht hatte, aber die meiste Zeit konnte Reacher den silbergrauen Toyota vor ihnen gut erkennen. Berenson blieb deutlich unter der zulässigen Höchstgeschwindigkeit. Vielleicht hatte ihr Punktestand schon die Höchstgrenze erreicht. Oder sie war in Gedanken woanders. Vielleicht aber waren die Unfallnarben in ihrer Erinnerung ausgeprägter als in ihrem Gesicht. Sie bog nach rechts in den Huntington Drive ein, seines Wissens einst Teil der alten Route 66. Jetzt fuhr sie Richtung Nordosten. Reacher begann von seinen »Kicks on Route 66« vor sich hinzusingen. Dann verstummte er. Berenson wurde langsamer und hatte ihren linken Blinker gesetzt. Sie wollte links abbiegen. Sie war nach South Pasadena unterwegs.

Sein Mobiltelefon klingelte. Neagley.

»Ich bin schon zu lange hinter ihr«, sagte sie. »Ich fahre um den nächsten Block. Bleib du jetzt mal dran.«

Reacher legte sein Handy weg, ohne die Verbindung zu unterbrechen, und gab Gas. Berenson befand sich auf der Van Horne Avenue. Er war nur ungefähr fünfzig Meter hinter ihr. Trotzdem konnte er sie nicht sehen, weil die Straße so kurvenreich war. Er beschleunigte wieder und nahm den Fuß dann vom Gas, als er sie nach der nächsten Kurve vierzig Meter entfernt vor sich hatte. Während er weiterfuhr, konnte er im Rückspiegel beobachten, wie Neagley hinter ihm in die Van Horne Avenue einbog.

Monterey Hills ging in South Pasadena über, und an der Gemeindegrenze änderte die Straße ihren Namen in Via Del Rey. Ein hübscher Name, ein hübscher Ort. Der kalifornische Traum. Sanfte Hügel, kurvenreiche Straßen, ewiger Frühling, ewige Blüte. Auf den kargen Militärstützpunkten in Europa und im Pazifik, wo Reacher aufgewachsen war, hatte er oft in Bilderbüchern gezeigt bekommen, wie seine Heimat aussah. Die meisten Bilder hatten genau wie South Pasadena ausgeschaut.

Berenson bog erst links, dann rechts ab und fuhr zuletzt in eine ruhige Wohnstraße, die eine Sackgasse war. Reacher erhaschte einen kurzen Blick auf hübsche kleine Häuser in der Morgensonne. Er folgte ihr nicht. Der aufgemotzte Honda wäre in großen Teilen von L.A. ziemlich unauffällig gewesen, aber nicht in dieser Umgebung. Er bremste und hielt dreißig Meter nach der Einmündung an. Neagley parkte hinter ihm.

»Jetzt?«, fragte sie übers Handy.

Es gab zwei Methoden, einen Besuch bei Leuten zu erzwingen, die gerade nach Hause kamen. Man ließ ihnen Zeit, es sich gemütlich zu machen, und überzeugte sie später mit guten Gründen, einen einzulassen. Oder man blieb ihnen dicht auf den Fersen und überfiel sie, wenn sie noch ihre Schlüssel in der Hand hielten oder eben erst die Haustür geöffnet hatten.

»Jetzt«, sagte Reacher.

Sie stiegen aus, sperrten ab und liefen los. Ungefährlich. Ein einzelner rennender Mann konnte Misstrauen erwecken, eine einzelne Frau tat das selten. Rannten ein Mann und eine Frau gemeinsam, wurden sie meist für Joggingpartner oder für ein Paar gehalten, das einfach Spaß hatte.

Sie bogen in die Sackgasse ein, ohne gleich etwas zu sehen. Vor ihnen lag eine Steigung mit leichter Rechtskurve. Als sie um diese Kurve kamen, beobachteten sie, wie das Garagentor eines Hauses auf der rechten Seite im ersten Drittel der restlichen Straße geöffnet wurde. Berensons silbergrauer Toyota stand in einer asphaltierten Einfahrt. Das Haus wirkte klein und gepflegt. Es hatte eine Klinkerfassade. Blau gestrichene Fensterrahmen. Der Vorgarten war ein reich blühender Steingarten. Über dem Garagentor hing ein Basketballkorb. Das sich öffnende Tor ließ genug Licht ein, um das an einer Wand gestapelte Durcheinander aus Kindersachen erkennen zu lassen. Ein Fahrrad, ein Skateboard, einen Little-League-Schläger, Knieschützer, Helme, Fanghandschuhe.

Die Bremsleuchten des Toyotas gingen aus, dann kroch er vorwärts. Neagley spurtete los. Sie war viel schneller als Reacher und schaffte es bis in die Garage, als das Tor sich eben wieder zu schließen begann. Reacher, der ungefähr fünf Sekunden nach ihr ankam, benutzte seinen Fuß dazu, den Sicherheitsmechanismus anspringen zu lassen. Er wartete, bis das Tor sich wieder halb geöffnet hatte, dann duckte er sich darunter hindurch und gelangte so in die Garage.

Margaret Berenson saß nicht mehr in ihrem Wagen. Neagley hielt sie mit ihrer behandschuhten Linken am Haar gepackt, während sie mit der anderen Hand ihre Handgelenke hinter ihrem Rücken umklammerte. Berenson wehrte sich, aber nicht sehr energisch. Sie hörte ganz damit auf, als Neagley ihren Kopf nach vorn drückte, sodass ihr Gesicht zweimal auf die Motorhaube des Toyotas prallte. Daraufhin begann sie zu schreien. Aber die Schreie verstummten sofort, als Neagley sie wieder hochriss und Reacher zukehrte, dessen Faust ihren Solarplexus traf – nur einmal, fast sanft, aber kräftig genug, um ihr die Luft aus der Lunge zu pressen.

Dann trat Reacher zur Seite und drückte den Knopf, der das Tor wieder herunterfuhr. Die Deckenbeleuchtung bestand aus einer schwachen nackten Glühbirne, die den Raum in trübes gelbliches Licht tauchte. In der Rückwand der Garage gab es eine Tür ins Freie, während die Tür in der linken Seitenwand ins Haus führen musste. An der Wand neben dem Türschloss war das Zahlenfeld einer Alarmanlage angebracht.

»Ist die Anlage eingeschaltet?«, fragte Reacher.

»Ja«, sagte Berenson atemlos.

»Nein«, sagte Neagley. Sie nickte zu dem Fahrrad und dem Skateboard hinüber. »Der Junge ist ungefähr zwölf. Mom war heute Morgen schon früh unterwegs. Der Junge musste allein zum Schulbus gehen. Bestimmt eine große Ausnahme.

Die Alarmanlage hier einzuschalten gehört nicht zu seinen normalen Aufgaben.«

»Vielleicht hat Dad sie eingeschaltet.«

»Dad ist längst nicht mehr hier. Mom trägt keinen Ring.«

»Ihr Freund?«

»Soll das ein Witz sein?«

Reacher versuchte die Tür zu öffnen. Sie war abgesperrt. Er zog die Schlüssel des Toyotas ab und sortierte sie, bis er einen Hausschlüssel fand. Er passte ins Schloss und ließ sich drehen. Die Tür ging ohne warnendes Piepen auf. Auch dreißig Sekunden später sprangen keine Blinklichter, keine Alarmsirenen an.

»Sie erzählen eine Menge Lügen, Ms. Berenson«, sagte er.

Berenson schwieg.

Neagley sagte: »Sie ist Personalchefin, da gehört das zu ihrem Beruf.«

Reacher hielt die Tür auf, und Neagley stieß Berenson vor sich her durch einen Waschraum und in die Küche. Das Haus stammte aus einer Zeit, in der Küchen noch nicht so groß wie Flugzeughallen gebaut wurden, sie war deshalb nur ein kleiner quadratischer Raum voller Einbaumöbel und nicht ganz moderner Haushaltsgeräte. Hier gab es einen Tisch mit zwei Stühlen. Neagley drückte Berenson auf einen davon. Reacher ging in die Garage zurück und suchte herum, bis er auf einem Regal eine halbe Rolle Gewebeband fand. Mit Handschuhen konnte er das Ende nicht von der Rolle lösen, weshalb er damit in die Küche ging und ein Messer aus dem Messerblock benutzte. Mit dem Gewebeband fesselte er Berenson an den Stuhl: Rumpf, Arme und Beine, schnell und effizient.

»Wir waren in der Army«, erklärte er ihr. »Das haben wir erwähnt, nicht? Um Informationen zu bekommen, haben wir uns immer zuerst an den Kompanieschreiber gewandt. Das sind in diesem Fall Sie. Beginnen Sie also zu reden.«

»Sie sind verrückt«, sagte Berenson nur.

»Erzählen Sie mir von dem Verkehrsunfall.«

»Dem was?«

»Von Ihren Narben?«

»Das ist lange her.«

»War's schlimm?«

»Schrecklich.«

»Dieses Mal kann es noch viel schlimmer werden.« Reacher legte das Küchenmesser auf den Tisch und ließ die Glock aus einer Tasche sowie Tony Swans Betonbrocken aus der anderen folgen. »Stichwunden, Schusswunden, stumpfes Trauma. Ich lasse Ihnen die Wahl.«

Berenson fing zu weinen an. Ein verzweifeltes, hilfloses Schluchzen und Klagen. Ihre Schultern bebten. Sie ließ den Kopf hängen, sodass die Tränen auf ihren Schoß fielen.

»Nutzt nichts«, sagte Reacher. »Sie weinen vor dem falschen Kerl.«

Berenson hob langsam den Kopf und sah Neagley an. Deren Gesicht war ungefähr so ausdrucksstark wie Swans Betonbrocken.

»Reden Sie schon«, befahl Reacher.

»Ich kann nicht«, sagte Berenson. »Er tut meinem Sohn etwas an.«

»Wer?«

»Das darf ich nicht sagen.«

»Lamaison?«

»Ich darf nicht!«

»Sie müssen sich jetzt entscheiden, Margaret. Wir wollen wissen, wer eingeweiht war und wer geflogen ist. Im Augenblick zählen wir Sie noch dazu. Wollen Sie nicht dazugehören, müssen Sie sich ernsthaft bemühen, uns zu überzeugen.«

»Er tut meinem Sohn etwas an.«

»Lamaison?«

»Ich darf nicht sagen, wer.«

»Betrachten Sie die Sache mal von unserem Standpunkt aus, Margaret. Im Zweifelsfall legen wir Sie um.«

Berenson schwieg.

»Seien Sie clever, Margaret. Wer auch immer Ihren Sohn bedroht – argumentieren Sie überzeugend gegen ihn, ist er tot. Dann kann er niemandem mehr etwas antun.«

»Darauf kann ich mich nicht verlassen.«

»Leg sie einfach um«, sagte Neagley. »Sie vergeudet nur unsere Zeit.«

Reacher trat an den Kühlschrank und öffnete ihn. Nahm eine Plastikflasche Evian Naturelle heraus. Mineralwasser ohne Kohlensäure, aus Frankreich importiert, der Liter dreimal teurer als Benzin. Er schraubte sie auf und trank daraus. Bot die Flasche Neagley an. Sie schüttelte den Kopf. Er kippte das restliche Wasser in den Ausguss, trat wieder an den Tisch und benutzte das Küchenmesser dazu, ein ovales Loch in den Boden der Plastikflasche zu schneiden. Dann steckte er sie auf den Lauf seiner Glock. Richtete sie noch etwas aus, bis die Pistolenmündung genau durch den offenen Schraubverschluss zielte.

»Ein Eigenbauschalldämpfer«, erklärte er. »So hören die Nachbarn nichts. Er funktioniert nur einmal, aber das genügt.«

Er brachte die Pistole bis auf einen halben Meter an Berensons Gesicht heran und zielte so auf sie, dass ihr rechtes Auge direkt in die Flasche starrte.

Berenson begann zu reden.

67

Im Nachhinein betrachtet war das eine Geschichte, die Reacher im Voraus hätte schreiben können. Der Leiter der Qualitätskontrolle, ursprünglich Entwicklungsingenieur im Betrieb Highland Park, hatte Anzeichen für schweren Stress erkennen lassen. Er hieß Edward Dean und wohnte weit nördlich jenseits der Berge. Zufällig war seine jährliche Leistungsbeurteilung fällig gewesen, als er sich seit drei Wochen merkwürdig benahm. Als ausgebildeter Profi hatte Margaret Berenson die in ihm vorgegangene Veränderung registriert und eine Erklärung dafür gesucht.

Anfangs behauptete Dean, sein Umzug nach Norden sei die Ursache seiner Probleme. Um der Großstadt zu entfliehen, habe er sich südlich von Palmdale ein paar Hektar Wüste gekauft, und nun bringe ihn die Fahrt zur Arbeit um. Aber das hatte Berenson ihm nicht geglaubt. Alle Angelinos mussten als Pendler höllisch weite Strecken fahren. Daraufhin hatte Dean behauptet, seine Nachbarn – wilde Bikerbanden und Meth-Labors – seien problematisch. Das nahm Berenson ihm schon eher ab. Geschichten über die Badlands gab es mehr als genug. Aber eine zufällige Bemerkung Deans über seine Tochter ließ sie vermuten, sie sei ein Teil des Problems. Das Mädchen war vierzehn. Berenson zählte zwei und zwei zusammen und erhielt fünf. Sie vermutete, die Kleine treibe sich mit Bikern herum, experimentiere mit Methamphetamin und verursache große häusliche Sorgen.

Dann änderte sie ihre Meinung. Die Qualitätsprobleme in Highland Park wurden der ganzen Firma bekannt. Berenson wusste, dass Dean zwischen zwei Stühlen saß. In seiner Funktion als Direktor der Firma musste er sich darum bemühen, Gewinne zu erzielen. Andererseits war er dem

Pentagon gegenüber verpflichtet, dafür zu sorgen, dass New Age ihm nur einwandfreie Geräte lieferte. Berenson war der Ansicht, dass dieser Konflikt ihm Stress verursachte. Da er jedoch streng gesetzestreu handelte, stellte sie ihre Bedenken vorläufig zurück.

Dann verschwand Tony Swan.

Er löste sich einfach in Luft auf. An einem Tag war er noch da, am nächsten nicht mehr. Natürlich registrierte Margaret Berenson sein Verschwinden sofort und machte sich daran, es aufzuklären. Dazu fühlte sie sich verpflichtet. Swan besaß Informationen, die als geheim galten. Sein Verschwinden konnte sogar die nationale Sicherheit gefährden. Daher verbiss sie sich in diesen Fall und stellte allen möglichen Leuten alle möglichen Fragen.

Dann kam sie eines Tages nach Hause und sah in ihrer Einfahrt Allen Lamaison, der mit ihrem Sohn Basketball spielte.

Berenson hatte Angst vor Lamaison, hatte sich schon immer vor ihm gefürchtet. Wie sehr, wurde ihr erst bewusst, als sie beobachtete, wie er ihrem zwölfjährigen Sohn die Haare mit einer Pranke zerzauste, die ihm leicht den Schädel hätte zerquetschen können. Er schlug vor, der Junge solle draußen bleiben und Strafwürfe üben, während er mit Mom hineinging, um etwas Wichtiges mit ihr zu besprechen.

Das Gespräch begann mit einem Geständnis. Lamaison erzählte Berenson haargenau, was Swan zugestoßen war. In allen Einzelheiten. Und er deutete den Grund dafür an. Dieses Mal zählte Berenson zwei und zwei zusammen und erhielt vier. Sie erinnerte sich an Deans Stress. Allmählich enthüllte Lamaison auch, dass Dean an einem Spezialprojekt mitarbeitete, weil er nicht wollte, dass seine Tochter verschwand und erst nach Wochen mit Blut an den Beinen inmitten einer johlenden Bikerhorde aufgefunden wurde.

Oder dass sie vielleicht überhaupt nie mehr aufgefunden wurde.

Dann erklärte Lamaison ihr, genau das könne auch ihrem Sohn zustoßen. Er sagte, viele dieser Biker seien durchaus nicht abgeneigt, es mal mit einem hübschen Jungen zu treiben. Die meisten von ihnen hatten schon gesessen, und im Gefängnis verdarb man sich leicht den Geschmack.

Er sprach eine Warnung aus und erteilte ihr zwei Anweisungen. Die Warnung besagte, früher oder später würden zwei Männer und zwei Frauen aufkreuzen und anfangen, Fragen zu stellen. Alte Freunde aus Swans Militärzeit. Die erste Anweisung lautete, sie seien strikt, höflich und endgültig abzuweisen, und die zweite, von diesem Gespräch dürfe niemals jemand erfahren.

Dann zwang er Berenson dazu, ihn mit nach oben zu nehmen und auf spezielle Weise zu befriedigen. Um ihre Übereinkunft zu besiegeln, sagte er.

Dann ging er hinaus und warf noch ein paar Körbe mit ihrem Sohn.

Dann fuhr er davon.

Reacher glaubte ihr. In seinem Leben hatte er mehr Lügnern zugehört als ehrlichen Leuten. Er konnte zwischen diesen beiden Kategorien unterscheiden, wusste, wem er trauen durfte und wem nicht. Er war ein unerhört zynischer Mensch, aber sein besonderes Talent beruhte darauf, dass er sich eine gewisse Aufgeschlossenheit bewahrt hatte. Er glaubte ihr den Basketballteil, den Gefängnishinweis und den sexuellen Akt. Leute wie Margaret Berenson dachten sich so etwas nicht aus. Das konnten sie gar nicht. Dazu war ihr Erfahrungshorizont nicht weit genug. Er schnitt sie mit dem Küchenmesser von ihren Fesseln los und half ihr aufzustehen.

»Wer war also eingeweiht?«, fragte er.

»Lamaison«, sagte Berenson. »Lennox, Parker und Saropian.«

»Sonst niemand?«

»Nein.«

»Was ist mit den anderen vier ehemaligen Cops?«

»Die sind anders. Aus einer anderen Zeit. Lamaison würde ihnen in dieser Sache nie wirklich trauen.«

»Warum hat er sie dann eingestellt?«

»Um einen gewissen Personalstand zu halten. Und er vertraut ihnen in jeder anderen Beziehung. Die vier tun, was er ihnen sagt.«

»Wieso hat er Tony Swan eingestellt? Swan musste doch ein Dorn in seinem Fleisch sein.«

»Lamaison hat ihn nicht eingestellt. Er wollte ihn nicht haben. Aber ich konnte unseren Chef davon überzeugen, dass wir jemanden mit anderem Hintergrund brauchten. Es war nicht gesund, einen Sicherheitsdienst aus lauter ehemaligen Cops zu rekrutieren.«

»Also haben Sie ihn eingestellt?«

»Im Prinzip ja. Tut mir leid.«

»Wo sind die ganzen schlimmen Dinge passiert?«

»Highland Park. Dort befindet sich der Hubschrauber. Und es gibt leer stehende Gebäude. Der Betrieb ist ziemlich groß.«

»Können Sie sich irgendwohin absetzen?«, fragte Reacher.

»Absetzen?«, sagte Berenson.

»Für ein paar Tage. Bis diese Sache vorüber ist.«

»Das ist sie nie. Sie kennen Lamaison nicht. Den können Sie nicht schlagen.«

Reacher sah zu Neagley.

»Können wir ihn schlagen?«, fragte er.

»Wie eine Trommel«, antwortete sie.

»Aber sie sind zu viert«, wandte Berenson ein.

»Zu dritt«, sagte Reacher. »Saropian ist schon erledigt. Drei von ihnen, vier von uns.«

»Sie sind verrückt.«

»Das werden sie denken. Das steht fest. Sie werden mich für einen Psychopathen halten.«

Berenson machte eine nachdenkliche Pause.

»Ich könnte in ein Hotel ziehen«, sagte sie.

»Wann kommt Ihr Sohn nach Hause?«

»Ich könnte ihn von der Schule abholen.«

»Packen Sie Ihre Koffer.«

»Das tue ich.«

»Wer ist geflogen?«, fragte Reacher.

»Lamaison, Lennox und Parker. Nur diese drei.«

»Und der Pilot«, fügte Reacher hinzu. »Das sind vier.«

Berenson lief nach oben, um zu packen, und Reacher legte das Küchenmesser weg. Dann steckte er Swans Betonbrocken wieder ein und zog die Evian-Flasche von der Glock.

»Hätte das wirklich funktioniert?«, fragte Neagley. »Als Schalldämpfer?«

»Das bezweifle ich«, sagte Reacher. »Ich hab's in einem Buch gelesen. Auf dem Papier hat's geklappt, aber in Wirklichkeit wäre die Flasche vermutlich explodiert und hätte mich mit fliegenden Plastiksplittern geblendet. Aber sie hat gut ausgesehen, stimmt's? Hat ein zusätzliches Element ins Spiel gebracht. Besser, als nur mit der Pistole auf jemanden zu zielen.«

Dann klingelte sein Mobiltelefon. Das Prepaid-Handy aus dem Radio Shack, nicht Saropians Handy aus Vegas. Der Anruf kam von Dixon. O'Donnell und sie waren seit nunmehr viereinhalb Stunden auf Beobachtungsposten in Highland Park. Sie hatten alles gesehen, was es zu sehen gab, und machten sich langsam Sorgen aufzufallen.

»Fahrt heim«, sagte Reacher. »Wir haben, was wir brauchen.«

Dann klingelte Neagleys Handy. Ihr privates Mobiltelefon,

nicht das Prepaid-Handy. Ihr Mann in Chicago. Halb elf Uhr in L.A., Mittagszeit in Illinois. Sie hörte zu, ohne sich zu bewegen, ohne Fragen zu stellen. Anschließend klappte sie ihr Telefon zu.

»Erste Insiderauskünfte aus dem LAPD«, sagte sie. »Lamaison hat in zwanzig Dienstjahren achtzehn von der Innenrevision angestrengte Verfahren überstehen müssen – und alle gewonnen.«

»Anklagepunkte?«

»Querbeet. Exzessive Gewaltanwendung, Bestechung, Vorteilsannahme, verschwundene Drogen, verschwundenes Geld. Er ist ein Widerling, aber clever.«

»Wie bekommt ein Typ wie er einen Job in einem Unternehmen der Rüstungsindustrie?«

»Wie kriegt er zuerst einen beim LAPD? Und außerdem Beförderungen? Indem er sich verstellt und alles daransetzt, keine Disziplinarstrafen zu kassieren. Und indem er einen Partner hat, der weiß, wann und wie lange er den Mund halten muss.«

»Sein Partner war bestimmt genauso schlimm. Das ist fast immer so.«

»Du musst's ja wissen«, sagte Neagley.

Zwanzig Minuten später kam Berenson mit einem teuren schwarzen Lederkoffer und einer Reisetasche aus hellgrünem Nylon mit dem Logo einer Sportartikelfirma die Treppe herunter. Ihr Koffer und die Tasche des Jungen, vermutete Reacher. Sie stellte beide in den Kofferraum des Toyotas. Reacher und Neagley gingen zu ihren Autos, fuhren zurück und bildeten einen Konvoi als Geleitschutz. Die gleiche Methode wie bei einer Überwachung, aber mit anderer Zielsetzung. Neagley blieb dicht hinter dem Toyota, Reacher ließ sich etwas zurückfallen. Schon bald stellte er fest, dass O'Donnell mit seiner Behauptung, in Kalifornien seien aufgemotzte Hondas die unsichtbarsten Autos, nicht recht gehabt hatte. Der Toyota erfüllte diesen Anspruch weit besser: Obwohl er ihn die ganze Zeit im Auge behielt, konnte er ihn kaum sehen.

Berenson hielt vor einer Schule, einem großen beigen Gebäudekomplex, der von gespenstischer Stille umgeben war, die Schulen an sich haben, wenn alle Kinder im Unterricht sind. Nach einer Viertelstunde kam sie mit einem kleinen braunhaarigen Jungen im Schlepptau wieder heraus. Er reichte ihr kaum bis zur Schulter und schien leicht verwirrt zu sein, war aber wohl mehr als einverstanden damit, sich aus dem Unterricht holen zu lassen.

Dann fuhr Berenson ein kurzes Stück auf dem 110er, verließ ihn in Pasadena und steuerte ein kleines Hotel in einer ruhigen Seitenstraße an. Reacher war mit ihrer Wahl zufrieden. Das Hotel verfügte über einen Parkplatz hinter dem Haus, auf dem der Toyota von der Straße aus nicht zu sehen war, einen Portier am Eingang und zwei Frauen am Empfang. Genügend wachsame Augen vor den Aufzügen und den Zimmern. Besser als ein Motel.

Reacher und Neagley blieben noch eine Weile, damit Berenson und der Junge sich eingewöhnen konnten. Diese Zeit nutzten sie, um in der Bar neben der Hotelhalle eine Kleinigkeit zu essen. Clubsandwichs, Kaffee für Reacher, ein Softdrink für Neagley. Reacher mochte Clubsandwichs. Ihm gefiel, dass man das mit einer Quaste besetzte Stäbchen, von dem das Sandwich zusammengehalten wurde, anschließend als Zahnstocher benutzen konnte. Er wollte nicht mit Hühnerfleischfasern zwischen den Zähnen mit den Leuten reden.

Sein Handy klingelte, als er den letzten Schluck Kaffee nahm. Noch mal Dixon. Sie war mit O'Donnell wieder im Motel. Am Empfang hatte eine wichtige Nachricht von Curtis Mauney für sie gelegen.

»Wir sollen in diese Einrichtung nördlich von Glendale kommen«, sagte Dixon. »Sofort.«

»In der wir wegen Oronzco waren?«

»Ja.«

»Weil sie Sanchez gefunden haben?«

»Das hat er nicht gesagt. Aber er hat uns nicht aufgefordert, wieder ins Leichenschauhaus zu kommen, Reacher. Er will sich im Krankenhaus gegenüber mit uns treffen. Geht's also um Sanchez, lebt er noch.«

68

Dixon und O'Donnell brachen vom Motel Dunes auf, Reacher und Neagley von dem kleinen Hotel in Pasadena. Beide Orte waren gleich weit von dem Krankenhaus nördlich von Glendale entfernt. Etwas mehr als fünfzehn Kilometer entlang verschiedener Seiten desselben spitzwinkligen Dreiecks.

Reacher erwartete, dass Neagley und er zuerst eintreffen würden. Da die Freeways parallel zu den Flanken der San Gabriel Mountains verliefen, konnten sie geradeaus zum 210 weiterfahren. Dixon und O'Donnell würden rechtwinklig zu den Freeways nach Nordosten fahren: eine schwierige Route, auf der sie überall mit stockendem Verkehr rechnen mussten.

Auf dem 210er gerieten sie jedoch in einen Stau. Kaum hundert Meter nach der Einfahrt kam der Verkehr völlig zum Erliegen. Vor ihnen wand sich eine Schlange aus stehenden Fahrzeugen bis zum Horizont: in der Sonne glitzernd, Benzin verbrennend, statisch – ein klassisches L.A.-Panorama. Ein Blick in den Rückspiegel zeigte Reacher, dass Neagleys Honda gleich hinter ihm stand. Sie hatte einen

Civic, weiß, ungefähr vier Jahre alt. Er konnte sie nicht am Steuer sehen. Die Windschutzscheibe war zu dunkel getönt und am oberen Rand mit einem dunkelblauen Plastikstreifen versehen, auf dem in gezackten silbernen Buchstaben *No Fear* stand. Für Neagley sehr passend, fand er.

Er rief sie an.

»Defekter Wagen vor uns«, sagte sie. »Ich hab's im Radio gehört.«

»Klasse.«

»Hat Sanchez es bisher geschafft, kann er auch ein paar Minuten länger durchhalten.«

»Wo haben sie einen Fehler gemacht?«, fragte Reacher.

»Keine Ahnung. Dies war nicht der schwierigste Fall, den sie jemals zu lösen hatten.«

»Also muss irgendwas sie ins Stolpern gebracht haben. Etwas Unvorhersehbares. Womit hätte Swan angefangen?«

»Mit Dean«, antwortete Neagley sofort. »Dem Leiter der Qualitätssicherung. Sein Verhalten muss der Auslöser gewesen sein. Schlechte Zahlen allein brauchen nicht viel zu bedeuten. Aber schlechte Zahlen und ein gestresster Leiter der Qualitätssicherung bedeuten viel.«

»Hat er die ganze Geschichte aus Dean rausbekommen?«

»Vermutlich nicht. Aber genug, um das Bild vervollständigen zu können. Swan war viel cleverer als Berenson.«

»Was war der nächste Schritt?«

»Zwei Schritte parallel«, sagte Neagley. »Er hat Deans Lage abgecheckt und angefangen, zusätzliche Beweise zu sammeln.«

»Mithilfe der anderen.«

»Sie haben nicht nur geholfen«, sagte Neagley. »Sie waren im Prinzip seine Subunternehmer. Das war nötig, weil er im Büro jederzeit abgehört werden konnte.«

»Er hat also nie mit Lamaison gesprochen?«

»Ausgeschlossen! Erste Regel: Traue niemandem.«

»Was hat sie also zu Fall gebracht?«

»Weiß ich nicht.«

»Wie hätte Swan Deans Lage konsolidieren können?«

»Vielleicht hat er mit den Cops gesprochen. Sie um Schutz für ihn gebeten – oder wenigstens vereinbart, dass draußen bei ihm regelmäßig ein Streifenwagen vorbeifährt.«

»Lamaison kommt aus dem LAPD. Vielleicht hat er noch Verbindungen dorthin. Vielleicht haben seine Kumpel ihm einen Tipp gegeben.«

»Unwahrscheinlich«, meinte Neagley. »Swan hat nicht mit dem LAPD gesprochen. Dean wohnt hinter den Bergen, außerhalb des Zuständigkeitsbereichs der hiesigen Polizei.«

Reacher machte eine kurze Pause.

»Was natürlich bedeutet, dass Swan mit niemandem gesprochen hat«, sagte er. »Dort oben liegt Curtis Mauneys Reich, und er hat nichts von Dean oder New Age gewusst. Oder auch nur von Swan, außer durch Franz.«

»Swan hätte Dean nicht ohne Schutz gelassen.«

»Vielleicht war Dean also gar nicht der Auslöser, und Swan wusste gar nichts von ihm. Möglicherweise hat er einen anderen Zugang gefunden.«

»Und der wäre?«

»Keine Ahnung«, entgegnete Reacher. »Vielleicht kann Sanchez uns das sagen?«

»Glaubst du, dass er noch lebt?«

»Man muss immer das Beste hoffen.«

»Aber aufs Schlimmste vorbereitet sein.«

Sie legten auf. In den anderthalb Minuten dieses Gesprächs waren sie ungefähr fünf Wagenlängen vorangekommen. In den folgenden zehn Minuten legten sie ungefähr zehn weitere zurück – sechsmal langsamer als ein Fußgänger. Um sie herum fanden die Leute sich so gut wie möglich mit der Situation ab. Sie telefonierten, lasen, rasierten sich, legten Make-up auf, rauchten, aßen, hörten Musik. Manche nahmen ein Sonnenbad, krempelten die Ärmel hoch und hielten ihre Arme aus offenen Autofenstern.

Reachers Prepaid-Handy klingelte. Wieder Neagley.

»Nachrichten aus Chicago«, sagte sie. »Wir haben Zugang zu Teilen des Zentralrechners des LAPD. Lennox und Parker waren Partner und ungefähr genauso schlimm wie Lamaison. Sie sind gemeinsam ausgeschieden, um sich nicht im zwölften Untersuchungsverfahren in zwölf Jahren verantworten zu müssen. Sie waren bestimmt nicht länger als eine Woche arbeitslos, bevor Lamaison sie zu New Age holte.«

»Ich bin froh, dass ich keine Aktien von New Age habe.«

»Du hast aber welche. Die Firma lebt vom Pentagon. Und wo kommt dieses Geld her?«

»Nicht von mir«, antwortete Reacher.

Zweihundert Meter weiter stieg der Freeway am Ausgang einer Kurve leicht an, und sie sahen vor sich in der Ferne, im Dunst, die Ursache des Staus. Auf der linken Spur stand ein defekter Wagen. An sich eine Lappalie, aber trotzdem war der gesamte Freeway blockiert. Reacher beendete das Gespräch mit Neagley und rief erneut Dixon an.

»Seid ihr schon dort?«, fragte er.

»Ungefähr noch zehn Minuten.«

»Wir stehen im Stau. Ruft uns an, wenn's gute Nachrichten, aber auch wenn's schlechte gibt.«

Sie brauchten eine weitere Viertelstunde, um den liegen gebliebenen Wagen zu erreichen, wobei sie mehrmals die Spur wechseln mussten, um daran vorbeizukommen. Danach löste der Stau sich auf, und alle fuhren mit hundertzehn Stundenkilometern weiter, als wäre nichts geschehen. Zehn Minuten später erreichten Reacher und Neagley die Einrichtung nördlich von Glendale. Gut fünfzehn Kilometer in vierzig Minuten, ein Schnitt von dreiundzwanzig Stundenkilometern. Nicht berauschend.

Sie ignorierten das Leichenschauhaus und stellten ihre Wagen auf dem Besucherparkplatz des Krankenhauses ab. Dann gingen sie zum Haupteingang. Reacher entdeckte O'Donnells Honda auf dem Parkplatz, dann auch Dixons. Hinter dem Haupteingang lag ein Empfangsbereich mit roten Plastikstühlen, von denen einige besetzt waren. In dem großen Raum herrschte Stille. Dixon oder O'Donnell waren nirgends zu sehen, auch Curtis Mauney nicht. Es gab eine lange Theke mit einigen Leuten dahinter. Keine Krankenschwestern, nur Verwaltungsangestellte. Reacher fragte eine von ihnen nach Mauney, aber den kannte niemand. Er erkundigte sich nach Jorge Sanchez, aber den kannte auch niemand. Er fragte nach Leuten, die in die Notaufnahme eingeliefert worden waren, und wurde an eine andere Theke um die Ecke verwiesen.

Dort hieß es, in den letzten Stunden sei kein Unbekannter aufgenommen worden – und ein Patient namens Jorge Sanchez sei ebenso unbekannt wie ein L.A. County Sheriff namens Curtis Mauney. Reacher zog sein Handy heraus, wurde aber gebeten, es im Gebäude nicht zu benutzen, weil es empfindliche medizinische Geräte stören könne. Also ging er auf den Parkplatz hinaus, um Dixon anzurufen.

Keine Antwort.

Er versuchte es mit O'Donnell.

Keine Antwort.

Neagley sagte: »Vielleicht haben sie abgeschaltet, weil sie auf einer Intensivstation oder so sind.«

»Bei wem? Von Sanchez hat hier nie jemand etwas gehört.«

»Sie müssen irgendwo sein, sind doch gerade erst angekommen.«

»Hier ist irgendwas faul«, meinte Reacher.

Neagley zog Mauneys Karte heraus. Gab sie Reacher, der Mauneys Handynummer wählte.

Keine Antwort.
Seine Festnetznummer.
Keine Antwort.
Dann klingelte Neagleys Telefon. Ihr privates Mobiltelefon, nicht ihr Prepaid-Handy. Sie meldete sich. Hörte zu. Ihr Gesicht wurde blass. Völlig blutlos, wachsbleich.
»Das war Chicago«, erklärte sie. »Curtis Mauney war Allen Lamaisons Partner. Die beiden waren zwölf Jahre im LAPD zusammen.«

69

Irgendwas hat sie ins Stolpern gebracht, etwas Unvorhergesehenes. Reacher hatte recht gehabt, aber nur halb. Dean war ein wichtiger Faktor, aber nicht der eigentliche Auslöser gewesen. Auf ihn war Swan erst viel später gestoßen, als die anderen längst an Bord waren. Anders ließ das Ausmaß der Katastrophe sich nicht erklären. Reacher stand auf dem Krankenhausparkplatz, schloss die Augen und stellte sich die Szene vor. Swan im Gespräch mit Dean, dem letzten Teilchen des Puzzles: in seinem Haus nördlich der Berge, außerhalb von Palmdale in der Wüste, das Paradies eines Stadtflüchtlings, ein an einer offenen Tür vorbeihuschendes junges Mädchen, Angst in Deans Gesicht, Besorgnis auf Swans. Reacher sah, wie Swan – wie immer vertrauenerweckend, solide und selbstbewusst – die ganze Wahrheit aus ihm herausholte. Dann sah Reacher, wie Swan direkt zu irgendeinem staubigen Sheriffbüro fuhr, mit Mauney sprach, alles erklärte, um Unterstützung bat, Hilfe forderte. Dann sah er, wie Swan ging und Mauney nach dem Telefonhörer griff. Womit Swans Schicksal besiegelt war. Und das von Franz, Orozco und Sanchez.

Etwas Unvorhergesehenes.

Reacher öffnete die Augen und sagte entschlossen: »Die beiden anderen verlieren wir nicht auch noch. Nicht, solange ich lebe und atme.«

Sie ließen Neagleys Civic auf dem Parkplatz stehen und nahmen Reachers Prelude. Sie hatten kein bestimmtes Ziel, fuhren nur um des Fahrens willen herum und redeten um des Redens willen. Neagley sagte: »Sie haben gewusst, dass wir früher oder später aufkreuzen würden. Als die Spannung zu groß wurde, haben sie das Ganze etwas beschleunigt. Mauney hat Angela Franz dazu gebracht, mich anzurufen. Eigens für Thomas Brant hat er sich die Story mit dem Köder ausgedacht. Er hat uns auf Schritt und Tritt überwachen lassen, uns scheinbar ins Vertrauen gezogen, indem er uns Dinge erzählte, die wir bereits wussten, sich erkundigte, was wir inzwischen herausbekommen hatten, und darauf wartete, dass wir aufgeben und sie nicht länger belästigen würden. Und als das nicht passierte, haben sie beschlossen, die Initiative zu ergreifen und uns zu liquidieren. Erst in Vegas, jetzt hier.«

Sie fuhren wieder auf den Freeway 210. Der Verkehr floss schnell dahin.

»Plan?«, fragte Neagley.

»Kein Plan«, sagte Reacher.

Das von Dixon erbeutete Telefonverzeichnis lag in O'Donnells Zimmer im Motel, aber sie wollten sich nicht einmal in der Nähe des Sunset Boulevards blicken lassen. Nicht zu diesem Zeitpunkt. Also kombinierten sie halb vergessene Fragmente der Adresse des Montagebetriebs in Highland Park und fuhren dort hinaus.

Highland Park war leicht zu finden. Eine Kleinstadt mit Straßen, Häusern, Gewerbegebieten und kleinen, sauberen High-Tech-Fertigungsbetrieben. Schwieriger war jedoch, den Betrieb von New Age aufzustöbern. Sie erwarteten keine Werbetafel und sahen auch keine, hielten stattdessen Ausschau nach neutralen Gebäuden, Sicherheitszäunen und Hubschrauberlandeplätzen. Sie fanden mehrere. Für Highland Park charakteristisch.

»Dixon hat den Hubschrauber als Bell 222 bezeichnet«, sagte Reacher. »Würdest du diesen Typ erkennen?«

»In den letzten fünf Minuten habe ich drei gesehen«, sagte Neagley.

»Sie hat gesagt, er sei weiß gewesen.«

»Zwei in den letzten fünf Minuten.«

»Wo?«

»Den zweiten einen Kilometer zuvor. Zweimal links, einmal rechts. Der erste war drei Betriebe früher.«

»Beide mit Sicherheitszäunen?«

»Richtig.«

»Nebengebäuden?«

»Beide.«

Reacher bremste, wendete über den doppelten Mittelstrich hinweg und fuhr zurück. Er bog zweimal links und einmal rechts ab und wurde langsamer, als Neagley auf eine Ansammlung von Gebäuden mit grauen Wellblechfassaden hinter einem Doppelzaun zeigte, der jedem Hochsicherheitsgefängnis Ehre gemacht hätte. Er war mindestens zweieinhalb Meter hoch, ungefähr einen Meter tief und bestand aus zwei straff gespannten Stacheldrahtzäunen, deren Zwischenraum mit Bandstacheldraht in Spiralen ausgefüllt war, während ausgezogene Bandstacheldrahtrollen das Ensemble krönten. Eine verdammt schwer zu überwindende Barriere. Dahinter erhoben sich vier Gebäude: eine Halle mit drei kleineren Anbauten. Auf einem großen betonierten Rechteck stand ein Hubschrauber mit langem Bug: weiß, still, reglos.

»Ist das ein Bell 222?«, fragte Reacher.

»Unverkennbar«, sagte Neagley.
»Dann sind wir hier also richtig?«
»Schwer zu sagen.«
Neben dem Landeplatz ragte ein hoher Mast mit einem orangeroten Windsack auf, der in der warmen, trockenen Luft schlaff herabhing. Auf dem kleinen Parkplatz standen dreizehn Fahrzeuge. Kein einziger teurer Wagen, erst recht kein dunkelblauer Chrysler.
»Was würden Montagearbeiterinnen fahren?«
»Autos wie diese hier«, sagte Neagley.
Reacher fuhr an zwei Firmen vorbei weiter. Der dritte Betrieb sah dem ersten sehr ähnlich. Ein Sicherheitszaun, vier anonyme Gebäude mit Metallfassaden, ein Parkplatz voller Billigautos und ein Hubschrauberlandeplatz mit einem weißen Bell 222. Kein Name, kein Firmenschild, kein sonstiger Hinweis.
»Wir brauchen die genaue Adresse«, sagte Reacher.
»Dazu reicht die Zeit nicht. Das Dunes ist weit von hier entfernt.«
»Aber Pasadena nicht.«

Für den kurzen Abstecher nach Osten benutzten sie den York Boulevard und den 110er. Eine Viertelstunde später hielten sie vor dem kleinen Hotel in Pasadena. Wenige Minuten später waren sie in Margaret Berensons Zimmer. Sie erzählten ihr, was sie brauchten. Den Grund dafür behielten sie für sich. Ihretwegen wollten sie eine Illusion von Kompetenz aufrechterhalten.
Berenson erklärte ihnen, der erste Betrieb, den sie gesehen hatten, sei der gesuchte.

Eine Viertelstunde später fuhren sie nochmals an dem ersten Betrieb vorbei. Der Zaun war furchteinflößend. Brutal. Ein Panzer hätte ihn durchbrechen können, aber bestimmt kein

Auto. Kein Honda Prelude. Nicht einmal ein schwerer Wagen wie der Chrysler. Auch kein Lastwagen. Entscheidend war die Elastizität des Drahts. Die äußeren Stränge würden sich dehnen, bevor sie rissen, und die Aufprallwucht abfangen, den Wagen abbremsen, ihm seine Bewegungsenergie rauben. Gleichzeitig würden die inneren Spiralen zusammengedrückt werden. Wie ein Schwamm. Wie eine Sprungfeder. Das Fahrzeug würde sich verheddern, abgebremst werden und stecken bleiben. Auf Rädern kam dort niemand durch, und zu Fuß erst recht nicht. Ein Mann mit einem Bolzenschneider würde verbluten, bevor er zu einem Viertel durch war. Und es gab auch keinen Weg über den Zaun. Die Drahtrollen waren zu breit und zu locker, um das Anlegen einer Leiter zu ermöglichen.

Reacher fuhr einmal ganz um den Block. Das Betriebsgelände von New Age war ungefähr einen Hektar groß, bei hundert Metern Seitenlänge also ziemlich quadratisch. Vier Gebäude, eines groß, drei klein. Dazwischen vertrocknete Rasenflächen, über die Kieswege führten. Der etwa vierhundert Meter lange Zaun hatte nirgends eine Schwachstelle und nur ein einziges Tor: eine breite Stahlkonstruktion, die auf Rollen lief. Dieses Tor war mit oben angeschweißten Bandstacheldrahtrollen gesichert. Flankiert wurde es von einem Wachhäuschen.

»Alles vom Pentagon vorgeschrieben«, sagte Neagley. »Todsicher.«

In dem Häuschen war ein Wachposten zu sehen. Ein alter grauhaariger Mann. Graue Uniform mit Ledergürtel, an dem ein Revolverhalfter hing. Ein einfacher Job. Zeigte jemand den richtigen Ausweis und die richtigen Papiere vor, würde er auf einen Knopf drücken, und das Rolltor würde sich öffnen. Wurden kein Ausweis und keine Papiere vorgezeigt, tat er's nicht, und das Tor blieb geschlossen. Über seinem Schiebefenster war eine Lampe angebracht, die bei anbrechender

Dunkelheit brennen und im Umkreis von zehn Metern alles in sanftes gelbliches Licht tauchen würde.

»Da führt kein Weg hinein«, sagte Reacher.

»Sind sie überhaupt drinnen?«

»Das müssen sie sein. Dieser Laden ist wie ein Privatgefängnis. Das sicherste Versteck, das es gibt. Und die anderen waren auch hier gefangen.«

»Wie ist die Sache abgelaufen?«

»Mauney hat sie auf dem Parkplatz des Krankenhauses verhaftet. Vielleicht mit Unterstützung durch Lamaisons Leute. Beengte Verhältnisse, völlige Überraschung, was hätten sie tun sollen?«

Reacher fuhr weiter. Der Prelude war ein unauffälliges Auto, aber er wollte nicht, dass er allzu oft am selben Ort gesehen wurde. Er bog um eine Ecke und parkte einen halben Kilometer entfernt. Sagte nichts, weil er nichts zu sagen hatte.

Neagleys Mobiltelefon klingelte wieder. Ihr privates Handy. Sie meldete sich. Hörte zu. Beendete die Verbindung, schloss die Augen.

»Mein Mann aus dem Pentagon«, sagte sie. »Die Raketen haben in Colorado soeben das Tor passiert.«

70

Hat Mahmoud die Fla-Raketen, ist diese Sache größer als wir. Dann müssen wir die Zähne zusammenbeißen und die zuständigen Stellen informieren. Reacher sah zu Neagley. Sie öffnete die Augen und starrte ihn ihrerseits an.

»Wie viel wiegen sie?«, fragte Reacher.

»Wiegen?«

»Ja. In Kilogramm.«

»Keine Ahnung. Ich habe noch nie eine gesehen.«
»Schätzungsweise?«
»Schwerer als eine Stinger, weil sie mehr können. Aber trotzdem noch von einem Mann zu tragen. Verpackt – mit Abschussvorrichtung, Ersatzteilen und Handbuch – ungefähr fünfundzwanzig Kilo.«
»Das wären sechzehneinviertel Tonnen.«
»Ein mittelgroßer Lastwagen«, sagte Neagley.
»Durchschnittstempo auf Interstates achtzig Stundenkilometer?«
»Wahrscheinlich.«
»Auf der I-25 nach Norden zur I-80, dann westlich nach Nevada – das sind rund vierzehnhundert Kilometer. Also bleiben uns achtzehn Stunden. Sagen wir vierundzwanzig, weil der Fahrer eine Ruhepause braucht.«
»Sie fahren nicht nach Nevada«, entgegnete Neagley. »Nevada ist Bockmist, weil sie diese Dinger nicht vernichten, sondern einsetzen wollen.«
»Oder sonst wohin. Das Fahrziel liegt jedenfalls achtzehn Autostunden von Denver entfernt.
Neagley schüttelte den Kopf. »Das ist verrückt! Wir dürfen keine achtzehn Stunden mehr warten. Oder sogar vierundzwanzig. Du hast selbst gesagt, dass es Zehntausende von Toten geben könnte.«
»Aber nicht gleich.«
»Wir dürfen nicht länger warten«, wiederholte Neagley. »Der Lastwagen ist leichter aufzuhalten, wenn er Denver verlässt. Er kann überallhin unterwegs sein. Zum Beispiel nach New York – zum JFK oder La Guardia. Oder nach Chicago. Möchtest du dir vorstellen, wie die Little Wing am O'Hare Airport eingesetzt wird?«
»Lieber nicht.«
»Jede Minute, die wir zögern, macht es schwieriger, den Lastwagen zu finden.«

»Ein moralisches Dilemma«, sagte Reacher. »Zwei Menschen, die wir kennen, oder zehntausend, die wir nicht kennen.«

»Wir müssen die Behörden informieren.«

Reacher schwieg.

»Das *müssen* wir, Reacher.«

»Sie würden vielleicht nicht auf uns hören. Vor dem elften September haben sie auch nicht zugehört.«

»Du klammerst dich an Strohhalme. Sie haben sich geändert. Wir müssen es jemandem sagen.«

»Das tun wir auch«, bestätigte Reacher. »Aber nicht gleich.«

»Mit ein paar SWAT-Teams auf ihrer Seite haben Karla und Dave eine bessere Chance.«

»Soll das ein Witz sein? Da können sie sehr schnell als Kollateralschaden enden.«

Neagley erklärte: »Wir kommen nicht mal durch den Zaun. Dixon wird sterben, O'Donnell wird sterben, zehntausend andere Leute werden sterben, und wir werden sterben.«

»Willst du ewig leben?«

»Ich will nicht heute sterben. Du vielleicht?«

»Mir ist's eigentlich egal, ob ich lebe oder sterbe.«

»Im Ernst?«

»Darüber habe ich mir nie Gedanken gemacht. Wozu auch?«

»Du *bist* ein Psychopath!«

»Du musst die positive Seite der Sache sehen.«

»Und die wäre?«

»Vielleicht passiert das ganze schlimme Zeug doch nicht.«

»Wieso nicht?«

»Weil wir gewinnen. Du und ich.«

»Hier? Vielleicht. Aber später? Nur im Traum. Wir haben keine Ahnung, wohin dieser Lastwagen will.«

»Das können wir später rauskriegen.«

»Glaubst du?«

»Das ist etwas, worauf wir uns verstehen.«

»Gut genug, um zehntausend Leben für zwei aufs Spiel zu setzen?«

»Das hoffe ich«, sagte Reacher.

Er fuhr auf einer kurvenreichen Straße anderthalb Kilometer weit nach Süden und parkte vor einer Werkstatt, die Harleys frisierte. Weit in der Ferne konnte er den Hubschrauber von New Age stehen sehen.

Er fragte: »Wie dürften ihre Sicherheitsmaßnahmen aussehen?«

»Normalerweise?«, fragte Neagley. »Bewegungsmelder am Zaun, große Schlösser an den Türen und Tag und Nacht einen Mann im Wachhäuschen. Mehr ist normalerweise nicht nötig. Aber heute ist kein normaler Tag. Das kannst du dir abschminken. Sie wissen, dass wir noch hier draußen unterwegs sind. Dort drinnen befinden sich sämtliche Sicherheitsleute von New Age mit schussbereiten Waffen, darauf kannst du wetten.«

»Sieben Männer.«

»Sieben, von denen wir wissen. Vielleicht auch mehr.«

»Vielleicht.«

»Und sie sind alle hinter dem Zaun, wir dagegen davor.«

»Lass den Zaun meine Sorge sein.«

»Da gibt's kein Durchkommen.«

»Wir brauchen keines. Das Tor genügt. Wann ist es völlig dunkel?«

»Sagen wir einundzwanzig Uhr, um ganz sicherzugehen.«

»Sie fliegen nicht, bevor es Nacht ist. Uns bleiben noch sieben Stunden. Sieben von vierundzwanzig.«

»Wir haben niemals vierundzwanzig gehabt.«

»Ihr habt mich zum Kommandeur gewählt. Wir haben, was ich sage.«

»Vielleicht wurden die beiden schon erschossen.«

»Franz, Orozco oder Swan haben sie auch nicht erschossen. Sie wollen keine Spuren hinterlassen.«

»Das ist verrückt!«

»Ich werde nicht noch zwei verlieren«, sagte Reacher.

Sie fuhren ein weiteres Mal um den New-Age-Block, rasch und unauffällig, und prägten sich die örtlichen Gegebenheiten ein. Das Tor befand sich in der Mitte der Straßenseite des Quadrats. Das Hauptgebäude erhob sich mittig am Ende einer kurzen Zufahrt. Die drei Nebengebäude dahinter wirkten zufällig verstreut. Eines stand gleich neben dem Hubschrauberlandeplatz, ein zweites etwas weiter entfernt, das dritte ungefähr dreißig Meter von allen anderen entfernt völlig frei. Alle vier Gebäude waren auf Betonfundamenten erbaut und hatten Außenwände aus verzinktem Wellblech. Kein Firmenschild, keine Reklametafel. Ein solider, praktischer Betrieb. Hier gab es keine Bäume, kein von Landschaftsgärtnern gestaltetes Gelände. Nur unebenes braunes Gras, Kieswege und einen Parkplatz.

»Wo sind die Chrysler?«, fragte Reacher.

»Unterwegs«, antwortete Neagley. »Auf der Suche nach uns.«

Sie fuhren wieder zu dem Krankenhaus nördlich von Glendale. Neagley holte ihren Wagen vom Parkplatz. Die nächste Station war ein Supermarkt. Dort besorgten sie sich eine Schachtel Kaminzündhölzer und zwei Sechserpacks Evian Naturelle: zwölf Einliterflaschen Mineralwasser, jeweils sechs in Plastikfolie eingeschweißt. Danach hielten sie in derselben Straße bei einem Geschäft für Autozubehör. Kauften einen roten Fünf-Gallonen-Benzinkanister und eine Packung Poliertücher.

Zuletzt fuhren sie zu einer Tankstelle und füllten ihre Autos und den Benzinkanister auf.

Sie verließen Glendale in Richtung Südwesten und landeten in Silver Lake. Reacher rief Neagley auf dem Handy an und sagte: »Wir sollten jetzt im Motel vorbeifahren.«

Neagley entgegnete: »Vielleicht wird es noch immer überwacht.«

»Genau deshalb sollten wir vorbeischauen. Können wir einen von ihnen jetzt umlegen, brauchen wir uns später keine Sorgen um ihn zu machen.«

»Vielleicht ist's mehr als einer.«

»Na, wenn schon! Je mehr, desto besser.«

Der sehr lange Sunset Boulevard verlief südlich des Stausees mitten durch Silver Lake. Reacher fand ihn und fuhr nach Westen weiter. Nach zehn Kilometern rollte er am Motel Dunes vorbei, ohne langsamer zu werden. Neagley war mit ihrem Civic zwanzig Meter hinter ihm. Sie folgte ihm, als er links abbog und einen Straßenblock entfernt parkte. Von dort aus konnte man über Servicezufahrten auf Umwegen zur Rückseite ihres Motels gelangen. Auf den schmalen Gassen hielten sie fünf Meter Abstand, denn sie wollten vermeiden, aus zwei Personen ein einziges Ziel zu machen.

Reacher, dessen Hand die Glock in seiner Tasche umklammert hielt, ging voraus. Durch eine enge, mit fahrbaren Müllbehältern vollgestellte Passage betrat er den Motelparkplatz langsam von der Rückseite aus. Der Platz wirkte harmlos. Acht Autos, fünf mit auswärtigen Kennzeichen, keine blauen Chrysler. Niemand, der in den Schatten lauerte. Er ging nach rechts. Fünf Meter hinter ihm, das wusste er, würde Neagley nach links laufen. Das war ihr Standardverfahren, das sie vor vielen Jahren entwickelt hatten: R für Reacher, L für Neagleys zweiten Vornamen. Er beschrieb einen langsamen Halbkreis um das Gebäude. Nirgends etwas Außergewöhnliches. Nirgends eine verdächtige Gestalt. Niemand in der Lounge, niemand im Wäscheraum. Quer durch den Empfangsbereich konnte er die Frau an der Rezeption sehen.

Er trat auf den Gehsteig hinaus und kontrollierte den Boulevard. Auch hier nichts Verdächtiges. Einige Aktivitäten, aber nichts Außergewöhnliches. Etwas Verkehr, der aber keinen Grund zur Sorge gab. Er kehrte auf den Parkplatz zurück und wartete darauf, dass Neagley ihren halbkreisförmigen Kontrollgang beendete. Sie kontrollierte den Gehsteig, warf einen Blick auf die Straße und trat zurück, um die Rezeption in Augenschein zu nehmen. Nichts. Neagley schüttelte den Kopf, und sie machten sich auf den Weg zu O'Donnels Zimmer – für alle Fälle weiter mit fünf Metern Abstand.

O'Donnels Schloss war aufgesprengt.

Genauer gesagt sah O'Donnels Schloss unbeschädigt aus, aber der Türrahmen war stark beschädigt und das Holz zersplittert. Jemand hatte seine Tür mit einem Brech- oder Montiereisen aufgebrochen. Reacher zog seine Glock und wartete an der Türseite mit den Angeln, während Neagley sich neben die Seite mit der Klinke stellte. Als sie nickte, öffnete er die Tür mit einem Tritt, während Neagley sich mit schussbereiter Pistole nach vorn auf die Knie fallen ließ. Ein weiteres Standardverfahren. Wer auf der Seite mit den Angeln stand, öffnete die Tür; wer neben der Klinke stand, machte sich beim Eindringen klein, um das Ziel zu minimieren. Falls in dem Raum ein Bewaffneter lauerte, würde er in der Regel höher zielen, wo er die Rumpfmasse erwartete.

Aber in dem Zimmer hielt sich niemand versteckt.

Es war völlig leer, aber auch völlig verwüstet. Durchsucht und verwüstet. Alle bei New Age erbeuteten Unterlagen waren verschwunden, die restlichen Glock 17 waren fort, die Reservemunition war fort, die AMT Hardballer waren fort, Saropians Daewoo DP 51 war verschwunden, die Maglites waren fort. O'Donnells Kleidung lag überall verstreut. Jemand hatte seinen Tausenddollaranzug vom Kleiderbügel gerissen und war darauf herumgetrampelt. Sein Waschzeug war im ganzen Raum verteilt.

Dixons Zimmer sah genauso aus. Leer, aber verwüstet.

Und Neagleys.

Ebenso Reachers. Seine Klappzahnbürste lag zertrampelt auf dem Fußboden.

»Dreckskerle«, schimpfte er.

Sie suchten das Motel selbst und seine Umgebung im Umkreis von einem Straßenblock nochmals ab. Aber dort war niemand. Neagley sagte: »Sie warten alle in Highland Park auf uns.«

Reacher nickte. Gemeinsam hatten sie zwei Glock 17 mit achtundsechzig Schuss sowie ihre letzten Einkäufe, die im Kofferraum des Prelude lagen.

Zwei gegen sieben oder mehr.

Keine Zeit.

Kein Überraschungsmoment.

Eine unüberwindbare Festung.

Eine aussichtslose Situation.

»Wir können loslegen«, sagte Reacher.

71

Auf die Dunkelheit zu warten war immer langwierig und mühsam. Manchmal schien die Erde sich schnell, manchmal dagegen langsam zu drehen. Dies war einer der langsamen Tage. Sie parkten in einer ruhigen Straße drei Blocks von dem Fertigungsbetrieb von New Age entfernt auf gegenüberliegenden Straßenseiten: Neagleys Civic in Richtung Westen, Reachers Prelude in Richtung Osten. So konnten sie beide das Firmengelände überblicken. Hinter dem Zaun hatte sich einiges geändert. Die Autos der Arbeiterinnen waren verschwunden; an ihrer Stelle standen jetzt sechs blaue Chrysler 300C. Offenbar war die Produktion für heute eingestellt worden. Allen Lamaison hatte klar Schiff zum Gefecht machen lassen. Hinter den Autos konnten sie den vierhundert Meter entfernten Hubschrauber sehen. Er war nur als kleiner weißer Umriss zu erkennen, aber sie rechneten damit mitzubekommen, wenn seine Triebwerke angelassen wurden. Doch wenn das passierte, kam jeder Befreiungsversuch zu spät.

Reacher hatte seine beiden Handys auf Vibrationsalarm eingestellt. Neagley rief ihn zweimal an, um sich die Zeit zu vertreiben. Eigentlich hätte sie nur ihr Fenster herunterkurbeln und rufen müssen, aber sie wollte natürlich keine Aufmerksamkeit erregen.

Beim ersten Mal fragte sie: »Hast du mit Karla geschlafen?«

»Wann?«, fragte Reacher, um Zeit zu gewinnen.

»Seit wir wieder zusammen sind.«

»Zweimal«, sagte Reacher. »Das war's.«

»Das freut mich.«

»Danke.«

»Schließlich wolltet ihr das schon immer.«

Der zweite Anruf kam eine Viertelstunde später.

»Hast du dein Testament gemacht?«, fragte sie.

»Unnötig«, antwortete Reacher. »Seit sie meine Zahnbürste kaputt gemacht haben, besitze ich nichts mehr.«

»Wie fühlst du dich dabei?«

»Schlecht. Ich habe diese Zahnbürste gemocht. Sie war schon lange mit mir zusammen.«

»Nein, ich meine den Rest.«

»Der ist okay. Ich kann nicht erkennen, dass Karla oder Dave glücklicher sind als ich.«

»Im Augenblick sicher nicht.«

»Sie wissen, dass wir kommen.«

»Gemeinsam mit uns unterzugehen wird sie wirklich aufheitern.«

»Besser, als allein unterzugehen«, entgegnete Reacher.

In Colorado rollte ein großer weißer Sattelschlepper auf der I-70 nach Westen. Er war weniger als halb voll: etwas über sechzehn Tonnen bei einer zulässigen Nutzlast von vierzig Tonnen. Trotz der geringen Last fuhr er wegen der Berge ziemlich langsam. Das würde so bleiben, bis er nach Süden auf die I-15 abbog. Auf der restlichen Strecke Richtung Kalifornien würde er etwas schneller vorankommen. Sein Fahrer rechnete mit einem Durchschnitt von achtzig Stundenkilometern. Von Haus zu Haus maximal achtzehn Stunden. Er würde unterwegs nirgends rasten. Wie denn auch? Als Mann mit einer Mission hatte er keine Zeit für solche Banalitäten.

Azhari Mahmoud sah sich die Route zum dritten Mal auf dem Stadtplan an. Er rechnete damit, dass er drei Stunden brauchen würde. Vielleicht auch länger. Er musste fast ganz Los Angeles von Süden nach Norden durchqueren. Das würde nicht einfach werden. Der U-Haul war langsam und schlecht zu fahren, und der Verkehr würde bestimmt albtraumhaft sein. Deshalb beschloss er, vier Stunden einzuplanen. Kam er zu früh an, konnte er warten. Das schadete nichts. Er stellte seinen Wecker, streckte sich auf dem Bett aus und versuchte, durch reine Willensanstrengung einzuschlafen.

Reacher starrte den östlichen Horizont vor sich an und versuchte das Licht zu beurteilen. Dabei behinderte ihn die getönte Frontscheibe, denn sie war optisch zu optimistisch – sie ließ den Himmel dunkler erscheinen, als er tatsächlich war. Er fuhr sein Fenster herunter und streckte den Kopf hinaus. Die Realität war ernüchternd. Noch mindestens eine Stunde Tageslicht und danach bestimmt eine Stunde Abenddämmerung. Dann erst völlige Dunkelheit. Er fuhr sein Fenster wieder hoch und lehnte sich zurück, um zu ruhen. Zwang sein Herz dazu, langsamer zu schlagen, atmete langsamer und entspannte sich.

Er blieb entspannt, bis Allen Lamaison ihn anrief.

72

Lamaison rief Reacher nicht auf Saropians Mobiltelefon, sondern auf seinem Prepaid-Handy aus dem Radio Shack an. Die Anruferidentifizierung im Display zeigte, dass er Karla Dixons Handy benutzte. Offen provokant. Seine Stimme klang sehr zufrieden und selbstsicher.

»Reacher?«, fragte er. »Wir müssen miteinander reden.«

»Meinetwegen«, sagte Reacher.

»Sie taugen nichts.«

»Glauben Sie?«

»Sie haben bisher jede Runde verloren.«

»Außer Saropian.«

»Stimmt«, räumte Lamaison ein. »Und darüber bin ich sehr unglücklich.«

»Gewöhnen Sie sich lieber daran. Weil Sie sechs weitere Männer verlieren werden, bevor ich Sie mir persönlich vorknöpfe.«

»Nein«, entgegnete Lamaison. »Das wird nicht passieren. Wir werden einen Deal abschließen.«

»Nie im Leben.«

»Die Bedingungen sind ausgezeichnet. Möchten Sie sie hören?«

»Beeilen Sie sich lieber. Ich bin gerade in der Innenstadt, habe einen Termin beim FBI. Ich werde den Agenten alles über die Little Wing erzählen.«

»Was denn alles?«, fragte Lamaison. »Da gibt es nichts zu erzählen. Wir hatten ein paar defekte Geräte, die vernichtet worden sind. So steht's schwarz auf weiß in vom Pentagon genehmigten Unterlagen.«

Reacher schwieg.

»Außerdem sind Sie nicht mal in der Nähe des FBIs«, sagte Lamaison. »Sie überlegen fieberhaft, wie Sie Ihre Freunde retten können.«

»Glauben Sie?«

»Sie würden es nie dem FBI überlassen, für ihre Sicherheit zu sorgen.«

»Sie verwechseln mich mit jemandem, dem das nicht scheißegal ist.«

»Es ist Ihnen nicht scheißegal, sonst wären Sie gar nicht hier. Tony Swan und Calvin Franz, Manuel Orozco und Jorge Sanchez haben uns alles darüber erzählt. Vor ihrem Tod. Anscheinend soll man sich nicht mit den Sonderermittlern anlegen.«

»Das war nur ein Slogan. Er war damals schon alt, und jetzt ist er echt alt.«

»Trotzdem haben sie sich fest darauf verlassen. Das tun auch Ms. Dixon und Mr. O'Donnell. Ihr Vertrauen ist wirklich rührend. Reden wir also von unserem Deal. Sie können Ihren Freunden unendlich viele Schmerzen ersparen.«

»Wie?«

»Ms. Neagley und Sie stellen sich jetzt, und wir behalten Sie alle eine Woche lang unter Aufsicht. Bis die Aufregung sich gelegt hat. Dann lassen wir Sie laufen. Alle vier.«

»Oder?«

»Wir brechen O'Donnell Arme und Beine und probieren sein Springmesser an Dixon aus. Nachdem wir Männer uns vorher ein bisschen mit ihr amüsiert haben. Danach verfrachten wir beide in den Hubschrauber.«

Reacher schwieg.

»Machen Sie sich wegen der Little Wings keine Sorgen«, fuhr Lamaison fort. »Diese Sache ist abgeschlossen.

Lässt sich nicht mehr rückgängig machen. Außerdem sind die Raketen ohnehin für Kaschmir bestimmt. Waren Sie schon mal dort? Ein Dreckloch. Eine Bande von Turbanträgern schlägt sich dort die Köpfe ein. Was kümmert uns das?«

Reacher schwieg.

Lamaison fragte: »Steht unser Deal also?«

»Nein.«

»Überlegen Sie sich das noch mal. Dixon wird nicht gefallen, was wir mit ihr vorhaben.«

»Wieso sollte ich Ihnen trauen? Ich komme rein, und Sie erledigen mich mit einem Kopfschuss.«

»Zugegeben, das ist ein Risiko«, erwiderte Lamaison. »Aber ich denke, Sie werden es eingehen. Weil Sie für die Lage Ihrer Leute verantwortlich sind. Sie haben sie im Stich gelassen. Sie sind ihr Kommandeur und haben versagt. Ich habe so viel von Ihnen gehört, dass Ihr Name mich bereits anwidert. Sie werden alles tun, um sie zu retten.«

»Wo sind Sie?«, fragte Reacher.

»Das wissen Sie bestimmt.«

Reacher sah durch die Windschutzscheibe nach vorn, versuchte, durch das getönte Glas das Licht einzuschätzen.

»Wir sind zwei Stunden von Ihnen entfernt«, sagte er mit leicht angespannt klingender Stimme.

»Wo sind Sie?«

»Südlich von Palmdale.«

»Weshalb?«

»Wir wollen Dean besuchen. Um das Puzzle wie schon Swan zusammensetzen zu können.«

»Kehren Sie um«, befahl Lamaison. »Sofort! Um Ms. Dixons willen. Ich wette, dass sie schreien wird. Meine Jungs werden gemeinsam über sie herfallen. Ich halte das Telefon hin, damit Sie mithören können.«

Reacher machte eine Pause.

»Zwei Stunden«, sagte er schließlich. »Dann reden wir wieder miteinander.«

Er beendete die Verbindung und rief Neagley an.

»In sechzig Minuten geht's los«, sagte er.

Dann lehnte er sich in seinen Sitz zurück und schloss die Augen.

Sechzig Minuten später war der Himmel im Osten dunkelblau, fast schwarz. Die Sicht wurde schlechter. Vor vielen Jahren hatte eine pedantische Lehrerin irgendwo im Pazifik Reacher beigebracht, erst komme das Zwielicht, dann die Abenddämmerung und anschließend die Nacht. Sie hatte darauf bestanden, *Zwielicht* und *Abenddämmerung* seien nicht das Gleiche. Daran erinnerte er sich jetzt.

Draußen begann es zu dämmern, aber nicht ganz so schnell, wie er es sich gewünscht hätte.

Er wählte Neagleys Nummer und unterbrach die Verbindung nach dem ersten Klingeln. Ihr Fenster wurde heruntergekurbelt, und sie winkte: eine kleine blasse Hand in der Dunkelheit. Er ließ den Motor an, fuhr ohne Licht vom Randstein weg nach Osten, der herabsinkenden Nacht entgegen, bog rechts ab, fuhr vier Straßenblocks weiter und umrundete das Betriebsgelände von New Age im Uhrzeigersinn. Dann bog er nochmals rechts ab, folgte dem Zaun auf dieser Seite und ließ seinen Wagen nach ungefähr zwei Dritteln der Strecke am Randstein ausrollen. Wäre das Gelände eine Uhr gewesen, hätte er bei der Vier gehalten. Wäre es ein Kompass gewesen, hätte er bei OSO gestanden.

Er stieg aus und horchte. Hörte nichts. Sah nichts. Highland Park war dicht besiedelt, aber der Betrieb von New Age lag im Gewerbegebiet. Der Arbeitstag war zu Ende, die Leute waren nach Hause gefahren. Die Straßen lagen dunkel und still da.

Er öffnete den Kofferraum des Preludes. Benutzte seine

Faust dazu, die Kofferraumbeleuchtung zersplittern zu lassen. Schlitzte mit dem Daumennagel die Plastikfolie um die Evian-Flaschen auf. Er nahm eine heraus, schraubte sie auf und nahm einen großen Schluck. Dann kippte er das restliche Wasser in den Rinnstein, stellte die leere Flasche wieder in den Kofferraum. Diesen Vorgang wiederholte er noch elfmal, sodass er zuletzt eine Reihe von zwölf leeren Literflaschen vor sich stehen hatte.

Dann hob er den Benzinkanister heraus.

Fünf US-Gallonen, fast neunzehn Liter Benzin. Er füllte die Flaschen sehr sorgfältig. Der Benzindunst des unverbleiten Kraftstoffs stieg ihm in die Nase. Das gefiel ihm. Dies war einer der besten Gerüche der Welt. Als die zwölfte Flasche voll war, stellte er den Benzinkanister neben sich auf den Asphalt. Er enthielt noch immer sieben Liter. Fast zwei Gallonen.

Er riss die Packung Politurtücher auf.

Die dreißig mal dreißig Zentimeter großen Tücher bestanden aus weißem Baumwollstoff, wie Unterhemden. Er rollte sie eng wie Zigarren zusammen und schob sie in die Hälse der Benzinflaschen. Halb drinnen, halb draußen. Das Benzin wurde durch die Dochtwirkung nach oben gesogen.

Molotowcocktails. Eine primitive, aber wirkungsvolle Waffe, im Spanischen Bürgerkrieg von den Faschisten erfunden und von den Finnen 1939 in ihrem Kampf gegen die Rote Armee so benannt, um den sowjetischen Außenminister Wjatscheslaw Molotow zu verspotten. *Ich wusste gar nicht, dass ein Panzer so lange brennen kann,* hatte ein finnischer Veteran sich einmal erinnert.

Panzer, Gebäude, Reacher war das egal.

Er rollte ein dreizehntes Poliertuch zusammen und legte es auf den Asphalt. Tränkte es mit Benzin aus dem Kanister. Er fand die Schachtel Kaminstreichhölzer und steckte sie ein. Nahm die Benzinflaschen nacheinander aus dem

Kofferraum und stellte sie zwei Meter hinter dem Prelude in einer sauberen Reihe auf. Dann hob er das letzte Tuch auf und klemmte es am Kofferraumdeckel ein, sodass es zu drei Vierteln heraushing. In der Dunkelheit sah das aus, als hätte der Wagen ein weißes Schwänzchen, wie ein kleines Lamm.

Showtime, dachte er.

Er riss ein Streichholz an und hielt es an das durch den Kofferraumdeckel festgeklemmte Tuch, bis es hell brannte. Dann schnippte er das Zündholz weg und griff nach dem ersten Molotowcocktail. Zündete seinen Docht an dem brennenden Tuch an, trat drei Schritte zurück und warf ihn in hohem Bogen über den Zaun. Die Benzinflasche beschrieb einen feurigen Bogen und zerschellte am Betonfundament des Hauptgebäudes. Gas explodierte in einem Feuerball, der rasch zusammensank und zu einer kleinen brennenden Lache wurde.

Reacher warf die zweite Brandflasche. Das Verfahren blieb gleich. Er zündete den Docht an dem brennenden Tuch an, trat zurück und warf mit voller Kraft. Die Flasche beschrieb denselben Bogen, schlug an derselben Stelle auf und zerplatzte. Nach einem kurzen, weiß glühenden Feuerball vergrößerte sich die brennende Benzinlache. Die Flammen begannen an der Blechverkleidung des Gebäudes emporzuzüngeln.

Den dritten Molotowcocktail warf er direkt ins Feuer, und den vierten. Mit der fünften Flasche zielte er etwas weiter nach links. Dort breitete sich ein neues Feuer aus. Die Nummern sechs und sieben folgten. Von der Anstrengung der gewaltigen Würfe begann seine Schulter zu schmerzen. Auch das Gras vor der Seitenwand des Gebäudes begann jetzt zu brennen. Die achte Flasche warf er in die Lücke zwischen den beiden Brandherden. Sie kam etwas zu kurz auf und setzte das Gras zweieinhalb Meter davor in Brand. Dadurch entstand ein unregelmäßig geformter Brandherd von ungefähr drei mal drei Metern. Die etwa hüfthoch lodernden Flammen waren von dem Brandbeschleuniger rot, orange und grün.

Die neunte Flasche warf er mit mehr Schwung und weiter nach links. Sie explodierte in der Nähe des Gebäudeeingangs. Die zehnte Flasche folgte dichtauf. Sie zerplatzte jedoch nicht, sondern rollte über den Boden und verspritzte dabei brennendes Benzin, das knisternde Flammen durchs Gras jagte. Er machte eine Pause, wählte sein Ziel sorgfältig und benutzte die elfte Flasche dazu, die Lücke an der Gebäudeecke zu schließen. Der zwölfte und letzte Molotowcocktail folgte ihr. Ein besonders kräftiger Wurf ließ ihn hoch an der Fassade zerschellen, sodass brennendes Benzin sich über die gesamte Außenwand des Gebäudes ergoss.

Er öffnete den Kofferraumdeckel, zerrte das brennende Tuch heraus und trampelte darauf herum. Dann trat er an den Zaun und spähte hindurch. Entlang der Seitenwand des Gebäudes und vor seiner Fassade bis zum Eingang stand das Gras jetzt mit starker Rauchentwicklung in lodernden Flammen. Das Gebäude selbst bestand aus Metall und war weitgehend feuerfest. Aber drinnen würde es heiß werden.

Bald noch heißer, dachte Reacher.

Er schraubte den Benzinkanister zu, holte kräftig aus und schleuderte ihn wie ein Diskuswerfer. Der Kanister segelte über den Zaun, überschlug sich im Flug taumelnd und schlug mitten in den Flammen auf. Dünner, brennbarer roter Kunststoff, der sieben Liter Benzin umschloss. Eine Zehntelsekunde Pause, dann explodierte der Behälter mit einem riesigen weißen Feuerball. Zunächst sah es so aus, als würde das ganze Gebäude brennen. Als der Feuerball in sich zusammensank, loderten die Flammen doppelt so hoch wie zuvor, und die Farbe auf dem Profilblech der Außenwand hatte Feuer gefangen.

Reacher setzte sich wieder in den Prelude, ließ den Motor an, wendete mit quietschenden Reifen und fuhr dorthin zurück, wo er hergekommen war. Der Auspuff knatterte. Er hoffte, dass Dixon und O'Donnell ihn hören konnten, wo immer sie sich befanden. Nach drei Straßenblocks war er wieder am Ausgangspunkt angelangt. Er parkte hinter Neagleys Civic, stellte den Motor ab, blieb still sitzen und sah aus dem Fenster. Weit links vor sich konnte er in der Ferne den Feuerschein erkennen. Wogende, dichte Rauchwolken, die langsam übers Gelände trieben und von hell lodernden Flammen von unten beleuchtet wurden. Ein anständiger Brand, der von Minute zu Minute größer wurde.

Eindrucksvoll.

In Gedanken hob er ein Glas, um auf den Genossen Molotow zu trinken.

Dann lehnte er sich in den Fahrersitz zurück und wartete darauf, dass die Feuerwehr kam.

73

Die Feuerwehr tauchte in weniger als vier Minuten auf. New Age hatte offenbar ein Alarmsystem, das über eine Standleitung direkt mit der Feuerwehr verbunden war. Eine weitere Vorschrift des Pentagons, vermutete Reacher, wie das Wachhäuschen am Tor. Weit rechts voraus hörte er in der Ferne gedämpft schrilles Sirenengeheul und sah blaue Blinkleuchten am Horizont aufblitzen. Er merkte, dass Neagley den Motor ihres Wagens anließ, tat es ihr gleich und legte den ersten Gang ein. Dann wartete er. Die Sirenen wurden lauter, die Blinkleuchten heller. Die Löschfahrzeuge waren noch zwei Straßenblocks entfernt. Grelle Scheinwerfer durchschnitten die Nacht.

Neagley fuhr los. Reacher folgte ihr. Sie wartete an der

Haltelinie. Reacher befand sich dicht hinter ihr. Die Löschfahrzeuge waren noch einen Block entfernt, näherten sich rasch, heulten und blinkten. Neagley gab Gas, bog vor der Kolonne links ab. Reacher folgte ihr mit quietschenden Reifen nur wenige Meter vor dem ersten Fahrzeug, dessen Druckluftfanfare ihn wütend anplärrte. Neagley fuhr ein paar hundert Meter weiter. Einen Block. Zwei. Auf die Straße, an der New Age lag. Sie folgte dem Zaun entlang der Vorderfront des Geländes. Reacher blieb ihr weiter dicht auf den Fersen. Die Sirenen hinter ihm jaulten aufgebracht. Dann fuhr Neagley wie eine anständige Bürgerin rechts heran und hielt. Reacher folgte ihrem Beispiel. Die Löschfahrzeuge rasten an beiden vorbei. Mehr oder weniger sofort danach bremsten sie scharf, bogen ab und hielten auf das Tor von New Age zu. Sie waren zu dritt. Eine ganze Löschgruppe. Ein wichtiger Kunde.

Das Rolltor von New Age öffnete sich, weil ein Feueralarm besser als jeder Ausweis oder Passierschein war.

Neagley war inzwischen in die nächste Seitenstraße abgebogen. Sie sprang aus ihrem Wagen, spurtete mit Reacher hinter sich über die Straße. Sie holten das letzte Löschfahrzeug ein, als es zum Abbiegen bremste. Sie blieben auf seiner dem Wachhäuschen und dem Feuer abgewandten linken Seite, auf die niemand achten würde. Sie hatten Mühe, mit seinem Tempo mitzuhalten, aber sie blieben bis durchs Tor neben ihm. Seine Sirene heulte weiter, der Motor röhrte. Der Lärm war ohrenbetäubend. Vom Feuer trieb scharfer, beißender Rauch herüber. Das Löschfahrzeug raste geradeaus weiter. Neagley bog scharf links ab und folgte der Innenseite des Zauns. Reacher hastete halb links durchs Gras weiter. Er strengte sich noch zehn lange Sekunden an, ging dann zu Boden, rollte sich ab und blieb mit ins Gras gedrücktem Gesicht auf dem Bauch liegen.

Eine Minute später hob er den Kopf.

Er war etwa sechzig Meter von dem Feuer entfernt. Zwischen ihm und dem Brandherd standen drei Löschfahrzeuge: riesig, laut, mit blauen Blinkleuchten und gleißend hellen Scheinwerfern. Er konnte Leute – Sicherheitspersonal von New Age – herumrennen sehen. Sie waren drüben am Zaun und versuchten zu erkennen, wer oder was den Brand ausgelöst hatte. Sie liefen nach vorn und zogen sich ebenso schnell wieder zurück, weil die Hitze zu stark war. Feuerwehrleute wuselten herum, schleppten Geräte, rollten Schläuche aus.

Chaos.

Reacher drehte den Kopf zur Seite und bemühte sich, das Dunkel mit den Augen zu durchdringen. Zwölf, fünfzehn Meter entfernt sah er im Gras etwas Flaches, Längliches liegen, das Neagley sein musste.

Sie waren auf dem Gelände innerhalb des Zauns.

Unentdeckt.

L.A.s Tapferste brauchten acht Minuten, um den Brand zu löschen. Anschließend verbrachten sie weitere einunddreißig Minuten damit, die Asche abzulöschen, einen Berichtsvordruck auszufüllen und ihre Geräte wieder zu verstauen. Insgesamt dauerte ihr Besuch also neununddreißig Minuten. Die ersten zwanzig davon verbrachte Reacher damit, so nahe an die Gebäude heranzurobben, wie er es wagte, die restlichen neunzehn Minuten hingegen damit, möglichst weit von ihnen wegzukriechen. Als die Feuerwehr das Gelände verließ, lag er hundertfünfzig Meter von der Brandstelle entfernt im hintersten Winkel des Grundstücks.

Der Reacher nächste Gegenstand war der Hubschrauber. Er stand ungefähr siebzig Meter entfernt auf seinem betonierten Landeplatz auf etwa halber Strecke einer Diagonale durch das Grundstück. Dahinter befand sich das erste kleine Nebengebäude; das Büro des Piloten, dachte Reacher. Er hatte einen Kerl in einer Lederjacke herausstürmen gesehen. In dem hell beleuchteten Raum hinter ihm hingen Landkarten und eine ICAO-Karte an der Wand.

Gleich weit von dem Hubschrauber und dem Pilotenbüro entfernt und ungefähr dreißig Meter südlich von beiden lag der Firmenparkplatz. Dort standen die sechs blauen Chrysler.

Jenseits des Pilotenbüros gab es ein weiteres kleines Nebengebäude. Irgendein Lagerraum, vermutete Reacher. Der Einsatzleiter der Feuerwehr hatte einen raschen Blick hineinwerfen dürfen.

Dann kam das Hauptgebäude. Der eigentliche Fertigungsbetrieb. Die Montagehalle, in der Frauen, die Duschhauben trugen, mit Lötkolben hantierten. Überall liefen noch Leute im Freien herum. Reacher war sich ziemlich sicher, dass er Lamaison an Größe und Körperbau erkannte, als er durch die letzten Rauchschwaden stapfte, Befehle brüllte und seine Leute zu organisieren versuchte. Auch Lennox und Parker waren da. Und noch andere. Schwer zu sagen, wie viele. Zu viel Dunkelheit, Verwirrung und Durcheinandergerenne. Mindestens drei. Vielleicht vier oder sogar fünf.

Das dritte kleine Nebengebäude stand weit entfernt von allem anderen in der Reacher gegenüberliegenden Ecke des Geländes. Seine Tür hatte sich nicht geöffnet, und niemand war auch nur in seine Nähe gekommen; weder Lamaison noch seine Kerle, auch keiner der Feuerwehrleute.

Das musste das Gefängnis sein, dachte Reacher.

Das Haupttor zur Straße hin war wieder zu. Nachdem das letzte Löschfahrzeug das Gelände verlassen hatte, war es kreischend zurückgerollt und hatte sich dann mit einem wuchtigen Aufprall geschlossen. Der Wachmann hielt sich weiter in seinem Häuschen auf. Seine Silhouette war deutlich hinter der Scheibe zu erkennen. Die Lampe darüber zeichnete einen leicht gelblichen Lichtkreis mit fünf, sechs Metern Durchmesser auf den Asphalt.

Jenseits des Hauptgebäudes waren die Sicherheitsleute anscheinend weiter auf der Suche nach irgendetwas. Lamaison hatte vier von ihnen zu sich gerufen, um ihnen Anweisungen zu erteilen. Er ließ sie Paare bilden, die den Zaun kontrollieren sollten – zwei Männer im Uhrzeigersinn, zwei in Gegenrichtung. Beide Paare bewegten sich langsam, parallel zum Zaun, streiften mit den Füßen durch Gras, starrten zu Boden, sahen auf, begutachteten den Zaun. Noch hundertfünfzig Meter entfernt. Reacher wälzte sich auf den Rücken. Betrachtete den Himmel. Inzwischen war es fast völlig dunkel. Der tagsüber bräunliche Smog bildete jetzt eine mattschwarze Decke. Die Nacht war mondlos. Nirgends ein Lichtschein außer dem kaum mehr sichtbaren letzten Rest Abenddämmerung und dem schwachen orangeroten Widerschein der Großstadtlichter.

Er wälzte sich wieder auf den Bauch. Die Sicherheitsleute bewegten sich weiter paarweise und kamen nur langsam voran. Lamaison verschwand im Hauptgebäude. Parker und Lennox waren nirgends zu sehen. Bereits drinnen, vermutete Reacher. Er behielt die Sucher im Blick. Erst das eine, dann das andere Paar. Verschiedene Richtungen. Die entgegen dem Uhrzeigersinn unterwegs waren, gehörten Neagley, die anderen Kerle ihm. Sie hatten noch ungefähr hundertfünfzig Meter zurückzulegen, bevor sie auch nur in seine Nähe kamen. Etwas über vier Minuten, falls sie ihr bisheriges Tempo beibehielten. Sie konzentrierten sich auf den Zaun und den innen anschließenden Fünfmeterstreifen. Sie hatten keine Stablampen, waren ganz auf ihren Tastsinn angewiesen. Um etwas zu finden, würden sie darüber stolpern müssen.

Reacher kroch zwanzig Meter senkrecht vom Zaun weg. Fand hinter einigen Grasbüscheln eine kleine Senke und drückte sich darin zu Boden. Niemandsland. Das Betriebsgelände war ungefähr einen Hektar groß, was zehntausend Quadratmetern entsprach. Reacher nahm ungefähr zwei davon ein. Neagley etwas weniger, aber das spielte keine Rolle, vier von zehntausend Quadratmetern. Die Chancen, zufällig entdeckt zu werden, standen also eins zu zweitausendfünfhundert. Aber nur, wenn sie still und reglos liegen blieben.

Was Reacher sich nicht leisten konnte.

Weil die Uhr in seinem Kopf auf zwei Uhr morgens weitergetickt war. Er stützte sich auf die Ellbogen, zog sein Mobiltelefon heraus und wählte die Nummer von Dixons Handy.

74

Über hundert Meter entfernt nahm Lamaison den Anruf entgegen. Reacher bedeckte das helle Display seines Telefons mit dem Daumen. Er wollte sich seine Nachtsichtfähigkeit erhalten – und vor allem verhindern, dass die Sucher ihn entdeckten. Er sprach so normal wie möglich.

»Wir stehen auf dem Freeway im Stau«, sagte er. »Wegen eines Auffahrunfalls.«

»Bockmist«, sagte Lamaison. »Sie sind irgendwo hier in der Nähe. Sie haben Benzinbomben über meinen Zaun geworfen.« Seine Stimme war laut und wütend, klang im Handy scharf und nervös, leicht krächzend und verzerrt. Reacher legte seinen Zeigefinger auf die Lautsprecherschlitze und sah zu den Suchern hinüber. Sie waren noch hundertzwanzig Meter entfernt und schienen nichts bemerkt zu haben.

»Welche Bomben?«, fragte er.

»Sie wissen, welche ich meine!«

»Wir sind auf dem Freeway. Ich weiß nicht, wovon Sie reden.«

»Bockmist, Reacher. Sie sind irgendwo in der Nähe, haben

einen Brand gelegt. Aber der war kümmerlich. Die Feuerwehr hat ganze fünf Minuten gebraucht, um ihn zu löschen. Aber das haben Sie bestimmt mitbekommen.«

In Wirklichkeit acht Minuten, dachte Reacher. *Sei wenigstens fair.* Aber er sagte nichts. Beobachtete nur seine beiden Sucher. Sie waren jetzt hundertzehn Meter entfernt.

»Der Deal hat sich erledigt«, erklärte Lamaison.

»Augenblick«, sagte Reacher. »Ich denke noch immer darüber nach. Aber ich bin kein Idiot. Ich will einen Beweis dafür, dass sie noch leben. Sie könnten sie längst erschossen haben.«

»Sie leben noch.«

»Beweisen Sie's mir.«

»Wie?«

»Ich rufe Sie an, wenn wir diesen Stau hinter uns haben. Sie können sie ans Tor bringen.«

»Kommt nicht infrage. Sie bleiben, wo sie sind.«

»Dann können wir nicht ins Geschäft kommen.«

»Ich kann sie in Ihrem Auftrag etwas fragen«, sagte Lamaison.

»Was fragen?«

»Überlegen Sie sich eine Frage, die nur sie beantworten können. Wir fragen sie und rufen Sie zurück.«

»Ich rufe noch mal an«, sagte Reacher. »Ich telefoniere nicht, wenn ich fahre.«

»Sie fahren nicht. Wie lautet die Frage?«

Reacher antwortete: »Fragen Sie sie, aus welcher Einheit sie zur 110th MP gekommen sind.« Dann klappte er sein Handy zu und steckte es wieder ein.

Die Sucher waren jetzt ungefähr siebzig Meter entfernt. Reacher kroch zwanzig Meter auf sie zu, langsam und vorsichtig, parallel zum Zaun. In dieser Zeit schafften die Männer weitere zehn Meter. Nun waren sie etwa vierzig Meter entfernt, kamen mit drei Metern Abstand langsam näher, streiften mit den Füßen durchs Gras, suchten den Zaun ab und kontrollierten ihn auf Breschen.

Reacher sah Licht vor dem Hauptgebäude. Die Tür ging auf. Eine hochgewachsene Gestalt trat ins Freie. Vermutlich Parker. Er machte die Tür hinter sich zu, hastete die Giebelwand entlang und hielt auf das dreißig Meter entfernte Nebengebäude zu. Er schloss die Tür auf und ging hinein; nach weniger als einer Minute kam er wieder heraus und sperrte hinter sich ab.

Das Gefängnis, dachte Reacher. *Vielen Dank.*

Die Sucher waren jetzt bis auf zwanzig Meter herangekommen. Reacher kroch auf sie zu, um die Lücke zu schließen. Die beiden Kerle stolperten weiter. Sie waren jetzt zehn Meter diagonal voraus, schätzungsweise acht Meter links von Reacher.

Das Handy in seiner Tasche vibrierte.

Er zog es heraus und schirmte es mit einer Hand ab. Angezeigt wurde Dixons Nummer, was Lamaison bedeutete: mit den gerade erst von Parker eingeholten Antworten auf seine Frage.

Ich habe gesagt, dass ich anrufe, dachte Reacher. *Kann jetzt nicht reden.*

Er steckte das Handy wieder ein und wartete. Die Sucher waren fast genau auf seiner Höhe, immer noch acht Meter links von ihm. Sie gingen weiter. Reacher beschrieb lautlos kriechend einen Halbkreis. Die Sucher stapften weiter. Nun befand er sich hinter ihnen. Er kam lautlos auf die Beine. Machte kurze Schritte und hob dabei die Füße, damit seine Sohlen das Gras nicht verräterisch rascheln ließen. Er folgte den beiden Kerlen mit drei, dann zweieinhalb, dann zwei Metern Abstand genau zwischen ihnen. Sie hatten ein anständiges Format: ungefähr eins achtzig, neunzig, blass und fleischig. Blaue Anzüge, weiße Hemden, Bürstenschnitt. Breite Schultern, dicke Hälse.

Er traf das Genick des ersten Kerls mit einer gewaltigen rechten Geraden, in der hundertfünfzehn Kilo und tagelang aufgespeicherte Wut lagen. Der Kopf des Kerls schnellte nach hinten, bis er von Reachers Faust abprallte, und wieder nach vorn, bis sein Kinn an die Brust schlug. Schleudertrauma. Wie ein Dummy bei einem simulierten Auffahrunfall. Als der Typ zusammenbrach, wandte sein Kumpel sich ihm erschrocken zu. Reacher war mit zwei tänzelnden Schritten bei ihm und traf ihn mit einem Kopfstoß ins Gesicht. Allein das Geräusch sagte ihm, dass er gut getroffen hatte. Knochen, Knorpel, Muskel, Fleisch, das unverkennbare Knirschen ernstlicher Schäden. Der Kerl hielt sich noch eine Sekunde bewusstlos auf den Beinen, bevor er der Länge nach hinschlug.

Reacher wälzte den ersten Mann auf den Rücken, setzte sich auf seine Brust, hielt ihm mit einer Hand die Nase zu und blockierte seinen Mund mit der anderen. Dann wartete er, bis er erstickt war. Das dauerte nicht mal eine Minute. Nicht mal eine Minute. Dann wiederholte er das Gleiche bei dem anderen Mann. Eine weitere Minute.

Anschließend kontrollierte er den Inhalt ihrer Taschen. Der erste Kerl besaß ein Mobiltelefon, eine Pistole und eine Geldbörse mit Bargeld und Kreditkarten. Reacher steckte das Geld und die Pistole ein, ließ ihm das Handy und die Kreditkarten. Die Neunmillimeter-Pistole war eine SIG P226, das Bargeld betrug knapp zweihundert Dollar. Der zweite Kerl hatte wie der erste ein Mobiltelefon, eine SIG, eine Geldbörse.

Und Dave O'Donnells Schlagring aus Keramikmaterial.

Der Schlagring steckte in seiner Jackentasche. Eine Belohnung für gute Arbeit vor dem Krankenhaus in Glendale oder ein geklautes Andenken. Kriegsbeute. Reacher ließ ihn in seine Tasche gleiten, schob die SIG hinten in den Hosenbund und steckte das Geld in die Hüfttasche. Dann wischte er sich die Hände am Jackett des zweiten Typs ab und kroch in die Richtung weiter, in der er Neagley vermutete. Von dort hatte er nichts gehört. Überhaupt nichts. Aber das beunruhigte ihn keineswegs. Neagley in stockfinsterer Nacht gegen zwei Kerle – das war ungefähr so sicher, wie die Sonne im Westen unterging.

Er stieß auf eine weitere flache Senke, rastete darin, stützte sich auf die Ellbogen und zog sein Handy heraus. Wählte noch mal Dixons Nummer.

»Wo, zum Teufel, stecken Sie?«, fragte Lamaison unüberhörbar wütend.

»Das wissen Sie«, entgegnete Reacher. »Ich telefoniere nicht, während ich fahre.«

»Sie fahren nicht!«

»Warum habe ich mich dann nicht gemeldet?«

»Egal«, sagte Lamaison. »Wo sind Sie jetzt?«

»In der Nähe.«

»Dixon sagt, dass sie vor dem 110th beim 53rd MP war, und O'Donnell nennt das 131st MP.«

»Okay«, sagte Reacher. »Ich rufe Sie in zehn Minuten an, sobald wir da sind.«

Er beendete die Verbindung und setzte sich mit untergeschlagenen Beinen im Gras auf. Jetzt hatte er seine als Lebensbeweis dienenden Antworten. Das Problem war nur, dass keine der beiden auch nur im Entferntesten zutraf.

75

Reacher kroch im Gras nach Süden und hielt in der Dunkelheit Ausschau nach Neagley. Nachdem er in raschem Tempo ungefähr fünfzig Meter zurückgelegt hatte, fand er stattdessen einen Toten. Er stolperte fast über ihn, erst mit den

Händen, dann mit den Knien. Vor ihm lag ein Mann, der schon kalt zu werden begann. Blauer Anzug, weißes Hemd, gebrochenes Genick.

»Neagley?«, flüsterte er.

»Hier«, meldete sie sich ebenso leise.

Sie war nur wenige Meter entfernt, lag auf einen Ellbogen gestützt auf der Seite.

»Alles okay mit dir?«, fragte er.

»Alles bestens.«

»Was ist mit dem anderen?«

»Hinter dir«, sagte sie. »Rechts.«

Reacher sah sich um. Der gleiche Typ, der gleiche Anzug, das gleiche Hemd.

Die gleiche Todesart.

»Irgendwelche Probleme?«, fragte er.

»Kinderleicht«, antwortete sie. »Und leiser als du. Deinen Kopfstoß hab ich bis hierher gehört.«

Sie schlugen im Dunkel leicht die Fäuste aneinander: das alte Ritual mit ungefähr so viel Körperkontakt, wie Neagley anderen zubilligen mochte.

»Lamaison glaubt, dass wir von außerhalb des Zauns reinschauen. Er versucht, uns mit einem Schwindel hinters Licht zu führen. Ergeben wir uns, sperrt er uns vier eine Woche lang ein und lässt uns frei, sobald die Aufregung sich gelegt hat.«

»Als ob wir das glauben würden!«

»Einer meiner Kerle hatte Daves Schlagring.«

»Kein gutes Zeichen.«

»Bisher ist ihnen nicht viel passiert. Ich wollte einen Beweis dafür, dass sie noch leben. Persönliche Fragen. Dixon sagt, dass sie bei der 53rd MP, und O'Donnell, dass er bei der 131st war.«

»Bockmist. Eine 53rd MP hat's nie gegeben. Und Dave ist direkt von der Offiziersschule zur 110th gekommen.«

»Das war eine Mitteilung für uns«, erklärte Reacher. »Dreiundfünfzig ist eine Primzahl. Karla hat gewusst, dass mir das auffallen würde.«

»Und?«

»Fünf und drei ist acht. Sie will uns sagen, dass wir's mit acht Gegnern zu tun haben.«

»Dann sind's also noch vier. Lennox, Parker und Lamaison. Und noch einer. Wer ist der vierte Mann?«

»Das war Daves Nachricht. Er hat's mehr mit Worten. Eins drei eins. Der dreizehnte Buchstabe des Alphabets und der erste.«

»M und A«, sagte Neagley.

»Mauney«, sagte Reacher. »Curtis Mauney ist hier.«

»Ausgezeichnet«, meinte Neagley. »Dann brauchen wir ihn später nicht aufzuspüren.«

Sie schlugen nochmals die Fäuste aneinander. Dann begannen Mobiltelefone zu klingeln. Laut, durchdringend und anhaltend. Zwei Handys, verschiedene Klingeltöne, unsynchronisiert. Je eines in den Taschen der toten Männer. Reacher bezweifelte nicht, dass fünfzig Meter entfernt das Gleiche passierte. Zwei weitere tote Männer, zwei weitere Taschen, zwei weitere klingelnde Handys. Ein Konferenzgespräch. Lamaison, der Verbindung mit seinen Patrouillen aufzunehmen versuchte.

Etwas Unvorhergesehenes.

»Was würdest du jetzt tun?«, fragte Reacher. »Wenn du Lamaison wärst?«

Neagley sagte: »Ich würde Kerle in die Chrysler setzen, sie das Fernlicht einschalten lassen und eine kleine motorisierte Streife organisieren. Ich würde uns in weniger als einer Minute aufstöbern.«

Reacher nickte. Gegen einen Mann zu Fuß schien das Firmengelände riesig zu sein. Gegen ein Auto würde es klein wirken, gegen mehr als ein Auto winzig. Bei Dunkelheit wirkte es sicher. Von Xenonscheinwerfern ausgeleuchtet würde es wie ein Goldfischglas erscheinen. Er stellte sich vor, wie Autos über das unebene Gelände holperten, wie er in ihrem Scheinwerferlicht gefangen war, nach links flitzte, nach rechts flitzte, sich die Augen mit einer Hand abschirmte, während ein Wagen ihn jagte und zwei andere ihm den Weg abschnitten.

Er sah zum Zaun hinüber.

»Korrekt«, sagte Neagley. »Der Zaun hält uns hier gefangen, wie er uns zuvor abgehalten hat. Wir sind zwei Kugeln auf einem Billardtisch, und gleich wird jemand das Licht einschalten und nach einem Queue greifen.«

»Was werden sie tun, wenn sie uns nicht finden?«

»Wie sollen sie uns nicht finden können?«

»Nimm's mal an.«

Neagley zuckte mit den Schultern und sagte: »Sie werden annehmen, wir seien irgendwie rausgekommen.«

»Und dann?«

»Sie werden in Panik geraten.«

»Wie?«

»Sie werden Karla und Dave umlegen und sich verkriechen.«

Reacher nickte.

»Genau das vermute ich auch«, sagte er.

Er stand auf und rannte los. Neagley folgte ihm.

76

Reacher hielt geradewegs auf den Hubschrauber zu. Er stand sechzig Meter entfernt, groß und weiß und im Widerschein der Großstadtlichter schimmernd. Neagley lief geduldig neben ihm her. Reacher war kein Sprinter, er war schwer und langsam. Und er hatte die Taschen voller Krempel. Jeder Collegesportler hätte die sechzig Meter in sieben oder acht Sekunden zurückgelegt. Neagley hätte sie in neun Sekunden geschafft. Reacher brauchte eher fünfzehn. Aber er kam schließlich doch an. Er erreichte die Maschine in dem Augenblick, in dem die Tür des Hauptgebäudes aufflog und Licht und Männer ins Freie entließ. Er schlug einen Haken nach links und behielt den Hubschrauber zwischen sich und ihnen. Neagley blieb dicht an seiner Seite. Drei Männer rannten zum Parkplatz hinüber. Parker und Lennox. Und Lamaison. Sie hatten es verdammt eilig. Für jeden Meter, den sie zurücklegten, bewegten Reacher und Neagley sich im Uhrzeigersinn eine Handbreit um den Hubschrauber herum, berührten seinen Rumpf leicht mit den Fingerspitzen und benützten seine Masse als Deckung. Er war kalt und wie ein auf der Straße geparkter Wagen mit Tau bedeckt. Er fühlte sich glitschig an und roch nach Öl und Kerosin.

Dreißig Meter von ihnen entfernt sprangen drei Chryslermotoren an. Drei V-8-Motoren, die aufröhrten, drei Scheinwerferpaare, die aufleuchteten. In der Dunkelheit wirkten sie unglaublich grell. Scharf, eng gebündelt, klar definiert und superweiß. Dann wurden sie noch greller. Ein Fahrer nach dem anderen schaltete sein Fernlicht ein. Riesige weiße Lichtkegel schwankten und hüpften, als die Wagen sich in Bewegung setzten. Reacher und Neagley glitten um den langen Bug der Bell 222 herum und drängten sich an die andere Rumpfseite. Die Autos strebten wie eine berstende Granate auseinander, beschleunigten und rasten in willkürlich wechselnden Richtungen davon.

Binnen zehn Sekunden hatten sie die vier Toten entdeckt.

Die Wagen kamen schleudernd an zwei fünfzig Meter voneinander entfernten Punkten zum Stehen. Ihre Scheinwerfer kamen zur Ruhe und ließen die vier unbeweglichen Gestalten grotesk lange Schatten werfen. In der Ferne rannten drei Gestalten herum, die von extremer Helligkeit abrupt in völliges Dunkel tauchten, wenn sie aus dem Scheinwerferlicht traten.

»Hier können wir nicht bleiben«, meinte Neagley. »Sie werden kommen und uns anstrahlen, als stünden wir in der Hollywood Bowl auf der Bühne.«

»Wie viel Zeit bleibt uns?«

»Sie werden den Zaun ziemlich genau kontrollieren. Ungefähr vier Minuten.«

»Fang zu zählen an«, sagte Reacher. Er stieß sich vom Rumpf des Hubschraubers ab und rannte zum Hauptgebäude hinüber. Vierzig Meter, zehn Sekunden. Die Eingangstür stand offen. Auch das Licht brannte. Reacher blieb kurz stehen. Dann ging er geradewegs hinein, sehr leise, mit der Rechten an der Glock in seiner Tasche. Drinnen war niemand zu sehen. Das Gebäude schien menschenleer zu sein. Rechts gab es eine Reihe kleiner Einzelbüros, und links lag der offene Produktionsbereich hinter einer raumhohen Glastrennwand. Dort gab es hell beleuchtete Arbeitsplätze, komplexe Absaugvorrichtungen, die zur Decke hinaufführten, und einen geerdeten Metallgitterboden gegen statische Aufladung. Die Schiebetür in der Trennwand stand offen. Die herausströmende Luft roch nach warmen Silikonplatten, wie ein nagelneuer Fernseher.

Die Büros auf der rechten Seite waren kaum mehr als zweieinhalb mal zweieinhalb Meter große Kabuffs mit mannshohen Wänden und Türen. An einer Tür stand *Edward Dean*. Der Entwicklungsingenieur, jetzt der Leiter der Qualitätskontrolle. An der nächsten Tür stand *Margaret Berenson*. Die Dragon Lady. Ein Zweitbüro, vermutete Reacher, damit sie Personalfragen bearbeiten konnte, ohne dass Arbeiterinnen in den Glaswürfel in East L.A. kommen mussten. Das nächste Büro hatte Tony Swan gehört. Das gleiche Prinzip. Zwei Zentren, zwei Büros.

Die nächste Tür führte in Allen Lamaisons Büro.
Sie stand offen.
Reacher atmete tief durch. Zog seine Glock aus der Tasche. Trat in die Tür. Wartete. Sah einen zweieinhalb mal zweieinhalb Meter großen Raum, Schreibtisch, Drehstuhl, mit Stoff bespannte Wände, Telefone, Aktenschränke, Papierstapel, Memos.
Nichts Ungewöhnliches.
Bis auf Curtis Mauney hinter dem Schreibtisch.
Und einen an der Wand stehenden Koffer.
Neagley betrat den Raum.
»Sechzig Sekunden vorbei«, sagte sie.
Mauney saß wie erstarrt am Schreibtisch. Auf seinem Gesicht fatalistische Resignation, wie bei einem Mann mit einer schlimmen Diagnose, der auf eine zweite Meinung wartet, von der er weiß, dass sie nicht besser ausfallen wird. Seine Hände lagen ineinander verschlungen auf dem Schreibtisch.
»Lamaison war mein Partner«, sagte er wie als Entschuldigung.
Reacher nickte.
»Loyalität«, sagte er. »Scheußlich, nicht wahr?«
Der Koffer war ein dunkelgrauer Hartschalenkoffer von Samsonite, der ordentlich neben dem Schreibtisch an der Wand stand. Nicht der größte Koffer, den Reacher je gesehen hatte. Kleiner als die Riesendinger, mit denen manche Leute sich auf Flughäfen abmühten. Aber jedenfalls größer als Kabinengepäck. In flachen Mulden neben den Schlössern klebte in Plastikbuchstaben das Monogramm des Besitzers: *AM*.
»Siebzig Sekunden vorbei«, sagte Neagley.
Mauney fragte: »Was haben Sie vor?«
»Mit Ihnen?«, fragte Reacher. »Vorläufig nichts. Bleiben Sie entspannt.«
Neagley zielte mit ihrer Pistole auf Mauneys Gesicht.

Reacher trat an den Schreibtisch, kniete sich hin und legte den Koffer flach auf den Teppichboden. Versuchte die Schlösser zu öffnen. Sie waren abgesperrt. Er legte die Glock zur Seite, schob seine Fingerspitzen unter den Rand der Schlösser, spreizte die Daumen ein, machte die Schultern rund und ruckte an den Schlössern. Reacher gegen zwei Formstücke aus dünnem Metall. Ein sehr ungleicher Kampf. Die Schlösser gaben sofort nach.

Er hob den Deckel hoch.

»Achtzig Sekunden vorbei«, sagte Neagley.

»Zahltag«, sagte Reacher.

In dem Koffer lagen Stahlstichzertifikate mit kunstvollen Guillochen, Kreditbriefe ausländischer Banken und schwere kleine Wildlederbeutel mit Zugschnüren.

»Fünfundsechzig Millionen Dollar«, sagte Neagley hinter ihm.

»Geschätzt«, sagte Reacher.

»Neunzig Sekunden vorbei«, sagte Neagley.

Reacher sah zu Mauney auf und fragte: »Wie viel davon gehört Ihnen?«

»Ein Teil davon«, sagte Mauney. »Nicht viel, vermute ich.«

Reacher faltete die Wertpapiere ordentlich zusammen und gab sie Neagley. Dann reichte er ihr die Wildlederbeutel. Neagley verstaute alles in ihren Taschen. Er ließ den Koffer liegen, wo er war: flach auf dem Fußboden, leer, mit aufgeklapptem Deckel, an eine Muschel erinnernd. Dann griff er nach seiner Pistole, stand auf und wandte sich wieder Mauney zu.

»Falsch«, sagte er. »Nichts davon gehört Ihnen.«

»Ihre Freunde sind hier«, sagte Mauney.

»Ich weiß«, sagte Reacher.

»Lamaison war mein Partner.«

»Das haben Sie mir schon gesagt.«

»Ich meine nur.«

»Man weiß also, dass Sie hier sind?«

»Ich war schon oft hier«, sagte Mauncy. »Sehr oft.«

»Nchmen Sie den Telefonhörer ab.«

»Oder?«

»Sonst schieße ich Ihnen in den Kopf.«

»Das tun Sie sowieso.«

»Ich sollte es tun«, sagte Reacher. »Sie haben sechs meiner Freunde verraten.«

Mauney nickte.

»Ich hab gewusst, wie das enden würde«, sagte er. »Als wir Sie nicht auch vor dem Krankenhaus erwischt haben.«

»Der Verkehr in L.A.«, meinte Reacher. »Der kann echt nerven.«

»Zwei Minuten fünfzehn«, sagte Neagley.

»Schließen wir hier einen Deal ab?«, fragte Mauney.

»Sie sollen den Hörer abnehmen.«

»Und dann?«

»Weisen Sie den Wachmann an, das Tor in genau einer Minute zu öffnen.«

Mauney zögerte. Reacher setzte ihm die Mündung der Glock an die Schläfe. Mauney nahm den Hörer ab. Wählte. Reacher horchte angestrengt und hörte den Wählton im Telefonhörer, die in hundert Meter Entfernung im Leerlauf arbeitenden Chryslermotoren und das gedämpfte Klingeln in dem vierzig Meter entfernten Wachhäuschen.

Der Wachmann meldete sich. Mauney sagte: »Hier ist Mauney. Öffnen Sie in genau einer Minute das Tor.« Dann legte er auf. Reacher wandte sich an Neagley.

»Bin ich dein Kommandeur?«, fragte er.

»Ja«, antwortete sie. »Das bist du.«

»Dann pass auf«, sagte er. »Sobald das Tor aufgeht, rennen wir zu unseren Wagen und hauen mit Höchstgeschwindigkeit ab.«

»Und dann?«

»Wir kommen später zurück.«

»Rechtzeitig?«

Reacher nickte. »Das können wir schaffen, wenn wir jetzt schnell sind. Sie sitzen bereits in ihren Autos. Daher müssen wir uns wirklich anstrengen. Du bist viel schneller als ich, also werde ich zurückbleiben. Aber du darfst nicht auf mich warten. Sieh dich nicht mal um. Wir können es uns nicht leisten, auch nur einen Meter zu verlieren, keiner von uns beiden.«

»Verstanden«, sagte sie. »Drei Minuten vorbei.«

Reacher packte Mauney am Kragen und riss ihn hoch. Zerrte ihn hinter dem Schreibtisch hervor und schleppte ihn aus dem Büro, den Korridor entlang, in den Arbeitsbereich. Zum Ausgang hinüber. Und dann einen Meter weit ins Freie. Der Geruch von nasser Asche war durchdringend. In der Ferne hatten sich die drei Chryslers wieder in Bewegung gesetzt. Sie beschrieben im freien Gelände enge Kreise.

»Warte auf den Startschuss«, sagte Reacher zu Neagley.

Er behielt das Tor im Auge. Sah, wie der Wachmann sich in seinem Häuschen bewegte, sah die Stacheldrahtrollen schwanken, hörte das Kreischen der Räder auf der Stahlschiene. Sah, wie das Tor sich zu öffnen begann. Er setzte Mauney seine Glock an die Schläfe und drückte ab. Mauneys Kopf explodierte, und Neagley und Reacher spurteten los wie Hundertmeterläufer.

Neagley hatte sofort einen Vorsprung. Reacher stoppte und sah ihr nach. Sie flog schier durch den Lichtschein der Lampe am Wachhäuschen und flitzte wie ein Runningback um das Ende des erst halb offenen Rolltors. Sprintete auf die Straße hinaus, kam außer Sicht.

Reacher machte kehrt und rannte in Gegenrichtung davon. Fünfzehn Sekunden später befand er sich wieder da, wo er zuvor gewesen war: hinter dem langen Bug der Bell 222.

77

Vielleicht hatten sie Neagley laufen gesehen und vermutet, Reacher sei vor ihr. Oder nur bemerkt, dass das Tor sich bewegte. Jedenfalls mussten sie den Schuss gehört haben. Und sie bissen an, reagierten sofort. Alle drei Wagen bremsten, reihten sich auf, beschleunigten und rasten wie verrückt in Richtung Straße. Bretterten durch das Tor wie Stock Cars durch eine Kurve. Ihre Scheinwerfer leuchteten die Straße taghell aus.

Reacher beobachtete, wie sie verschwanden.

Er wartete ab, bis alles wieder ruhig und dunkel war. Dann zählte er bis zehn und bewegte sich langsam die rechte Seite der Bell entlang. Die Tür zum Cockpit ignorierte er, schlich daran vorbei und legte eine Hand auf den Griff der Kabinentür.

Er versuchte sie zu öffnen.

Die Tür war unverschlossen.

Er sah sich nach dem Pilotenbüro um. Dort war keine Bewegung zu erkennen. Er drückte den Griff nach unten. Die Tür wurde entriegelt, ließ sich öffnen. Sie war breit, leicht und blechern, wie die eines Kastenwagens. Ganz anders, als er erwartet hatte. Nicht schwer und luftdicht wie die eines Verkehrsflugzeugs.

Er hielt die Tür einen halben Meter weit auf, ging darum herum und kletterte in die Kabine. Zog die Tür hinter sich zu, wartete einen Moment und ließ sie dann mit einem lauten Klicken einrasten. Er duckte sich und spähte aus dem Fenster, beobachtete das Pilotenbüro.

Keine Reaktion.

Er drehte sich in der Hocke um und kniete sich auf den Kabinenboden. Innen sah die Bell 222 wie ein aufgepusteter Minivan aus. Etwas breiter und länger als die Wagen, die

Fußballmütter in Werbespots im Fernsehen fuhren. Weniger kastenförmig. Etwas konturierter. Vorn schmaler, in Bodenhöhe breiter, in Köpfhöhe etwas eingezogen, hinten wieder schmaler. Mit insgesamt sieben Sitzen – zwei im Cockpit, drei in der Mitte, zwei hinten. Aber die mittlere Sitzreihe war ausgebaut. Alle Sitze waren klobige schwarze Ledersessel mit hohen Rückenlehnen. Sie hatten Kopfstützen, Armlehnen und Sitzgurte. Kapitänssessel. Bis in Hüfthöhe waren die Wände mit schwarzer Auslegeware verkleidet. Darüber kam gestepptes schwarzes Kunstleder. Luxuriöses Ambiente, nur ein bisschen altmodisch. Vermutlich aus zweiter Hand geleast. Das ganze Innere roch leicht nach Kerosin.

Hinter den Rücksitzen befand sich ein Stauraum. Für Koffer; vermutete Reacher. Ein Gepäckabteil. Aber es war groß genug. Er fand die Hebel, mit denen die Sitze sich nach vorn kippen ließen. Stieg über sie hinweg und setzte sich seitlich hinein, sodass seine ausgestreckten Füße die gegenüberliegende Wand berührten. Er zog die erbeuteten SIGs aus seinem Hosenbund und legte sie neben seinen Knien auf den Kabinenboden. Dann beugte er sich nach vorn und zog die Sitze wieder hoch. Sie rasteten klickend ein. Er ließ sich zusammensacken, um zu testen, ob er sich so klein machen konnte, dass man seinen Kopf nicht sehen konnte.

Wahrscheinlich, dachte er.

Reacher hob wieder den Kopf. Die Kabinenfenster waren mit Tau beschlagen. Dunkel, grau und formlos. Wie ausgeschaltete Bildschirme. Draußen geschah nichts. Alle Geräusche wurden gedämpft. Der Teppich und die gesteppte Wandverkleidung dienten offenbar auch zur Schalldämmung.

Er wartete.

Fünf Minuten.

Zehn.

Dann zeichneten sich auf den beschlagenen Scheiben

helle, sich bewegende Umrisse und Schatten ab. Die Chrysler kamen zurück. Drei Scheinwerferpaare, die sich näherten. Ihr Licht glitt kurz über das Glas hinweg, wurde dann statisch und verlosch. Dann wurden sie ausgeschaltet. Die Wagen befanden sich wieder auf dem Parkplatz. Abgestellt.

Reacher horchte angestrengt nach draußen.

Er hörte nur langsame Schritte und halblaute Stimmen. Beunruhigung, nicht Triumph. Der Klang von Misserfolg.

Die Suche war vorüber.

Erfolglos.

Reacher wartete.

78

Er wartete und wurde vom Stillsitzen kalt und verkrampft. Er stellte sich die Szenerie in vierzig Metern Entfernung vor. Mauneys Leiche am Eingang, der leere Samsonite im Büro, Diskussionen, Wortwechsel, Auf-und-ab-Gehen, Panik, Verwirrung, Sorge. Eine Seite seines Gesichts war nur eine Handbreit von der Rückenlehne des Sitzes vor ihm entfernt. Er konnte das Leder deutlich riechen. Unter gewöhnlichen Umständen wäre ihm das höchst zuwider gewesen. Er hasste es, eingesperrt zu sein. Klaustrophobie war die einzige angstähnliche Empfindung, die er kannte. Aber im Augenblick beschäftigten ihn andere Dinge.

Er wartete.

Zwanzig lange Minuten.

Dann öffnete sich vorn eine Tür. Der Hubschrauber wippte, als seine Fahrwerksstoßdämpfer zusammengedrückt wurden und sich wieder streckten. Jemand war eingestiegen. Die Tür schloss sich. Ein Sitz knarrte. Das Schloss eines Hosenträgergurts klickte. Schalter wurden umgelegt. Dutzende von Instrumenten begannen plötzlich schwach orangerot zu leuchten und warfen Schatten auf die Verkleidung der Kabinendecke. Eine Treibstoffpumpe summte und ratterte. Reacher beugte sich etwas nach vorn und bewegte den Kopf, bis er mit einem Auge durch den Spalt zwischen den Sitzen sehen konnte. Er erkannte den Lederärmel des Piloten. Sonst nichts. Der Rest des Mannes war hinter dem klobigen Pilotensitz unsichtbar. Seine Hand tanzte über Schalter und berührte ein Instrument nach dem anderen, während er seine Vorflugkontrollen durchführte. Dabei sprach er halblaut mit sich selbst und leierte die lange Liste der vorgeschriebenen Kontrollen wie eine Beschwörung herunter.

Reacher zog seinen Kopf zurück.

Dann folgte ein unglaublich lauter Knall.

Dieser Knall war ein Mittelding zwischen einem Schuss und der schlagartigen Entladung einer Pressluftpatrone. Er wiederholte sich, schneller und schneller. Der Anlasser, der die Rotorblätter zum Drehen brachte. Der Kabinenboden erzitterte. Dann zündeten die Triebwerke, und das Getriebe wurde eingekuppelt; die Rotorblätter drehten sich gleichmäßig und liefen mit trägem *Wup-wup-wup* im Leerlauf. Das Drehmoment ließ die ganze Maschine auf ihren Federbeinen schwanken und beben, nur ganz wenig, rhythmisch, als tanzte sie. Ein lautes Trommeln erfüllte die Kabine. Über ihr drehte sich surrend die Antriebswelle. Draußen heulten die Abgasstrahlen, schrill und durchdringend laut. Reacher klemmte sich die erbeuteten SIGs unter die Beine, damit sie nicht hüpften, klapperten und wegrutschten. Er zog seine Glock aus der Tasche und behielt sie seitlich neben sich in der Hand.

Er wartete.

Eine Minute später riss jemand die Kabinentür auf. Ein Schwall Triebwerkslärm drang ins Innere. Auf den Lärm folgte der beißende Gestank von Kerosin. Danach kam Karla

Dixon. Reacher bewegte seinen Kopf minimal und verfolgte, wie sie mit dem Kopf voraus wie ein Stück Holz in die Kabine geworfen wurde. Sie blieb mit dem Rücken zu ihm auf der Seite liegen. Ihre Hände und Füße waren mit groben Sisalstricken gefesselt. Sie hatte die Hände hinter dem Rücken. In der Horizontalen hatte er sie zuletzt in seinem Bett in Vegas gesehen.

Zwei Minuten später wurde O'Donnell mit den Füßen voraus hereingewuchtet. Er war größer und schwerer und landete unsanfter. Man hatte ihn genauso wie Dixon gefesselt. Er blieb so auf dem Bauch liegen, dass seine Füße fast ihren Kopf berührten. Sie lagen wie Klafterholz nebeneinander, bewegten sich etwas, kämpften gegen ihre Fesseln an.

Dann wippten die Federbeine wieder, als Lennox und Parker an Bord kletterten. Sie schlossen ihre Türen und ließen sich in die hinteren Sitze fallen. Der Sitz vor Reacher sackte etwas nach hinten, weil die Verriegelung locker war, und berührte seine Wange. Er drückte den Kopf tiefer in die Ecke.

Die Rotorblätter drehten sich langsam, *wup, wup, wup*.

Das Fahrwerk gab nach und richtete sich auf, gab nach und richtete sich auf, vorn links, hinten rechts, kaum zwei Zentimeter, als tanzte die Maschine.

Reacher wartete.

Dann wurde die vordere Tür gegenüber dem Piloten aufgerissen. Allen Lamaison ließ sich in den Sitz fallen und sagte: »Los!« Reacher hörte, wie die Triebwerksdrehzahl zunahm, und spürte, wie das Zittern und Beben der Vibration die Kabine erfüllte; hörte, wie das Geräusch der Rotorblätter zu einem sich beschleunigenden *Wip-wip-wip* wurde, und spürte, wie der ganze Hubschrauber leicht wurde.

Dann waren sie in der Luft.

Reacher hatte das Gefühl, der Kabinenboden komme ihm entgegen. Er hörte, wie die Räder in die Fahrwerksschächte eingefahren wurden. Er spürte Kurven und ein langes gleichmäßiges Steigen; dann kippte die Maschine leicht nach vorn, als sie in schnellen Geradeausflug überging. Er stemmte sich mit gespreizten Fingern ein, um nicht gegen den Sitz vor ihm zu rutschen. Er hörte den Triebwerkslärm in gedämpftes Heulen übergehen und spürte wieder das vertraute leichte Pendeln, das er mit Hubschraubern in Verbindung brachte. Er hatte seinen Teil an schnellen Hubschrauberflügen hinter sich gebracht, viele davon auf dem Boden sitzend.

Ein vertrauter Vorgang.

Bisher.

79

Nach der Uhr in Reachers Kopf dauerte der Flug exakt zwanzig Minuten, wovon er in etwa ausgegangen war. Er hatte sich überlegt, dass moderne Firmenhubschrauber etwas schneller sein würden als die Hueys, die er vom Militär kannte. Seiner Schätzung nach hätte eine AH-1 der Army den Flug über die Berge in gut zwanzig Minuten geschafft, deshalb schienen für eine Maschine mit Teppichboden und schwarzen Ledersitzen exakt zwanzig angebracht zu sein.

Diese zwanzig Minuten verbrachte er mit eingezogenem Kopf. Ein atavistischer Instinkt, Zehntausende von Jahren alt und Hunden und Kindern noch immer eigen: *Kann ich sie nicht sehen, können sie mich nicht sehen.* Er bewegte seine Arme und Beine lautlos und nur zentimeterweise, spannte und löste seine Muskeln in einer bizarren Minilockerungsübung. Er fror nicht mehr, aber er wollte nicht noch steifer werden. Der Geräuschpegel in der Kabine war hoch, aber nicht unerträglich. Der Triebwerkslärm wurde von den Abgasstrahlen weggetragen. Das Rotorgeräusch vermischte sich mit den Windgeräuschen und ließ sich ausblenden. Unterwegs wurde nicht gesprochen. Reacher hörte kein Wort von irgendjemandem.

Bis die zwanzig Minuten lange Reise zu Ende war.

Er spürte den Hubschrauber langsamer werden. Spürte, wie der Kabinenboden in die Waagrechte kam und dann einige Grad Schräglage einnahm, als der Bug hochging. Die Maschine drehte sich etwas nach links. Wie ein Pferd, das im Film in Großaufnahme gezügelt wird. In der Kabine wurde es lauter. Sie flogen jetzt gemächlicher, waren in einer Blase aus ihrem eigenen Lärm gefangen.

Er beugte sich ein wenig nach vorn, brachte ein Auge an den Spalt zwischen den Sitzen und beobachtete, wie Lamaison seine Stirn ans Fenster der linken Tür presste und nach unten starrte. Sah ihn die Richtung ändern und sich zu dem Piloten hinüberbeugen. Hörte ihn sprechen. Oder vielleicht bildete er sich nur ein, ihn sprechen zu hören. Seit der Öffnung von Franz' Computerdatei einige Tage zuvor hatte er diesen Dialog in Gedanken hundertmal rekonstruiert. Er hatte das Gefühl, ihn in all seiner grausamen Unvermeidbarkeit Wort für Wort zu kennen.

»Wo sind wir?«, fragte Lamaison in Reachers Vorstellung, vielleicht auch wirklich.

»Über der Wüste«, antwortete der Pilot.

»Was liegt unter uns?«

»Sand.«

»Höhe?«

»Tausend Meter.«

»Wie sind die Verhältnisse hier oben?«

»Still. Leichte Thermik, aber kein Wind.«

»Sicher?«

»Flugtechnisch schon.«

»Okay, dann los.«

Reacher spürte, wie der Hubschrauber in den Schwebeflug überging. Das Triebwerksgeräusch wurde tiefer, und die Rotorblätter knatterten laut. Der Kabinenboden bewegte sich in kleinen unregelmäßigen Kreisen wie ein zur Ruhe kommender Kreisel. Lamaison drehte sich auf seinem Sitz um und nickte erst Parker, dann Lennox zu. Reacher hörte das Klicken, mit dem sich Gurtschlösser öffneten, dann wurden die Sitze vor ihm entlastet. Lederpolster atmeten auf, schlaffe Sprungfedern erholten sich und zogen den Sitz kostbare zwei, drei Zentimeter von seinem Gesicht weg. Außer dem orangeroten Widerschein vom Cockpit gab es in der Kabine kein Licht. Parker befand sich links, Lennox rechts. Beide wegen der geringen Stehhöhe mit gesenkten Köpfen und gebeugten Knien in seltsamer, halb kauernder Haltung, breitbeinig, um auf dem schwankenden Boden Halt zu finden, die Arme vorgestreckt, um das Gleichgewicht zu bewahren. Einer von ihnen würde leicht, der andere qualvoll sterben.

Das hing davon ab, wer die Tür öffnete.

Lennox würde sie aufmachen.

Er drehte sich halb um, ergriff den Schlossteil seines Sitzgurts und hielt ihn mit der linken Hand umklammert. Dann machte er ein paar kleine Seitwärtsschritte und tastete mit der Rechten nach dem inneren Türgriff. Er fand und entriegelte ihn und drückte gegen die Tür. Sie öffnete sich halb; Wind und Lärm kamen hereingeheult. Der Pilot, der ihn über eine Schulter hinweg beobachtete, legte den Hubschrauber leicht schräg, sodass die Tür durch ihr Eigengewicht ganz aufging. Dann richtete er ihn wieder etwas auf und flog einen langsamen Rechtskreis, damit Fahrt, Trägheit und Winddruck die Tür weit offen hielten.

Lennox sah sich um. Groß, rotgesichtig, massig, wie ein Affe geduckt, mit der linken Hand den Sitzgurt umklammernd, mit der anderen in der Luft rudernd, um sein Gleichgewicht zu halten.

Reacher beugte sich vor und ertastete mit der linken

Hand den Hebel, der die Sitzverriegelung löste. Er nahm ihn zwischen Daumen und zwei Finger und drückte ihn kräftig herunter. Die Rückenlehne schnellte nach vorn. Er benützte seine Linke, um sie ganz herunterzudrücken und festzuhalten. Die Polster atmeten wieder aus. Er riss die rechte Hand mit der Glock hoch, verdrehte den Oberkörper und legte den rechten Unterarm flach auf die Hinterseite der Rückenlehne. Kniff ein Auge zu und zielte auf eine Stelle dicht über Lennox' Nabel.

Und drückte ab.

Der Schussknall wurde von dem allgemeinen Lärm gedämpft. Hörbar, aber bei Weitem nicht so laut, wie er etwa in einer Bibliothek geklungen hätte. Lennox wurde in der Körpermitte getroffen. Reacher vermutete, dass er einen glatten Bauchdurchschuss hatte. Bei einem Neunmillimetergeschoss und einer Schussentfernung von weniger als anderthalb Metern unvermeidlich. Deshalb hatte er auf Lennox und nicht auf Parker geschossen. Reacher kannte keine Flugangst, aber Luftfahrzeuge, die ihn an Bord hatten, sollten lieber unbeschädigt bleiben. Ein Schuss durch Parkers Körpermitte hätte ein Elektrokabel oder eine Hydraulikleitung treffen können. Bei Lennox ging er harmlos durch die offene Tür in die Nacht hinaus.

Lennox verharrte in seiner unbeholfen gekrümmten Haltung. Eine rot aufblühende Rosette umgab das Einschussloch in seinem Hemd. In dem schwachen orangeroten Licht erschien sie schwarz. Seine linke Hand ließ den Sitzgurt los und ruderte als exaktes Spiegelbild der Rechten in der Luft. Er kauerte dort, ausbalanciert, symmetrisch, einen Viertelmeter von der Schwelle entfernt, nichts hinter sich als den Abgrund, mit panischer Angst im Gesicht.

Reacher nahm einen minimalen Zielwechsel vor und traf ihn erneut, diesmal durchs Brustbein. Bei einem Kerl, der so groß und alt wie Lennox war, würde das Brustbein eine ziemlich verkalkte Platte von ungefähr einem Zentimeter Dicke sein. Das Geschoss würde sie natürlich durchschlagen – aber erst nachdem der zersplitternde Knochen dem Getroffenen eine gewisse Bewegungsenergie verliehen hatte. Als hätte er einen leichten Stoß erhalten. Vielleicht würde er von dieser Energie, von diesem Schubs etwas zurücktorkeln, statt senkrecht zusammenzusacken, wie es bei einem Kopfschuss der Fall gewesen wäre. Für den Effekt, den Reacher erzielen wollte, war der menschliche Hals zu beweglich.

Aber es waren die Knie, die Lennox den Rest gaben, nicht sein Brustbein. Er beugte mit ganz leichter Rückenlage die Knie, als wollte er in die Hocke gehen. Aber er war groß und schwer und einundfünfzig Jahre alt, und seine Knie waren schon etwas steif. Sie bildeten einen Winkel von etwas über neunzig Grad, aber dann war Schluss. Sein Körper kippte durch diesen plötzlichen Stopp nach hinten, und er prallte mit dem Hintern auf die Türschwelle; sein Oberkörper bekam das Übergewicht und beförderte ihn aus der Tür hinaus in die Nacht. Das Letzte, was Reacher von ihm sah, waren die Sohlen seiner Schuhe.

Seit er den Sitz nach vorn geklappt hatte, waren nicht viel mehr als zwei Sekunden vergangen, aber Reacher erschienen sie wie zwei Leben. Vielleicht Franz' und Orozcos Leben. Er empfand unendliche Ruhe und Gelassenheit, schwebte in einem Zustand aus Anmut und Pein, plante sein Handeln wie Schachzüge, war sich aller Möglichkeiten, Risiken, Gefahren und Chancen genau bewusst. Die anderen in der Kabine hatten bisher kaum reagiert. O'Donnell, der auf dem Bauch lag, versuchte den Kopf so weit zu heben, dass er sich umdrehen konnte. Dixon versuchte, sich auf den Rücken zu wälzen. Der Pilot hockte wie gelähmt halb rückwärts gewandt auf seinem Sitz. Parker war in seiner absurd gebückten Haltung erstarrt. Lamaison betrachtete die leere Luft, wo zuvor

Lennox gestanden hatte, als wäre er außerstande, das eben Geschehene zu begreifen.

Nun stand Reacher auf.

Er kippte die zweite Rückenlehne nach vorn und kletterte wie eine albtraumhafte Erscheinung darüber: ein plötzlich aus dem Nichts aufgetauchter Riese. Er stand fast aufgerichtet mit an die Deckenverkleidung gedrücktem Kopf breitbeinig da. In der linken Hand hielt er eine SIG, die genau auf Parkers Gesicht zielte, während die Glock in seiner Rechten auf Lamaisons gerichtet war. Beide Pistolen lagen völlig ruhig in seinen Händen. Seine Miene war ausdruckslos. Die Rotorblätter knatterten, die Bell flog weiter ihren langsamen Rechtskreis. Die Kabinentür wurde durch den Winddruck weit offen gehalten. Lärm, Wind und Kerosingestank drangen in immer neuen Schwaden herein.

O'Donnell machte ein Hohlkreuz und reckte den Kopf, so hoch es ging, um sich herumwälzen zu können. Sein Blick wanderte nach links zu Reachers Stiefeln, dann schloss er kurz die Augen. Dixon kippte auf den Rücken, wälzte sich über ihre gefesselten Arme und blieb nach hinten blickend auf der anderen Schulter liegen.

Der Pilot starrte. Parker starrte. Lamaison starrte.

Der gefährlichste Augenblick.

Nach vorn durfte Reacher auf keinen Fall schießen. Die Gefahr, irgendeinen wesentlichen Teil der Avionik zu treffen, war viel zu groß. Weil Parker aber keine anderthalb Meter von ihm entfernt in der Kabine auf freiem Fuß war, durfte er sich auch nicht erlauben, eine Pistole wegzulegen und zu versuchen, O'Donnell oder Dixon zu befreien. Er konnte Parker nicht einmal zu Boden ringen, weil er keine Bewegungsfreiheit hatte. Er wusste nicht, wohin er treten sollte. Dixon und O'Donnell nahmen den gesamten Kabinenboden ein.

Andererseits saß Lamaison weiter angeschnallt auf dem

linken Vordersitz. Auch der Pilot war weiter angeschnallt. Er brauchte nur wilde Manöver auszuführen, bis alle aus der Kabine flogen. Dabei würden sie Parker opfern, und Reacher glaubte nicht, dass das Lamaison schlaflose Nächte bescheren würde.

Patt, wenn sie die Situation erfassten.

Sieg, wenn sie den Augenblick nutzten.

80

Aber sie begriffen nichts, sie nutzten den Augenblick nicht. Stattdessen hob O'Donnell Kopf und Füße und ruckelte verzweifelt zwei Handbreit näher an Reacher heran. Dixon bewegte sich entgegengesetzt, sodass zwischen den beiden kostbare dreißig Zentimeter Fußraum entstanden. Reacher nutzte ihn dankbar und rammte Parker die Mündung seiner SIG in den Bauch. Parker, dem dieser Schlag die Luft aus der Lunge presste, klappte zusammen und machte instinktiv einen Schritt in den Kanal, den Dixon und O'Donnell geschaffen hatten. Reacher wich ihm wie ein Stierkämpfer aus, setzte eine Stiefelsohle flach auf Parkers Hintern, schob kräftig und ließ ihn steifbeinig quer durch die Kabine und blindlings in die Nacht hinausstolpern. Bevor sein Schrei verklungen war, hatte Reacher den linken Arm so um Lamaisons Hals geschlungen, dass die SIG auf den Piloten zielte; die Glock hielt er an Lamaisons Genick gedrückt.

Danach wurde alles leichter.

Der Pilot saß weiter wie versteinert da. Die Bell befand sich immer noch im Schwebeflug. Die Rotorblätter knatterten, und die Maschine beschrieb wie zuvor einen Rechtskreis. Die Tür blieb durch den Fahrtwind einladend weit offen. Reacher winkelte seinen Ellbogen stärker an und zog Lamaison in seinem Sitz höher, bis die Schultergurte sich ganz strafften. Dann legte er seine Glock weg, angelte O'Donnells Schlagring aus der Tasche, er hielt ihn wie ein Werkzeug in der Hand und sah sich kurz um. Er streckte den Arm aus und zog Dixon so heran, dass sie mit dem Rücken zu ihm lag; benutzte die scharfen Kanten des Schlagrings, um ihre Sisalhandfessel zu durchtrennen.

Dixon machte ihre Arme steif, und die Sisalfasern rissen langsam, eine nach der anderen. Lamaison begann sich zu wehren, doch Reacher klemmte ihn noch fester ein, was den Vorteil hatte, dass Lamaison nach Atem ringend aufgab, aber zugleich den Nachteil, dass die SIG nicht mehr präzise auf den Piloten zielte. Aber der Pilot versuchte nicht, diesen Vorteil zu nutzen. Er reagierte überhaupt nicht. Er saß einfach nur da, hielt den Steuerknüppel mit der rechten Hand umfasst, hatte die Füße auf den Heckrotorpedalen und ließ die Bell weiter ihren langsamen Rechtskreis fliegen.

Reacher sägte blindlings weiter, eine Minute lang. Zwei. Dixon bewegte die Arme, hielt ihm neue Sisalstränge hin und prüfte die Festigkeit der restlichen. Lamaison begann sich erneut zu wehren. Er war ein großer Mann, muskulös und kräftig, stiernackig, breite Schultern. Und er hatte Angst. Aber Reacher war größer und stärker, und Reacher war zornig. Zorniger, als Lamaison ängstlich war. Reacher drückte fester zu. Lamaison kämpfte weiter. Reacher überlegte, ob er sich die Zeit nehmen solle, ihn k.o. zu schlagen, aber er wollte, dass Lamaison für später bei Bewusstsein blieb. Deshalb sägte er stur an dem Sisalstrick weiter, und plötzlich gab ein ganzes Faserbündel nach, und Dixons Handgelenke waren frei. Sie richtete sich kniend auf. Reacher gab ihr den Schlagring sowie seine Glock und nahm die SIG von der linken in die rechte Hand.

Danach wurde alles viel leichter.

Dixon handelte clever, indem sie den Schlagring ignorierte und mit gefesselten Füßen wie eine Meerjungfrau zu Lamaison hinüberrobbte, in dessen Taschen sie eine Geldbörse, eine weitere SIG und O'Donnells Springmesser fand. Zwei Sekunden später waren ihre Fußfesseln durchtrennt, zehn Sekunden danach war O'Donnell befreit. Durch das stundenlange Gefesseltsein waren sie steif und verkrampft, und ihre Hände zitterten heftig. Aber sie hatten keine schwierigen Aufgaben zu bewältigen, mussten nur den Piloten unter Kontrolle bringen. O'Donnell packte den Kerl am Kragen und drückte ihm die Mündung einer SIG unters Kinn. Ein aufgesetzter Schuss konnte unmöglich danebengehen, auch wenn seine Hände noch so sehr zitterten. Ganz unmöglich, das begriff der Pilot. Er blieb passiv. Reacher drückte Lamaison seine SIG ans Ohr, beugte sich zum Piloten hinüber und fragte: »Höhe?«

Der Pilot schluckte trocken, dann antwortete er: »Tausend Meter.«

»Wir wollen etwas höher«, sagte Reacher. »Versuchen wir's mit fünfzehnhundert.«

81

Als der Hubschrauber im Steigflug seinen langsamen Rechtskreis verließ, schwang die offene Tür einen Augenblick hin und her und fiel dann mit einem Knall zu. In der Kabine wurde es still. Vergleichsweise sehr still. O'Donnell drückte dem Piloten nach wie vor seine SIG an den Kopf. Reacher hielt Lamaison noch immer so weit in seinem Sitz hochgezogen, wie es die Schultergurte zuließen. Lamaison hatte seine Hände auf Reachers Unterarm und zerrte daran, aber ohne wirklichen Nachdruck. Er war seltsam träge und passiv geworden. Als spürte er genau, was ihm drohte, könnte aber nicht glauben, dass es wirklich passieren würde.

Wie Swan es nicht konnte, dachte Reacher. *Und Orozco es nicht konnte und Franz nicht und Sanchez nicht.*

Er spürte, wie die Bell in den Schwebeflug überging. Hörte die Rotorblätter stehende Luft wegschaufeln, hörte die Triebwerke heulen. Der Pilot schaute zu ihm hinüber und nickte.

»Höher«, sagte Reacher. »Geben wir noch hundert Meter zu. Wir wollen eine ganze Meile.«

Der Triebwerkslärm veränderte sich, das Knattern der Rotorblätter klang heller, und der Hubschrauber stieg erneut, langsam und präzise. Er drehte sich ein wenig und ging dann wieder in den Schwebeflug über.

Der Pilot sagte: »Eine Meile.«

Reacher fragte: »Was liegt jetzt unter uns?«

»Sand.«

Reacher wandte sich an Dixon und sagte: »Mach die Tür auf.«

Lamaison erwachte zu neuem Leben. Er wand sich, strampelte auf seinem Sitz und sagte: »Nein, bitte, bitte nicht.«

Reacher verstärkte den Druck gegen seinen Hals und fragte: »Haben meine Freunde gebettelt?«

Lamaison schüttelte den Kopf.

»Natürlich nicht«, sagte Reacher. »Zu stolz.«

Dixon trat in den hinteren Teil der Kabine und packte den Schlossteil von Lennox' Sitzgurt mit der linken Hand. Hielt ihn fest umklammert und tastete mit ihrer Rechten nach dem Türgriff. Sie war kleiner, als Lennox es gewesen war, und musste sich deshalb mehr strecken. Aber sie schaffte es, entriegelte das Schloss und drückte mit gespreizten Fingerspitzen gegen die Tür, sodass sie aufsprang. Reacher wandte sich an den Piloten und forderte ihn auf: »Machen Sie wieder diese Karussellsache.« Der Pilot flog einen langsamen Rechtskreis, und die Kabinentür öffnete sich so weit, wie ihre

Sicherungsbänder es zuließen. Ohrenbetäubender Lärm und kalte Nachtluft fluteten herein. Am Horizont hoben sich die Berge als schwarze Schattenrisse ab. Hinter ihnen war der Widerschein von Los Angeles zu sehen: achtzig Kilometer entfernt, eine Million Lichter unter einer fast greifbar dicken Smogschicht. Dann verschwand dieser Ausblick wieder und wurde durch Wüstenschwärze ersetzt.

Dixon setzte sich auf die nach vorn geklappte Rückenlehne von Parkers Sitz. O'Donnell packte den Piloten noch fester am Kragen. Reacher, dessen Ellbogen unter Lamaisons Kinn lag, riss ihn so weit hoch, wie es die Schultergurte zuließen. Hielt ihn dort fest. Dann beugte er sich vor und benutzte die Mündung der SIG dazu, kurz auf das Gurtschloss zu schlagen. Die Gurte öffneten sich. Reacher zerrte Lamaison ganz über die Rückenlehne seines Sitzes und warf ihn auf den Kabinenboden.

Lamaison erkannte seine Chance und nutzte sie. Er stemmte sich sitzend auf und scharrte mit den Absätzen auf dem Teppichboden, während er sich aufzurappeln versuchte. Aber Reacher war wachsam, mehr denn je. Er trat Lamaison kräftig in die Rippen und erwischte ihn mit einem Ellbogenstoß am Ohr. Rang ihn nieder, bis er auf dem Bauch lag, stemmte ihm ein Knie zwischen die Schulterblätter und drückte ihm die SIG ins Genick. Lamaison hielt den Kopf weiter erhoben. Reacher wusste, dass er in das schwarze Nichts hinausstarrte. Seine Füße trommelten auf dem Teppichboden. Er kreischte laut. Das hörte Reacher trotz des Triebwerkslärms ganz deutlich. Er konnte spüren, wie der unter ihm Liegende keuchte.

Zu spät, dachte Reacher. *Man erntet, was man gesät hat.*

Lamaison versuchte kraftlose Rückhandschläge, die nicht einmal andeutungsweise trafen. Dann stemmte er die Hände auf den Boden und versuchte Reacher abzuwerfen. *Keine Chance,* dachte Reacher. *Außer, du kannst mit über hundert*

Kilo auf dem Rücken noch Liegestütze machen. Manche Kerle konnten das. Das hatte Reacher mit eigenen Augen gesehen. Lamaison gehörte nicht zu ihnen. Er war kräftig, aber nicht kräftig genug. Er strengte sich eine Weile an, dann sackte er zusammen.

Reacher nahm die SIG in die linke Hand und umfasste mit seiner Rechten Lamaisons Hals wie mit einer Zange. Lamaison hatte einen dicken Hals, aber Reacher auch große Hände. Er rammte seinen Daumen und die Mittelfingerspitze in die Vertiefungen hinter Lamaisons Ohren und drückte fest zu. Lamaisons Arterien wurden blockiert, sein Gehirn bekam nicht mehr genug Sauerstoff, er hörte auf zu kreischen, und seine Füße kamen zur Ruhe. Diesen Druck übte Reacher noch eine volle Minute lang aus, dann wälzte er ihn auf den Rücken, drehte ihn um und setzte ihn wie einen Betrunkenen auf.

Packte ihn an Gürtel und Kragen.

Schob ihn mit den Füßen voraus auf seinem Hintern über den Kabinenboden.

An der Schwelle hielt er inne und hielt Lamaison dort mit auf den Rücken gedrehten Armen fest. Der Hubschrauber flog weiter seinen langsamen Kreis. Die Triebwerke heulten, und die Rotorblätter knatterten in einzeln unterscheidbaren Bassnoten. Reacher spürte jede einzelne wie Herzschläge in seiner Brust. Minuten verstrichen, Lamaison kam wieder zu sich und stellte entsetzt fest, dass er wie auf einer hohen Mauer aufrecht am äußersten Rand saß, sodass seine Füße im Nichts baumelten.

Eine Meile über der nächtlichen Wüste. Eintausendsechshundertvier Meter.

Reacher hatte sich eine Rede zurechtgelegt. Begonnen hatte er damit im Denny's am Sunset Boulevard mit Franz' Dossier in der Hand und sie in den Tagen danach in Gedanken ausgearbeitet. Sie war voll schöner Phrasen über Loyalität und Vergeltung, ein von Herzen kommender Nachruf auf seine vier toten Freunde. Aber als es nun so weit war, sagte er nicht viel. Zwecklos. Lamaison hätte kein Wort verstanden. Er war halb verrückt vor Angst und der Lärmpegel zu hoch. Eine Kakophonie. Zuletzt beugte Reacher sich lediglich vor, brachte seinen Mund dicht an Lamaisons Ohr und sagte: »Sie haben einen großen Fehler gemacht. Sie haben sich mit den falschen Leuten angelegt. Das büßen Sie jetzt.«

Dann zog er Lamaisons Arme hinter seinen Rücken und schob kräftig. Lamaison rutschte eine Handbreit, dann versuchte er, seinen Hintern unter der hohen Schwelle zu verankern. Reacher schob nach. Lamaison ließ sich zusammensacken, bis sein Brustkorb fast die Knie berührte. So starrte er ins Dunkel hinunter. Eine Meile. Dafür hätte ein mit hundert Stundenkilometern fahrendes Auto fast eine Minute gebraucht.

Reacher stieß ihn weiter. Lamaisons Schultern wurden schlaff.

Reacher setzte seinen Absatz flach auf Lamaisons Kreuz.

Beugte das Knie.

Ließ Lamaisons Arme los.

Streckte sein Bein mit einer schnellen, flüssigen Bewegung.

Lamaison kippte über die Schwelle und verschwand in der Nacht.

Es gab keinen Schrei. Oder vielleicht doch. Vielleicht ging er im Rotorlärm unter. O'Donnell stieß den Piloten an; der richtete die Maschine auf und begann einen Linkskreis, sodass die Tür von selbst zuknallte. In der Kabine wurde es still. Vergleichsweise sehr still. Dixon umarmte Reacher herzlich. O'Donnell sagte: »Du hast echt bis zur letzten Minute gewartet, stimmt's?«

Reacher sagte: »Ich hab mir überlegt, ob ich sie dich rausschmeißen lassen soll, bevor ich Karla rette. Schwierige Entscheidung. Hat ihre Zeit gedauert.«

»Wo ist Neagley?«

»Hoffentlich bei der Arbeit. Die Raketen sind vor acht Stunden aus dem Tor des Lagerhauses in Colorado gerollt. Und wir wissen nicht, wohin sie unterwegs sind.

82

Der Pilot konnte nichts tun, ohne auch sich selbst umzubringen, deshalb ließen sie ihn im Cockpit allein – aber erst nachdem sie den Treibstoffvorrat kontrolliert hatten. Er war niedrig, für weit weniger als eine Flugstunde ausreichend. Hier oben gab es keinen Handyempfang. Reacher wies den Piloten an, tiefer zu gehen und nach Süden zu fliegen, um ein Signal zu finden. Dixon und O'Donnell klappten die Rückenlehnen der hinteren Sitze wieder hoch und setzten sich hin. Sie schnallten sich nicht an. Von Beengtheit hatten sie genug, vermutete Reacher. Er selbst lag rücklings auf dem Kabinenboden und streckte alle viere von sich. Er fühlte sich müde und niedergeschlagen. Lamaison gab es nicht mehr, aber das hatte niemanden zurückgebracht.

O'Donnell fragte: »Wohin würde man sechshundertfünfzig Fla-Raketen schicken?«

»In den Nahen Osten«, antwortete Dixon. »Und ich würde sie als Seefracht schicken. Die Elektronik über L.A., die Gehäuse mit den Triebwerken über Seattle.«

Reacher hob den Kopf. »Lamaison hat gesagt, sie seien für Kaschmir bestimmt.«

»Hast du ihm das abgenommen?«

»Ja und nein. Ich denke, er hat sich dafür entschieden, diese Lüge zu glauben, um das eigene Gewissen zu beruhigen. Schließlich war er trotz allem ein Amerikaner. Er wollte die Wahrheit nicht wissen.«

»Und die wäre?«

»Terrorismus hier in den Staaten. Das liegt auf der Hand. Um Kaschmir streiten sich zwei Staaten. Regierungen haben Einkaufskommissionen, sie laufen nicht mit Samsonite-Koffern voller Wertpapiere, Kreditbriefe und Diamanten herum.«

Dixon fragte: »Habt ihr das gefunden?«

»Highland Park. Im Wert von fünfundsechzig Millionen. Neagley hat die ganze Beute. Du wirst sie für uns zu Geld machen müssen, Karla.«

»Wenn ich überlebe. Vielleicht wird mein Flugzeug vor der Landung in New York abgeschossen.«

Reacher nickte. »Wenn nicht morgen, dann übermorgen oder einen Tag später.«

»Wie finden wir sie? Acht Stunden bei achtzig Stundenkilometern ist bereits ein Radius von sechshundertvierzig Kilometern. Das ist ein Kreis mit fast eins Komma drei Millionen Quadratkilometern.«

»Eine Million zweihundertsechsundachtzigtausend«, sagte Reacher automatisch. »Wenn wir für *Pi* nur drei Komma vierzehn ansetzen. Aber das war eine Entscheidung, die wir treffen mussten: Wir konnten sie stoppen, als der Radius noch klein war, oder aber euch befreien, Jungs.«

»Danke«, sagte O'Donnell.

»He, ich war dafür, den Lastwagen zu stoppen. Neagley hat mich überstimmt.«

»Wie geht's also weiter?«

»Habt ihr mal gesehen, wie ein wirklich guter Centerfielder Baseball spielt? Er verfolgt niemals den Ball. Er rennt dorthin, wo er runterkommen wird. Wie Mickey Mantle.«

»Du hast Mantle nie selbst spielen gesehen.«

»Ich habe Wochenschauen gesehen.«

»Die Vereinigten Staaten sind über neun Millionen Quadratkilometer groß. Das ist mehr als das Mittelfeld im Yankee Stadium.«

»Aber nicht viel«, sagte Reacher.

»Wohin rennen wir also?«

»Mahmoud ist nicht dumm. Ich halte ihn sogar für einen sehr cleveren und vorsichtigen Mann. Er hat gerade fünfundsechzig Millionen für Sachen ausgegeben, die im Prinzip nur Bauteile sind. Er muss darauf bestanden haben, dass irgendjemand ihm im Rahmen des Deals zeigt, wie man die verdammten Dinger zusammenschraubt.«

»Wer?«

»Was hat Neagleys Freundin uns erzählt? Die Politikerin? Diana Bond?«

»Alles Mögliche.«

»Sie hat uns erzählt, dass der Entwicklungsingenieur von New Age die Qualitätskontrollen durchführt, weil er weltweit der Einzige ist, der weiß, wie die Little Wing funktionieren soll.«

Dixon sagte: »Und Lamaison hatte ihn irgendwie in der Hand.«

»Er hat seine Tochter bedroht.«

O'Donnell erklärte: »Lamaison wollte ihn also verleihen, wollte ihn irgendwohin mitnehmen. Und du hast Lamaison aus dem verdammten Hubschrauber geworfen, ohne ihn vorher zu fragen.«

Reacher schüttelte den Kopf. »Lamaison hat von dieser Sache gesprochen, als wäre sie abgeschlossen. Er hat gesagt, der Deal sei im Kasten. Das hat überzeugend geklungen. Lamaison wollte mit niemandem irgendwohin.«

»Wer also?«

»Nicht wer«, sagte Reacher. »Die Frage ist, wohin?«

Dixon sagte: »Wenn's nur diesen einen Kerl gibt und Lamaison nicht mit ihm verreisen wollte, müssen sie die Raketen zu ihm bringen.«

»Was lächerlich ist«, entgegnete O'Donnell. »Man kann keinen Sattelschlepper voller Raketen zu einer Eigentumswohnung in Century City oder sonst wohin bringen.«

»Der Kerl wohnt nicht in Century City«, sagte Reacher, »sondern weit draußen in der Wüste. Völlig abgelegen. Am Ende der Welt. Wohin könnte man einen Sattelschlepper voller Raketen besser bringen?«

»Handys funktionieren wieder«, rief der Pilot.

Reacher zog sein Prepaid-Handy heraus, fand Neagleys Nummer. Drückte die grüne Taste. Neagley meldete sich.

»Deans Haus?«, fragte er.

»Deans Haus«, antwortete sie. »Todsicher. Ich bin in zwanzig Minuten dort.«

83

Die Bell 222 war mit GPS ausgerüstet, aber nicht mit einem Empfänger, auf dessen Bildschirm eine Straßenkarte dargestellt war. Stattdessen lieferte er geografische Koordinaten, die blassgrün auf dem Display standen und sich im Flug dauernd änderten. Reacher wies den Piloten an, das Gebiet südlich von Palmdale anzusteuern und dort zu warten. Der Pilot war wegen des Treibstoffs nervös. Reacher wies ihn an tiefer zu gehen. Triebwerksausfälle in geringer Höhe überstanden Hubschrauber manchmal. Eine Landung mit Autorotation aus größerer Höhe war jedenfalls riskanter.

Dann rief Reacher wieder Neagley an. Sie hatte sich Deans Adresse von Margaret Berenson in ihrem Hotel in Pasadena besorgt. Aber auch sie verfügte über kein GPS. Sie irrte hinter dem Licht zweier veralteter Scheinwerfer, die durch blau beschichtete Streuscheiben noch schwächer waren, durch die Nacht. Und die Mobilfunkverbindung war unzuverlässig.

Sie riss zweimal ab. Bevor sie ein drittes Mal unterbrochen wurde, forderte er Neagley auf, Deans Haus anzusteuern und dort mit aufgeblendeten Scheinwerfern im Kreis zu fahren.

Reacher ließ sich auf dem linken Vordersitz nieder und drückte seine Stirn an die Frontscheibe, genau wie Lamaison es getan hatte. Dixon und O'Donell übernahmen hinten die Seitenscheiben. So betrug ihr Blickwinkel hundertachtzig Grad, wahrscheinlich sogar mehr. Um ganz sicherzugehen, ließ Reacher den Piloten für den Fall, dass das Gesuchte weit hinter ihnen lag, ab und zu einen großen Kreis fliegen.

Sie sahen nichts.

Nur endlos weite Schwärze mit vereinzelten orangeroten Lichtpunkten. Vielleicht Tankstellen oder winzige Parkplätze vor kleinen Lebensmittelmärkten. Auf einsamen Straßen entdeckten sie gelegentlich Autos, aber keines davon war Neagleys Civic. Gelbliche Scheinwerfer, keine bläulichen. Reacher versuchte wieder zu telefonieren. Keine Verbindung.

»Treibstoff wird echt knapp«, bemerkte der Pilot.

»Highway links von uns«, rief Dixon.

Reacher schaute nach unten. Keine viel befahrene Fernstraße. Auf zwei, drei Kilometern Strecke waren nur fünf Autos unterwegs: zwei nach Süden, drei nach Norden. Er schloss die Augen und stellte sich die Straßenkarten vor, die er sich angesehen hatte.

»Wir dürften keinen Nord-Süd-Highway sehen«, erklärte er. »Wir sind zu weit westlich.«

Der Hubschrauber legte sich schräg, beschrieb eine lange Kurve nach Osten und ging wieder in den Geradeausflug über.

Der Pilot sagte: »Ich muss bald landen.«

Reacher erwiderte: »Sie landen, wenn ich's Ihnen sage.«

Nördlich der Berge schien die Luft besser zu sein. Etwas Staub, etwas Hitzeflimmern, aber im Prinzip war sie klar bis zum Horizont. Weit vor ihnen funkelte und glitzerte in der Ferne eine Ansammlung kleiner Lichter. Das musste Palmdale sein. Ein hübscher Ort, hatte Reacher gehört. Rasch wachsend. Begehrt, deshalb teuer. Aus diesem Grund würde ein Mann, der ein paar Hektar Land haben wollte, die einsam liegen und möglichst preiswert sein sollten, einen weiten Bogen um ihn machen.

»Nach Süden«, befahl er. »Und höher.«

»Steigen kostet Treibstoff«, gab der Pilot zu bedenken.

Die Bell stieg langsam hundert Meter höher. Der Pilot senkte den Bug und flog einen weiten Vollkreis, als wollte er den Horizont mit einem imaginären Suchscheinwerfer ausleuchten.

Sie sahen nichts.

Eine Handyverbindung gab es hier nicht.

»Höher«, sagte Reacher wieder.

»Ausgeschlossen«, widersprach der Pilot. »Sehen Sie sich die Anzeige an.«

Reacher sah auf die Treibstoffanzeige. Ihre Nadel lag links am Anschlag. Offiziell waren die Tanks leer. Er schloss die Augen und stellte sich die Karte vor. Berenson hatte gesagt, Dean habe über die höllische Fahrerei als Pendler geklagt. Nach Highland Park konnte er nur auf zwei Wegen gelangen: über die Route 138 die Ostflanke des Mount San Antonia entlang oder auf der westlichen Route 2 an der Sternwarte auf dem Mount Wilson vorbei. Die Route 2 war vermutlich schmaler und kurvenreicher. Und sie stieß in Glendale auf den 210er. Vermutlich war sie deswegen höllischer als die östliche Straße. Kein Mensch würde sie benutzen, wenn sie sich nicht geradezu aufdrängte. Was bedeutete, dass Dean nicht südöstlich, sondern ziemlich genau südlich von Palmdale wohnen musste. Reacher sah nach vorn und wartete ab, bis die Ansammlung kleiner Lichter wieder in Sicht kam.

»Jetzt um hundertachtzig Grad zurück«, sagte er.

»Der Treibstoff ist alle.«

»Los jetzt!«

Der Hubschrauber drehte sich auf der Stelle. Senkte den Bug und knatterte weiter.

Sechzig Sekunden später entdeckten sie Neagley.

Anderthalb Kilometer voraus und hundertzwanzig Meter tiefer entdeckten sie einen bläulichen Lichtkegel kreisen und blinken. Neagley fuhr anscheinend mit größtem Lenkradeinschlag im Kreis und wechselte dabei zwischen Fern- und Abblendlicht. Der Effekt war spektakulär. Das Scheinwerferlicht glitt und tanzte über die kahle Landschaft und leuchtete hundert Meter weit, wo es auf keine Hindernisse traf. Wie ein Leuchtturm auf einer felsigen Steilküste. Dort unten gab es Hügel, kleine Tafelberge und tief eingeschnittene Täler. Nördlich davon niedrige Gebäude. Im Osten eine kleine Hochspannungsleitung. Und im Osten fiel das stark gegliederte Gelände in ein wasserloses Tal ab, das etwa zwanzig Meter breit und sechs Meter tief zu sein schien.

»Dort landen«, sagte Reacher. »In der Senke. Aber lassen Sie die Räder drin.«

»Warum?«, fragte der Pilot.

»Weil ich es so will.«

Der Pilot holte nach Westen aus, ging etwas tiefer und flog den Arroyo von Süden an. Dann ließ er die Bell wie einen Aufzug sinken. Eine Sirene warnte ihn, dass er kurz davor war, mit eingefahrenem Fahrgestell zu landen. Er ignorierte sie und sank weiter. Sechs, sieben Meter über Grund fing er die Maschine ab, ging langsam tiefer und setzte mit leichtem Stoß auf dem felsigen Untergrund auf. Steine knirschten, Metall kreischte, und der Kabinenboden neigte sich leicht nach rechts. Aus seinem Fenster sah Reacher Neagleys Scheinwerfer, die durch den Sandsturm, den der Rotorabwind erzeugte, auf sie zugerast kamen.

Dann war der Treibstoff zu Ende.

Die Triebwerke hörten zu arbeiten auf, und die Rotorblätter kamen zitternd zum Stehen.

In der Kabine wurde es still.

Reacher war als Erster draußen. Er kämpfte sich durch Wolken aus warmem Staub, schickte Dixon und O'Donnell voraus, damit sie sich mit Neagley trafen, und wandte sich dann wieder dem Hubschrauber zu. Er öffnete die rechte Cockpittür und schaute zu dem Piloten hinein. Der Mann war noch auf seinem Sitz angeschnallt. Er schnippte mit einem Fingernagel gegen die Anzeige des Treibstoffmessers.

»Klasse Landung«, lobte ihn Reacher. »Sie sind ein guter Pilot.«

Der Kerl sagte: »Danke.«

»Und diese Karussellsache«, sagte Reacher. »Wie Sie dort oben dafür gesorgt haben, dass die Tür offen geblieben ist. Clever gemacht.«

»Grundzüge der Aerodynamik.«

»Aber Sie hatten natürlich reichlich Übung.«

Der Pilot schwieg.

»Viermal«, sagte Reacher. »Mindestens, soviel ich weiß.«

Der Pilot schwieg.

»Diese Männer waren meine Freunde«, sagte Reacher.

»Lamaison hat mir befohlen, das zu tun.«

»Sonst?«

»Sonst würde ich meinen Job verlieren.«

»Das war alles? Sie haben zugelassen, dass diese Verbrecher vier lebende Menschen aus Ihrem Hubschrauber werfen, nur um Ihren Job zu behalten?«

»Ich werde dafür bezahlt, dass ich Anweisungen ausführe.«

»Haben Sie schon mal von den Nürnberger Kriegsverbrecherprozessen gehört? Diese Ausrede zieht nicht mehr.«

Der Pilot sagte: »Es war unrecht, ich weiß.«

»Aber Sie haben's trotzdem getan.«

»Was ist mir anderes übriggeblieben?«

Reacher sagte: »Sie hätten alles Mögliche tun können.« Dann lächelte er. Der Pilot entspannte sich ein wenig. Reacher schüttelte den Kopf, als wäre ihm das alles unverständlich, beugte sich hinein und tätschelte dem Mann die Wange. Ließ seine Hand wie als freundliche Geste dort auf der anderen Seite seines Gesichts. Er schob den Daumen bis Augenhöhe, legte den Zeigefinger an seine Schläfe und ließ die restlichen drei Finger hinter seinem Kopf ins Haar gleiten. Dann brach er dem Kerl mit einem einzigen kräftigen Ruck das Genick. Anschließend bewegte er den Kopf vor und zurück, von einer Seite zur anderen, um sicherzugehen, dass das Rückenmark wirklich durchtrennt war. Er wollte nicht, dass der Kerl querschnittsgelähmt aufwachte, dass er überhaupt wieder aufwachte.

Er ging davon und ließ ihn weiter angeschnallt auf seinem Sitz zurück. Sah sich nach zwanzig Metern noch mal um. Ein Hubschrauber in einem Arroyo, leicht schräg, Fahrwerk eingefahren, Tanks leer. Ein Absturz. Der Pilot noch im Cockpit, bei Aufschlag erlittene Verletzungen, ein bedauerlicher Unfall. *Nicht perfekt, aber glaubwürdig.*

Neagley hatte ungefähr fünfzig Meter von der Senke entfernt geparkt – etwa auf halber Strecke zu Edward Deans Haustür. Ihre Scheinwerfer waren noch immer aufgeblendet. Als Reacher den Civic erreichte, drehte er sich zu einem weiteren prüfenden Blick um. Die Bell 222 war ziemlich gut versteckt. Nur das oberste Stück der Rotorantriebswelle war gerade noch zu erkennen. Die Rotorblätter selbst waren durch ihr Gewicht herabgesunken und unsichtbar. Der Staub setzte sich allmählich. Neagley, Dixon und O'Donnell standen in einer engen Dreiergruppe beisammen.

»Alles okay?«, fragte Reacher.

Dixon und O'Donnell nickten, Neagley nicht.

»Bist du sauer auf mich?«, fragte Reacher sie.

»Nicht richtig«, antwortete sie. »Aber ich wär's gewesen, wenn du Mist gebaut hättest.«

»Du solltest inzwischen rauskriegen, wohin die Raketen unterwegs sind.«

»Das hast du bereits gewusst.«

»Ich wollte eine zweite Meinung. Und die Adresse.«

»Okay, hier sind wir also. Keine Raketen.«

»Die sind noch unterwegs.«

»Hoffentlich.«

»Kommt, wir besuchen Mr. Dean.«

Sie zwängten sich in den winzigen Civic, und Neagley fuhr die fünfzig Meter bis zu Deans Haus. Dean machte nach dem ersten Klopfen auf. Anscheinend hatten der Triebwerkslärm des Hubschraubers, das Knattern seiner Rotorblätter und Neagleys Lichtspiele ihn geweckt. Er sah nicht gerade wie ein Raketenwissenschaftler aus, eher wie der Footballtrainer einer drittklassigen Highschool. Er wirkte groß und schlaksig und hatte strubbeliges aschblondes Haar. Reacher schätzte ihn auf Mitte vierzig. Er trug eine Trainingshose und ein T-Shirt, aber keine Schuhe. Schließlich war es kurz vor Mitternacht.

»Wer seid ihr, Leute?«, fragte er.

Reacher erklärte ihm, wer sie und weshalb sie hier waren. Dean hatte keine Ahnung, wovon der sprach.

84

Dass Dean leugnen würde, hatte Reacher erwartet. Lamaison hatte Berenson gezwungen, den Mund zu halten, und musste mehr oder weniger das Gleiche auch bei Dean getan haben. Aber Deans Ahnungslosigkeit schien echt zu sein. Der Kerl reagierte verwirrt, nicht ausweichend.

»Fangen wir von vorn an«, sagte Reacher. »Wir wissen, was Sie mit den Elektronikpacks gemacht haben, und wissen, warum Sie's tun mussten.«

Auf Deans Gesicht zeigte sich plötzlich ein Ausdruck wie bei Margaret Berenson.

Reacher sagte: »Wir wissen Bescheid über die Drohung gegen Ihre Tochter.«

»Welche Drohung?«

»Wo ist sie?«

»Fort. Mit ihrer Mutter.«

»Sie hätte aber noch Schule.«

»Eine dringende Familienangelegenheit.«

Reacher nickte. »Sie haben sie weggeschickt. Das war clever.«

»Ich weiß nicht, wovon Sie reden.«

Reacher sagte: »Lamaison ist tot.«

In Deans Augen blitzte Hoffnung auf, nur für Bruchteile einer Sekunde, im Halbdunkel schwer zu erkennen.

»Ich hab ihn aus dem Hubschrauber geworfen«, fuhr Reacher fort.

Dean schwieg.

»Beobachten Sie gern Vögel? Dann fahren Sie übermorgen ein paar Meilen nach Süden und stellen sich aufs Dach Ihres Wagens. Kreisen irgendwo zwei Bussarde, ist's wahrscheinlich ein an einem Schlangenbiss verendeter Kojote. Sind's mehr als zwei, liegt dort Lamaison. Oder Parker oder Lennox. Sie sind alle irgendwo dort draußen.«

»Das glaube ich Ihnen nicht.«

Reacher sagte: »Zeig's ihm, Karla.«

Dixon zog die Geldbörse heraus, die sie Lamaison abgenommen hatte. Dean ließ sie sich geben und drehte sich damit zu der Lampe im Flur um. Er kippte den Inhalt in eine

Hand und sortierte ihn mit der anderen. Lamaisons Führerschein, seine Kreditkarten, sein Dienstausweis mit Foto bei New Age, sein Sozialversicherungsausweis.

»Lamaison ist tot«, wiederholte Reacher.

Dean steckte alles wieder in die Geldbörse und gab sie Dixon zurück.

»Ich kann Ihnen den Piloten zeigen«, sagte Reacher. »Der ist auch tot.«

»Er ist gerade gelandet.«

»Ich habe ihn gerade umgebracht.«

»Sie sind verrückt!«

»Und Sie haben nichts mehr zu befürchten.«

Dean sagte nichts.

»Lassen Sie sich Zeit«, erklärte Reacher. »Gewöhnen Sie sich daran. Aber wir müssen wissen, wer wann kommt.«

»Hier kommt niemand her.«

»Jemand muss aber kommen.«

»Das hat nie zu dem Deal gehört.«

»Wirklich nicht?«

»Erzählen Sie's mir noch mal«, sagte Dean. »Lamaison ist tot?«

»Er hat vier meiner Freunde ermordet«, antwortete Reacher. »Wäre er nicht tot, würde ich weiß Gott nicht hier stehen und meine Zeit mit Ihnen vergeuden.«

Dean nickte langsam. Er gewöhnte sich allmählich daran.

»Aber ich weiß noch immer nicht, wovon Sie reden«, sagte er. »Okay, ich habe falsche Testberichte abgezeichnet, das gebe ich zu, sechshundertfünfzigmal, was schrecklich ist, aber mehr habe ich nicht getan. Es ging nie darum, Raketen zusammenzubauen oder jemandem zu zeigen, wie's gemacht wird.«

»Wer kann das noch?«

»Die Montage ist nicht schwierig. Mit echter Plug-and-play-Funktion. Alles ganz einfach. Das muss es sein. Soldaten sollen es können. Nichts für ungut. Im Einsatz, meine ich, nachts, unter Stress.«

»Einfach für Sie.«

»Relativ einfach für jeden.«

»Soldaten tun nie etwas, das man ihnen nicht zuvor beigebracht hat.«

»Klar, sie müssen ausgebildet werden.«

»Von wem?«

»Wir richten in Fort Irwin einen Lehrgang ein. Den ersten werde vermutlich ich leiten.«

»Hat Lamaison das gewusst?«

»Das ist allgemein so üblich.«

»Also hat er Sie schon mal für eine Vorschau anderweitig verliehen.«

Dean schüttelte den Kopf. »Das hat er nicht. Er hat nie etwas von einer Vorschau gesagt, was er leicht hätte tun können. Ich war schließlich nicht in der Lage, ihm irgendetwas abzuschlagen.«

»Neun Stunden«, sagte Neagley.

»Weitere dreihundertfünfzigtausend Quadratkilometer«, sagte Dixon.

Dreihunderteinundfünfzigtausendfünfunddreißig, dachte Reacher automatisch. Allein dieser Zuwachs war so groß wie fast ganz Kalifornien oder über die Hälfte von Texas. Eine Kreisfläche wurde mit der Formel »Radius im Quadrat mal *Pi*« berechnet, und es war dieses *im* Quadrat, das die Fläche so rasch größer werden ließ.

»Sie kommen hierher«, sagte er. »Das müssen sie.«

Niemand antwortete.

Dean nahm sie mit hinein. Sein Haus war ein lang gestreckter niedriger Bungalow aus Beton und Holz. Der nackte Sichtbeton bekam schon eine fast gelbliche Patina. Die massiven Balken waren dunkelbraun gestrichen. Es gab einen riesigen Wohnbereich mit Navajoteppichen, abgewohnten Möbeln und einem offenen Kamin, in dem noch Asche aus dem vergangenen Winter lag. Wandhohe Schränke standen voller Bücher. Überall lagen CDs herum. Ein Prunkstück des Raums war die Stereoanlage mit Röhrenverstärker und Hornlautsprechern. Alles zusammen sah wie der in Erfüllung gegangene Wunschtraum eines Stadtflüchtlings aus.

Dean ging in die Küche, um Kaffee zu machen, und Dixon sagte: »Neuneinhalb Stunden.« Neagley und O'Donnell verstanden nicht, was sie meinte, aber Reacher wusste es sofort. Ging man von einem Durchschnitt des Lastwagens von achtzig Stundenkilometern aus und nahm *Pi* als 3,14 an, war das potenzielle Suchgebiet nach neuneinhalb Stunden genau anderthalb Millionen Quadratkilometer groß.

»Mahmoud ist vorsichtig«, erklärte Reacher. »Er kauft garantiert keine Katze im Sack. Entweder ist's sein Geld, das er nicht vergeuden will, oder das Geld anderer Leute, und er will nicht dafür geköpft werden, dass er's vergeudet hat. Er kommt!«

»Dean behauptet das Gegenteil.«

»Dean sagt nur, dass er nicht schon vorher davon erfahren hat. Das ist ein Unterschied.«

Nach einiger Zeit kehrte Dean zurück und bot Kaffee an. Alle schwiegen eine Weile. Dann wandte Reacher sich an Dean und erkundigte sich. »Haben Sie die Elektroinstallation hier selbst gemacht?«

Dean sagte: »Teilweise.«

»Haben Sie Kunststoffkabelbinder?«

»Jede Menge. In der Werkstatt nach hinten raus.«

»Sie sollten nach Norden fahren«, sagte Reacher. »Fahren Sie nach Palmdale, frühstücken Sie irgendwo.«

»Jetzt gleich?«

»Jetzt gleich. Bleiben Sie auch zum Mittagessen. Kommen Sie erst nachmittags zurück.«

»Wieso? Was passiert hier?«

»Weiß ich noch nicht genau. Aber Sie sollten nicht dabei sein.«

Dean blieb noch einen Augenblick sitzen. Dann stand er auf, nahm seine Schlüssel mit und ging hinaus. Sie hörten den Motor seines Wagens anspringen. Hörten Kies knirschen. Dann verhallten diese Geräusche, und im Haus war es wieder still.

Dixon sagte: »Neundreiviertel Stunden.« Reacher nickte. Der Kreis hatte jetzt eine Fläche von 1,825 Millionen Quadratkilometern.

»Er kommt«, sagte Reacher.

Um 1.17 Uhr morgens war der Kreis dann zweieinhalb Millionen Quadratkilometer groß. Reacher fand in einem der Bücherschränke einen Straßenatlas, überlegte sich die beste Route und rechnete sich aus, dass Denver achtzehn Stunden entfernt war, was eine Ankunft gegen sechs Uhr morgens wahrscheinlich machte. Aus Mahmouds Sicht ideal. Lamaison würde ihm von der Drohung gegen Deans Tochter erzählt haben, und er würde sich ausrechnen, dass die Kleine um sechs Uhr morgens auf jeden Fall zu Hause wäre. Was Dean nachdrücklich an seine Verwundbarkeit erinnern würde. Mahmoud würde vielleicht unangemeldet auftauchen, aber dass er davon ausging, das Gewünschte zu bekommen, stand außer Zweifel.

Reacher stand auf und drehte eine Runde, erst draußen, dann im Haus. Zu dem Anwesen gehörten der Bungalow, eine Garage und die Werkstatt, von der Dean gesprochen hatte. Dahinter kam nichts, gar nichts mehr. Die Nacht war stockfinster, aber Reacher konnte ringsum weite, stille Leere spüren. Innen wirkte das Haus schlicht: Arbeitszimmer, Küche, Wohnraum, drei Schlafzimmer.

Eines dieser Zimmer gehörte der Tochter. Dort hingen

Ausdrucke von eingescannten Fotos an einer Pinnwand. Gruppen von Teenagern, jeweils zu dritt oder viert. Vermutlich das Mädchen und ihre Freundinnen. Im Ausschlussverfahren stellte Reacher fest, welches Mädchen auf allen Bildern zu sehen war. Vermutlich Deans Tochter. Ihre Kamera, ihr Zimmer. Sie war ein hochgewachsenes blondes Mädchen, ungefähr vierzehn, noch etwas linkisch, mit Zahnspange. Aber in ein bis zwei Jahren würde sie eine Schönheit sein – und das mindestens dreißig Jahre lang bleiben. Etwas, das einem das Schicksal nehmen konnte. Reacher begriff, wie verzweifelt Dean gewesen sein musste, und wünschte sich, Lamaison hätte in der Luft etwas lauter gekreischt.

Die Leute sagen, am dunkelsten sei die Nacht kurz vor Tagesanbruch, aber die Leute haben unrecht. Per Definition ist die dunkelste Stunde der Nacht um Mitternacht. Gegen fünf Uhr morgens begann der Himmel im Osten hell zu werden. Um halb sechs war die Sicht bereits ziemlich gut. Reacher machte einen weiteren Spaziergang. Dean besaß keine Nachbarn. Er wohnte von Tausenden von Hektar Wüste umgeben. Die Sicht bis zu allen Horizonten war klar. Wertloses, sonnenverbranntes Land. Die Hochspannungsleitung verlief in Nord-Süd-Richtung, bis sie sich im Dunst verlor. Von Südosten her führte eine Schotterstraße zu Deans Anwesen. Sie war mindestens anderthalb Kilometer lang, vielleicht auch länger.

Reacher folgte ihr ein Stück weit, dann drehte er sich um und kontrollierte, was Mahmoud bei seiner Ankunft sehen würde. Der Hubschrauber war nicht zu entdecken. Wie es der Zufall wollte, verdeckten einige Mesquitebüsche den oberen Abschluss der Rotorwelle. Reacher fuhr Neagleys Civic hinter die Garage und überprüfte das Bild nochmals. *Perfekt.* Eine wie schlafend daliegende Gruppe von drei Gebäuden, niedrig und staubig, beinahe Teil der Landschaft. In hundert Metern Entfernung sah er einen flachen Felsblock, der in Form und Größe an einen Sarg erinnerte. Er ging dorthin, holte Tony Swans Betonbrocken aus der Tasche und stellte ihn wie ein kleines Denkmal auf den Felsen.

Auf dem Rückweg warf er dann einen Blick in die Werkstatt. Die Tür war nicht abgesperrt. Der gut eingerichtete Raum wirkte aufgeräumt und sauber und roch nach von der Sonne erhitztem Maschinenöl. Er fand eine Kunststoffbox mit schwarzen Kabelbindern und nahm acht der längsten mit. Sie waren ungefähr einen halben Meter lang, dick und steif und zur Befestigung schwerer Kabel in dafür eingerichteten Schaltkästen gedacht.

Er ging ins Haus zurück, um zu warten.

Sechs Uhr kam, aber Mahmoud nicht. Jetzt hatte der Kreis eine Fläche von fast sechseinhalb Millionen Quadratkilometern. Sechs Uhr fünfzehn kam und ging: etwas über sechs Komma sieben Millionen Quadratkilometer. Halb sieben: sieben Millionen.

Dann, genau um 6.32 Uhr, klingelte das Telefon, nur einmal, kurz und sanft.

»Jetzt geht's los«, sagte Reacher. »Eben hat jemand die Telefonleitung gekappt.«

Sie traten an die Fenster. Warteten. Dann erkannten sie etwa fünf Kilometer südwestlich einen in der Morgensonne glitzernden weißen Punkt. Ein Fahrzeug, das sich rasch näherte und dabei eine khakifarbene Staubwolke hinter sich herzog, die von der tief stehenden Sonne wie ein Glorienschein angestrahlt wurde.

85

Sie traten von den Fenstern zurück, warteten angespannt und schweigend. Fünf Minuten später hörten sie das Knirschen von Steinen unter schweren Reifen und das gedämpfte Brummen eines ausgeleierten V-8-Motors aus Detroit. Das Knirschen verstummte, der Motor wurde abgestellt, eine Handbremse ratschend angezogen und kurz darauf eine blecherne Tür zugeknallt. Dann folgten Schritte im Kies. Das war der Fahrer, der gähnend und sich reckend zur Haustür ging.

Gleich darauf wurde an die Haustür geklopft.

Reacher wartete.

Das Klopfen wiederholte sich.

Reacher zählte in Gedanken bis zwanzig, dann ging er den Flur entlang. Öffnete die Tür. Sah draußen einen Mann als Silhouette vor dem hellen Himmel stehen, mit einem mittelgroßen Kastenwagen im Rücken. Der Lastwagen war ein gemieteter U-Haul, weiß und rot, topplastig, ziemlich plump. Reacher hatte das Gefühl, ihn schon einmal gesehen zu haben. Nicht jedoch den Mann. Er war ungefähr vierzig, mittelgroß, mittelschwer, teuer gekleidet, aber etwas verknittert, hatte dichtes schwarzes, glänzendes und erstklassig geschnittenes Haar und den mittelbraunen Teint sowie die regelmäßigen Züge eines Inders oder Pakistaners, eines Iraners oder Syrers, eines Libanesen oder Algeriers oder sogar eines Israeli oder Italieners.

Azhari Mahmoud wiederum sah einen zerzausten riesenhaften Weißen vor sich. Zwei Meter groß, mindestens hundertzehn Kilo schwer, sehr kurzer Bürstenschnitt, kräftige, harte Handgelenke, gewaltige Pranken, staubige Jeans, Jeansjacke und Arbeitsstiefel. *Ein verrückter Wissenschaftler*, sagte er sich. *In dieser Bruchbude in der Wüste glücklich und zufrieden.*

»Edward Dean?«, fragte er.
»Ja«, antwortete Reacher. »Wer sind Sie?«
»Wie ich sehe, funktioniert hier kein Handy.«
»Und?«
»Ich habe Ihre Telefonleitung vorsichtshalber zehn Kilometer von hier durchtrennt.«
»Wer sind Sie?«
»Mein Name tut nichts zur Sache. Ich bin ein Freund von Allen Lamaison. Mehr brauchen Sie nicht zu wissen. Sie sollen mir die gleichen Gefälligkeiten erweisen wie ihm.«
»Allen Lamaison erweise ich keine Gefälligkeiten«, entgegnete Reacher. »Verpissen Sie sich also.«
Mahmoud nickte. »Ich will's anders ausdrücken. Die von Lamaison ausgesprochene Drohung gilt weiter. Und heute nutzt sie mir, nicht ihm.«
»Drohung?«, fragte Reacher.
»Gegen Ihre Tochter.«
Reacher schwieg.
Mahmoud sagte: »Sie werden mir zeigen, wie man die Little Wing scharf macht.«
Reacher sah zu dem U-Haul hinüber.
»Das kann ich nicht«, sagte er. »Sie haben nur die Elektronikpacks.«
»Die Raketen sind unterwegs«, erklärte Mahmoud. »Sie werden bald eintreffen.«
»Wo wollen Sie sie einsetzen?«
»Hier und dort?«
»Innerhalb der Staaten?«
»Hier gibt's reichlich Ziele.«
»Lamaison hat von Kaschmir gesprochen.«
»Vielleicht schicken wir speziellen Freunden ein paar Raketen.«
»Wir?«
»Wir sind eine große Organisation.«

»Ich tu's nicht.«

»Doch Sie machen mit. Genau wie bisher. Aus dem gleichen Grund.«

Reacher zögerte kurz, dann sagte er: »Kommen Sie lieber rein.«

Er trat beiseite. Mahmoud war es gewöhnt, ehrerbietig behandelt zu werden, deshalb zwängte er sich an ihm vorbei und ging durch den Flur voraus. Reacher traf seinen Hinterkopf mit einem schweren Schlag, der ihn zur Wohnzimmertür stolpern ließ. Dort trat ihm Frances Neagley entgegen, die ihn mit einem sauberen Kinnhaken zu Boden schickte. Eine Minute später lag er hilflos gefesselt auf dem Boden im Flur: achterförmige Kabelbinder verbanden sein linkes Handgelenk mit dem rechten Fußknöchel und sein rechtes mit dem linken Knöchel. Die sehr fest angezogenen Kabelbinder schnitten tief ins Fleisch, das rund herum bereits anschwoll. Mahmoud, der eine blutige Unterlippe hatte, jammerte laut. Reacher versetzte ihm einen Tritt in die Rippen und forderte ihn auf, die Klappe zu halten. Dann ging er in den Wohnraum zurück, um auf den Lastwagen aus Denver zu warten.

Bei dem Lastwagen aus Denver handelte es sich um einen weißen Sattelschlepper mit sechs Achsen. Der Fahrer war noch keine zwei Minuten aus dem Fahrerhaus geklettert, als er bereits wie Mahmoud gefesselt neben ihm am Boden lag. Dann schleifte Reacher Mahmoud ins Freie und ließ ihn neben seinem U-Haul auf dem Rücken in der Sonne liegen. In Mahmouds Blick lag Angst. Er wusste genau, was ihm bevorstand. Reacher vermutete, er wäre lieber tot gewesen, deshalb ließ er ihn dort draußen lebend zurück. O'Donnell schleifte den Fahrer hinaus und ließ ihn neben seinem Sattelschlepper liegen.

Sie blieben alle einen Moment stehen, sahen sich ein letztes Mal um, zwängten sich dann in Neagleys Civic und rasten nach Süden davon. Sobald die Handys wieder funktionierten, rief Neagley ihren Mann im Pentagon an. Halb acht Uhr im Westen, halb elf im Osten. Sie erklärte ihm, wo er suchen lassen solle und was er dort finden werde. Dann fuhren sie weiter. Reacher schaute nach hinten, und bevor sie auch nur die Berge erreichten, sah er eine ganze Hubschrauberstaffel am Horizont nach Westen fliegen. Bell AH-1 vom nächsten Stützpunkt der Heimatschutzbehörde, vermutete er. Der Himmel war voll von ihnen.

Während einer Pause jenseits der Berge sprachen sie über Geld. Neagley gab Dixon die Wertpapiere und Diamanten. Sie waren sich einig darüber, dass Karla sie nach New York mitnehmen und zu Geld machen sollte. Als Erstes würde Neagley davon ihre Auslagen ersetzt bekommen; an zweiter Stelle stand die Einrichtung von Treuhandfonds für Angela und Charlie Franz, Tammy Orozco mit ihren drei Kindern und Sanchez' Freundin Milena; drittens sollte ein Tierschutzverein im Namen von Toby Swans Hündin Maisi eine großzügige Spende erhalten.

Dann wurde es heikel. Neagley verdiente sehr gut, aber Reacher spürte, dass Dixon und O'Donnell finanziell keineswegs auf Rosen gebettet waren. Weil sie Geld brauchten, hätten sie gerne gefragt, aber andererseits war es ihnen peinlich. Deshalb gestand er als Erster ein, dass er abgebrannt sei, und schlug vor, den verbleibenden kleinen Rest unter sie vier aufzuteilen – gewissermaßen als Honorar. Damit waren alle einverstanden.

Danach sprachen sie nicht mehr viel miteinander. Lamaison war tot, Mahmoud in Haft, aber das hatte die anderen nicht zurückgebracht. Und Reacher würde keine Antwort auf die große Frage erhalten: Hätte er sich vor dem Krankenhaus besser durchgesetzt als Dixon und O'Donnell, wenn der Stau auf dem 210er nicht gewesen wäre? Besser als Swan oder Franz, Sanchez oder Orozco? Vielleicht fragten die anderen sich das auch. Tatsächlich wusste er die Antwort nicht, und es bereitete ihm Verdruss, sie nicht zu kennen.

Zwei Stunden später waren sie auf dem LAX. Sie ließen den Civic in einer Feuerwehrzufahrt stehen und verteilten sich auf die verschiedenen Terminals und Fluggesellschaften. Bevor sie sich trennten, blieben sie auf dem Gehsteig stehen, schlugen ein letztes Mal die Fäuste aneinander und versprachen sich zum Abschied ein baldiges Wiedersehen. Neagley ging zu American. Dixon machte sich auf den Weg zu America West. O'Donnell fahndete nach United. Reacher stand inmitten eilig dahinhastender Menschen in der Hitze und schaute ihnen nach, als sie davongingen.

Reacher verließ Kalifornien mit fast zweitausend Dollar in der Tasche: von den Dealern hinter dem Wachsmuseum in Hollywood, von Saropian in Vegas und den beiden Mistkerlen bei New Age in Highland Park. Deshalb hatte er fast vier Wochen lang immer Geld in der Tasche. Schließlich blieb er auf dem Busbahnhof in Santa Fe, New Mexico, an einem Geldautomaten stehen. Wie immer rechnete er sich zuerst sein Guthaben aus, bevor er nachsah, ob die Berechnung der Bank mit seiner eigenen übereinstimmte.

Zum zweiten Mal in seinem Leben war das nicht der Fall.

Die Maschine teilte ihm mit, sein Guthaben sei über hunderttausend Dollar höher als erwartet. Hundertelftausendachthundertzweiundzwanzig Dollar und achtzehn Cent.

111822,18.

Offenbar von Dixon. Kriegsbeute.

Auf den ersten Blick war er enttäuscht. Nicht von dem Betrag. Das war mehr Geld, als er je besessen hatte. Nein, er war von sich selbst enttäuscht, weil er aus dieser Zahl keine

Nachricht herauslesen konnte. Seiner Überzeugung nach hatte Dixon den eigentlichen Betrag um ein paar Dollar auf- oder abgerundet, um ihn zum Lächeln zu bringen. Aber er kapierte die Mitteilung nicht. Die Zahl war keine Primzahl. Keine gerade Zahl über zwei konnte eine Primzahl sein. Sie hatte Hunderte von Teilern. Ihr Kehrwert war langweilig, ihre Quadratwurzel ein langer Rattenschwanz von Ziffern, ihre Kubikwurzel noch schlimmer.

111822,18.

Dann setzte Enttäuschung über Dixon ein. Denn je mehr er darüber nachdachte, je mehr er sie analysierte, desto mehr festigte sich seine Überzeugung, dies sei wirklich nur eine stinknormale langweilige Zahl.

Dixon war nicht mit dem Kopf dabei gewesen.

Sie hatte ihn enttäuscht.

Vielleicht.

Vielleicht auch nicht.

Er drückte die Taste, um den Miniauszug anzufordern. Ein dünner Papierstreifen kam aus dem Schlitz. Schwacher grauer Druck, die fünf letzten Bewegungen auf seinem Konto. Ganz oben auf der Liste stand noch Neagleys erste Überweisung aus Chicago. Dann die fünfzig Dollar, die er auf dem Busbahnhof in Portland, Oregon, abgehoben hatte. An dritter Stelle sein Flug Portland – Los Angeles, mit dem damals alles angefangen hatte.

Viertens dann eine neue Überweisung: hunderteintausendachthundertzehn Dollar und achtzehn Cent.

Und am selben Tag eine weitere Überweisung: genau zehntausendzwölf Dollar.

101810,18.

10012.

Er lächelte. Dixon war also doch mit dem Kopf dabei gewesen. Sogar mit dem Herzen. Die erste Überweisung war 10-18, sogar wiederholt, um der Zahl Nachdruck zu verleihen, bei der Militärpolizei der Funkcode für »Auftrag ausgeführt«, sogar zweimal: 10-18, 10-18. O'Donnell und sie gerettet. Oder Lamaison und Mahmoud besiegt. Oder vielleicht beides.

Gut gemacht, Karla, dachte er.

Die zweite Überweisung gab Dixons Postleitzahl an: 10012. Greenwich Village. Wo sie wohnte. Ein geografischer Hinweis.

Ein Wink.

Sie hatte gefragt: *Hättest du Lust, anschließend in New York vorbeizuschauen?*

Reacher lächelte wieder, knüllte den dünnen Papierstreifen zusammen und warf ihn in den Abfalleimer. Ließ sich von dem Gerät hundert Dollar auszahlen, ging weiter und besorgte sich eine Fahrkarte für den ersten Bus, den er sah. Er hatte keine Ahnung, wohin dieser fuhr.

Er hatte geantwortet: *Ich mache keine Pläne, Karla.*

LESEPROBE

»Es gibt Autoren, die mich süchtig machen. Lee Child ist einer von ihnen.«
Tobias Gohlis, DIE ZEIT

Hat es Sie erwischt? Werden auch Sie zu einer »Reacher Creature«, und lesen Sie, wie es in Lee Childs neuem Roman »Outlaw« weitergeht!

gebundene Ausgabe, 448 Seiten
Deutsch von Wulf Bergner

1

Die Sonne war nur halb so heiß, wie er die Sonne schon erlebt hatte, aber sie war heiß genug, um ihn verwirrt und benommen zu machen: Er war sehr schwach. Er hatte seit zweiundsiebzig Stunden nichts mehr gegessen, seit achtundvierzig nichts mehr getrunken.

Nicht schwach. Er starb, das wusste er.

Vor seinem inneren Auge erschienen Bilder von wegdriftenden Gegenständen. Ein Ruderboot, das auf einem schnell dahinfließenden Fluss an einer verrotteten Festmachleine zerrte, bis sie brach. Seine Perspektive war die eines kleinen Jungen, der in dem Boot kauerte und hilflos die Flussufer anstarrte, während der Steg kleiner wurde.

Oder ein Luftschiff, das in einer sanften Brise am Ankermast schwoit, sich dann irgendwie losreißt und langsam höher und höher steigt, während der Junge in der Führergondel unter sich winzige, aufgeregt durcheinanderlaufende Gestalten sieht, die winken und dem Ausreißer sorgenvoll nachstarren.

Dann verblassten diese Fantasien, weil Worte jetzt wichtiger zu sein schienen als Bilder, was absurd war, weil er sich sonst nie für Worte interessiert hatte. Aber bevor er starb, wollte er wissen, welche Worte ihm gehörten. Welche waren auf ihn anwendbar? War er ein Mann oder ein Junge? Er war als beides angesprochen worden. *Sei ein Mann,* hatten einige gesagt. Andere hatten beteuert: *Der Junge kann nichts dafür.* Er war alt genug, um zu wählen und zu töten und zu sterben, was ihn zu einem Mann machte. Er war zu jung, um Alkohol trinken zu dürfen, nicht mal ein Bier, was ihn zu einem Jungen machte. War er tapfer oder ein Feigling? Er war schon beides genannt worden. Man hatte ihn als nicht ganz dicht, geistesgestört, geistig verwirrt, unausgeglichen, wahnhaft oder traumatisiert bezeichnet – lauter Dinge, die er verstand und akzeptierte – bis auf nicht ganz dicht. Sollte er *dicht* sein? Wie eine Tür? Vielleicht waren die Leute Türen. Vielleicht gingen Dinge durch sie hindurch. Vielleicht klapperten sie im Wind. Er dachte einen langen Augenblick über diese Frage nach, dann machte er frustriert eine abwehrende Handbewegung. Er brabbelte wie ein Teenager, der vom Kiffen nicht mehr loskommt.

Genau das und kein bisschen mehr war er vor anderthalb Jahren gewesen.

Er fiel auf die Knie. Der Sand war nur halb so heiß, wie er Sand schon erlebt hatte, aber heiß genug, um ihn etwas weniger frösteln zu lassen. Er sank nach vorn aufs Gesicht, erschöpft, endgültig verausgabt. Er wusste so sicher, wie er jemals etwas gewusst hatte, dass er die Augen nie mehr öffnen würde, wenn er sie jetzt schloss.

Aber er war sehr müde.

So entsetzlich müde.

Müder, als es ein Mann oder Junge jemals gewesen war.

Er schloss die Augen.

2

Die Linie zwischen Hope – Hoffnung – und Despair – Verzweiflung – war genau das: ein quer über die Straße verlaufender Strich, wo die Straßendecke einer Gemeinde aufhörte und die einer anderen begann. Das Straßenbauamt von Hope hatte eine dicke schwarze Asphaltschicht auftragen und glatt walzen lassen. Despair hatte weniger Geld. Das war offensichtlich. Seine Straßenbauer hatten unebenen Makadam mit Teer eingesprüht und mit grauem Rollsplit bestreut. Wo die beiden Beläge aneinanderstießen, befand sich ein zwei Finger breites Niemandsland: ein mit einer gummiartigen schwarzen Masse ausgefüllter Spalt. Eine Dehnungsfuge. Eine Grenze. Eine Linie. Jack Reacher überschritt sie, ohne sein Tempo zu verringern, und ging weiter. Er achtete gar nicht auf sie.

Aber später erinnerte er sich an sie. Später konnte er sie sich in allen Einzelheiten ins Gedächtnis zurückrufen.

Hope und Despair lagen beide in Colorado. Reacher befand sich in Colorado, weil er vor zwei Tagen in Kansas gewesen war, das an Colorado grenzte. Er war nach Südwesten unterwegs. Er hatte sich in Calais, Maine, aufgehalten und es sich in den Kopf gesetzt, den Kontinent diagonal zu durchqueren – bis nach San Diego in Kalifornien. Calais war der letzte größere Ort im Nordosten, San Diego der letzte größere Ort im Südwesten. Von einem Extrem zum anderen. Vom Atlantik zum Pazifik, von kühl und feucht zu heiß und trocken. Er nahm Busse, wo es welche gab, und fuhr per Anhalter, wo es keine gab. Nahm ihn niemand mit, ging er zu Fuß. In Hope war er auf dem Beifahrersitz eines flaschengrünen Mercury Grand Marquis eingetroffen, der von einem pensionierten Knopfverkäufer gefahren wurde. Jetzt verließ er das Gemeindegebiet zu Fuß, weil an diesem Morgen anscheinend niemand nach Westen, nach Despair, wollte.

Auch an diese Tatsache erinnerte er sich später. Und er fragte sich, weshalb er sich nicht nach dem Grund dafür gefragt hatte.

Was seine große Diagonale betraf, war er etwas vom Kurs abgekommen. Im Idealfall hätte er genau südwestlich nach New Mexico unterwegs sein sollen. Aber er beharrte nicht auf unbedingter Planerfüllung. Der Grand Marquis war ein bequemer Wagen und der alte Kerl auf Hope fixiert gewesen, weil er dort drei Enkel besuchen wollte, bevor er nach Denver weiterfuhr, wo weitere vier auf ihn warteten. Reacher hatte sich geduldig die Familiengeschichten des Alten angehört und sich überlegt, dass ein Zickzackkurs – erst nach Westen, dann nach Süden – völlig in Ordnung war. Vielleicht waren zwei Seiten eines Dreiecks unterhaltsamer als eine Gerade. Und als er in Hope auf einer Karte entdeckte, dass siebzehn Meilen weiter westlich Despair lag, konnte er der Versuchung, diesen kleinen Umweg zu machen, nicht widerstehen. Metaphorisch gesehen hatte er die Strecke von Hoffnung nach Verzweiflung in seinem Leben schon mehrmals zurückgelegt. Die sich hier bietende Gelegenheit, das einmal wirklich zu tun, musste man nutzen, fand er.

Auch an diese Laune würde er sich später erinnern.

Die gerade, zweispurige Straße zwischen den beiden Orten stieg nach Westen hin leicht an. Nichts Dramatisches. Der Osten Colorados, in dem Reacher sich befand, war ziemlich eben. Genau wie Kansas. Aber vor ihm waren die Rocky Mountains zu sehen – blau und massiv und im Dunst verschwimmend. Sie schienen sehr nahe zu sein. Dann waren sie's plötzlich nicht mehr. Reacher überwand eine leichte Steigung und begriff plötzlich, weshalb die eine Kleinstadt Hope und die andere Despair hieß. Siedler, die sich hundertfünfzig Jahre vor ihm nach Westen gequält hatten, mussten bei einem Halt in der späteren Kleinstadt Hope den Eindruck gehabt haben, das letzte große Hindernis sei zum Greifen nahe. Hatten sie einen Tag, eine Woche oder einen Monat lang gerastet und waren dann weitergezogen, mussten sie an genau dieser Stelle gemerkt haben, dass die scheinbare Nähe der Rockys nur eine grausame optische Täuschung war. Ein Beleuchtungstrick. Von diesem erhöhten Punkt aus schien die große Felsbarriere wieder weit weg, sogar unerreichbar fern zu sein. Hunderte von endlosen Meilen, vielleicht Tausende von Meilen entfernt – obwohl auch das eine Illusion war. Reacher schätzte, dass es bis zu den ersten bedeutenden Gipfeln ungefähr zweihundert Meilen waren. Ein vierwöchiger anstrengender Treck zu Fuß oder auf von Maultieren gezogenen Wagen durch eintönige Wildnis mit gelegentlichen Planwagenspuren, die Jahrzehnte alt waren. Vielleicht ein sechswöchiger Treck, noch dazu zur falschen Jahreszeit. Insgesamt keine Katastrophe, aber sicherlich eine herbe Enttäuschung, ein unerwarteter Schlag, der schwer genug war, um die Ängstlichen und Ungeduldigen zwischen zwei Blicken zum Horizont von Hoffnung zur Verzweiflung zu treiben.

Reacher verließ den Rollsplit von Despair und ging durch verkrusteten Sand zu einem Tafelfelsen von der Größe eines Autos. Er kletterte hinauf, streckte sich mit hinter dem Kopf gefalteten Händen aus und starrte zum blassblauen Himmel auf, über den sich lange Federwolken zogen; vielleicht die Reste der Kondensstreifen von Nachtflugzeugen, die von Küste zu Küste unterwegs gewesen waren. Früher, als er noch geraucht hatte, hätte er sich jetzt vielleicht eine Zigarette angezündet, um sich die Zeit zu vertreiben. Aber wer rauchen wollte, musste mindestens eine Packung und ein Streichholzbriefchen in der Tasche haben, und Reacher verzichtete seit Langem darauf, sich mit Überflüssigem zu belasten. In den Taschen befand sich nichts außer Papiergeld, einem abgelaufenen Pass, einer Bankkarte für Geldautomaten und einer zusammenklappbaren Zahnbürste. Auch anderswo wartete nichts auf ihn. Kein Lagerraum in irgendeiner fernen Stadt, nichts bei Freunden Untergestelltes. Ihm gehörten die Dinge in seinen Taschen, die Kleidung, die er trug, und die Schuhe an seinen Füßen. Das war alles, und es genügte. Alles, was er brauchte, aber nichts Überflüssiges.

Er stand auf und stellte sich auf dem Felsen auf die Zehenspitzen. Im Osten hinter ihm erstreckte sich eine flache Senke mit etwa zehn Meilen Durchmesser, in deren Mitte acht bis neun Meilen entfernt die Kleinstadt Hope lag: ungefähr zehn Straßenblocks mit Klinkergebäuden, dazu in den Außenbezirken verstreute Häuser, Farmen, Scheunen und weitere Bauten aus Holz und Wellblech. Gemeinsam ergaben sie einen warmen niedrigen Fleck im Dunst. Vor ihm im Westen lagen Zehntausende von ebenen Quadratmeilen, die bis auf die Bänder ferner Straßen und die Kleinstadt Despair acht bis neun Meilen vor ihm völlig leer waren. Despair war schwerer auszumachen als Hope. Der Dunst im Westen schien stärker zu sein. Einzelheiten konnte man nicht erkennen, aber dieses Prärienest wirkte größer als Hope und war tropfenförmig, mit einem konventionellen Geschäftsbezirk südlich der Hauptstraße, an den sich ein weiteres Gewerbegebiet anschloss, in dem es vielleicht Industrie gab, was den Smog erklärt hätte. Despair machte einen weniger freundlichen Eindruck als Hope. Kalt, wo Hope warm ausgesehen hatte; grau, wo Hope heiter erschienen war. Es wirkte abweisend. Reacher überlegte sekundenlang, ob er umkehren und von Hope aus nach Süden weiterziehen solle, um wieder auf Kurs zu kommen; doch er verwarf diesen Gedanken, noch bevor er ganz formuliert war. Reacher hasste es umzukehren. Er marschierte gern vorwärts, volle Kraft voraus, wohin auch immer. Das Leben jedes Menschen brauchte ein Ordnungsprinzip, und Reachers Credo war rastlose Fortbewegung.

Später ärgerte er sich über sich selbst, weil er so wenig flexibel gewesen war.

Er sprang von dem Felsen, folgte einer langen Diagonalen durch den Sand und erreichte die Straße zwanzig Meter westlich der Stelle, an der er sie verlassen hatte. Er blieb am linken Straßenrand und ging mit langen Schritten weiter: in mühelosem Tempo, etwas über drei Meilen in der Stunde, dem Gegenverkehr zugewandt, die sicherste Methode. Aber es gab keinen Gegenverkehr. Es gab überhaupt keinen Verkehr. Die Straße war verlassen. Kein Fahrzeug benutzte sie. Kein Personenwagen, kein Laster. Nichts. Keine Chance, mitgenommen zu werden. Reacher war leicht verwundert, aber ansonsten unbesorgt. Er war in seinem Leben schon oft mehr als siebzehn Meilen am Stück marschiert. Er strich sich die Haare aus der Stirn, zog sein Hemd an den Schultern vom Körper und hielt weiter auf das zu, was vor ihm liegen mochte.

3

Der Stadtrand wurde durch ein unbebautes Grundstück markiert, auf dem vielleicht vor zwanzig Jahren etwas hätte gebaut werden sollen. Dann kam ein altes Motel: geschlossen, mit Brettern vernagelt, anscheinend endgültig aufgegeben. Schräg gegenüber und fünfzig Meter westlich befand sich eine Tankstelle. Zwei Zapfsäulen, beide alt. Nicht die ländlichen Relikte, die Reacher von Edward Hoppers Gemälden kannte, aber trotzdem um einige Modellgenerationen veraltet. Hinter den Zapfsäulen lag eine kleine Hütte mit einem schmutzigen Fenster, in dem Literdosen Öl zu einer Pyramide aufgetürmt waren. Reacher überquerte den Vorplatz und streckte seinen Kopf durch die Tür. In der dunklen Hütte roch es nach Kreosot und heißem rohem Holz. Hinter der Theke stand ein Kerl in einem blauen Overall mit schwarzen Schmutzflecken. Er war ungefähr dreißig und auffällig hager.

»Haben Sie Kaffee?«, fragte Reacher.

»Das hier ist 'ne Tankstelle«, antwortete der Kerl.

»Tankstellen verkaufen Kaffee«, sagte Reacher. »Und Wasser und Limonade.«

»Diese nicht«, entgegnete der Kerl. »Wir verkaufen Benzin.«

»Und Öl.«

»Wenn Sie welches wollen.«

»Gibt's in der Stadt einen Coffeeshop?«

»Es gibt ein Restaurant.«

»Nur eines?«

»Mehr brauchen wir nicht.«

Reacher trat ins Tageslicht hinaus und setzte seinen Weg fort. Hundert Meter weiter westlich legte die Straße sich Gehsteige zu und änderte ihren Namen ausweislich des Straßenschilds an einem Pfosten in Main Street. Zehn Meter weiter folgte der erste bebaute Straßenblock. Er begann mit einem düsteren Klinkerwürfel, zwei Stockwerke hoch, auf der südlichen linken Straßenseite. Vielleicht ein ehemaliges Textilkaufhaus, in dem sich noch immer ein Einzelhandelsgeschäft befand. Durch die staubigen Schaufenster konnte Reacher Kunden und Stoffballen sowie Stapel von Haushaltswaren aus Kunststoff sehen. Daneben stand ein identischer dreigeschossiger Klinkerwürfel, dann noch einer und noch einer. Das Stadtzentrum schien ungefähr zwölf mal zwölf Blocks zu umfassen und konzentrierte sich vor allem südlich der Main Street. Reacher war kein Architekturkenner und wusste, dass er sich weit westlich des Mississippis befand, aber die ganze Atmosphäre erinnerte ihn an eine alte Fabrikstadt in Connecticut oder Cincinnati vom Fluss aus gesehen. Alle Bauten waren schlicht und streng, schmucklos und veraltet. Er hatte Filme über amerikanische Kleinstädte gesehen, in denen die Sets herausgeputzt worden waren, damit sie perfekter und lebendiger als die Realität wirkten. Dieses Nest war das genaue Gegenteil. Man hätte glauben können, ein Designer und ein ganzes Team von Helfern hätten geschuftet, um es schäbiger und düsterer aussehen zu lassen als unbedingt nötig. Auf den Straßen herrschte nur wenig Verkehr. Limousinen und Pick-ups fuhren langsam, fast träge. Keiner von ihnen war neuer als drei Jahre. Auf den Gehsteigen waren kaum Fußgänger unterwegs.

Reacher bog auf gut Glück nach links ab und machte sich daran, das angekündigte Restaurant zu finden. Er suchte ein Dutzend Blocks ab und kam an einem Lebensmittelgeschäft, einem Herrenfriseur, einer Bar, einer Pension und einem heruntergekommenen alten Hotel vorbei, bevor er das Lokal fand. Es nahm das gesamte Erdgeschoss eines weiteren Klinkerwürfels ein. Die Decke war ungewöhnlich hoch, und fast die gesamte Straßenfront bestand aus wandhohen Flachglasfenstern. Vielleicht war dies früher der Ausstellungsraum eines Autohändlers gewesen. Der Fußboden war gefliest, die Tische und Stühle bestanden aus einfachem braunem Holz, und die Luft roch nach gekochtem Gemüse. Innen gab es neben dem Eingang eine kleine Kassentheke, auf der ein Schild mit der Aufschrift *Bitte warten, bis Sie platziert werden* auf einem kurzen Messingstiel mit schwerem Fuß stand. Das gleiche Schild, das er überall gesehen hatte, von Küste zu Küste. Die gleiche Schrift, die gleichen Farben, die gleiche Form. Vermutlich gab es irgendwo eine Firma für Gastronomiebedarf, die es in Millionenauflage herstellte. Reacher hatte identische Schilder in Calais, Maine, gesehen und erwartete, in San Diego, Kalifornien, weitere zu entdecken. Er blieb an der Theke stehen und wartete.

Und wartete.

In dem Restaurant aßen elf Gäste. Drei Paare, ein Trio und zwei Einzelpersonen. Eine Bedienung. Sonst kein Servierpersonal. Niemand an der Kasse. Kein ungewöhnliches Zahlenverhältnis. Reacher, der in Tausenden solcher Lokale gegessen hatte, kannte den verborgenen Rhythmus. Die einzelne Bedienung würde bald zu ihm hinüberblicken, wie um zu sagen: *Bin gleich für Sie da.* Dann würde sie eine Bestellung aufnehmen, rasch noch ein Gericht servieren und herübergehastet kommen, sich dabei vielleicht eine Haarsträhne aus dem Gesicht blasen – eine Geste, die entschuldigend und zugleich Sympathie heischend gemeint war. Sie würde eine Speisekarte von dem Stapel nehmen, ihn zu einem Tisch führen, dann wegflitzen und strikt der Reihenfolge nach wieder zu ihm kommen.

Aber sie tat nichts dergleichen.

Sie sah zu ihm hinüber. Nickte jedoch nicht. Betrachtete ihn nur einige Sekunden lang und schaute dann weg. Machte weiter, was sie bisher getan hatte. Was inzwischen nicht mehr sehr viel war. Ihre elf Gäste waren alle zufriedengestellt. Im Augenblick spielte sie nur die Vielbeschäftigte. Sie ging von einem Tisch zum anderen, fragte, ob alles recht sei, und schenkte Leuten, die kaum ein paar Schlucke genommen hatten, Kaffee nach. Reacher drehte sich zur Glastür um, weil er kontrollieren wollte, ob er ein Schild mit Öffnungszeiten übersehen hatte. Vielleicht würde der Laden ja gleich schließen. Das war nicht der Fall. Er kontrollierte sein Spiegelbild, um zu prüfen, ob er unmöglich angezogen war. Das war nicht der Fall. Er trug ein dunkelgraues Hemd mit dazu passender dunkelgrauer Hose, beides vor zwei Tagen in einem Geschäft für

Hausmeisterbedarf in Kansas gekauft. Geschäfte für Hausmeisterbedarf waren seine neueste Entdeckung. Strapazierfähige Qualitätskleidung ohne Schnickschnack zu vernünftigen Preisen. Ideal. Sein Haar war kurz geschnitten und ordentlich gekämmt. Er hatte sich an diesem Morgen rasiert. Der Reißverschluss seiner Hose war zu.

Er drehte sich um und wartete weiter.

Die Gäste wandten sich ihm einer nach dem anderen zu. Sie musterten ihn ganz offen und sahen dann wieder weg. Die Bedienung machte langsam eine weitere Runde durch den Raum und hatte Augen für alles, nur nicht für ihn. Reacher wartete, glich die Situation mit seiner geistigen Datenbank ab und versuchte sie zu verstehen. Dann verlor er die Geduld, ging an dem Schild vorbei, betrat das Restaurant und setzte sich an einen freien Vierertisch. Er rückte seinen Stuhl scharrend nach vorn und machte es sich bequem. Die Bedienung beobachtete ihn dabei, dann ging sie in die Küche hinaus.

Sie kam nicht wieder heraus.

Reacher saß da und wartete. In dem Raum herrschte Stille. Niemand sprach. Keine Geräusche außer dem leisen metallischen Klirren von Besteck auf Tellern, leicht schmatzenden Kaugeräuschen, dem keramischen Klicken von behutsam auf Untertassen abgestellten Tassen und dem hölzernen Knarren von Stuhlbeinen unter Körpern, die ihr Gewicht verlagerten. Diese winzigen Geräusche stiegen auf und echoten durch den Raum mit der wandhohen Fensterfront, bis sie ohrenbetäubend laut zu sein schienen.

Fast zehn Minuten lang passierte nichts.

Dann fuhr draußen ein alter Pick-up mit Doppelkabine vor. Nach einer Sekunde Pause stiegen vier Kerle aus und postierten sich auf dem Gehsteig. Sie bildeten eine enge kleine Formation, zögerten noch einen Augenblick und kamen dann ins Restaurant. Drinnen blieben sie erneut stehen, suchten den Raum ab und fanden die Zielperson. Sie kamen direkt an Reachers Tisch. Drei von ihnen setzten sich auf die freien Stühle, der vierte Typ baute sich

so am oberen Tischende auf, dass er Reacher den Weg nach draußen versperrte.

SPIEGEL-Bestsellerautor Lee Child erklärt, warum unsere Welt Helden braucht – heute mehr als jemals zuvor.

112 Seiten. ISBN 978-3-7645-0735-0

Niemand könnte diese Frage besser beantworten als Lee Child, dessen Romane um den einzigartigen Helden Jack Reacher sich millionenfach verkauft haben und die von keiner Bestsellerliste wegzudenken sind.
Von der Steinzeit über das alte Griechenland und die Zeit der Ritter bis zu James Bond – die Menschen jeder Kultur hatten und haben ihre Helden. Sie brauchen sie als Inspiration, als Motivation oder als moralischen Kompass. Messerscharf analysiert Lee Child die Herkunft der Heldengeschichten und wie sie die Welt veränderten. Und er legt dar, warum wir auch heute noch Helden brauchen – vielleicht mehr als jemals zuvor …

Lesen Sie mehr unter: **www.blanvalet.de**

Eine beschauliche Kleinstadt, 200 perfide Morde, unzählige skrupellose Verbrecher – und nur ein Mann kann sie aufhalten: Jack Reacher!

448 Seiten. ISBN 978-3-7645-0637-7

Jack Reacher folgt einem plötzlichen Impuls, als er in der Kleinstadt Mother's Rest irgendwo im Mittleren Westen aus dem Zug steigt. Die Privatermittlerin Michelle Chang wartete dort vergeblich auf ihren Partner und kommt mit Reacher ins Gespräch. Allein durch die wenigen beiläufig geäußerten Worte gerät dieser ins Visier einer skrupellosen Bande, die bereits Changs Partner auf dem Gewissen hat. Doch die Verbrecher unterschätzen, worauf sie sich einlassen, als sie auch Reacher ermorden wollen – denn niemand ist härter als Jack Reacher!

Lesen Sie mehr unter: **www.blanvalet.de**

Eine Terrorzelle plant einen Anschlag in Hamburg, und die U.S. Army schickt ihren besten Mann, um sie aufzuhalten: Jack Reacher.

416 Seiten. ISBN 978-3-7645-0716-9

Im Jahr 1996 belauscht ein Undercover-Agent der CIA ein Gespräch zwischen islamistischen Terroristen in Hamburg. »Der Amerikaner will hundert Millionen Dollar.« Doch er kann nicht herausfinden, wer diese Summe verlangt und wofür. Fest steht nur, dass es um einen Terroranschlag in ungeahntem Ausmaß geht. Die CIA stellt eine Spezialeinheit auf, um in Deutschland zu ermitteln. Dafür zieht sie mit Jack Reacher auch den besten Militärpolizisten hinzu, den die U.S. Army zu bieten hat. Und Reacher zögert keine Sekunde, die beste Ermittlerin, die er kennt, als Unterstützung hinzuzuziehen: Sergeant Frances Neagley.

Lesen Sie mehr unter: **www.blanvalet.de**